O QUE SOBRA

PRÍNCIPE HARRY

O QUE SOBRA

TRADUÇÃO
Cássio de Arantes Leite
Débora Landsberg
Denise Bottmann
Renato Marques

2ª reimpressão

Copyright © 2023 by príncipe Harry, duque de Sussex
Todos os direitos reservados.
Publicado mediante acordo com Random House, uma divisão da Penguin Random House LLC.

*Grafia atualizada segundo o Acordo Ortográfico da Língua Portuguesa de 1990,
que entrou em vigor no Brasil em 2009.*

Título original
Spare

Capa
Christopher Brand

Foto de capa
Ramona Rosales

Foto de quarta capa
Martin Keene/ PA Images

Foto da página 149
MoD/ Newspix International

Preparação
Natalia Engler

Revisão
Jane Pessoa
Luciane Gomide

Dados Internacionais de Catalogação na Publicação (CIP)
(Câmara Brasileira do Livro, SP, Brasil)

Harry, duque de Sussex, 1984-
    O que sobra / Harry, duque de Sussex ; tradução Cássio de
Arantes Leite...[et al.]. — 1ª ed. — Rio de Janeiro : Objetiva, 2023.

    Outros tradutores: Débora Landsberg, Denise Bottmann,
Renato Marques.
    Título original : Spare.
    ISBN 978-85-390-0747-9

    1. Experiências de vida 2. Harry, duque de Sussex, 1984-
3. Príncipes - Biografia - Grã-Bretanha 4. Relatos pessoais
I. Leite, Cássio de Arantes II. Título.

22-135582   CDD-923.10942

Índice para catálogo sistemático:
1. Príncipes : Biografia : Grã-Bretanha   923.10942

Aline Graziele Benitez — Bibliotecária — CRB-1/3129

Todos os direitos desta edição reservados à
EDITORA SCHWARCZ S.A.
Praça Floriano, 19, sala 3001 — Cinelândia
20031-050 — Rio de Janeiro — RJ
Telefone: (21) 3993-7510
www.companhiadasletras.com.br
www.blogdacompanhia.com.br
facebook.com/editoraobjetiva
instagram.com/editora_objetiva
twitter.com/edobjetiva

Para Meg, Archie e Lili... e, claro, minha mãe

O passado nunca está morto. Nem sequer é passado.
William Faulkner

Combinamos de nos encontrar algumas horas depois do funeral. Nos jardins de Frogmore, ao lado da antiga ruína gótica. Eu cheguei primeiro.

Olhei ao redor, não vi ninguém.

Conferi meu telefone. Não havia mensagens, não tinha nenhum recado de voz.

Eles devem ter se atrasado, pensei, encostando no muro de pedra.

Guardei o telefone e disse a mim mesmo: fica calmo.

O clima era típico de abril. Não exatamente de inverno, tampouco de primavera. As árvores estavam desfolhadas, mas o ar era ameno. O céu estava cinza, mas as tulipas brotavam. A luz era pálida, mas o lago cor de anil, que serpenteava pelos jardins, reluzia.

Como tudo aqui é bonito, ponderei. E como é triste.

Houve uma época em que eu achava que este seria meu lar para o resto da vida. Na realidade, se revelou apenas uma breve parada.

Quando minha esposa e eu fugimos deste lugar, temendo pela nossa sanidade e integridade física, eu não tinha certeza se um dia voltaria. Foi em janeiro de 2020. Agora, passados quinze meses, ali estava eu, dias depois de receber o e-mail que fez meu coração disparar: *Harry… o vovô faleceu.*

O vento ficou mais forte, esfriou. Encolhi os ombros, esfreguei os braços, lamentei o tecido fino da minha camisa branca. Queria não ter tirado o terno que usara no funeral. Queria ter pensado em levar um casaco. Virei de costas para o vento e vi, se elevando atrás de mim, a ruína gótica que, na verdade, era tão gótica quanto a roda-gigante London Eye. Um arquiteto engenhoso, um bocado de encenação. Como muita coisa aqui, pensei.

Passei do muro de pedra para um banco de pedra. Ao sentar, conferi meu telefone outra vez, olhei de um lado para outro do jardim.

Cadê eles?

Outra rajada de vento. Engraçado, me lembrou meu avô. Talvez seu comportamento invernal. Ou seu senso de humor gélido. Eu me recordei de um fim de semana de caça, anos antes. Tentando puxar conversa, um colega perguntou ao vovô o que ele achava da minha barba nova, que vinha gerando preocupação na família e controvérsia na imprensa. *A rainha devia obrigar o príncipe Harry a se barbear?* Vovô olhou para o meu colega, olhou para o meu queixo, deu um sorriso diabólico. *ISSO AÍ não é barba que se apresente!*

Todo mundo riu. Ter barba ou não ter barba, essa era a questão, mas só vovô seria capaz de exigir *mais* barba. *Eu queria mesmo era ver os pelos exuberantes de um viking!*

Pensei nas opiniões fortes do vovô, em suas muitas paixões — condução de carruagens, churrasco, caça, comida, cerveja. Sua forma de abraçar *a vida*. Ele tinha isso em comum com a minha mãe. Talvez por isso tenha sido um grande fã dela. Muito antes de se tornar a princesa Diana, quando era apenas a Diana Spencer, professora de jardim de infância, namorada secreta do príncipe Charles, vovô era seu defensor mais ruidoso. Alguns dizem que ele intermediou o casamento dos meus pais. Se foi o caso, pode-se dizer que vovô foi a Causa Principal da minha existência. Se não fosse por ele, eu não estaria aqui.

Nem meu irmão mais velho estaria.

No entanto, talvez a mamãe *estivesse* aqui. Se ela não tivesse se casado com meu pai...

Lembrei-me de uma conversa recente, só entre mim e o vovô, pouco depois de ele completar 97 anos. Ele estava pensando no fim. Já não conseguia mais se dedicar a suas paixões, declarou. Porém, o que mais lhe fazia falta era o trabalho. Sem trabalho, ele disse, tudo desmorona. Ele não parecia triste, apenas pronto. *A gente precisa saber a hora de ir embora, Harry.*

Eu agora olhava ao longe, para o pequeno horizonte de criptas e monumentos ao lado de Frogmore. O jazigo da Família Real. O lugar de descanso eterno de muitos de nós, inclusive a rainha Vitória. E também da notória Wallis Simpson. Além de Eduardo, seu marido duplamente notório, antigo rei e meu tio-avô. Depois que Eduardo abdicou do trono para casar com Wallis, depois que fugiram da Grã-Bretanha, os dois se afligiam com o regresso derradeiro — obcecados pela ideia de serem enterrados bem aqui. A rainha, minha avó, atendeu às suas súplicas. No entanto, os pôs distantes de todos os outros, debaixo de um plátano curvo. Um último dedo em riste, talvez. Um exílio final, quem sabe. Eu me perguntava o que Wallis e Eduardo achavam agora de toda a apreensão que haviam sentido. Será que tinha alguma relevância, no fim das contas? Ponderei se eles ponderavam sobre o assunto. Estariam voando em um reino etéreo, ainda remoendo suas escolhas, ou estavam em Lugar Nenhum, pensando em Nada? Era mesmo possível existir um Nada depois disso? Será que a consciência, assim como o tempo, chega ao fim? Ou talvez, pensei, sabe-se lá, talvez eles estejam bem aqui, ao lado da ruína gótica fajuta, ou ao meu lado, entreouvindo meus pensamentos. E se é assim... *quem sabe minha mãe também não está?*

Pensar nela, como sempre, me deu uma pontada de esperança e uma onda de energia.

E uma fisgada de tristeza.

Sentia falta da minha mãe todos os dias, mas naquele dia, pouco antes do encontro assustador em Frogmore, me peguei com saudades dela, e não sabia explicar direito o porquê. Como muita coisa que dizia respeito a ela, era difícil colocar em palavras.

Embora minha mãe fosse uma princesa, batizada em homenagem a uma deusa, esses dois termos sempre me pareceram fracos, insuficientes. As pessoas habitualmente a comparavam a ícones e santas, de Nelson Mandela a Madre Teresa passando por Joana d'Arc, mas todas essas comparações, apesar de grandiosas e carinhosas, também deixavam muito a desejar. A mulher mais conhecida do planeta, uma das mais adoradas, minha mãe era simplesmente indescritível, essa era a mais pura verdade. E no entanto... como alguém que extrapolava tanto a linguagem cotidiana poderia continuar tão real, com uma presença tão palpável, tão perfeitamente vívida na minha cabeça? Como era possível vê-la com tanta nitidez quanto eu via o cisne que vinha em minha direção no lago cor de anil? Como eu podia ouvir sua risada tão alta quanto os pássaros canoros nas árvores desfolhadas — ainda? Havia tanta coisa de que não me lembrava, pois eu era muito novo quando ela faleceu, mas o milagre maior estava em tudo o que eu lembrava. Seu sorriso arrasador, os olhos vulneráveis, o amor pueril por filmes e música e roupas e doces — e por nós. Ah, como ela amava a mim e a meu irmão. *Obsessivamente*, ela confessou em uma entrevista.

Bom, mamãe... a recíproca é verdadeira.

Talvez ela fosse onipresente pela mesma razão que era indescritível — porque era luz, luz pura e radiante, e como descrever a luz? Até Einstein teve dificuldade. Há pouco tempo, astrônomos reorganizaram seus maiores telescópios, miraram uma fenda minúscula no cosmos e conseguiram ter o vislumbre de uma esfera de tirar o fôlego, a qual deram o nome de Eardegon, palavra do inglês antigo que significa Estrela-d'Alva. A bilhões de quilômetros daqui, e provavelmente há muito desaparecida, a luz de Eardegon está mais próxima do Big Bang, do momento da Criação, do que da nossa Via Láctea, mas ainda está visível a olhos mortais devido ao seu brilho incrível, estonteante.

Assim era minha mãe.

É por isso que ainda conseguia vê-la, senti-la, sempre, mas sobretudo naquela tarde de abril em Frogmore.

Por isso — e pelo fato de que eu estava carregando seu legado. Fui para o jardim porque queria paz. Queria paz acima de tudo. Queria paz pelo bem da minha família e pelo meu próprio bem — mas também por ela.

As pessoas esquecem do quanto minha mãe lutou pela paz. Ela deu a volta ao mundo inúmeras vezes, passeou por campos minados, afagou pacientes com aids, consolou órfãos de guerra, sempre se esforçando para trazer paz a alguém em algum lugar, e eu sabia o quanto ela iria querer — não, o quanto *queria* — paz entre os filhos dela, e entre nós dois e nosso pai. E entre a família inteira.

Os Windsor estavam em pé de guerra fazia meses. Havia discórdia entre nós, vez ou outra, há séculos, mas dessa vez era diferente. Era um rompimento público total, e ameaçava se tornar irreparável. Por isso, embora eu tivesse ido para casa específica e unicamente para participar do funeral do vovô, aproveitei que estava ali para pedir uma reunião secreta com meu irmão mais velho, Willy, e com meu pai, para conversar sobre o estado das coisas.

Para achar uma saída.

Mas agora eu olhava de novo para o meu telefone e mais uma vez para um lado e o outro do jardim e pensava: *Vai ver eles mudaram de ideia. Vai ver não vão aparecer.*

Por meio segundo, cogitei desistir, dar uma caminhada sozinho pelo jardim, ou retornar para a casa, onde todos os meus primos estavam bebendo e compartilhando histórias sobre o vovô.

Então, enfim, eu os vi. Lado a lado, vindo em minha direção, eles estavam carrancudos, quase ameaçadores. Além do mais, pareciam totalmente alinhados. Meu estômago embrulhou. Em geral estariam discutindo por uma questão qualquer, mas agora pareciam estar sintonizados — em conluio.

Uma ideia me passou pela cabeça: espera aí, esse encontro é para darmos um passeio... ou travarmos um duelo?

Levantei do banco de pedra, dei um passo titubeante em direção a eles, esbocei um sorriso vacilante. Eles não retribuíram. Agora meu coração estava realmente surrando o meu peito. Respira fundo, eu disse a mim mesmo.

Afora o medo, eu estava extremamente alerta e sentia uma vulnerabilidade intensíssima, que já tinha sentido em outros momentos importantes da minha vida.

Ao andar no encalço do caixão da minha mãe.

Ao voar rumo ao meu primeiro combate militar.

Ao dar uma palestra em meio a um ataque de pânico.

Havia essa mesma sensação de embarcar em uma jornada e de não saber se estava pronto para ela, apesar de também ter certeza de que não poderia dar meia-volta. Que o Destino já estava selado.

Ok, mamãe, pensei acelerando o passo, lá vamos nós. Me deseje sorte.

Nós nos encontramos no meio do caminho. *Willy? Pai? Oi.*

Harold.

Morno de doer.

Mudamos de direção, formamos uma fila, atravessamos a pontezinha coberta de hera.

A maneira como simplesmente descambamos nessa marcha síncrona, a maneira como, sem dizer nada, adotamos os mesmos passos regulares e cabeças abaixadas, além da proximidade daqueles túmulos — como não lembrar do funeral da mamãe? Disse a mim mesmo para não pensar naquilo, para pensar no farfalho agradável causado pelos nossos pés e no fato de que nossas palavras voavam como nuvens de fumaça ao vento.

Britânicos que somos, Windsor que somos, começamos a bater papo sobre o clima, viagens, esportes. Trocamos ideias a respeito do funeral do vovô. Ele tinha planejado tudo, até o mínimo detalhe, relembramos entre sorrisos pesarosos.

Conversa fiada. A mais fiada. Abordamos todos os assuntos secundários e fiquei esperando que entrássemos no principal, perguntando-me por que estava demorando tanto, e também como meu pai e meu irmão conseguiam transparecer tanta calma.

Olhei ao redor. Já tínhamos percorrido um bom caminho. Eu me dei conta de que já estávamos no meio do jazigo real, mais afundados em cadáveres do que o príncipe Hamlet. Parando para pensar... eu mesmo já não tinha pedido para ser enterrado ali? Horas antes de partir para a guerra, o Palácio disse que eu tinha que escolher, por escrito, o local onde meus restos mortais deveriam ser sepultados. *Caso o pior aconteça, Vossa Alteza Real... a guerra é uma coisa incerta...*

Eram várias as alternativas. A Capela de São Jorge? O jazigo real em Windsor, onde vovô acabara de ser acomodado?

Não, eu tinha escolhido aquele lugar ali porque os jardins eram encantadores e porque parecia pacato.

Com nossos pés quase no rosto de Wallis Simpson, meu pai se lançou em uma pequena palestra sobre este personagem aqui, aquele primo real ali, todos os duques e duquesas outrora eminentes, os lordes e as damas que atualmente moram sob o gramado. A vida inteira um estudioso de história, ele tinha montes de informações a nos transmitir, e parte de mim pensou que poderíamos ficar horas ali, e que talvez houvesse uma prova no final. Felizmente, ele se interrompeu, e seguimos por outra ponte, por um gramado, chegando a uma bela ilhota de narcisos.

Foi ali, enfim, que fomos ao assunto que interessava.

Tentei explicar meu lado na situação. Não estava na minha melhor forma. Para começo de conversa, ainda estava nervoso, lutando para controlar as emoções, ao mesmo tempo que me esforçava para ser sucinto e preciso. Além do mais, tinha jurado que não deixaria aquele encontro virar mais uma discussão. Mas logo descobri que a escolha não cabia a mim. Papai e Willy tinham seus próprios papéis a interpretar, e chegaram prontos para a briga. Sempre que tentava dar uma nova explicação, entabulava uma nova linha de pensamento, era interrompido por um deles ou pelos dois. Willy, em especial, não queria escutar nada. Depois de me calar várias vezes, ele e eu passamos a nos atacar, dizendo as mesmas coisas que dizíamos havia meses — havia anos. A briga ficou tão acalorada que papai levantou as mãos. *Chega!*

Ele se pôs entre nós, erguendo os olhos para nosso rosto corado: *Por favor, meninos, não transformem meus últimos anos de vida em uma desgraça.*

A voz dele estava rouca, frágil. Soava, para ser sincero, velha.

Pensei no vovô.

De repente, minha energia evaporou. Olhei para Willy, olhei de verdade, talvez pela primeira vez desde que éramos meninos. Absorvi tudo: seu olhar bravo tão familiar, que sempre foi o normal em suas interações comigo; sua calvície alarmante, mais avançada do que a minha; sua famosa semelhança com a mamãe, que vinha se dissipando com o passar do tempo. Com a idade. Em certos aspectos, ele era meu espelho, em outros, meu oposto. Meu adorado irmão, meu arqui-inimigo, como isso tinha acontecido?

Senti um cansaço extremo. Queria ir para casa, e percebi que agora "casa" era um conceito complicado. Ou talvez tivesse sido sempre assim. Apontei para os jardins, a cidade, a nação, e disse: *Willy, esta aqui deveria ser a nossa casa. A gente ia viver aqui pelo resto da vida.*

Você foi embora, Harold.

Fui, e você sabe o porquê.

Não sei.

Não sabe...?

Não sei, sinceramente.

Eu me recostei. Não acreditava no que estava ouvindo. Uma coisa era discordar de quem era a responsabilidade e da possibilidade de que as coisas tivessem sido diferentes, mas se declarar totalmente ignorante quanto às razões para eu ter fugido da minha terra natal — da terra pela qual eu havia lutado e estava disposto a morrer —, minha pátria? Essa palavra tão carregada de sentidos. Declarar não saber por que minha esposa e eu tínhamos tomado a medida extrema de pegar nosso filho e sair correndo, deixando tudo para trás — casa, amigos, móveis? Estava falando sério?

Olhei para as árvores: *Você não sabe!*

Harold... Eu não sei, sinceramente.

Eu me virei para o meu pai. Ele me fitava com uma expressão que dizia: *Eu também não sei.*

Uau, pensei. Talvez eles não saibam mesmo.

Espantoso. Mas talvez fosse verdade.

E se não sabiam por que eu tinha ido embora, talvez simplesmente não me conhecessem. Nem um pouco.

E talvez nunca tivessem conhecido.

E para ser sincero, talvez eu também não.

A ideia me causou calafrios, e senti uma solidão terrível.

Mas também me motivou. Pensei: *Preciso contar para eles.*

Como vou contar para eles?

Não tenho como. Demoraria muito tempo.

Além do mais, está claro que não estão no estado de espírito certo para ouvir.

Não agora, pelo menos. Não hoje.

E portanto:

Pai? Willy?

Mundo?

Lá vamos nós.

Parte I

A noite que me protege

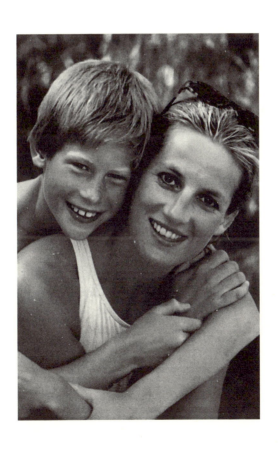

1.

Sempre houve histórias.

Vez ou outra ouvíamos cochichos sobre as pessoas que não tinham se saído bem em Balmoral. A rainha de muito tempo atrás, por exemplo. Enlouquecida pelo luto, ela se trancou no Castelo de Balmoral e jurou nunca mais sair. E o ex-primeiro-ministro, muito distinto: ele chamara o lugar de "surreal" e "extremamente bizarro".

No entanto, acho que só ouvi essas histórias muitos anos depois. Ou talvez as tenha ouvido, mas não as assimilado. Para mim, Balmoral sempre foi o Paraíso. Uma mistura de Disney World com um bosque druida sagrado. Eu estava sempre ocupado demais pescando, caçando, subindo e descendo "a colina" para perceber alguma coisa de errado com o feng shui do velho castelo.

O que estou tentando dizer é que eu era feliz ali.

Na verdade, é bem possível que nunca tenha sido mais feliz do que em um dia mágico de verão em Balmoral: 30 de agosto de 1997.

Fazia uma semana que estávamos no castelo. O plano era ficar mais uma. Assim como no ano anterior, assim como no ano anterior àquele. Balmoral era sua própria breve temporada, um intervalo de duas semanas nas montanhas da Escócia para marcar a virada do auge do verão para o começo do outono.

19

A vovó também estava lá. Como seria de esperar. Ela passava boa parte do verão em Balmoral. E o vovô. E Willy. E papai. A família toda, exceto mamãe, pois mamãe não fazia mais parte da família. Ela tinha escapado ou sido expulsa, dependendo de a quem você perguntava, embora eu nunca tenha perguntado a ninguém. De todo modo, ela estava tirando férias em outro canto. Na Grécia, alguém disse. Na Sardenha, outro disse. Não, não, alguém se intrometeu, sua mãe está em Paris! Talvez tenha sido a mamãe mesmo quem disse isso. Quando ela telefonou de manhã, para bater um papo? Infelizmente, essa lembrança está, junto com 1 milhão de outras, do outro lado de um muro mental gigantesco. É uma sensação horrenda, torturante, saber que estão ali, logo ali do outro lado, a poucos centímetros de distância — mas que o muro é alto demais, grosso demais. Impossível de escalar.

Assim como as torres de Balmoral.

Independente de onde mamãe estivesse, eu entendia que ela estava com o novo *amigo*. Essa era a palavra que todo mundo usava. Não namorado, não amante. Amigo. Cara legal, eu pensava. Willy e eu tínhamos acabado de conhecê-lo. Na verdade, tínhamos estado com a mamãe algumas semanas antes, quando *ela* acabara de conhecê-lo, em Saint-Tropez. Estávamos nos divertindo, só nós três, hospedados no palacete de um velho cavalheiro. Havia muita gargalhada, muita bagunça, o normal sempre que mamãe, Willy e eu estávamos juntos, mas ainda mais naquelas férias. Tudo naquela viagem a Saint-Tropez foi divino. O clima estava sublime, a comida deliciosa, mamãe estava sorridente.

E o melhor de tudo é que havia jet skis.

De quem eram? Não sei. Mas lembro nitidamente que Willy e eu íamos até a parte mais funda do canal, fazendo círculos enquanto esperávamos as balsas se aproximarem. Usávamos seus enormes rastros como rampas para voar pelos ares. Não sei como não acabamos mortos.

Foi depois que voltamos daquela desventura com os jet skis que o amigo da mamãe apareceu pela primeira vez? Não, é mais provável que tenha sido um pouco antes. *Olá, você deve ser o Harry.* Cabelo preto, bronzeado curtido, sorriso branquíssimo. *Como vai? Meu nome é blá-blá.* Ele nos levou na lábia, levou mamãe na lábia. Sobretudo a mamãe. Enfaticamente a mamãe. Os olhos dela eram dois corações vermelhos.

Ele era atrevido, sem dúvida. Mas, de novo, era um cara bacana. Deu um presente à mamãe. Uma pulseira de diamantes. Ela pareceu ter gostado. Usava bastante. Depois ele sumiu da minha cabeça.

Contanto que a mamãe esteja feliz, eu disse a Willy, que declarou pensar da mesma forma.

2.

Um choque no organismo ir da ensolarada Saint-Tropez à nublada Balmoral. Lembro vagamente desse choque, embora não me lembre de muita coisa da nossa primeira semana no castelo. Porém, posso praticamente garantir que passamos boa parte do tempo ao ar livre. Minha família amava ficar ao ar livre, sobretudo a vovó, que se irritava se não conseguisse respirar pelo menos uma hora de ar puro por dia. O que fizemos, entretanto, o que dissemos, vestimos, comemos, eu não saberia dizer. Há relatos de que fomos de iate real da ilha de Wright até o castelo, a jornada final do iate. A ideia me soa adorável.

O que conservo na memória, com detalhes vívidos, é o ambiente físico. A mata densa. A colina mordiscada por cervos. O rio Dee que serpenteia montanha abaixo. O Lochnagar lá no alto, sempre salpicado de neve. Paisagem, geografia, arquitetura, é assim que minha memória funciona. Datas? Desculpe, vou ter que olhar. Diálogos? Faço o possível, mas não me atrevo a citar alguém palavra por palavra, principalmente quando estamos falando da década de 1990. Mas pode me perguntar sobre qualquer espaço que eu já tenha ocupado — castelo, cabine de pilotagem, sala de aula, camarote de navio, quarto, palácio, jardim, pub — que sou capaz de reproduzir até os pregos do carpete.

Por que minha memória organiza as experiências desse jeito? Seria por conta da genética? Traumas? Um misto das duas, como um Frankenstein? Será que meu soldado interior avalia cada ambiente como um possível campo de batalha? Será que minha essência naturalmente caseira se rebela contra seu nomadismo forçado? Será o receio ignóbil de que o mundo seja basicamente um labirinto, e jamais devemos nos ver dentro de um labirinto sem um mapa na mão?

Seja qual for a causa, minha memória é o que é, funciona do jeito dela, coleta dados e faz a curadoria como acha que deve, e agora existe tanta verdade no que eu me lembro e em como me lembro quanto existe nos supostos fatos objetivos. Coisas como cronologia e causa e efeito muitas vezes não passam de fábulas que contamos a nós mesmos sobre o passado. *O passado nunca está morto. Nem sequer é passado.* Quando descobri essa citação, não muito tempo atrás, no BrainyQuote.com, fiquei impressionado. Pensei: quem diabos é Faulkner? E qual é o parentesco dele conosco, os Windsor?

E portanto: Balmoral. Ao fechar os olhos, vejo a entrada principal, as janelas da frente com caixilhos de madeira, o gramado amplo e os três degraus de granito com pontinhos cor de chumbo que dão na enorme porta feita de carvalho cor de uísque — tantas vezes mantida aberta com a ajuda de uma pedra de jogo de curling e frequentemente guarnecida por um funcionário de paletó vermelho —, e lá dentro, o salão espaçoso e o assoalho de ladrilhos, e a lareira imensa, e à direita uma área de serviço, e à esquerda, junto às janelas compridas, iscas para varas de pescar e bengalas e botas à prova d'água e casacos impermeáveis — muitos casacos impermeáveis, porque o frio e a umidade eram intensos na Escócia inteira, mas eram de doer naquele canto siberiano —, e em seguida a porta que se abria para o corredor com carpete carmesim e papel de parede creme com arabescos dourados, em alto-relevo como se fosse braile, e então os muitos cômodos que se abrem para o corredor, cada um com sua finalidade, como leitura, TV ou chá, e um cômodo especial para os mensageiros, muitos dos quais eu adorava como se fossem tios excêntricos, e por fim a sala principal do castelo, construída no século XIX, quase em cima do lugar onde ficava outro castelo que datava do século XIV, a algumas gerações de outro príncipe Harry, que se exilara, voltara e aniquilara tudo e todo mundo que havia por perto. Meu parente distante. Minha alma gêmea, alguns diriam. No mínimo, meu homônimo. Nascido em 15 de setembro de 1984, fui batizado Henry Charles Albert David de Gales.

Mas desde o primeiro dia todos me chamavam de Harry.

No meio dessa sala principal havia uma escada imponente. Ampla, teatral, raramente usada. Sempre que a vovó ia para o quarto dela, no segundo andar, com os cães corgis em seu encalço, ela preferia ir de elevador.

Os corgis também preferiam.

Ao lado do elevador da vovó, por entre um par de portas vaivém carmesim, ao estilo dos saloons de faroeste, havia uma escadinha menor com corrimão de ferro: ela levava ao segundo andar, onde ficava a estátua da rainha Vitória. Eu sempre lhe fazia uma mesura ao passar. *Vossa Majestade!* Willy também. Tinham nos instruído a fazê-lo, mas eu teria agido assim de qualquer forma. Achava a "Avó da Europa" muito cativante, e não só porque a vovó a adorava, nem porque o papai teve vontade de me batizar em homenagem ao marido dela. (Mamãe o impediu.) Vitória conheceu o grande amor, a felicidade extasiante — mas sua vida foi essencialmente trágica. Dizem que seu pai, o príncipe Eduardo, duque de Kent e Strathearn, era um sádico que se excitava ao ver soldados açoitados, e seu amado marido, Albert, morreu diante de seus olhos. Além disso, durante seu longo e solitário reinado, ela foi baleada oito vezes, em oito ocasiões diferentes, por sete atiradores diferentes.

Nenhuma das balas acertou o alvo. Nada era capaz de derrubar Vitória.

Depois da estátua de Vitória, as coisas ficavam confusas. As portas se tornavam idênticas, os cômodos se interconectavam. Era fácil se perder. Era só abrir a porta errada e eu podia me deparar com meu pai recebendo a ajuda de seu camareiro para se vestir. E pior: eu podia flagrá-lo de ponta-cabeça. Receitados pelo fisioterapeuta, esses exercícios eram o único remédio eficaz contra as dores constantes que meu pai sentia no pescoço e nas costas. Lesões antigas de polo, de modo geral. Ele se punha de ponta-cabeça todos os dias, usando apenas uma cueca samba-canção, apoiado contra a porta ou pendurado em uma barra feito um acrobata habilidoso. Se encostasse o dedo na maçaneta, ouviria suas súplicas do outro lado: *Não! Não! Não abre! Pelo amor de Deus, não abre a porta!*

Balmoral tem cinquenta quartos, e eu e Willy dividíamos um deles. Os adultos o chamavam de berçário. Willy ficara com a parte mais espaçosa, com a cama de casal, uma pia de bom tamanho, um armário com portas espelhadas, uma bela janela com vista para o pátio, o chafariz, a estátua de bronze de uma corça. Minha parte era bem menor, menos luxuosa. Nunca perguntei o porquê. Não me importava. Mas também não precisava perguntar. Dois anos mais velho do que eu, Willy era o Herdeiro, enquanto eu era o Reserva.

Não era apenas o modo como a imprensa se referia a nós dois — embora sem dúvida fosse esse o caso. Esses termos volta e meia eram usados por papai, mamãe e vovô. E até pela vovó. O Herdeiro e o Reserva — não havia juízo de valor nisso, tampouco havia ambiguidade. Eu era a sombra, o que sobra, o Plano B. Fui posto no mundo para o caso de alguma coisa acontecer com Willy. Era convocado a oferecer respaldo, distração, diversão e, se necessário, uma peça reserva. Um rim, talvez. Uma transfusão de sangue. Um pouco da medula óssea. Isso tudo me foi esclarecido desde o começo da jornada da vida e depois era sempre reforçado. Tinha vinte anos quando ouvi a história do que o meu pai supostamente disse à minha mãe no dia do meu nascimento: *Maravilha! Você já me deu um Herdeiro e um Reserva — já fiz meu trabalho.* Uma piada. Supostamente. Minutos depois de proferir essa grande piada, dizem que meu pai saiu para ir ao teatro com a namorada. Pois é. Muitas verdades são ditas em tom de brincadeira.

Não fico ofendido. Não tinha nenhum sentimento em relação a isso, a nada. A sucessão era como o clima, ou a posição dos planetas, ou as mudanças de estação. Quem tem tempo de se preocupar com coisas tão imutáveis? Quem pode se dar ao luxo de se incomodar com um destino gravado na pedra? Ser da família Windsor é descobrir quais verdades são atemporais e expulsá-las da mente. É *absorver* os parâmetros básicos da própria identidade, saber instintivamente quem se é, e que será eternamente subproduto de quem não se é.

Eu não era a vovó.

Não era meu pai.

Não era o Willy.

Eu era o terceiro na linha depois deles.

Pelo menos uma vez na vida, todo menino e menina se imagina como príncipe ou princesa. Portanto, sendo ou não o Reserva, não era nada mal ser um príncipe de fato. Além do mais, postar-se firmemente atrás das pessoas que você ama não é a própria definição de honra?

De amor?

Assim como reverenciar Vitória ao passar?

3.

Ao lado do meu quarto ficava uma espécie de sala de estar. Mesa redonda, parede espelhada, escrivaninha, lareira cercada por um banco acolchoado. No cantinho ficava uma porta grande de madeira que dava para o banheiro. As duas pias de mármore pareciam protótipos das primeiras pias que foram fabricadas. Tudo em Balmoral ou era antigo ou tinha sido feito de modo a parecer antigo. O castelo era um playground, um alojamento de caça, mas também um palco.

O banheiro era dominado por uma banheira com pés em garra, e até a água que jorrava das torneiras parecia antiga. Não no mau sentido. Antiga como o lago onde Merlin ajudou Arthur a achar sua espada mágica. Amarronzada, parecida com um chá fraco, a água volta e meia assustava os convidados de fim de semana. *Desculpe, mas parece haver alguma coisa errada com a água do meu banheiro.* Papai sempre sorria e garantia que não havia nada de errado com a água; pelo contrário, ela era filtrada e adocicada pela turfa escocesa. *A água desce direto da colina, e o que você vai experimentar agora é um dos maiores prazeres da vida — um banho nas montanhas da Escócia.*

Dependendo da sua preferência, o banho escocês podia ser gelado como o Ártico ou pelando feito água fervente: as torneiras do castelo eram bem afinadas. Para mim, poucos prazeres se comparavam ao de um banho escaldante, principalmente podendo olhar através das seteiras do castelo, onde arqueiros outrora montavam guarda, eu imaginava. Olhava para o céu estrelado, ou para os jardins murados, e me imaginava voando sobre o gramado, tão liso e verde quanto uma mesa de bilhar, graças ao batalhão de jardineiros. O gramado era tão perfeito, cada folha cortada com tamanha precisão, que Willy e eu sentíamos culpa ao atravessá-lo, que dirá cruzá-lo de bicicleta. Mas ainda assim fazíamos isso o tempo todo. Uma vez, corremos atrás da nossa prima. Nós de quadriciclo, ela de kart. Foi pura diversão e brincadeira até nossa prima dar de cara com um poste de luz verde. Um baita azar — era o único poste em quilômetros. Demos gargalhadas, embora o poste, que até pouco antes era uma árvore em uma das florestas das redondezas, tivesse se partido ao meio e caído em cima dela. Ela teve sorte de não se ferir seriamente.

Em 30 de agosto de 1997, não passei muito tempo olhando para o gramado. Willy e eu tomamos nossos banhos noturnos às pressas, vestimos nossos pijamas, nos acomodamos em frente à TV. Funcionários chegaram com bandejas cheias de pratos, todos cobertos por cúpulas de prata. Deixaram as bandejas nas banquetas de madeira e brincaram com a gente, como sempre faziam, antes de nos desejar *bon appétit*.

Funcionários, porcelana fina — parece esnobe, e imagino que fosse mesmo, mas sob aquelas cúpulas requintadas havia apenas comida de criança. Nuggets de peixe, empadão, frango assado.

Mabel, nossa babá, que tinha sido babá do nosso pai, veio ficar com a gente. Enquanto nos empanturrávamos, ouvimos o papai arrastar os chinelos, saindo do banho. Carregava o "sem fio", que era o nome que dava ao seu aparelho de CD portátil, no qual gostava de ouvir seus "livros de histórias" enquanto ficava de molho. Como o papai era um relógio, quando o ouvíamos no corredor sabíamos que eram quase oito horas.

Meia hora depois, escutamos os primeiros barulhos da romaria dos adultos até o andar de baixo, em seguida os primeiros balidos da gaita de foles. Nas duas horas seguintes, os adultos ficavam presos no Calabouço do Jantar, obrigados a permanecer sentados a uma mesa comprida, obrigados a espremer os olhos para se enxergar à meia-luz do candelabro criado pelo príncipe Albert, obrigados a continuar empertigados diante de baixelas de porcelana e taças de cristal arrumadas com uma exatidão matemática pelos serviçais (que usavam fitas métricas), obrigados a mordiscar rodovalhos e ovos de codorniz, obrigados a entabular conversas fiadas trajando suas roupas mais refinadas. Smoking, sapatos pretos, calças de tecido axadrezado. Talvez até kilt.

Eu pensava: que inferno ser adulto!

Papai parou a caminho do jantar. Estava atrasado, mas levantou teatralmente uma cúpula de prata — *Hum, eu bem que queria!* — e deu uma longa farejada. Vivia farejando as coisas. Comidas, rosas, nossos cabelos. Deve ter sido um cão de caça em outra vida. Talvez desse aquelas longas farejadas porque era difícil sentir qualquer outro aroma sob a fragrância que usava. Eau Sauvage. Ele espalhava o perfume no rosto e no pescoço. Floral, com um toque acre, como pimenta ou pólvora, era fabricado em Paris. Era o que dizia o frasco. O que me levou a pensar na mamãe.

Sim, Harry, a mamãe está em Paris.

O divórcio deles tinha sido concluído um ano antes. Quase nesse mesmo dia.

Juízo, meninos.

Pode deixar, pai.

Não vão dormir tarde.

Ele saiu. Seu cheiro ficou.

Willy e eu terminamos o jantar, assistimos um pouco de TV, depois começamos as travessuras típicas da hora de dormir. Nos empoleiramos no alto de uma escada lateral e ficamos escutando os adultos na expectativa de ouvirmos alguma palavra feia ou história sórdida. Corremos de um lado para outro dos corredores, sob o olhar vigilante de dezenas de cabeças de cervo. A certa altura esbarramos no tocador de gaita de foles da vovó. Amarrotado, em forma de pera, com sobrancelhas bastas e kilt de tweed, ele ia aonde a vovó fosse, pois ela adorava o som da gaita, assim como Vitória, embora se diga que Albert chamava o instrumento de "bestial". Enquanto curtia o verão em Balmoral, a vovó pedia ao tocador de gaita que a despertasse com o instrumento e que tocasse para ela durante o jantar.

Seu instrumento parecia um polvo bêbado, mas com os braços frouxos feitos de prata e mogno escuro. Já tínhamos visto aquele troço antes, inúmeras vezes, mas naquela noite ele sugeriu que o segurássemos. Tentem.

É sério?

Sim, vamos.

Não conseguimos arrancar som nenhum dos tubos além de alguns rangidos ridículos. Não tínhamos fôlego. O tocador de gaita, no entanto, tinha um tórax do tamanho de um barril de uísque. Ele fazia o instrumento gemer e berrar.

Agradecemos pela aula e lhe demos boa-noite e tomamos o rumo do berçário, onde Mabel monitorou a escovação de dentes e a lavagem de rosto. Em seguida, nos deitamos.

Minha cama era alta. Precisava saltar para subir nela e então rolar para chegar ao meio afundado. Era como escalar uma estante de livros e depois tombar em uma trincheira rasa. A roupa de cama estava limpa, fresca, em diversos tons de branco. Roupas de alabastro. Lençóis creme. Colchas amareladas. (Boa parte com o monograma ER, *Elizabeth Regina*.) Tudo era esticado feito um tambor de corda, alisado com tamanha habilidade que se percebia claramente o século de buracos e rasgos remendados.

Puxei os lençóis e as colchas até o queixo porque não gostava do escuro. Não, não é verdade, eu odiava o escuro. A mamãe também odiava, ela me disse. Herdei isso dela, eu pensava, junto com o nariz, os olhos azuis, o amor às pessoas, o pavor de afetação e falsidades e todos os esnobismos. Eu me vejo debaixo das cobertas, olhando para o escuro, escutando os insetos cricrilando e as corujas cantando. Teria imaginado vultos se esgueirando pelas paredes? Será que olhava para o feixe de luz junto ao assoalho, que estava sempre ali porque eu insistia que deixassem uma frestinha da porta aberta? Quanto tempo se passou até eu adormecer? Em outras palavras, quanto ainda restava da minha infância, e em que medida eu a saboreei, valorizei, antes de, grogue, me dar conta de...

Pai?

Ele estava em pé à beira da cama, olhando para baixo. Parecia um fantasma de peça teatral por causa do pijama branco.

Sim, menino querido.

Ele deu um sorriso amarelo, desviou o olhar.

O quarto não estava mais escuro. Também não estava iluminado. Era um estranho meio-termo, quase amarronzado, quase como a água na banheira arcaica.

Ele me olhou de um jeito esquisito, um jeito como nunca tinha me olhado. Com... medo?

O que foi, pai?

Ele sentou na beirada da cama. Pôs a mão nos meus joelhos. *Menino querido, a mamãe sofreu um acidente de carro.*

Eu me lembro de pensar: acidente... Ok. Mas ela está bem? Sim?

Eu me lembro vividamente desse pensamento passando pela minha cabeça. E me lembro de esperar com paciência que papai confirmasse que minha mãe estava bem. E lembro que ele não fez isso.

Houve uma mudança interna. Comecei a suplicar em silêncio ao papai, ou a Deus, ou aos dois: *Não, não, não.*

Papai olhou para as dobras das colchas e dos lençóis antigos. *Teve complicações. A mamãe ficou muito ferida e foi levada para o hospital, menino querido.*

Ele sempre me chamava de "menino querido", mas estava repetindo isso demais. Sua voz era suave. Ele estava em choque, parecia.

Ah. Hospital?

Isso. Com uma ferida na cabeça.

Ele mencionou os paparazzi? Disse que ela tinha sido perseguida? Acho que não. Não posso jurar, mas é provável que não. Os paparazzi eram um problema tão grande para a mamãe, para todo mundo, que não precisava dizer nada.

Pensei de novo: ferida... Mas ela está bem. Ela foi levada para o hospital, vão dar um jeito na cabeça dela, e nós vamos visitá-la. Hoje. Esta noite, no máximo.

Eles tentaram tudo, menino querido. Lamento dizer que ela não aguentou.

Essas frases permanecem na minha mente feito flechas em um alvo. Ele falou desse jeito, disso eu tenho certeza. *Ela não aguentou.* E então tudo pareceu paralisado.

Não, não foi isso. Não *pareceu.* Nada *pareceu.* De modo claro, certo e irreversível, tudo parou.

Nada do que eu disse a ele permaneceu na minha memória. É possível que eu não tenha dito nada. O que me lembro com uma clareza assustadora é que não chorei. Nem uma lágrima sequer.

Papai não me abraçou. Não era bom em demonstrar emoção em circunstâncias normais, como esperar que demonstrasse numa crise como aquela? Mas de novo sua mão caiu no meu joelho e ele disse: *Vai ficar tudo bem.*

Já era muito para ele. Paternal, esperançoso, gentil. E totalmente inverídico.

Ele levantou e saiu. Não me lembro de como soube que ele já tinha ido ao outro cômodo, que já tinha contado a Willy, mas eu soube.

Fiquei deitado ali, ou sentado. Não levantei. Não tomei banho, não fiz xixi. Não me vesti. Não chamei Willy nem Mabel. Depois de décadas tentando reconstruir aquela manhã, cheguei a uma conclusão inescapável: devo ter ficado no quarto, sem dizer nada, sem ver ninguém, até as nove em ponto, quando o gaitista começou a tocar lá fora.

Gostaria de lembrar qual música ele tocou. Mas talvez isso não tenha importância. No que diz respeito à gaita de foles, o que interessa não é a canção, é o tom. Instrumento de milhares de anos, a gaita de foles é feita para amplificar o que já está no coração. Se a pessoa está boba, a gaita a torna ainda mais boba. Se está zangada, a gaita faz o sangue ferver ainda mais. E se a pessoa está enlutada, ainda que tenha doze anos e não saiba que está enlutada, talvez *sobretudo* quando ela não sabe, a gaita de foles pode levar a pessoa à loucura.

4.

Era domingo. Portanto, como sempre, fomos à igreja.

Crathie Kirk. Paredes de granito, telhado largo de pinho escocês, vitrais doados décadas atrás por Vitória, talvez para expiar o aborrecimento que causava por rezar ali. Alguma coisa a ver com a questão da chefe da Igreja Anglicana orar na Igreja da Escócia — isso provocava um tumulto que nunca compreendi.

Já vi fotografias de nós indo à igreja nesse dia, mas elas não me trazem lembranças. Será que o reverendo falou alguma coisa? Será que ele piorou a situação? Será que prestei atenção nele ou fixei o olhar nas costas do banco e pensei em mamãe?

No caminho de volta a Balmoral, um trajeto de dois minutos de carro, alguém sugeriu que parássemos. As pessoas vinham se aglomerando em frente aos portões a manhã inteira, algumas tinham deixado objetos. Bichos de pelúcia, flores, cartões. Precisávamos agradecer.

Paramos o carro, descemos. Eu não via nada além de um manancial de pontinhos coloridos. Flores. E mais flores. Eu não ouvia nada além de estalos ritmados vindos do outro lado da rua. A imprensa. Peguei a mão do meu pai em busca de consolo, depois me xinguei, pois o gesto desencadeou uma explosão de cliques.

Tinha dado a eles justamente o que queriam. Emoção. Drama. Dor.

Eles disparavam sem parar.

5.

Horas depois, papai foi a Paris. Acompanhado pelas irmãs da minha mãe, tia Sarah e tia Jane. Precisavam obter mais informações sobre o acidente, alguém explicou. E precisavam providenciar o translado do corpo da mamãe.

Corpo. As pessoas não paravam de usar essa palavra. Era um soco no estômago e uma enorme mentira, pois mamãe não estava morta.

Essa foi minha súbita percepção. Sem nada para fazer além de perambular pelo castelo e falar sozinho, a desconfiança tomou conta de mim e depois se tornou uma crença inabalável. Era tudo trapaça. E dessa vez a trapaça não era executada pelas pessoas ao meu redor nem pela imprensa, mas pela mamãe. *A vida dela estava uma desgraça, ela era perseguida, incomodada, mentiam sobre ela, mentiam para ela. Então ela encenou o acidente para desviar o foco e fugir.*

A ideia me tirou o fôlego, me fez respirar aliviado.

É claro! É tudo uma artimanha para ela poder recomeçar do zero! Neste exato momento, sem dúvida nenhuma, ela está alugando um apartamento em Paris, ou arrumando as flores na cabaninha que ela comprou em segredo em algum lugar no alto dos Alpes suíços. Logo ela manda buscar a mim e ao Willy. É tudo tão óbvio! Por que não entendi isso antes? A mamãe não morreu! Ela está escondida!

Eu me senti bem melhor.

Então a dúvida se insinuou.

Espera aí! A mamãe jamais faria isso com a gente. Essa dor indescritível, ela jamais deixaria que a gente a sentisse, imagine causá-la.

Então de novo a trégua: *Ela não teve opção. É a única esperança que ela tem de liberdade.*

Então de novo a dúvida: *A mamãe não se esconderia, ela é guerreira demais pra isso.*

Então a trégua: *Essa é a forma que ela tem de lutar. Ela vai voltar. Ela tem que voltar. Meu aniversário é daqui a duas semanas.*

Mas papai e minhas tias voltaram antes. O regresso deles foi divulgado por todos os canais de TV. O mundo os viu pisar na pista de aterrissagem da estação Northolt, da Força Aérea Britânica. Um canal chegou a acrescentar uma trilha sonora à chegada: alguém cantando um salmo em tom pesaroso. Willy e eu fomos impedidos de assistir TV, mas acho que escutamos.

Os dias seguintes passaram em um vácuo, sem ninguém falar nada. Todos permanecemos escondidos dentro do castelo. Era como estar dentro de uma cripta, mas uma cripta em que todos usavam calças axadrezadas e mantinham suas rotinas e agendas normais. Se alguém conversou sobre alguma coisa, eu não ouvi. A única voz que escutava era aquela que sussurrava no meu ouvido, que discutia com ela mesma.

Ela se foi.

Não, ela está escondida.

Ela morreu.

Não, ela está se fazendo de morta.

Então, uma manhã, a hora chegou. De volta a Londres. Não me lembro de nada daquela viagem. Fomos de carro? De avião? Vejo o reencontro com papai e com minhas tias, e o encontro crucial com tia Sarah, mas está tudo envolto em neblina e talvez esteja um pouco fora de ordem. Em certos momentos, minha memória se põe bem ali, naqueles primeiros dias horríveis de setembro. Mas em outros minha memória me joga lá na frente, muitos anos mais tarde.

Não importa quando aconteceu, aconteceu assim:

William? Harry? A tia Sarah trouxe uma coisa para vocês, meninos.

Ela deu um passo adiante, segurava duas caixinhas azuis. *O que é?*

Abre.

Eu levantei a tampa da minha caixinha azul. Ali dentro havia... uma mariposa?

Não.

Um bigode?

Não.

O que...?

É o cabelo dela, Harry.

Tia Sarah explicou que, em Paris, havia cortado duas mechas da cabeça da mamãe.

Então ali estava. A prova. *Ela se foi mesmo.*

32

Mas em seguida me veio a dúvida reconfortante, a incerteza salvadora: *Não, pode ser o cabelo de qualquer um.* Mamãe, com seu belo cabelo louro intacto, estava em algum canto.

Eu saberia se ela não estivesse. Meu corpo saberia. Meu coração saberia. E nem um nem o outro sabe de nada.

Ambos estavam mais cheios de amor por ela do que nunca.

6.

Willy e eu andamos entre as multidões em frente ao Palácio de Kensington, sorrindo, distribuindo apertos de mão. Como se estivéssemos concorrendo ao cargo de premiê. Centenas e mais centenas de mãos eram enfiadas na nossa cara, os dedos muitas vezes molhados.

Com o quê, eu me perguntava.

Com lágrimas, me dei conta.

Eu não gostava do toque daquelas mãos. E mais, eu detestava a sensação que me causavam. Culpa. Por que aquela gente toda estava chorando se eu não estava — e não tinha chorado?

Eu queria chorar, e tinha tentado, porque a vida da mamãe tinha sido triste a ponto de ela sentir a necessidade de desaparecer, de inventar uma enorme farsa. Mas não conseguia derramar nem uma gota. Talvez tivesse aprendido bem demais, assimilado muito profundamente o éthos da família de que chorar não era uma opção — nunca.

Eu me lembro das montanhas de flores ao nosso redor, pilhas de um tamanho espantoso, que batiam quase nos nossos ombros. Lembro-me de sentir uma tristeza indizível e, no entanto, ser infindavelmente educado. Lembro-me das senhoras dizendo: *Nossa, que educado, o pobre coitado!* Lembro-me de balbuciar agradecimentos, sem parar, obrigado por vir, obrigado pelas palavras, obrigado por passarem dias acampados aqui. Lembro-me de consolar várias pessoas que estavam prostradas, acabrunhadas, como se elas conhecessem a mamãe, mas de também pensar: mas vocês não a conheciam. Vocês agem como se a conhecessem... *mas vocês não a conheciam.*

Isto é... vocês não a *conhecem.* No presente.

Depois de nos oferecermos à multidão, voltamos para o Palácio de Kensington. Entramos por duas imensas portas pretas, fomos aos aposentos da mamãe, atravessamos um longo corredor e entramos em um quarto à esquerda. Lá estava o largo caixão. Marrom-escuro, de carvalho inglês. Eu de fato me lembro ou estou só imaginando que estava coberto pela... *bandeira do Reino Unido?*

A bandeira me hipnotizou. Talvez por causa dos jogos de guerra da minha infância. Talvez por causa do meu patriotismo precoce. Ou talvez porque estivesse há dias ouvindo rumores sobre a bandeira, a bandeira, a bandeira. Era só sobre isso que as pessoas falavam. Estavam em pé de guerra porque a bandeira não tinha ficado a meio mastro no Palácio de Buckingham. Não interessava que a bandeira jamais ficava a meio mastro, acontecesse o que acontecesse, ela era hasteada quando a vovó estava em casa e recolhida quando ela estava viajando, e ponto-final. Só lhes interessava ver alguma demonstração oficial de sofrimento, e ficaram furiosos com sua inexistência. Isto é, foram instigados a se enfurecer pelos jornais, que tentavam desviar o foco do papel que tinham tido no desaparecimento da mamãe. Eu me lembro de uma manchete, dirigida incisivamente à vovó: MOSTRE QUE VOCÊ SE IMPORTA. Que *esplêndido*, vindo dos mesmos demônios que "se importavam" tanto com a mamãe a ponto de persegui-la dentro de um túnel do qual ela jamais emergiu.

A essa altura eu já tinha entreouvido a versão "oficial" dos acontecimentos: paparazzi tinham perseguido mamãe pelas ruas de Paris e túnel adentro, onde sua Mercedes bateu numa parede ou pilar de cimento, matando ela, seu amigo e o motorista.

Parado diante do caixão coberto pela bandeira, me perguntei: será que a mamãe é patriota? O que a mamãe pensa de verdade sobre a Grã-Bretanha? Alguém se deu ao trabalho de lhe perguntar?

Quando é que eu mesmo vou poder perguntar pra ela?

Não consigo me lembrar de nada que a família disse naquele instante, uns para os outros ou para o caixão. Não me lembro de nem uma palavra entre mim e Willy, embora me lembre das pessoas ao nosso redor dizendo que "os meninos" parecem "traumatizados de guerra". Ninguém se deu ao trabalho de cochichar, como se estivéssemos tão traumatizados que havíamos ficado surdos.

Houve alguma discussão sobre o funeral do dia seguinte. Conforme o último plano, o caixão seria carregado pelas ruas em uma carruagem puxada por cavalos da Tropa do Rei enquanto eu e Willy seguiríamos a pé. Parecia uma tarefa e tanto para dois meninos. Vários adultos ficaram horrorizados. O irmão da mamãe, tio Charles, fez um escândalo. *Vocês não podem obrigar esses meninos a andar atrás do caixão da mãe! É uma barbaridade.*

Um plano alternativo foi posto em marcha. Willy andaria sozinho. Ele tinha quinze anos, afinal. *Deixa o mais novo fora disso.* Poupem o Reserva. Esse plano alternativo foi enviado ao alto escalão.

A resposta veio.

Tem que ser os dois príncipes. Para ganhar simpatia, provavelmente.

Tio Charles ficou furioso. Mas eu não. Não queria que Willy passasse por uma provação daquelas sem mim. Caso os papéis se invertessem, ele jamais iria querer — aliás, permitir — que eu ficasse sozinho.

Portanto, a manhã chegou, clara e precoce, e lá fomos nós, todos juntos. Tio Charles à minha direita, Willy à direita dele, seguido pelo vovô. E à minha esquerda estava o papai. Reparei logo que o vovô parecia muito sereno, como se aquele fosse apenas mais um compromisso real. Eu via seus olhos claramente porque ele olhava para a frente. Todos olhavam. Mas eu olhava para o chão. E Willy também.

Eu me lembro de me sentir entorpecido. Lembro-me de cerrar os punhos. Lembro-me de sempre manter uma fração de Willy no canto da minha visão e de tirar muita força disso. Acima de tudo, me lembro dos barulhos, dos estalos das rédeas e dos trotes dos cascos dos seis cavalos marrons suados, dos rangidos das rodas da carreta de canhão que puxavam. (Uma relíquia da Primeira Guerra Mundial, alguém explicou, o que me parecia certeiro, já que a mamãe, por mais que amasse a paz, volta e meia parecia uma soldada, fosse guerreando contra os paparazzi ou contra o papai.) Eu acredito que vou me lembrar desses barulhos para o resto da vida, porque formavam um contraste nítido com o silêncio generalizado. Não havia nenhum motor, nenhum caminhão, nenhum passarinho. Não havia nenhuma voz humana, o que era impossível, pois havia 2 milhões de pessoas nas ruas. O único sinal de que marchávamos por entre um vale de humanidade era um ou outro lamento.

Depois de vinte minutos, chegamos à Abadia de Westminster. Nos acomodamos em um banco comprido. O funeral começou com uma série de leituras e panegíricos, e culminou com Elton John. Ele levantou devagarinho, rigidamente, como se fosse um dos grandes reis enterrados há séculos debaixo da abadia, de repente ressuscitado. Andou até a parte da frente, sentou-se a um piano de cauda. Existe alguém no mundo que não saiba que ele cantou "Candle in the Wind", em uma versão que reformulou em homenagem à mamãe? Não sei dizer se as cenas que tenho em mente são daquele momento ou dos vídeos que vi desde então. É possível que haja vestígios de pesadelos recorrentes. Mas tenho uma lembrança pura, incontestável, do clímax da música e dos meus olhos começando a arder e das lágrimas quase caindo.

Quase.

Já no final da cerimônia veio o tio Charles, que usou o tempo que lhe cabia para explodir com todo mundo — família, nação, imprensa — por perseguir a mamãe até levá-la à morte. Dava para sentir a abadia, a nação lá fora, se encolher por conta do golpe. A verdade dói. Em seguida, oito Guardas Galeses se apresentaram, içaram o enorme caixão chumbado, agora coberto pelo Estandarte Real, não a bandeira do Reino Unido. Alguém tinha feito a troca, uma quebra extraordinária de protocolo, até eu era capaz de reconhecer. (Eles também cederam à pressão e baixaram a bandeira a meio mastro; não o Estandarte Real, é claro, apenas a bandeira do Reino Unido — ainda assim, uma concessão sem precedentes.) O Estandarte Real sempre foi reservado aos membros da Família Real, que não era mais o caso da mamãe. Isso significava que tinha sido perdoada? E não estava meio tarde para isso? Eram mais perguntas que eu não conseguia formular, que dirá fazer a um adulto, enquanto o caixão era lentamente retirado e depositado em um carro fúnebre preto. Depois de uma longa espera, o carro foi embora, mantendo o mesmo ritmo ao percorrer as ruas de Londres, que se agitavam por todos os lados com a maior multidão que essa cidade imortal já viu — duas vezes maior do que as multidões que celebraram o fim da Segunda Guerra Mundial. O carro passou pelo Palácio de Buckingham, seus arredores, foi aos subúrbios, a Park Lane, depois à A41, passou pela Finchley Road, a Hendon Way, o viaduto Brent Cross, a North Circular, depois a M1 e a Junction 15A, depois a A43, a

36

A45, a A428, e entrou em Harlestone antes de cruzar os portões de ferro da propriedade do tio Charles.

Althorp.

Willy e eu acompanhamos pela TV boa parte desse trajeto do carro. Já estávamos em Althorp. Fomos levados às pressas, embora tenhamos descoberto depois que não havia necessidade de pressa. Não só o carro fúnebre fez um caminho longo como se atrasou várias vezes porque as pessoas atiravam flores sobre ele, bloqueando a passagem e fazendo o motor superaquecer. O motorista tinha que parar o tempo todo para que os guarda-costas saltassem para tirar as flores do para-brisa. Um dos guarda-costas era o Graham. Willy e eu gostávamos muito dele. Sempre o chamávamos de Crackers por causa do biscoito Graham Cracker. Achávamos o trocadilho hilário.

Quando o carro fúnebre enfim chegou a Althorp, o caixão foi retirado e carregado até o outro lado do laguinho, passando por uma ponte construída às pressas por engenheiros militares, rumo a uma ilhota, e ali ele foi posto em cima de uma plataforma. Willy e eu atravessamos a mesma ponte a caminho da ilha. Disseram que as mãos da mamãe estavam entrelaçadas sobre o peito e que entre elas tinham posto uma foto minha e de Willy, talvez os dois únicos homens que a tinham amado de verdade. Sem dúvida os dois que mais a amavam. Passaríamos a eternidade sorrindo para ela na escuridão, e talvez tenha sido essa a imagem, quando a bandeira foi retirada e o caixão desceu até o fundo da cova, que me arrebentou. Meu corpo se contorcia e meu queixo caiu, e comecei a soluçar descontroladamente com as mãos no rosto.

Tive vergonha de transgredir o éthos da família, mas não conseguia mais me conter.

Está tudo bem, me reconfortei, está tudo bem. Não tem câmera nenhuma por perto.

Além do mais, não chorava por acreditar que minha mãe estava naquela cova. Ou naquele caixão. Prometi a mim mesmo que jamais acreditaria nisso, não importava o que dissessem.

Não, eu chorava pela mera ideia.

Seria insuportável de tão trágico, ponderei, se fosse verdade.

7.

Então todo mundo seguiu em frente.

A família retomou o trabalho e eu retornei à escola, assim como fazia depois de todas as férias de verão.

De volta à normalidade, todos diziam em tom alegre.

Do banco do carona do Aston Martin conversível do papai, tudo parecia igual. Abrigada na zona rural esmeralda de Berkshire, a Ludgrove School parecia uma igreja interiorana, como sempre. (Parando para pensar agora, o lema da escola vem de Eclesiastes: *Tudo o que te vem à mão para fazer, faze-o conforme a tua capacidade.*) No entanto, não existem muitas igrejas interioranas que possam contar com oitenta hectares de bosques e prados, campos esportivos e quadras de tênis, laboratórios de ciência e capelas. Além de uma biblioteca bem fornida.

Se quisessem me achar em setembro de 1997, a biblioteca seria o último lugar para me procurar. Melhor olhar nos bosques. Ou nos campos esportivos. Eu tentava me manter ativo, não parar quieto.

Também estava, em geral, sozinho. Gostava de gente, era sociável por natureza, mas na época não queria ninguém perto demais. Precisava de espaço.

Era pedir demais, no entanto, em Ludgrove, onde mais de cem meninos viviam juntos. Comíamos juntos, tomávamos banho juntos, dormíamos juntos, às vezes dez meninos dividindo um quarto. Não havia segredos. Todo mundo sabia da vida dos outros, sabia até quem era circuncidado e quem não era. (Chamávamos de Cabeças Redondas versus Cavaleiros.)

E ainda assim creio que nem um garoto sequer tenha mencionado minha mãe quando o novo semestre começou. Seria por respeito?

O mais provável é que fosse medo.

Eu mesmo não disse nada a ninguém.

Dias depois da minha volta, fiz aniversário. Em 15 de setembro de 1997. Completei treze anos. Segundo a tradição de Ludgrove, haveria bolo, sorvete e eu poderia escolher dois sabores. Escolhi cassis.

E manga.

O preferido da mamãe.

Os aniversários eram sempre incríveis em Ludgrove porque todos os meninos, e a maioria dos professores, eram ávidos por doces. Volta e meia havia uma briga violenta pela cadeira ao lado do aniversariante: era ali que a pessoa garantia a primeira fatia, sempre maior. Não lembro quem conseguiu sentar ao meu lado.

Pensa num desejo, Harry!

Um desejo? Está bem, eu queria que minha mãe...

Então, do nada...

Tia Sarah?

Segurando uma caixa. *Abre, Harry.*

Rasguei o embrulho, a fita. Dei uma olhada.

O que...?

A mamãe comprou para você. Pouco antes...

Em Paris?

Sim. Em Paris.

Era um Xbox. Fiquei feliz. Adorava video game.

Essa foi a história que me contaram, pelo menos. Já apareceu em inúmeros relatos da minha vida como verdade absoluta, e não faço ideia se é verdade. Papai disse que mamãe tinha machucado a cabeça, mas talvez fosse eu quem tivesse sofrido a lesão cerebral? Como mecanismo de defesa, muito provavelmente, minha memória já não gravava as coisas como antes.

8.

Apesar dos dois diretores homens — o sr. Gerald e o sr. Marston, ambos lendários —, Ludgrove era em grande medida administrada por mulheres. Nós as chamávamos de matronas. Os carinhos que recebíamos no dia a dia vinham delas. As matronas nos abraçavam, nos beijavam, curavam nossas feridas, enxugavam nossas lágrimas. (Isto é, as lágrimas de todos, menos as minhas. Depois daquela explosão ao lado da cova, não chorei outra vez.) Elas se consideravam as substitutas. As mães na ausência das mães, elas sempre estrilavam, o que eu sempre achara esquisito, mas agora era extremamente confuso, por conta do desaparecimento da mamãe e também porque de repente as matronas estavam... gatas.

Eu tinha uma queda pela srta. Roberts. Tinha certeza de que um dia me casaria com ela. Me lembro ainda de duas srtas. Lynn. A srta. Lynn maior e a srta. Lynn menor. Eram irmãs. Eu era muito apaixonado pela última. Achava que me casaria com ela também.

Três vezes por semana, depois do jantar, as matronas ajudavam os meninos mais novos com o banho noturno. Ainda consigo ver a longa fileira de banheiras brancas, cada uma delas com um menino reclinado feito um pequeno faraó, aguardando a lavagem do cabelo personalizada e a esfregação do chassi. (Para os meninos mais velhos, que já tinham chegado à puberdade, as banheiras ficavam em outro ambiente, atrás de uma porta amarela.) As matronas percorriam a fileira de banheiras com toalhas brancas, escovas duras, barras de sabonete floral. Cada menino recebia uma toalha com seu número bordado. O meu era 116.

Depois de passar xampu no cabelo dos meninos, as matronas os faziam reclinar a cabeça e enxaguavam de forma lenta e voluptuosa.

Confuso à beça.

As matronas também ajudavam na extração crucial de piolhos. Surtos eram normais. Quase toda semana algum menino tinha um caso violento. Todos apontávamos e ríamos. *Olha lá, ele está com lêndea!* Logo depois uma matrona já estava ajoelhada ao lado do paciente, esfregando uma solução em seu couro cabeludo e tirando os bichos mortos com um pente-fino.

Como tinha treze anos, eu já não precisava do auxílio das matronas para me banhar. Mas ainda precisava que me colocassem para dormir, ainda apreciava suas saudações matinais. Os rostos delas eram os primeiros que eu via ao acordar. Elas entravam nos nossos quartos, abriam as cortinas. *Bom dia, meninos!* Com a vista embaçada, eu olhava para um belo semblante emoldurado pelos raios de sol...

Ela é... será possível que ela seja...?

Nunca era.

A matrona com quem eu mais lidava era Pat. Ao contrário das outras, Pat não era gata. Pat era fria. Era mignonne, discreta, estressada, e seu cabelo caía oleoso em cima dos olhos sempre exaustos. Pat não parecia curtir muito a vida, embora sempre conseguisse aproveitar duas coisas — pegar um menino em um lugar onde ele não deveria estar e acabar com qualquer algazarra. Antes de uma guerra de travesseiros, sempre postávamos um vigia na porta. Se Pat se aproximasse, o vigia era instruído a berrar: *Cave! Cave!* Acho que é latim. Alguém afirmou que queria dizer: a chefe está chegando! Outra pessoa declarou que significava: cuidado!

Seja como for, quando ouvíamos esse brado, sabíamos que era melhor parar ou fingir que estávamos dormindo.

Só os meninos novatos e mais burros recorriam a Pat quando tinham um problema. Ou, pior, quando sofriam um corte. Ela não fazia um curativo: ela cutucava com o dedo ou despejava um líquido na ferida que a fazia doer em dobro. Não era sádica, só parecia ter "déficit de empatia". Estranho, pois ela conhecia o sofrimento. Pat tinha muitas cruzes para carregar.

As maiores pareciam ser os joelhos e a coluna. Esta última era torta, os primeiros eram de uma rigidez crônica. Caminhar era difícil, as escadas eram uma tortura. Ela descia de costas, glacial. Era comum ficarmos no patamar de baixo, fazendo dancinhas grotescas, caretas.

Preciso dizer qual era o menino mais entusiasmado?

Nunca nos preocupávamos com a possibilidade de que Pat nos flagrasse. Ela era uma tartaruga e nós éramos três sapos. Porém, vez ou outra a tartaruga tirava a sorte grande. Ela se lançava, segurava o punho de um menino. Aha! Aí o garoto estava fodido para valer.

Isso não nos detinha. Continuávamos tirando sarro dela descendo a escada. A recompensa era maior que o risco. Para mim, a recompensa não era atormentar a pobre coitada da Pat, e sim fazer meus amigos rirem. Me sentia muito bem ao fazer as pessoas rirem, principalmente depois de passar meses sem rir.

Talvez Pat soubesse disso. De vez em quando ela se virava, me via sendo um imbecil e ria junto. Era a melhor coisa. Eu adorava fazer meus amigos gargalharem, mas para mim não existia nada melhor do que fazer a sempre triste Pat cair na risada.

9.

Nós os chamávamos de Dias de Gororoba.

Eram às terças e quintas-feiras, eu acho. Logo depois do almoço, formávamos uma fila no corredor, junto à parede, esticando o pescoço para ver, lá na frente, a mesa de gororobas, com montanhas de doces. Munchies, Skittles, Mars Bars e o melhor de todos, Opal Fruits. (Fiquei ofendidíssimo quando a Opal Fruits passou a se chamar Starbust. Foi uma heresia. Como se a Grã-Bretanha mudasse de nome.)

Só de vermos a mesa de gororobas, já ficávamos extasiados. A boca salivava, falávamos da "adrenalina" que viria do açúcar como agricultores falam da previsão de chuva em meio à seca. Enquanto isso, eu bolava uma forma de aumentar meu barato. Pegava todos os Opal Fruits e os espremia juntos, formando um doce enorme, depois o enfiava no canto da boca. Enquanto a bala derretia, minha corrente sanguínea se transformava em uma catarata espumosa de glicose. *Tudo o que te vem à mão para fazer, faze-o conforme a tua capacidade.*

O contrário do dia da gororoba era o dia de escrever cartas. Todos os meninos tinham que sentar para redigir uma missiva aos pais. Na melhor das hipóteses, era uma chatice. Mal me lembrava da época em que papai e mamãe ainda não eram divorciados, então escrever para eles sem mencionar as queixas mútuas, o rompimento conturbado, exigia a finesse de um diplomata de carreira.

Caro papai, como vai a mamãe?

Hmm. Não.

Cara mamãe, papai disse que você não...

Não.

Mas depois que mamãe desapareceu, o dia de escrever cartas se tornou insuportável.

As matronas me diziam para escrever uma "última" carta para a mamãe. Eu tenho a vaga lembrança de querer reclamar, afirmar que ela estava viva, e de não dizer isso por medo de que pensassem que eu estava louco. Além do mais, qual era o sentido? Como a mamãe leria a carta quando saísse do esconderijo, não seria um desperdício de energia.

Eu provavelmente escrevi uma carta pro forma às pressas, dizendo que estava com saudades, que estava tudo bem na escola e assim por diante. Provavelmente a dobrei uma vez e a entreguei à matrona. Eu me lembro de logo depois me arrepender de não ter levado a tarefa mais a sério. Queria ter mergulhado mais fundo, dito à minha mãe todas as coisas que pesavam no meu coração, principalmente meu remorso pela nossa última conversa ao telefone. Ela tinha ligado no fim da tarde, no dia do acidente, mas eu estava correndo pela casa com o Willy e não queria parar de brincar. Então fui meio lacônico com ela. Impaciente para retomar as brincadeiras, apressei minha mãe para desligar logo o telefone. Queria ter pedido desculpas. Queria ter procurado as palavras que descrevessem o quanto eu a amava.

Não sabia que essa procura seria um esforço que levaria décadas.

10.

Um mês depois, tiraríamos umas férias curtas. Eu finalmente iria para casa.

Espera — não, não iria.

Ao que constava, papai não queria que eu passasse minha folga andando sem rumo pelo Palácio de St. James, onde estava morando desde o rompimento com mamãe, e onde Willy e eu vivíamos sempre que tínhamos um tempo com ele. Papai tinha medo do que eu faria sozinho naquele palácio. Tinha medo de que eu olhasse um jornal, entreouvisse o rádio. Mais que tudo, tinha medo de que eu fosse fotografado por uma janela aberta, ou ao brincar com meus soldadinhos no jardim. Ele imaginava os repórteres tentando conversar comigo, berrando perguntas: *Oi, Harry, está com saudades da mamãe?* A nação vivenciava um luto histérico, mas a histeria da imprensa tinha virado psicose.

O pior de tudo é que Willy não estaria em casa para cuidar de mim. Ele estava em Eton.

Então papai anunciou que me levaria em uma viagem de negócios. À África do Sul.

África do Sul, pai? Sério?

Isso, menino querido. Vamos a Johanesburgo.

Ele tinha uma reunião com Nelson Mandela... e as Spice Girls?

Achei sensacional. E fiquei confuso. As Spice Girls, pai? Ele explicou que as Spice Girls fariam um show em Johanesburgo e chamariam o presidente Mandela para homenageá-lo. Ótimo, pensei, isso explica por que *as Spice Girls* vão estar lá... mas e nós? Eu não estava entendendo. Não sei se papai queria que eu entendesse.

A verdade é que a equipe do papai esperava que uma foto dele ao lado do líder político mais venerado do mundo e do grupo musical feminino mais popular do mundo lhe garantisse algumas manchetes favoráveis, e ele precisava muito disso. Desde o desaparecimento da mamãe, tinha sofrido ataques ferozes. As pessoas o responsabilizavam pelo divórcio e por tudo o que havia acontecido depois. Seu índice de aprovação no mundo inteiro estava na casa de um dígito. Para dar só um exemplo, um feriado nacional em sua homenagem tinha sido revogado em Fiji.

Não me interessava qual era o motivo oficial para a viagem. Estava feliz de ir junto. Era uma oportunidade de sair da Grã-Bretanha. Melhor ainda, era um tempo com o papai, que andava meio aéreo.

Não que o papai não estivesse sempre aéreo. Ele sempre exalou um ar de quem não estava muito preparado para a paternidade — as responsabilidades, a paciência, o tempo. Até ele, um homem orgulhoso, admitiria que era verdade. Mas a paternidade solo? Papai não foi feito para isso.

Para ser justo, ele tentou. À noite, eu gritava da base da escada: *Vou pra cama, pai!* Ele sempre berrava de volta em tom animado: *Eu já vou, menino querido!* Cumprindo sua palavra, minutos depois estava sentado à beira da minha cama. Nunca se esqueceu de que eu não gostava do escuro, então fazia carinho no meu rosto até eu adormecer. Guardo lembranças preciosas de suas mãos nas minhas bochechas, na minha testa, e de depois acordar e ver que ele tinha ido embora, magicamente, deixando uma fresta da porta sempre aberta em consideração a mim.

Tirando esses momentos fugazes, no entanto, de modo geral papai e eu coexistíamos. Ele tinha dificuldade de se comunicar, de escutar, de demonstrar intimidade cara a cara. De vez em quando, depois de um longo jantar, cheio de pratos, eu subia a escada e me deparava com uma carta em cima do meu travesseiro. A carta sempre dizia que ele estava muito orgulhoso de mim por alguma coisa que eu tinha feito ou conquistado. Eu sorria, enfiava a carta embaixo do travesseiro, mas também me perguntava por que não tinha falado aquilo momentos antes, sentado de frente para mim.

Portanto, a perspectiva de dias e mais dias de tempo irrestrito com papai era empolgante.

Então a realidade bateu à porta. Essa era uma viagem de trabalho para o papai. E para mim. O show das Spice Girls seria minha primeira aparição pública desde o funeral, e eu sabia, por intuição, por meio de fragmentos de conversas entreouvidas, que a curiosidade do público quanto ao meu bem-estar era enorme. Não queria decepcionar ninguém, mas ao mesmo tempo queria que todos sumissem. Eu me lembro de pisar no tapete vermelho e fixar um sorriso no rosto, desejando de repente estar na minha cama no Palácio de St. James.

Ao meu lado estava a Baby Spice, que usava sapatos de plástico branco com plataformas de trinta centímetros. Fixei o olhar nos sapatos enquanto ela fixava o olhar nas minhas bochechas. Ela não parava de beliscá-las. Tão gorducho! Tão fofinho! Então a Posh Spice deu um passo à frente e segurou minha mão. Na outra ponta da fila vi a Ginger Spice, a única Spice Girl com quem eu sentia alguma conexão — ela era ruiva como eu. Além disso, ficara famosa no mundo inteiro por ter usado um minivestido com a bandeira do Reino Unido. *Por que tem uma bandeira do Reino Unido em cima do caixão?* Ela e as outras meninas murmuravam para mim, diziam coisas que eu não entendia, enquanto provocavam os jornalistas, que berravam para mim. *Harry, aqui, Harry, Harry, como você está, Harry?* Perguntas que não eram perguntas. Perguntas que eram ciladas. Perguntas que atingiam minha cabeça feito machadinhas. Os jornalistas não davam a mínima para como eu estava, só estavam tentando me induzir a falar alguma coisa impensada, que virasse notícia.

Olhei para seus flashes, mostrei os dentes, me calei.

Se eu estava intimidado pelos flashes, as Spice Girls estavam inebriadas. Sim, sim, mil vezes sim, essa era a atitude delas sempre que mais um flash espocava. Por mim, tudo bem. Quanto mais exibidas elas fossem, mais eu podia sumir na paisagem. Lembro que elas falaram com a imprensa sobre a música e a missão delas. Eu não sabia que tinham uma missão, mas uma delas comparou a cruzada do grupo contra o sexismo à luta de Mandela contra o apartheid.

Por fim, alguém disse que estava na hora de o show começar. *Vai lá. Vai com o seu pai.*

Um show? O papai?

Impossível de acreditar. Ainda mais impossível enquanto de fato acontecia. Mas vi com meus próprios olhos meu pai balançar a cabeça e bater os pés:

If you want my future, forget my past
*If you wanna get with me, better make it fast.**

Depois, na saída, mais flashes. Dessa vez, as Spice Girls não estavam ali para desviar o foco. Éramos só eu e o papai.

Estendi o braço, segurei sua mão — me agarrei a ele.

Eu me lembro, tão claro quanto os flashes: do amor por ele.

A necessidade dele.

11.

Na manhã seguinte, papai e eu fomos para uma bela cabana à beira de um rio sinuoso. KwaZulu-Natal. Eu já tinha ouvido falar desse lugar, onde soldados britânicos e guerreiros zulus tinham entrado em conflito no verão de 1879. Já tinha ouvido todas as histórias e lendas, além de ter visto o filme *Zulu* incontáveis vezes. Mas agora me tornaria um exímio conhecedor, papai disse. Ele tinha organizado uma roda em volta de uma fogueira onde nos sentaríamos em cadeiras dobráveis e escutaríamos o historiador de fama mundial David Rattray recriar a batalha.

Talvez essa tenha sido a primeira palestra a que eu tenha prestado atenção na vida.

Os homens que tinham guerreado ali, o sr. Rattray declarou, eram heróis. De ambos os lados — heróis. Os zulus eram ferozes, verdadeiros mágicos, e usavam uma lança curta cujo nome era *iklwa*, batizada assim por conta do barulho de sucção que fazia quando era tirada do peito da vítima. No entanto, os meros 150 soldados britânicos presentes conseguiram resistir aos 4 mil zulus, e essa defesa improvável, chamada de Rorke's Drift, foi logo incorporada à mitologia britânica. Onze soldados foram premiados com a Cruz Vitória, o maior número já conquistado em uma batalha por um único regimento. Outros dois soldados, que contiveram os zulus um dia antes da Rorke's Drift, foram os primeiros a ganhar uma Cruz Vitória postumamente.

---

* Em tradução livre: "Se você quer meu futuro, esqueça meu passado/ Se quer ficar comigo, melhor se apressar". (N. E.)

Postumamente, pai?

Isso.

O que isso quer dizer?

Depois que eles, você sabe.

O quê?

Morreram, menino querido.

Embora fosse um motivo de orgulho para muitos bretões, o Rorke's Drift era resultado do imperialismo, colonialismo, nacionalismo — em suma, um roubo. A Grã-Bretanha estava violando, invadindo uma nação soberana para tentar roubá-la, o que significava que o sangue precioso dos melhores rapazes da Grã-Bretanha fora esbanjado naquele dia, segundo a visão de alguns, inclusive do sr. Rattray. Ele não evitou esses fatos complicados. Quando necessário, condenava enfaticamente os britânicos. (Os locais o chamavam de Zulu Branco.) Mas eu era muito novo: eu o escutei, mas ao mesmo tempo não escutei. Talvez tivesse assistido ao filme *Zulu* vezes demais, talvez já tivesse travado muitas batalhas de mentirinha com meus soldados de brinquedo. Eu tinha uma concepção de batalha, da Grã-Bretanha, que não me permitia enxergar novos fatos. Portanto, me concentrei nas falas sobre a coragem dos homens, sobre o poder britânico, e quando deveria ter me horrorizado, fui inspirado.

A caminho de casa, disse a mim mesmo que a viagem inteira tinha sido sensacional. Não só uma aventura extraordinária como uma oportunidade de criar vínculos mais fortes com o papai. Sem dúvida a vida seria bem diferente dali para a frente.

12.

A maioria dos meus professores eram almas generosas que me deixavam em paz, que entendiam o que eu estava enfrentando e não queriam me causar problemas. O sr. Dawson, que tocava órgão na capela, era extremamente bondoso. O sr. Little, professor de percussão, era de uma paciência inacreditável. Confinado a uma cadeira de rodas, ele chegava de furgão, e gastávamos uma eternidade para tirá-lo do carro e levá-lo à sala de aula, e como ainda precisávamos parar a tempo de levá-lo de volta ao furgão, nunca tínhamos mais que vinte minutos de aula de fato. Eu não me importava, e em troca o sr. Little jamais se queixava porque eu não melhorava na percussão.

Alguns professores, entretanto, não se apiedavam de mim. Como o meu professor de história, o sr. Hughes-Games.

Dia e noite, do bangalô do sr. Hughes-Games, ao lado dos campos esportivos, ouvíamos os latidos estridentes de seus perdigueiros, Tosca e Beade. Eles eram lindos, malhados, de olhos cinza, e o sr. Hughes-Games os tratava como filhos. Tinha porta-retratos prateados com fotos dos cachorros em cima da mesa, e essa era uma das razões por que muitos garotos o consideravam meio excêntrico. Por isso foi um choque enorme quando me dei conta de que o sr. Hughes-Games me considerava um menino esquisito. Tem coisa mais esquisita, ele me disse um dia, do que um príncipe britânico levar bomba em história britânica?

Eu não consigo entender, Gales. A gente está falando dos seus parentes de sangue — isso não significa nada pra você?

Nadica de nada, senhor.

A questão não era só que eu não sabia nada sobre a história da minha família: eu não queria saber.

Eu gostava de história britânica *em tese*. Achava algumas partes curiosas. Sabia algumas coisas sobre a assinatura da Carta Magna, por exemplo — junho de 1215, no distrito de Runnymede —, mas sabia porque, através da janela do carro do papai, já tinha batido os olhos no lugar onde havia acontecido. Ao lado do rio. Era um lugar lindo. O canto perfeito para estabelecer a paz, pensei. Mas pequenos detalhes da Conquista Normanda? Ou os pormenores da rixa entre Henrique VIII e o papa? Ou as diferenças entre a Primeira e a Segunda Cruzada?

Deus me livre.

A questão toda atingiu um ponto crítico quando o sr. Hughes-Games estava falando de como Charles Edward Stuart, ou Charles III, se enxergava. O pretendente ao trono. O sr. Hughes-Games tinha opiniões fortes sobre o sujeito. Enquanto as dividia conosco, enfurecido, eu fitava meu lápis e tentava não cair no sono.

De repente, o sr. Hughes-Games parou e fez uma pergunta sobre a vida de Charles. A resposta era fácil se o aluno tivesse lido os textos recomendados. Ninguém tinha lido.

Gales, não tem como você não saber essa.

Por que eu deveria saber?

Porque é a sua família!

Risadas.

Baixei a cabeça. Os outros meninos sabiam que eu era da realeza, é claro. Se se esquecessem por meia fração de segundo que fosse, meu onipresente guarda-costa (armado) e os policiais espalhados pelo terreno da escola ficariam muito felizes em lembrar-lhes. Mas o sr. Hughes-Games precisava falar aquilo em público? Precisava usar aquela palavra tão carregada — família? Minha família havia me declarado uma nulidade. O Reserva. Não reclamava disso, tampouco queria repisar o assunto. Melhor ainda, na minha cabeça, era não pensar em certos fatos, como a regra fundamental das viagens reais: papai e William nunca poderiam embarcar no mesmo voo para não haver a possibilidade de que o primeiro e o segundo na linha de sucessão ao trono desaparecessem. Mas ninguém ligava se eu viajasse com um ou o outro: o Reserva era dispensável. Eu sabia disso, sabia qual era o meu lugar, então para que me dar ao trabalho de estudar o assunto? Para que decorar o nome dos reservas passados? Qual era o sentido?

Além do mais, para que traçar minha árvore genealógica quando todas as linhas levavam ao mesmo ramo partido — a mamãe?

Depois da aula, fui à mesa do sr. Hughes-Games e pedi que ele, por favor, parasse.

Parar com o quê, Gales?

De me constranger, senhor.

Suas sobrancelhas subiram até o cabelo, como dois passarinhos assustados.

Argumentei que seria cruel discriminar qualquer outro menino como ele me discriminava, fazer a outro aluno de Ludgrove perguntas tão incisivas sobre o tataraparente dele.

O sr. Hughes-Games pigarreou e bufou. Tinha passado dos limites, ele sabia disso. Mas era teimoso.

É bom pra você, Gales. Quanto mais eu te chamar, mais você vai aprender.

Dias depois, no entanto, no início da aula, o sr. Hughes-Games fez um gesto para selar a paz, ao estilo da Carta Magna. Ele me presenteou com uma daquelas réguas de madeira com os nomes de todos os monarcas britânicos desde Harold, em 1066, gravados dos dois lados. (Uma régua régia, sacou?) A linha de sucessão real, centímetro a centímetro, chegando até a vovó. Disse que ela podia ficar na minha carteira, que eu podia consultá-la sempre que necessário.

Nossa, eu disse. Obrigado.

13.

Tarde da noite, depois que as luzes eram apagadas, alguns de nós saíamos vagando pelos corredores. Um absoluto descumprimento das normas, mas eu estava solitário e com saudades de casa, ansioso e deprimido, e não suportava ficar preso no dormitório.

Havia um professor em especial que, sempre que me pegava no flagra, me dava uma tremenda pancada, com um exemplar da *New English Bible*. A versão em capa dura. Era, sempre achei, realmente uma capa bem dura. Ao ser golpeado com ela, eu me sentia mal por mim, me sentia mal pelo professor e me sentia mal pela Bíblia. Ainda assim, voltava a descumprir as normas imediatamente.

Quando não estava passeando pelos corredores, passeava pelo terreno da escola, em geral com o meu melhor amigo, Henners. Assim como eu, Henners era oficialmente Henry, mas eu sempre o chamava de Henners e ele me chamava de Haz.

Magricela, sem músculos, e com um cabelo sempre eriçado, Henners era puro coração. Toda vez que ele sorria, as pessoas amoleciam. (Ele foi o único menino que mencionou a mamãe para mim depois que ela desapareceu.) Mas aquele sorriso cativante, sua natureza afável, fazia as pessoas se esquecerem de que Henners era *bem* travesso.

Havia uma fazendinha ao lado da escola, do outro lado de uma cerca baixa, e um dia Henners e eu pulamos e caímos de cara em uma plantação de cenouras. Filas e mais filas de cenouras. Perto, havia uns morangos enormes, suculentos. Seguimos em frente, enchendo a boca, nos levantando de vez em quando para ver se a barra estava limpa. Sempre que mordo um morango, volto a esse lugar, a essa plantação, com o adorável Henners.

Dias depois, nós voltamos. Dessa vez, depois de devorar o que podíamos e pularmos a cerca, ouvimos nossos nomes.

Andávamos por um caminho de terra, em direção às quadras de tênis, e nos viramos devagarinho. Quem se aproximava de nós era um dos professores.

Vocês aí! Parem!

Olá, senhor.

O que é que vocês dois estão fazendo?

Nada, senhor.

Vocês estavam na fazenda.

Não!

Abram as mãos.

Abrimos. Palmas vermelhas. Ele reagiu como se fosse sangue.

Não lembro qual foi nosso castigo. Detenção? (Geralmente chamada de det.) Uma visita à sala do sr. Gerard? Outra pancada com a *New English Bible*? Fosse o que fosse, sei que não me importei. Não tinha tortura que Ludgrove pudesse me impor que fosse maior do que aquela que se passava dentro de mim.

14.

Ao patrulhar o terreno da escola, o sr. Marston muitas vezes carregava uma sineta. Me parecia uma sineta de recepção de hotel. *Pimm, tem quarto disponível?* Ele tocava a campainha sempre que queria a atenção de um grupo. O som era constante. E totalmente sem sentido.

Crianças abandonadas não ligam para sinos.

Era comum o sr. Marston irromper no refeitório para fazer anúncios. Começava a falar e ninguém lhe dava ouvidos, ou nem sequer baixava a voz, portanto ele tocava a sineta.

Pimm.

Uma centena de meninos continuava falando, rindo.

Ele tocava com mais força.

Pimmm!

Quando a sineta não trazia o silêncio, o rosto do sr. Marston ia ficando cada vez mais vermelho. *Companheiros! Vocês poderiam me ESCUTAR?*

Não, era a resposta mais simples. Não poderíamos. Porém, não era por desrespeito: era uma mera questão de acústica. Não conseguíamos ouvi-lo. O salão era cavernoso demais, e estávamos muito absortos em nossas conversas.

Ele não aceitava. Parecia desconfiado, como se nosso desdém pela sineta fosse parte de uma tramoia coordenada. Não sei os outros, mas eu não fazia parte de tramoia nenhuma. Além do mais, não estava fazendo pouco-caso dele. Pelo contrário: não conseguia desviar os olhos do cara. Volta e meia me perguntava o que alguém de fora diria se testemunhasse aquele espetáculo de uma centena de meninos batendo papo enquanto um homem-feito, parado diante deles, tocava uma sineta sem parar e em vão.

O que também colaborava para a sensação de caos era o hospital psiquiátrico no fim da rua. Broadmoor. Um tempo antes de eu ir estudar em Ludgrove, um paciente de Broadmoor tinha fugido e matado uma criança em um dos vilarejos dos arredores. A partir de então, Broadmoor instalara uma sirene e de vez em quando a testavam para garantir que estava funcionando direito. Parecia o anúncio do Juízo Final. A sineta do sr. Marston elevada ao cubo.

Mencionei isso a papai um dia. Ele assentiu com ares de sábio. Fazia pouco tempo que tinha visitado um lugar parecido como parte de sua obra de caridade. Os pacientes eram afáveis, de modo geral, ele me garantiu, mas um havia se destacado. Um carinha que alegava ser o príncipe de Gales.

Papai disse que ele levantara o dedo em riste para o impostor e o repreendera severamente. *Veja só. Você não pode ser o príncipe de Gales! Eu sou o príncipe de Gales.*

O paciente apenas botara o dedo na cara dele. *Impossível! Eu que sou o príncipe de Gales!*

Papai gostava de contar histórias, e essa era uma das melhores de seu repertório. Ele sempre terminava com um toque de filosofia: o fato de que esse paciente doido tivesse tamanha convicção de sua identidade, não menos do que o papai, suscitava Grandes Questões. Quem vai dizer qual dos dois está são? Quem há de ter certeza de que *eles* não eram os doidos, irremediavelmente iludidos, cujos parentes e amigos não queriam contradizê-los? *Vai saber se eu sou mesmo o príncipe de Gales. Vai saber se sou mesmo o seu pai. Vai ver que o seu pai de verdade está em Broadmoor, menino querido!*

Ele ria sem parar, embora a piada não tivesse graça nenhuma, dado o boato que circulava justamente naquela época de que meu pai verdadeiro era um dos ex-amantes da mamãe: o major James Hewitt. Uma das razões para esse rumor era o cabelo ruivo do major Hewitt, mas outra razão era o sadismo. Leitores de tabloides ficavam contentíssimos com a ideia de que o caçula do príncipe Charles na verdade não era filho do príncipe Charles. A "piada" nunca perdia a graça para as pessoas, sabe-se lá por quê. Talvez se sentissem melhor a respeito da própria vida ao imaginar que a vida de um jovem príncipe era risível.

Pouco importava que minha mãe só tenha conhecido o major Hewitt muito depois de eu nascer, pois a história era boa demais para ser deixada para lá. A imprensa requentava, aumentava, e houve até um papo de que alguns repórteres estavam atrás do meu DNA — o primeiro indício de que, após torturar minha mãe até ela se esconder, eles iriam atrás de mim.

Ainda hoje, quase todas as biografias escritas sobre mim, todos os perfis mais longos em jornais e revistas, tocam no assunto major Hewitt, tratam a ideia de sua paternidade com certa seriedade e incluem até um relato do momento em que o papai sentou comigo para uma conversa franca, para me garantir que o major Hewitt não era meu pai de verdade. Uma cena vívida, dolorosa, comovente e totalmente inventada. Se meu pai pensava alguma coisa sobre o major Hewitt, ele guardou os pensamentos para si.

15.

É lendária a declaração da minha mãe de que havia três pessoas em seu casamento. Mas ela errou a matemática.

Ela deixou Willy e eu de fora da equação.

Não entendíamos o que estava acontecendo entre ela e o papai, é claro, mas intuíamos, sentíamos a presença da Outra, pois sofríamos as reverberações. Fazia muito tempo que Willy nutria suspeitas sobre a Outra, o que o confundia, atormentava, e quando essas suspeitas se confirmaram, ele sentiu uma enorme culpa por não ter feito nada, não ter dito nada, antes.

Acho que eu era pequeno demais para suspeitar. Mas era impossível não sentir a falta de estabilidade, a falta de carinho e amor na nossa casa.

Agora, com a mamãe ausente, a matemática pesava bastante a favor do papai. Estava livre para ver a Outra, abertamente, sempre que quisesse. Mas ver não bastava. Papai queria assumi-la publicamente. Queria ser transparente. E o primeiro passo rumo a esse objetivo era trazer "os meninos" para o jogo.

Willy foi primeiro. Já tinha esbarrado na Outra uma vez no palácio, mas dessa vez ele foi formalmente convocado de Eton para uma reunião particular de alto risco. Em Highgrove, acho. Para um chá, creio eu. Tinha corrido tudo bem, eu soube mais tarde por Willy, mas ele não deu detalhes. Apenas deu a impressão de que a Outra, Camilla, tinha se esforçado, que ele valorizava isso, e foi só o que se deu ao trabalho de contar.

Então chegou a minha vez. Disse a mim mesmo: nada de mais. Que nem tomar injeção. Feche os olhos, quando você perceber já vai ter acabado.

Tenho uma vaga lembrança de Camilla tão calma (ou entediada) quanto eu. Nenhum dos dois dava muita importância à opinião do outro. Ela não era minha mãe, e eu não era o maior empecilho para ela. Em outras palavras, eu não era o Herdeiro. Esse encontro comigo era mera formalidade.

Fico me perguntando que assuntos achamos para conversar. Cavalos, provavelmente. Camilla os adorava, e eu sabia cavalgar. Difícil pensar em algum outro assunto que pudéssemos abordar.

Eu me lembro de me perguntar, logo antes do chá, se ela seria cruel comigo. Se seria como as madrastas malvadas dos contos de fadas. Mas não foi. Assim como Willy, fiquei muito grato por isso.

Por fim, encontros tensos com a Camilla já superados, tivemos uma última reunião com o papai.

Então, o que vocês acham, meninos?

Achávamos que ele devia ser feliz. Sim, a Camilla tinha tido um papel crucial no desfecho do casamento dos nossos pais, e, sim, isso significava que ela tivera um papel no desaparecimento da nossa mãe, mas entendíamos que havia sido engolida, como todo mundo, pela maré dos acontecimentos. Não a culpávamos, e na verdade a perdoaríamos de bom grado se fizesse o papai feliz. Víamos que, assim como nós, ele não estava contente. Reconhecíamos os olhares perdidos, os suspiros vazios, a frustração sempre nítida em seu rosto. Não tínhamos como ter certeza porque o papai não falava do que sentia, mas juntamos as peças, ao longo dos anos, para formar um retrato bastante fidedigno dele, baseado nas informações que deixava escapar.

Por exemplo, o papai tinha confessado por volta dessa época que fora "perseguido" quando menino. Para que ficasse mais durão, nossos avós o tinham despachado para Gordonstoun, um colégio interno onde sofria um bullying horrendo. As vítimas mais prováveis dos valentões de Gordonstoun, ele explicou, eram os meninos criativos, sensíveis, que gostavam de ler — em outras palavras, o papai. Suas maiores qualidades eram um chamariz para os brigões. Eu me lembro dele murmurando em tom sinistro: *Eu sobrevivi por um triz.* Como tinha sobrevivido? Cabisbaixo, agarrado ao ursinho de pelúcia, que ele ainda tinha muitos anos depois. O Teddy ia a tudo quanto era lugar com o papai. Era um objeto digno de pena, com braços quebrados e fios soltos, buracos remendados aqui e ali. Eu imaginava que era como o papai ficava depois que os valentões acabavam com ele. Teddy exprimia com eloquência, melhor do que o papai jamais conseguiria, a solidão essencial de sua infância.

Willy e eu concordávamos que ele merecia coisa melhor. Teddy que nos perdoe, mas o papai merecia uma companheira de verdade. Foi por isso que, quando ele perguntou, Willy e eu prometemos que receberíamos Camilla na nossa família.

A única coisa que pedíamos era que ele não se casasse com ela. Você não precisa se casar de novo, suplicamos. Um casamento geraria controvérsia. Incitaria a imprensa. Faria o país inteiro, o mundo inteiro, falar da mamãe, comparar a mamãe com a Camilla, e ninguém queria isso. Muito menos a Camilla.

Nós te apoiamos, dissemos. Endossamos a Camilla, dissemos. *Mas por favor não se case com ela. É só vocês ficarem juntos, pai.*

Ele não respondeu.

Mas ela respondeu. Na mesma hora. Pouco depois de nossas reuniões particulares, Camilla começou a jogar pensando no longo prazo, uma campanha cujo objetivo era o casamento e consequentemente a Coroa.

(Com as bênçãos do papai, supúnhamos.) Matérias começaram a surgir por todos os lados, em todos os jornais, sobre sua conversa em particular com Willy, histórias que continham detalhes precisos, nenhum deles saído da boca do Willy, é claro.

Só poderiam ter sido plantados pela única outra pessoa presente.

E era óbvio que isso tinha sido estimulado pelo novo "relações-públicas" que Camilla convencera o papai a contratar.

16.

No início do outono de 1998, tendo me formado em Ludgrove na primavera anterior, entrei em Eton.

Um choque profundo.

A melhor escola para meninos do mundo, Eton foi *feita* para ser um choque, eu acho. O choque deve ter feito parte de suas diretrizes originais, talvez até fosse parte das instruções dadas aos primeiros arquitetos pelo fundador do colégio, meu ancestral Henrique VI. Ele considerava Eton um santuário, um templo sagrado, e com esse fim queria desarmar os sentidos para que os visitantes se sentissem como peregrinos humilhados, submissos.

No meu caso, a missão foi cumprida.

(Henrique chegou a conceder ao colégio artefatos religiosos inestimáveis, como uma parte da coroa de espinhos de Jesus. Um grande poeta chamou o lugar de "sombra sagrada de Henrique".)

Ao longo dos séculos, a missão de Eton foi se tornando um pouco menos pia, mas o currículo foi adquirindo um rigor chocante. Não era sem razão que Eton agora se dizia não uma escola, mas simplesmente... A Escola. Para quem está na mira, não existe outra opção. Dezoito primeiros-ministros foram educados nas salas de aula de Eton, além de 37 ganhadores da Cruz Vitória. Um paraíso para os garotos brilhantes, só poderia ser um purgatório para um garoto nada brilhante.

A situação ficou inegavelmente óbvia na minha primeira aula de francês. Fiquei atônito ao ver o professor conduzir a aula inteira em um francês ligeiro, ininterrupto. Ele imaginava, por alguma razão, que todos fôssemos fluentes.

Talvez todo mundo fosse. Mas eu? Fluente? Por que tinha conseguido passar no exame de admissão? *Au contraire, mon ami!*

Depois da aula, abordei o professor e expliquei que tinha acontecido um engano terrível, que eu estava na turma errada. Ele me mandou relaxar, garantiu que eu pegaria o ritmo em dois segundos. Ele não entendeu; ele tinha fé em mim. Então fui ao meu coordenador, implorei que me pusesse junto com os falantes mais lentos, os alunos mais vagarosos, meninos *exactement comme moi.*

Ele fez o que pedi. Mas serviu apenas de quebra-galho.

Vez ou outra eu confessava a um professor ou a um colega que não estava apenas na turma errada, mas no lugar errado. Eu estava muito, muito perdido. Eles diziam a mesma coisa: não esquenta a cabeça, vai dar tudo certo. *E não esqueça que o seu irmão está aqui!*

Mas não era eu que me esquecia. Willy tinha pedido para eu fingir que não o conhecia.

O quê?

Você não me conhece, Harold. E eu não te conheço.

Nos últimos dois anos, Willy explicou, Eton tinha sido seu santuário. Sem irmão caçula na sua cola, enchendo o saco com perguntas, tentando se enturmar em seu círculo social. Ele estava criando uma vida própria e não estava disposto a abrir mão dela.

Nada disso era uma grande novidade. Willy sempre detestou que nos considerassem um pacote. Odiava quando mamãe nos vestia com as mesmas roupas. (O fato de ela gostar de roupas infantis exageradas não ajudava: era normal parecermos os gêmeos de *Alice no País das Maravilhas.*) Eu mal reparava. Não ligava para roupas, nem as minhas nem as dos outros. Contanto que não estivéssemos de kilt, com aquela faca aflitiva na meia e a brisa batendo na bunda, eu ficava tranquilo. Mas para Willy era pura agonia usar o mesmo paletó, o mesmo short apertado que eu. E agora, frequentar a mesma escola era puro horror.

Falei que ele não precisava se preocupar. *Vou esquecer que te conheço.*

Mas Eton não facilitaria a tarefa. Pensando que seria bom, nos puseram debaixo do mesmo teto. Manor House.

Pelo menos eu ficava no térreo.

Willy ficava alguns andares acima, com os garotos mais velhos.

17.

Muitos dos sessenta garotos de Manor House foram tão acolhedores quanto Willy. A indiferença deles, entretanto, não me incomodou tanto quanto sua *tranquilidade*. Até os que tinham a minha idade agiam como se tivessem nascido na escola. Ludgrove tinha seus problemas, mas pelo menos eu sabia me virar por lá, sabia desconcertar a Pat, sabia quando os doces eram distribuídos, como sobreviver aos dias de redigir cartas. No decorrer do tempo, tinha chegado, aos trancos e barrancos, ao topo da pirâmide de Ludgrove. Agora, em Eton, estava de volta à base.

Recomeçando do zero.

E o pior, sem o meu melhor amigo, Henners. Ele frequentava outra escola.

Eu não sabia como me vestir de manhã. Todos os alunos de Eton tinham que usar um fraque preto, uma camisa branca sem gola, uma gola engomada branca acoplada à camisa com um botão — além de calças risca de giz, sapatos pretos e uma gravata que não era gravata, era mais uma tira de tecido dobrada para dentro da gola removível. Traje formal, eles diziam, mas não era formal, era fúnebre. E havia uma razão para isso. Devíamos guardar luto eterno pelo velho Henrique VI. (Ou pelo rei Jorge, um dos primeiros apoiadores da escola, que chamava seus alunos para tomar chá no castelo — ou alguma coisa assim.) Embora Henrique fosse meu ancestral, e embora lamentasse seu falecimento e o sofrimento que isso possa ter causado aos que o amavam, eu não estava disposto a guardar luto pelo sujeito em período integral. Qualquer garoto hesitaria em fazer parte de um funeral sem fim, mas para um menino que tinha acabado de perder a mãe, era um baita golpe diário.

Primeira manhã: levei uma eternidade para fechar as calças, abotoar o colete, dobrar a gola engomada e finalmente sair do quarto. Estava enlouquecido, desesperado para não me atrasar, pois senão teria que escrever meu nome em um caderno grande, o Livro dos Atrasos, uma das diversas tradições que eu precisava aprender junto com uma lista longa de palavras e expressões novas. As aulas já não eram aulas: eram *divs*. Professores não eram mais professores: eram *beaks*. Cigarros eram *tabbage*. (Parecia que todo mundo tinha um vício louco em *tabbage*.) *Chambers* era a reunião dos professores no meio da manhã, quando debatiam sobre os alunos, principalmente os problemáticos. Minha orelha volta e meia ardia durante as Chambers.

Os esportes, decidi, seriam meu ponto forte em Eton. Os meninos esportistas eram divididos em dois grupos: os caras secos e os caras molhados. Os caras secos jogavam críquete, futebol, rúgbi, polo. Os caras molhados remavam, velejavam ou nadavam. Eu era um seco que de vez em quando se molhava. Jogava todos os esportes secos, mas o rúgbi conquistou meu coração. Era um belo jogo, além de um ótimo pretexto para correr e trombar com muita força nas coisas. O rúgbi me permitia extravasar minha raiva, que àquela altura algumas pessoas diziam ser minha "névoa vermelha". Além do mais, eu simplesmente não sentia a dor que os outros garotos sentiam, o que me tornava assustador nos arremessos. Ninguém conseguia reagir a um menino que, na verdade, *procurava* uma dor externa que se igualasse à dor interna.

Fiz alguns amigos. Não foi fácil. Eu tinha necessidades únicas. Precisava de alguém que não me zoasse por ser da realeza, alguém que nem sequer mencionasse que eu era o Reserva. Precisava de alguém que me tratasse como uma pessoa normal, ou seja, que ignorasse o guarda-costa armado que dormia no patamar da escada, cuja missão era impedir que eu fosse raptado ou assassinado. (Para não falar do rastreador eletrônico e do alarme de pânico que estavam sempre comigo.) Todos os meus amigos cumpriam esses critérios.

Às vezes meus novos amigos e eu fugíamos, íamos a Windsor Bridge, que ligava Eton a Windsor e passava por cima do rio Tâmisa. Íamos especificamente para debaixo da ponte, onde podíamos fumar com privacidade. Meus amigos pareciam curtir a desobediência, já eu agia assim porque estava no piloto automático. É claro, queria fumar um cigarro depois de fazer um lanche no McDonald's, quem não queria? Mas se era para escapulir, eu teria preferido ir para o campo de golfe de Windsor, dar umas tacadas tomando uma cerveja.

Porém, como um robô, eu aceitava todos os cigarros que me ofereciam, e no mesmo estilo automático, impensado, em pouco tempo passei à maconha.

18.

O jogo pedia um taco, uma bola de tênis e uma falta total de consideração pela nossa própria segurança física. Eram quatro jogadores: o lançador, o batedor e dois interceptadores postados no meio do corredor, todos com um pé para fora e outro para dentro do quarto. Nem sempre era o nosso quarto. Volta e meia atrapalhávamos os garotos que estavam tentando estudar. Eles imploravam que saíssemos dali.

Desculpa, a gente dizia. *Este* é o *nosso* estudo.

O aquecedor representava a meta. Havia um debate interminável sobre o que constituía um ponto. Batia na parede? Dava ponto. Saía pela janela? Não dava ponto. Pegar com uma mão só se a bola quicasse? Batedor fora.

Um dia, um dos membros mais atléticos do nosso grupo se jogou sobre a bola, tentando fazer uma defesa complicada, e bateu a cara em um extintor de incêndio preso à parede. A língua se partiu ao meio. Seria de imaginar que depois disso, depois de o tapete ser manchado pelo seu sangue, daríamos por encerrado o Críquete de Corredor.

Não foi o caso.

Quando não estávamos fumando maconha ou jogando Críquete de Corredor, nos refestelávamos no quarto. Ficamos muito bons em adotar ares de suprema indolência. A ideia era dar a impressão de que não tínhamos propósito nenhum, como se só pudéssemos nos mexer para fazer alguma maldade ou, melhor ainda, alguma bobagem. Quase no fim do meu primeiro semestre, fizemos uma enorme idiotice.

Alguém insinuou que meu cabelo era um desastre. Uma grama brotando para cima.

Bom... o que é que se pode fazer?

Deixa eu tentar uma coisa.

Você?

É. Deixa eu raspar tudo.

Hum. Não me parecia uma boa.

Mas eu queria ir na onda. Queria ser um cara legal. Um cara divertido. *Está bem.*

Alguém pegou a tesoura. Alguém me empurrou para uma cadeira. Com que rapidez, com que displicência, depois de uma vida inteira crescendo saudável, o cabelo foi caindo da minha cabeça. Quando o menino com a tesoura terminou, olhei para baixo, vi dezenas de pirâmides de fios ruivos no chão, como vulcões vermelhos vistos de um avião, e entendi que tinha cometido um erro monumental.

Corri até o espelho. Minhas suspeitas se confirmaram. Gritei de horror.

Meus amigos também gritaram. Em meio a gargalhadas.

Eu andava em círculos. Queria voltar no tempo. Queria catar o cabelo do chão e colar na minha cabeça. Queria despertar daquele pesadelo. Sem saber a quem recorrer, quebrei a regra sagrada, a única ordem ilustre que nunca deveria ser descumprida, e corri para o quarto do Willy.

É claro que Willy não tinha o que fazer. Só torcia para que ele me dissesse: vai ficar tudo bem, não precisa surtar, fica tranquilo, Harold. Mas ele riu como todo mundo. Eu me lembro dele sentado à escrivaninha, debruçado sobre um livro, rindo, enquanto eu permanecia parado diante dele passando os dedos nas saliências da minha nova careca.

Harold, o que foi que você fez?

Que pergunta. Ele parecia Stewie, de *Family Guy*. Não era óbvio?

Você não devia ter feito isso, Harold!

Então vamos apenas reiterar obviedades?

Ele disse mais algumas coisas que não serviram de nada e eu fui embora.

A ridicularização maior ainda estava por vir. Alguns dias mais tarde, lá estava eu na primeira página do *Daily Mirror*, um dos maiores tabloides, com meu novo corte de cabelo.

Manchete: *Harry, o skinhead.*

Não conseguia entender como tinham tomado conhecimento da história. Um colega de escola devia ter contado a alguém que tinha contado a mais alguém que tinha contado aos jornais. Não tinham foto, graças a Deus. Mas improvisaram. A imagem na capa era um retrato "gerado por computador" do Reserva, careca feito um ovo. Uma mentira. Mais do que mentira, na verdade.

Eu estava feio, mas não tão feio.

19.

Não achei que a situação pudesse piorar. Que erro grave é um membro da Família Real, ao pensar na imprensa, imaginar que a situação não tem como ficar pior. Semanas depois o mesmo jornal me pôs na capa outra vez.

HARRY SOFRE UM ACIDENTE.

Eu tinha quebrado o osso do polegar jogando rúgbi, nada de mais, mas o jornal resolveu inventar que eu estava respirando por aparelhos. Mau gosto, sob quaisquer circunstâncias, mas pouco mais de um ano após o suposto acidente da mamãe?

Poxa, camaradas.

Eu lidava com a imprensa britânica desde sempre, mas nunca tinham voltado o foco para mim. Na verdade, desde a morte da mamãe, um acordo tácito regia o tratamento que a imprensa dispensava a seus dois filhos, e o acordo era o seguinte: *Dar um tempo.*

Deixar que eles estudem em paz.

Parecia que o acordo tinha expirado, pois agora eu estava ali, na capa, tratado como uma flor delicada. Ou um babaca. Ou os dois.

E à beira da morte.

Eu li o artigo várias vezes. Apesar do subtexto sombrio — tem alguma coisa muito errada com o príncipe Harry —, fiquei maravilhado com o tom: surrealista. Minha existência era uma diversão para esse pessoal. Para eles, eu não era um ser humano. Não era um menino de catorze anos escapando por um triz do fracasso. Era um personagem de desenho animado, uma marionete a ser manipulada e zombada. E daí se a diversão deles tornava meus dias já difíceis ainda mais difíceis, me transformava em alvo das chacotas dos meus colegas, para não falar do mundo de modo geral? E daí se estavam torturando uma criança? Tudo se justificava porque eu era membro da realeza, e na cabeça deles um membro da realeza não era uma pessoa. Séculos atrás, homens e mulheres da realeza eram considerados divinos; agora eram insetos. Que divertido arrancar suas asas.

O gabinete do papai emitiu uma queixa formal, exigiu um pedido de desculpas público, acusou o jornal de praticar bullying contra seu filho caçula.

O jornal disse ao gabinete do meu pai que parasse de encher o saco.

Antes de tentar seguir em frente, dei uma última olhada no artigo. Entre todas as coisas que me surpreendiam, a mais espantosa era a redação de merda. Eu era um aluno ruim, um péssimo redator, mas tinha educação suficiente para perceber que aquilo ali era uma aula de analfabetismo.

Para dar um exemplo: depois de explicar que eu tinha me lesionado gravemente, que estava à beira da morte, a matéria alertava, ofegante, que eles não poderiam revelar a natureza exata dos meus ferimentos porque a Família Real havia proibido os editores de fazê-lo. (Como se a minha família tivesse algum controle sobre esses demônios.) "Para tranquilizá-los, podemos dizer que as lesões de Harry NÃO são sérias. Mas o acidente foi considerado grave o bastante para que fosse levado ao hospital. Mas acreditamos que você tem o direito de saber se um herdeiro do trono se envolveu em um acidente, por menor que seja, caso ele tenha resultado em alguma lesão."

Os dois "mas" em sequência, a presunção, a falta de coerência e a ausência de qualquer sentido verdadeiro, o vazio histérico de tudo. Dizem que essa porcaria de parágrafo foi editada — ou, mais provavelmente, escrita — por um jovem jornalista cujo nome eu li e esqueci na sequência.

Eu não achava que esbarraria com isso, ou com ele, de novo. Pela forma como escrevia? Imaginei que não trabalharia como jornalista por muito tempo.

20.

Não lembro quem foi a primeira pessoa a usar essa palavra. É provável que tenha sido alguém da imprensa. Ou um dos meus professores. Não interessa — ela pegou e circulou. Logo se tornou meu papel no Constante Melodrama Real. Muito antes de eu ter idade para tomar cerveja (legalmente), ela virou um dogma.

O Harry? É, ele é o rebelde.

Rebelde virou a maré contra a qual eu nadava, o vento contra o qual eu voava, a expectativa diária que eu jamais conseguiria superar.

Não queria ser rebelde. Queria ser nobre. Queria ser bom, trabalhar muito, crescer e fazer qualquer coisa relevante nos meus dias. Mas cada pecado, cada passo em falso, cada contratempo reativava esse mesmo rótulo gasto, e as mesmas censuras públicas, e assim se reforçava o consenso de que eu era rebelde por natureza.

Talvez as coisas fossem diferentes se eu tirasse notas boas. Notas ao menos medianas. Mas eu não tirava e todo mundo sabia. Meus boletins eram de domínio público. A Comunidade Britânica inteira sabia das minhas dificuldades acadêmicas, que se deviam em grande medida ao fato de eu estar em desvantagem em Eton.

Mas ninguém discutia a *outra* causa provável.

Mamãe.

O estudo, a concentração exigem uma aliança com a mente, e na minha adolescência eu estava em guerra com a minha. Estava sempre rechaçando os pensamentos mais sombrios, os medos mais fundamentais — as lembranças mais queridas. (Quanto mais querida a lembrança, maior a dor.) Tinha encontrado estratégias para isso, algumas saudáveis, outras não, mas todas eram bem eficazes, e sempre que me eram inalcançáveis — quando era obrigado a sentar em silêncio para ler um livro, por exemplo —, eu surtava. É claro que eu evitava essas situações.

A qualquer custo, evitava sentar em silêncio para ler um livro.

Em algum momento me dei conta de que a base da educação é a memória. Uma lista de nomes, uma coluna de números, uma fórmula matemática, um belo poema — para aprendê-los, a pessoa tem que carregá-los na parte do cérebro que guarda coisas, mas essa era a parte do meu cérebro à qual eu resistia. Minha memória era irregular, de propósito, desde que mamãe havia desaparecido, e eu não queria melhorá-la, pois memória equivalia a sofrimento.

Não lembrar era um bálsamo.

Também é possível que eu esteja me lembrando incorretamente das minhas batalhas com a memória, pois recordo que eu era bom em decorar *algumas* coisas, como trechos longos de *Ace Ventura* e *O rei leão*. Eu os repetia sempre, para amigos, sozinho. Além disso, existe uma foto minha em que estou sentado no meu quarto, à escrivaninha com várias gavetas, e ali, em meio aos escaninhos e à papelada caótica, há um porta-retratos prateado com uma foto da mamãe. Pois é. Apesar da minha lembrança clara de não querer me lembrar dela, eu também lutava bravamente para não esquecê-la.

Por mais difícil que fosse para mim ser o rebelde, e o burro, para o meu pai isso era uma angústia, pois significava que eu era o oposto dele.

O que mais o preocupava é que eu fazia qualquer coisa para evitar os livros. Papai não só gostava de livros como os exaltava. Sobretudo Shakespeare. Adorava *Henrique V*. Ele se comparava ao príncipe Hal. Tinha vários Falstaffs na vida, como o Lorde Mountbatten, seu adorado tio-avô, e Laurens van der Post, o irascível discípulo intelectual de Carl Jung.

Quando eu tinha seis ou sete anos, papai foi a Stratford e fez uma veemente defesa pública de Shakespeare. No lugar onde o maior escritor britânico nasceu e morreu, papai condenou a omissão das peças de Shakespeare nas escolas, o sumiço de Shakespeare das salas de aulas britânicas e da consciência coletiva nacional. Papai apimentou esse sermão apaixonado com citações de *Hamlet, Macbeth, Otelo, A tempestade, O mercador de Veneza* — ele tirava as falas do nada, como se fossem pétalas das rosas que cultivava em casa, e as atirava na plateia. Fazia um espetáculo, mas não de um jeito vazio. Ele estava defendendo uma ideia: vocês deviam ser capazes disso. Todos vocês deviam conhecer essas citações. Essa é a nossa herança coletiva, temos que cuidar bem dela, resguardá-la, mas estamos deixando que ela morra.

Nunca tive dúvidas de que era uma decepção para o papai que eu fizesse parte das hordas dos que não conhecem Shakespeare bem. E tentei mudar isso. Abri *Hamlet*. Hum: um príncipe solitário obcecado pelo genitor falecido vê o genitor que lhe resta se apaixonar pelo usurpador do genitor falecido...?

Fechei o livro às pressas. Não, obrigado.

Papai nunca abandonou a luta. Estava passando mais tempo em Highgrove, uma propriedade de 140 hectares em Gloucestershire, que ficava perto de Stratford, então fazia questão de me levar lá de vez em quando. Aparecíamos sem avisar, assistíamos à montagem que estava em cartaz, papai não fazia distinção. Eu também não fazia, mas por outras razões.

Era tudo uma tortura.

Na maioria das noites, eu não entendia quase nada do que acontecia ou diziam no palco. Mas quando entendia, era pior para mim. As palavras me corroíam. Incomodavam. Por que eu iria querer ouvir que o reino inteiro se contraía "em uma só face de pesar"? Isso só me fazia lembrar de agosto de 1997. Por que eu iria querer refletir sobre o fato inalterável de que "tudo que é vivo morre, passando da vida à eternidade..."? Eu não tinha tempo para pensar na eternidade.

A obra literária que lembro de gostar, e até saborear, foi um romance americano fininho. *Ratos e homens*, de John Steinbeck. Tínhamos que lê-lo para a aula de inglês.

Ao contrário de Shakespeare, Steinbeck não precisava de tradução. Escrevia num vernáculo simples, sem enfeites. Melhor ainda, era sucinto. *Ratos e homens*: meras 150 páginas.

O melhor era o enredo divertido. Dois sujeitos, George e Lennie, vagando pela Califórnia, procurando um canto para se estabelecer, tentando superar suas limitações. Nenhum deles é um gênio, mas o problema de Lennie não parece ser só um QI baixo. Ele guarda um rato morto no bolso, o acaricia com o polegar — para se acalmar. Também ama tanto um cachorrinho que acaba o matando.

Uma história de amizade, de irmandade, de lealdade, era um livro recheado de temas com os quais conseguia me identificar. George e Lennie me lembravam Willy e eu. Dois amigos, dois nômades, passando pelas mesmas coisas, cuidando um do outro. Como um dos personagens de Steinbeck diz: "A gente precisa de alguém — que fique perto da gente. A gente enlouquece se não tem ninguém".

É verdade. Eu queria dividir isso com Willy.

Pena que ele ainda estava fingindo não me conhecer.

21.

Deve ter sido no início da primavera de 1999. Eu devia estar fora de Eton, em casa para o fim de semana.

Acordei e dei com papai na beirada da cama, dizendo que eu voltaria à África.

África, pai?

Isso mesmo, menino querido.

Por quê?

O velho problema de sempre, explicou. Havia um feriado escolar prolongado à minha espera, por causa da Páscoa, e alguma coisa precisava ser feita comigo. Assim, África. Botsuana, para ser mais exato. Um safári.

Safári! Você vai junto, pai?

Não. Era uma pena, não podia ir dessa vez. Mas Willy, sim.

Ah, tudo bem.

E alguém muito especial, acrescentou, bancaria nosso guia africano.

Quem, pai?

Marko.

Marko? Eu mal conhecia o homem, mas escutara coisas boas. Era o segurança pessoal de Willy, e Willy parecia gostar muito dele. Todos gostavam, aliás. Havia um consenso entre o pessoal do meu pai de que Marko era o melhor. O mais casca-grossa, o mais durão, o mais estiloso.

Antigo membro da Guarda Galesa. Um grande contador de histórias. Um homem com H maiúsculo.

Fiquei tão empolgado com a perspectiva desse safári chefiado por Marko que nem sei como aguentei as semanas seguintes na escola. Na verdade nem me *lembro* de tê-las vivido. Minha memória se apaga completamente no momento em que papai deu a notícia para o foco reaparecer quando embarco em um jato da British Airways com Marko, Willy e Tiggy — uma de nossas babás. Nossa babá favorita, para ser mais exato, embora Tiggy não suportasse ser chamada assim. Ela perdia a compostura com quem tentasse. *Não sou a babá, sou sua amiga!*

Mamãe, infelizmente, não a via dessa forma. Para ela, Tiggy não era uma babá, mas uma rival. É de conhecimento geral que mamãe suspeitava de que Tiggy estivesse sendo preparada para substituí-la futuramente. (Será que via Tiggy como a sua Reserva?) Agora essa mesma mulher tão temida como sua possível substituta era sua efetiva substituta — que situação mais terrível para mamãe. Portanto, toda vez que Tiggy nos abraçava ou afagava nossa cabeça, devia desencadear uma pontada de culpa, a palpitação de uma traição, e no entanto não me lembro de nada disso. Lembro-me apenas do meu coração disparando de alegria por ter Tiggy ao meu lado, dizendo para pôr o cinto de segurança.

Voamos direto para Johanesburgo, depois embarcamos em um avião a hélice para Maun, a maior cidade a norte de Botsuana. Ali nos reunimos a um grande grupo de guias de safári, que nos conduziram a um comboio de jipes abertos. Partimos, mergulhando diretamente na pura natureza selvagem, em direção ao vasto delta do Okavango, que, como vim a descobrir pouco depois, era possivelmente o lugar mais espetacular do mundo.

O Okavango costuma ser chamado de rio, mas seria como chamar o castelo de Windsor de casa. Um vasto delta no interior do continente, cravado em pleno deserto do Kalahari, um dos maiores desertos do mundo, o Okavango permanece completamente seco na maior parte do ano. Mas, no fim do verão, começa a se encher com as águas que descem o rio, as pequenas gotas que começam como chuva nas montanhas angolanas e lentamente se fundem num fio d'água para, a seguir, engrossar numa corrente e gradualmente transformar o delta não em um rio, mas em dezenas deles. Visto do espaço, parece as câmaras de um coração se enchendo de sangue.

Com a água chega a vida. Uma profusão de animais, possivelmente a maior coleção de biodiversidade existente, vai até ali para saciar a sede, banhar-se, acasalar. Como se a Arca de Noé se materializasse de repente e então encalhasse.

Conforme nos aproximávamos desse lugar encantado, eu quase não conseguia respirar. Leões, zebras, girafas, hipopótamos — tudo aquilo só podia ser um sonho. Finalmente paramos — nosso lar pela próxima semana. O local fervilhava de outros guias, rastreadores, no mínimo duas dúzias de pessoas. Um bocado de cumprimentos joviais, abraços apertados, nomes apresentados. *Harry, Willy, digam olá para Adi!* (Vinte anos, cabelo comprido, sorriso encantador.) *Harry, Willy, digam olá a Roger e David.*

E, no centro de tudo, estava Marko, como um guarda de trânsito, orientando, elogiando, abraçando, exclamando, rindo, sempre rindo.

Ele montou nosso acampamento num piscar de olhos. Grandes barracas de lona verde, cadeiras de lona macia dispostas em círculos, incluindo uma enorme roda em torno de uma fogueira cercada de pedras. Quando penso nessa viagem, minha mente vaga imediatamente para essa fogueira — assim como fez meu corpo magrelo na ocasião. Reuníamo-nos todos na fogueira a intervalos regulares ao longo do dia. No início da manhã, novamente ao meio-dia, de novo ao crepúsculo — e, mais importante, depois do jantar. Olhávamos fixamente para o fogo, depois erguíamos o rosto para o universo. As estrelas pareciam centelhas cuspidas pela lenha.

Um dos guias chamou a fogueira de TV Mato.

É, falei, e quando joga lenha nova você muda de canal.

Todo mundo adorou aquilo.

O fogo, observei, hipnotizava, ou dopava, todos os adultos de nosso grupo. Em seu clarão alaranjado, os rostos eram suavizados, as línguas ficavam mais soltas. Depois, com o avançar das horas, chegava o uísque, e todos passavam por nova transformação.

Suas risadas ficavam... estridentes.

Eu pensava: *Mais, por favor*. Mais fogo, mais conversa, mais risadas estridentes. Eu tive medo do escuro a vida inteira, e aconteceu de a África ter a cura.

Fogueira de acampamento.

22.

Marko, o maior do grupo, também era o que ria mais alto. Havia certa proporção entre o tamanho de seu corpo e o raio de alcance de seus urros. Além disso, uma ligação similar podia ser notada entre o volume de sua voz e o tom brilhante de seu cabelo. Eu era ruivo, e sentia vergonha disso, mas Marko era ruivo ao extremo e não estava nem aí para o que os outros pudessem achar.

Eu o fitava boquiaberto e pensava: *Me ensine a ser desse jeito*.

Marko, entretanto, não fazia o tipo professor. Rude, impulsivo, em perpétuo movimento, amava muitas coisas — comida, viagens, natureza, armas, nós —, mas tinha menos interesse em nos instruir. Liderar pelo exemplo fazia mais seu tipo. Bem como se divertir. Era como um imenso e ruivo carnaval de rua, e se você quisesse se juntar à folia, maravilha; se não quisesse, também estava ótimo. Muitas vezes me perguntei, observando-o devorar seu jantar, virar o gim, contar mais uma piada ruidosa, dar um tapa nas costas de um rastreador, por que mais gente não era como aquele sujeito.

Por que não havia mais gente que ao menos tentasse?

Tive vontade de perguntar a Willy como era ficar aos cuidados de um homem como aquele, sob sua orientação, mas aparentemente a lei de Eton vigorava também em Botsuana: Willy tinha tão pouco interesse em saber de mim ali no mato quanto tinha na escola.

O único porém em relação a Marko era seu passado na Guarda Galesa. Quando olhava para ele nessa viagem, às vezes via os oito guardas galeses carregando aquele caixão... Tentava lembrar que Marko não estava presente naquele dia. Tentava lembrar que, de todo modo, era um caixão vazio.

Estava tudo bem.

Quando Tiggy "sugeria" que fosse dormir, sempre antes de todo mundo, eu não reclamava. Os dias eram longos, a barraca, um casulo acolhedor. A lona cheirava agradavelmente a livros antigos, o chão era forrado por macias peles de antílope, minha cama fora embrulhada em um aconchegante tapete africano. Pela primeira vez em meses, anos, eu pegava no sono instantaneamente. Claro que ajudava ver o fulgor da fogueira contra a parede da barraca, escutar os adultos do outro lado e os animais ao longe. Guinchos, balidos, rugidos, que estardalhaço fazem depois de escurecer — seu horário mais agitado. Sua hora do rush. Com o passar das horas, ficavam cada vez mais estridentes. Eu achava isso tranquilizador. E também hilariante: por mais estridentes que fossem os animais, eu ainda conseguia escutar as risadas de Marko.

Certa noite, antes de pegar no sono, fiz uma promessa a mim mesmo: encontraria um modo de fazer aquele sujeito dar risada.

23.

Como eu, Marko tinha uma queda por doces. Como eu, adorava particularmente pudins. (Ou "puds", como sempre os chamava.) Assim, tive a ideia de pôr molho Tabasco em seu pudim.

Primeiro ele daria um longo uivo. Mas então perceberia que se tratava de uma brincadeira e daria risada. Ah, como ia rir! Depois perceberia que fui eu. E riria ainda mais alto!

Eu não via a hora.

Na noite seguinte, quando todos devoravam o jantar, saí de fininho da barraca das refeições. Andei cinquenta metros pela trilha até a barraca da cozinha e despejei uma colherada de Tabasco na tigela de pudim de Marko. (Pudim de pão e manteiga, o favorito da mamãe.) A equipe de cozinha me viu, mas levei o dedo aos lábios. Eles riram.

Voltando depressa ao refeitório, dei uma piscadela para Tiggy. Já lhe confidenciara o que faria e ela achou a travessura genial. Não lembro se contei a Willy o que pretendia aprontar. Provavelmente não. Sei que não teria aprovado.

Contei agoniado os minutos para a sobremesa ser servida, fazendo força para segurar as risadinhas.

De repente alguém gritou: *Uou!*

Outro gritou: *Que p... foi essa!*

Todos se viraram ao mesmo tempo. Diante da entrada da barraca uma cauda parda fazia um movimento sinuoso pelo ar.

Leopardo!

Todo mundo ficou paralisado. Menos eu. Fui em sua direção.

Marko agarrou meu ombro.

O leopardo seguiu em frente, como uma primeira bailarina, pela trilha que eu acabara de percorrer.

Virei a tempo de constatar os adultos se entreolharem, boquiabertos. *Puta que pariu.* Então seus olhares se voltaram para mim. *Puta que pariuuuu.*

Estavam todos pensando a mesma coisa, imaginando a mesma manchete ao voltarem para casa.

Príncipe Harry destroçado por leopardo.

O mundo entraria em choque. Cabeças rolariam.

Não pensei nada disso. Estava pensando na mamãe. Aquele leopardo era *claramente* um sinal seu, um mensageiro que enviara para dizer: Está tudo bem. E vai ficar tudo bem.

Ao mesmo tempo, também pensei: Que horror!

E se mamãe finalmente deixasse o esconderijo para descobrir que seu filho mais novo fora comido vivo?

24.

Como membro da realeza sempre te ensinam a manter uma zona neutra entre sua pessoa e o resto da Criação. Mesmo ao lidar com a multidão, era preciso conservar uma distância discreta entre Você e Eles. Distância era correto, distância era segurança, distância era sobrevivência. A distância era um componente essencial de *pertencer* à realeza tanto quanto aparecer no balcão, acenando para a multidão diante do Palácio de Buckingham, rodeado por toda a família.

Claro que a distância também estava inclusa na família. Por mais que você amasse alguém, nunca podia cruzar o abismo entre, digamos, monarca e criança. Ou Herdeiro e Reserva. Tanto física como emocionalmente. Não era apenas o decreto de Willy sobre lhe dar espaço; a geração mais velha mantinha uma proibição de quase tolerância zero a qualquer contato físico. Nada de abraços, nada de beijos, nada de tapinhas. Eventualmente, talvez, um leve roçar de bochechas... em ocasiões especiais.

Mas na África nada disso valia. Na África a distância se dissolvia. Todas as criaturas se misturavam livremente. Só o leão caminhava com a cabeça erguida, só os elefantes andavam como imperadores, e nem eles eram totalmente inalcançáveis. Misturavam-se diariamente entre os súditos. Não tinham escolha. Sim, havia predadores e presas, a vida podia ser cruel, brutal e breve, mas aos meus olhos adolescentes tudo parecia a democracia condensada. Utopia.

E isso sem contar os abraços de urso e cumprimentos animados dos rastreadores e guias.

Por outro lado, talvez não fosse a mera proximidade das coisas vivas que eu apreciava. Talvez fosse sua quantidade estonteante. Em questão de horas eu passara de um lugar de aridez, esterilidade e morte para um pantanal fervilhando de fertilidade. Talvez fosse isso que eu ansiava mais que tudo — a vida.

Talvez tenha sido esse o verdadeiro milagre que encontrei no Okavango em abril de 1999.

Devo ter ficado sem piscar a semana inteira. Acho que não parei de sorrir, nem quando dormia. Não teria ficado mais admirado nem se tivesse sido transportado de volta ao período Jurássico — e não eram apenas tiranossauros que me cativavam. Também adorava as menores criaturas. E as aves. Graças a Adi, claramente o guia mais experiente em nosso grupo, comecei a reconhecer os abutres-de-capuz, as garças-vaqueiras, os abelharucos-carmim meridionais, as águias-pescadoras africanas. Até os insetos eram intrigantes. Adi me ensinou a vê-los de verdade. Olhe para baixo, dizia ele, observe as diferentes espécies de besouro, admire a beleza das larvas. Aprecie também a arquitetura barroca dos cupinzeiros — as maiores estruturas construídas por um animal além dos humanos.

Tanto a aprender, Harry. A apreciar.

Certo, Adi.

Quando saía para caminhar com ele, sempre que nos deparávamos com uma carcaça fresca pululando de vermes ou cães selvagens, sempre que topávamos com uma montanha de esterco de elefante coberta de cogumelos parecidos com a cartola de Artful Dodger, Adi nem pestanejava. *O ciclo da vida, Harry.*

De todos os animais em nosso meio, afirmou ele, a água era o mais majestoso. O Okavango nada mais era que outra criatura viva. Adi caminhara por toda sua extensão quando menino, junto com o pai, sem nada além de sacos de dormir. Conhecia o Okavango de cima a baixo, e o que sentia pelo lugar era alguma coisa próxima do amor romântico. A superfície do rio era uma bochecha sem poros que ele muitas vezes afagava suavemente.

Mas também sentia uma espécie de sóbria veneração. Respeito. A morte residia em suas entranhas, dizia. Crocodilos vorazes, hipopótamos temperamentais estavam por ali, no escuro, só esperando você vacilar. Hipopótamos matavam quinhentas pessoas por ano; Adi não parava de martelar isso na minha cabeça, e tantos anos depois ainda consigo escutá-lo: *Nunca entre em águas turvas, Harry.*

Certa noite, ao redor do fogo, os guias e rastreadores conversavam sobre o rio, duas dúzias deles bradando histórias de como viajaram, nadaram e navegaram nele, de como o temeram, todo mundo falando por cima de todo mundo. Escutei todas essas coisas naquela noite, a mística do rio, a sacralidade do rio, a estranheza do rio.

Falando em estranheza… Um cheiro de maconha pairava no ar.

As histórias ficaram mais ruidosas, mais tolas.

Perguntei se podia experimentar.

Eles deram uma gargalhada. *Cai fora!*

Willy me encarou horrorizado.

Mas eu não pretendia recuar. Defendi meu direito. Tinha *experiência*, afirmei.

Algumas cabeças se viraram. *Ah, não brinca.*

Henners e eu havíamos surrupiado recentemente uma dúzia de Smirnoff Ice e bebido até desmaiar, gabei-me. Além disso, Tiggy sempre deixava que eu desse um gole em sua garrafinha de bolso quando saíamos no rastro de presas. (Gim Sloe, ela nunca ficava sem.) Achei melhor deixar de fora toda a extensão da minha experiência.

Os adultos se entreolharam maliciosamente. Um deles deu de ombros, enrolou um baseado e me passou.

Dei uma tragada. Tossi, tive ânsia. Maconha africana descia queimando muito mais que a de Eton. E dava menos barato também.

Mas pelo menos eu era um homem.

Não, ainda era um bebezinho.

O "baseado" não passava de manjericão fresco enrolado numa seda suja.

25.

Hugh e Emilie eram velhos amigos de papai. Moravam em Norfolk, e nós os visitávamos com frequência por uma ou duas semanas durante os feriados escolares e verões. Eles tinham quatro filhos aos quais Willy e eu éramos sempre misturados, como filhotes jogados entre um punhado de pit bulls.

Brincávamos juntos. Um dia esconde-esconde, no seguinte capturar a bandeira. Mas, não importava a brincadeira, tudo não passava de pretexto para um fuzuê generalizado e, não importava a briga, não havia vitoriosos porque não havia regras. Puxar o cabelo, enfiar o dedo no olho, torcer o braço, enforcar, na guerra e no amor valia tudo, assim como na casa de campo de Hugh e Emilie.

Por ser o mais novo e o menor eu sempre levava a pior. Mas também era o primeiro a provocar, o primeiro a procurar, de modo que fazia por merecer tudo que ganhava. Olho roxo, um vergão avermelhado, lábios inchados, eu não me importava. Pelo contrário. Talvez quisesse parecer durão. Talvez apenas quisesse sentir *alguma coisa*. Fosse qual fosse minha motivação, minha simples filosofia no que dizia respeito às brigas era: mais, por favor.

Disfarçávamos as supostas batalhas com nomes históricos. A casa de Hugh e Emilie era frequentemente convertida em Waterloo, Somme, Rorke's Drift. Posso ver nós seis atacando uns aos outros, gritando: Zulu!

As linhas da batalha com frequência acompanhavam a linhagem de sangue, embora nem sempre. Nem sempre era Windsor contra os Outros. Havia misturas e combinações. Às vezes eu lutava ao lado de Willy, às vezes contra. A despeito das alianças, porém, acontecia muitas vezes de um ou dois filhos de Hugh e Emilie partirem para cima de Willy. Quando escutava seus gritos de socorro, uma névoa vermelha me dominava, como se um vaso sanguíneo se rompesse no fundo dos meus olhos. Eu perdia o controle, toda a capacidade de pensar em qualquer coisa exceto família, país, tribo, e me atirava sobre alguém, qualquer um. Chutando, socando, estrangulando, imobilizando pernas.

Os filhos de Hugh e Emilie não sabiam como lidar com aquilo. *Ninguém* saberia.

Tira ele daí, ele é louco!

Não sei até que ponto eu era eficaz ou bom de briga. Mas sempre conseguia oferecer distração suficiente para Willy escapar. Ele examinava os ferimentos, esfregava o nariz e logo pulava de volta na batalha. Quando a briga finalmente chegava ao fim, quando nos afastávamos mancando, eu sentia um imenso amor por ele, e me sentia amado de volta, mas sempre com algum constrangimento. Eu tinha a metade do tamanho de Willy, a metade de seu peso. Era o irmão mais novo: era ele quem deveria me salvar, não o contrário.

Com o tempo os embates ficaram mais intensos. Armas leves foram introduzidas. Disparávamos fogos de artifício uns contra os outros, construíamos lançadores de foguete com tubos de bolas de golfe, encenávamos batalhas noturnas em que dois de nós defendiam uma barricada de pedra no meio de um campo aberto. Ainda posso sentir o cheiro da fumaça e escutar o sibilo de um projétil em direção à vítima, cuja única armadura seria uma jaqueta acolchoada, quem sabe luvas de lã, talvez óculos de esquiar, embora esse não fosse o caso na maioria das vezes.

Nossa corrida armamentista se intensificou. Como sempre acontece. Começamos a usar armas de pressão. À queima-roupa. Como ninguém saiu mutilado? Como ninguém perdeu um olho?

Um dia caminhávamos os seis pelo bosque nos arredores da casa à procura de esquilos e pombos para capturar. Avistamos um velho Land Rover do Exército. Willy sorriu.

Harold, vai lá e dirige que a gente vai atirar em você.

Com o quê?

Com a escopeta.

Não, obrigado.

Já estamos carregando. Ou você vai lá e dirige ou atiramos em você aqui mesmo.

Fui até o veículo e comecei a dirigir.

Instantes depois, pááá. Uma chuva de chumbo na traseira.

Dei risada e pisei fundo.

Em algum lugar do terreno havia uma obra. (Hugh e Emilie estavam construindo uma casa nova.) Ela se tornou o palco do que talvez tenha sido nossa batalha mais feroz. Estava perto do crepúsculo. Um dos irmãos se refugiou no esqueleto da casa nova, sob fogo pesado. Quando recuou, nós o bombardeamos com foguetes.

E então... ele sumiu.

Cadê o Nick?

Acendemos uma tocha. Nada de Nick.

Pusemo-nos em marcha, avançando firme, e topamos com um buraco gigante, quase como um poço, aberto junto ao canteiro de obras. Espiamos pela beirada e iluminamos o fundo. Lá embaixo, caído de costas, Nick gemia. Puta sorte que não morreu, concordamos todos.

Que ótima oportunidade, dissemos.

Acendemos alguns fogos de artifício, dos graúdos, e atiramos dentro do poço.

26.

Quando não havia outros garotos por perto, nenhum outro inimigo comum, Willy e eu brigávamos entre nós.

Acontecia com mais frequência no banco de trás, quando íamos a algum lugar com papai. Uma casa de campo, digamos. Ou um riacho de salmões. Certa vez, na Escócia, a caminho do rio Spey, começamos a bater boca, e não demorou a enveredarmos para uma briga de verdade, rolando de um lado para outro, trocando tapas.

Papai encostou o carro, gritou com Willy para descer.

Eu? Por que eu?

Papai não sentiu necessidade de explicar. *Desce.*

Willy virou para mim, furioso. A seu ver, eu sempre me safava. Ele desceu, marchou raivosamente até o carro que nos acompanhava com os guarda-costas, entrou e afivelou o cinto. (Depois do sumiço de mamãe nunca mais andamos sem cinto.) O comboio voltou a entrar em marcha.

De vez em quando eu dava uma espiada pelo vidro traseiro.

Atrás de nós podia ver indistintamente o futuro rei da Inglaterra planejando sua vingança.

27.

Quando matei algo pela primeira vez, Tiggy disse: *Muito bem, querido!*

Ela mergulhou os dedos esguios no cadáver do coelho, sob a prega de pele despedaçada, lambuzou-os de sangue e ungiu ternamente minha testa, minhas bochechas e meu nariz. *Agora*, disse, com sua voz rouca, *você foi iniciado.*

Batismo de sangue — uma tradição ancestral. Uma demonstração de respeito pela criatura morta, um ato de comunhão por parte de quem mata. Além disso, um modo de marcar a passagem da infância para a... Não a vida adulta. Não, nada disso. Mas algo perto disso.

E assim, a despeito da falta de pelos no peito e dos trinados em minha voz, considerei-me, depois do batismo de sangue, um perfeito mateiro.

Porém, perto de completar quinze anos, fui informado de que teria de passar pela verdadeira iniciação do caçador.

O veado-vermelho.

Aconteceu em Balmoral. Era o começo da manhã, névoa sobre as colinas, a neblina pairando nos vales. Sandy, meu guia, tinha uns mil anos de idade. Parecia ter caçado mastodontes. Um perfeito exemplar da velha-guarda, era assim que Willy e eu o descrevíamos, assim como outros da nobreza rural como ele. Sandy falava à moda antiga, cheirava à moda antiga e definitivamente se vestia à moda antiga. Jaqueta camuflada sobre o suéter surrado, calça de tweed estilo golfe, a barra enfiada no cano das botas Wellington, as meias cobertas de carrapichos. Na cabeça usava uma clássica boina de tweed que tinha o triplo da minha idade, encardida por eras de suor.

Rastejei a seu lado através da urze e da turfa, a manhã toda, meu grande cervo sempre um pouco à frente. Aproximando-nos mais, cada vez mais, finalmente paramos e observamos o veado mascar a relva seca. Sandy assegurou que continuávamos contra o vento.

Então acenou para mim, para minha arma. Era hora.

Ele rolou de lado para me dar espaço.

Pude escutar sua respiração ruidosa conforme eu fazia mira lentamente e apertava o gatilho. Houve um estalo penetrante, reverberante. Depois, silêncio.

Levantamos, avançamos. Quando chegamos ao animal, fiquei aliviado. Seu olhar já se anuviara. Sempre existia a preocupação de causar apenas um ferimento e fazer a presa fugir em disparada pelo mato para sofrer solitariamente por dias. Com seus olhos ficando cada vez mais opacos, Sandy se ajoelhou diante dele, sacou uma faca reluzente e lhe abriu a barriga. Então gesticulou que eu fizesse o mesmo. Ajoelhei.

Pensei que fôssemos rezar.

Sandy exclamou rispidamente: *Mais perto!*

Avancei de joelhos, perto o suficiente para sentir o cheiro das axilas de Sandy. Ele pôs a mão delicadamente na minha nuca, e então achei que fosse me abraçar, me parabenizar. *Bom menino.* Em vez disso, empurrou minha cabeça dentro da carcaça.

Tentei me desvencilhar, mas Sandy me empurrou mais fundo. Fiquei chocado com sua força insana. E com o cheiro infernal. Meu café da manhã começou a voltar. *Ai, por favor, ai, por favor, não permita que eu vomite dentro de uma carcaça de veado.* Depois de um minuto eu não conseguia sentir o cheiro de nada, porque não podia respirar. Meu nariz e minha boca se encheram de sangue, entranhas e um calor profundo, perturbador.

Bom, pensei, então a morte é assim. O supremo batismo de sangue.

Nada do que eu imaginara.

Fiquei flácido. Adeus, todo mundo.

Sandy me puxou.

Enchi os pulmões com o fresco ar matinal. Comecei a limpar o rosto, que pingava, mas Sandy segurou minha mão. *Nae, jovem, nae.*

O quê?

Deixa secar, jovem! Deixa secar!

Chamamos o castelo pelo rádio. Enviaram cavalos. Enquanto esperávamos, pusemos mãos à obra, dando ao grande macho um completo *gralloch*, expressão do escocês antigo para o trabalho de estripar. Removemos o estômago, espalhamos os miúdos pela encosta para os falcões, extraímos o fígado e o coração, cortamos o pênis, tomando o cuidado de não romper o cordão para não ficarmos encharcados de urina, fedor que nem dez banhos nas águas das montanhas da Escócia seriam capazes de eliminar.

Os cavalos chegaram. Penduramos nossa presa eviscerada sobre um imenso garanhão para ser transportada até a despensa, depois caminhamos lado a lado de volta ao castelo.

Conforme meu rosto secava e minha barriga sossegava, eu inchava de orgulho. Agira bem com o grande cervo, como me fora ensinado. Um tiro isolado, bem no coração. Além de indolor, a morte instantânea preservara a carne. Caso tivesse apenas ferido o animal, ou permitido que nos avistasse, seu coração teria disparado, seu sangue se encheria de adrenalina, os cortes e filés ficariam intragáveis. Aquele sangue no meu rosto não continha adrenalina alguma, para crédito da minha mira.

Também agira bem com a natureza. Reduzir a quantidade de veados significava salvar a população como um todo, assegurando que tivessem alimento suficiente durante o inverno.

Finalmente, agira bem com a comunidade. Um grande veado na despensa significava fartura de comida para as pessoas que viviam nos arredores de Balmoral. Homens, mulheres e crianças comeriam bem por dias.

Essas virtudes haviam sido instiladas em mim desde a tenra infância, mas agora eu as vivenciava, e as sentia na cara. Eu não era religioso, mas esse "tratamento facial" sangrento foi para mim como um batismo. Papai era profundamente religioso, rezava todas as noites, e agora, nesse momento, também me senti próximo a Deus. Se você ama a natureza, como papai sempre dizia, tem de saber quando deixá-la em paz e quando intervir, e intervir significa controlar a população, e controlar a população significa matar. É uma forma de veneração.

Na despensa, Sandy e eu nos despimos completamente e inspecionamos um ao outro à procura de carrapatos. Os veados-vermelhos naquela floresta são infestados desses bichos, e quando um deles vai parar na sua perna, se enterra profundamente sob a pele, muitas vezes subindo até as bolas. Recentemente, um pobre guarda-caça morrera da doença de Lyme.

Entrei em pânico. Cada sarda parecia ser minha perdição. *Isso é carrapato? E isso?*

Nae, jovem, nae!

Vesti minhas roupas.

Virando para me despedir de Sandy, agradeci a ele pela experiência. Queria apertar sua mão, dar-lhe um abraço, mas uma calma voz dentro de mim sussurrou:

Nae, jovem. Nae.

28.

Willy também gostava de caçar, e usou essa desculpa para não ir a Klosters naquele ano. Ele pediu para ficar na propriedade da vovó em Norfolk, 8 mil hectares que ambos adorávamos: Sandringham.

Prefiro caçar perdizes, afirmou a papai.

Era mentira. Papai não sabia disso, mas eu sim. O verdadeiro motivo para Willy ficar em casa era sua incapacidade de enfrentar o Paredão.

Antes de esquiar em Klosters, sempre tínhamos de nos dirigir a um ponto determinado no sopé da montanha e posar diante de uns setenta fotógrafos, perfilados em três ou quatro fileiras ascendentes — o Paredão. Eles apontavam suas lentes, exclamavam nossos nomes e disparavam as câmeras conforme entrecerrávamos os olhos, nos remexíamos e escutávamos papai responder a suas perguntas imbecis. O Paredão era o preço a ser pago por uma hora livre de importunação nas encostas. A única forma de sermos deixados brevemente em paz era ficar diante do Paredão.

Papai não gostava do Paredão — sua aversão era famosa —, mas Willy e eu *detestávamos* aquilo.

Assim, Willy ficou em casa, descontando nas perdizes. Eu teria permanecido com ele se pudesse, mas não tinha idade para me impor dessa forma.

Na ausência de Willy, papai e eu tivemos de enfrentar o Paredão sozinhos, o que tornava a experiência bem mais desagradável. Permaneci grudado nele enquanto as câmeras zumbiam e clicavam. Lembranças das Spice Girls. Lembranças de mamãe, que também detestava Klosters.

É por isso que está escondida, pensei. Exatamente por causa disso. Dessa merda.

Havia outras razões além do Paredão para mamãe odiar Klosters. Quando eu estava com três anos, papai e um amigo sofreram um terrível acidente nas encostas. Foram surpreendidos por uma enorme avalanche. Papai escapou por pouco, mas seu amigo, não. Soterrado sob aquele paredão, seus últimos suspiros devem ter sido arquejos cheios de neve. Mamãe costumava falar dele com lágrimas nos olhos.

Depois do Paredão, tentei me concentrar na diversão. Adorava esquiar e era bom nisso. Mas quando mamãe penetrou em meus pensamentos, fiquei soterrado sob minha própria avalanche pessoal de emoções. E perguntas. *É errado gostar de um lugar que mamãe detesta? Estarei sendo mau com ela se me divertir hoje nessas rampas? Sou um mau filho por estar empolgado de sentar na cadeira do teleférico sozinho com papai? Mamãe vai entender que sinto falta dela e de Willy mas que também gosto de ter papai um pouquinho pra mim?*

Como explicaria essas coisas quando ela voltasse?

Pouco depois dessa viagem a Klosters, contei minha teoria a Willy, sobre mamãe estar escondida. Ele admitiu que no passado se saíra com teoria similar. Mas, no fim, descartou-a.

Ela morreu, Harold. Não vai mais voltar.

Não, não, não, eu não queria nem ouvir falar nisso. *Ela sempre falava que só queria sumir, Willy! Você ouvia!*

É, ela sempre falou. Mas nunca teria feito isso com a gente, Harold!

Contei que o mesmo pensamento me ocorrera. *Mas também não teria morrido, Willy! Também nunca teria feito isso com a gente!*

Tem razão, Harold.

29.

Percorremos o longo caminho no carro, passamos pelos veados-brancos da vovó, passamos pelo campo de golfe, passamos pelo *green* onde a Rainha Mãe certa vez acertou um *hole in one*, passamos pelo policial em sua pequena cabana (uma saudação vigorosa) e por duas lombadas, depois por uma pequena ponte de pedra, e saímos em uma tranquila estradinha rural.

Papai estreitava os olhos diante do para-brisa. *Tardezinha esplêndida, hein?*

Balmoral. Verão. 2001.

Subimos uma colina íngreme, passamos pela destilaria de uísque, seguindo por uma estradinha cheia de vento e descendo entre pastos de ovelhas tomados por coelhos. Quer dizer, os suficientemente sortudos para escapar de nós. Mais cedo nesse dia, havíamos caçado um punhado. Depois de cinco minutos entramos em uma trilha de cascalho e seguimos por quatrocentos metros até uma cerca de veados. Desci do carro, abri o cadeado do portão. Agora, finalmente, como estávamos em estradas privadas e remotas, eu tinha permissão de dirigir. Pulei atrás do volante e pisei no acelerador, pondo em prática todas aquelas aulas de direção com papai ao longo dos anos, muitas vezes sentado em seu colo. Conduzi o carro através da urze roxa para penetrar nos recessos mais profundos daquela imensa charneca escocesa. Adiante, como um velho amigo, assomava o Lochnagar, salpicado de neve.

Chegamos à última ponte de madeira, os pneus produzindo aquela reconfortante canção de ninar que eu sempre associava à Escócia. *Tu dum, tu dum, TU DUM.* Pouco abaixo de nós, um regato se agitava com a recente chuva pesada. O ar estava carregado de mosquitos. Através das árvores, à derradeira luz do dia, podíamos enxergar indistintamente enormes veados nos espiando. Agora chegávamos a uma grande clareira, um antigo chalé de pedra à direita, o riacho gelado correndo pela mata em direção ao rio à nossa esquerda, e lá estava ela. Inchnabobart!

Entramos correndo no alojamento. O calor da cozinha! A velha lareira! Debrucei-me sobre o surrado acolchoado vermelho da grade de proteção e inalei o aroma da imensa pirâmide de lenha empilhada ao lado. Se existe cheiro mais inebriante ou convidativo do que o da bétula prateada, não sei o que pode ser. Vovô, que saíra meia hora antes de nós, já cuidava de sua grelha nos fundos do alojamento. De pé em meio a uma espessa nuvem de fumaça, lágrimas escorrendo dos olhos. Usava uma boina, que tirava de vez em quando para enxugar a testa ou matar uma mosca. Quando os filés de veado começaram a chiar, ele os virou com um grande pegador de carne e acrescentou uma fieira de linguiças Cumberland. Normalmente eu o atormentaria para que entrasse na cabana e preparasse uma panela da sua especialidade, espaguete à bolonhesa. Nessa noite, por alguma razão, não fiz isso.

Quanto à vovó, sua especialidade era o molho da salada. Ela preparava uma grande porção, que servia numa bandeja. Depois acendia as velas na comprida mesa e sentávamos todos nas cadeiras de madeira com assentos de palha que rangiam. Muitas vezes nesses jantares havia algum convidado, alguma personalidade famosa ou eminente. Era comum eu conversar sobre a temperatura da carne ou da noite com um bispo ou primeiro-ministro. Mas nesse dia era só a família.

Minha bisavó chegou. Levantei imediatamente, ofereci-lhe minha mão. Eu sempre lhe oferecia minha mão — papai martelara isso em mim —, mas nessa noite percebi que Gan-Gan precisava de uma ajuda extra. Ela acabara de comemorar seu centésimo primeiro aniversário e parecia frágil.

Mas continuava garbosa. Lembro que se vestia de azul, toda de azul. Cardigã azul, saia xadrez azul, chapéu azul. O azul era sua cor favorita.

Pediu um martíni. Momentos depois, alguém lhe ofereceu um copo gelado cheio de gim. Observei-a dar um gole, evitando destramente o limão que flutuava no alto, e num impulso decidi acompanhá-la. Eu nunca bebera nada na frente da minha família, então seria um acontecimento. Algo como um ato de rebeldia.

Vã rebeldia, conforme se viu. Ninguém ligou. Ninguém notou. Exceto Gan-Gan. Ela se empertigou por um momento ao me ver bancar o adulto.

Sentei a seu lado. Nossa conversa começou como um bate-papo animado, depois evoluiu gradualmente para uma coisa mais profunda. Uma conexão. Gan-Gan falava comigo de verdade nessa noite, escutava de verdade. Mal pude crer. Perguntei-me por quê. Seria o gim-tônica? Seriam os dez centímetros que eu crescera desde o último verão? Com 1,82 metro, era agora um dos membros mais altos da minha família. Combinado ao encolhimento de Gan-Gan, virei um gigante perto dela.

Quem dera eu conseguisse recordar exatamente sobre o que conversamos. Quem dera tivesse perguntado mais coisas e anotado suas respostas. Ela fora a rainha durante a guerra. Havia morado no Palácio de Buckingham quando as bombas de Hitler choveram do céu. (Nove caíram no palácio.) Jantara com Churchill, Churchill em tempos de guerra. Em sua época, fora dotada de uma eloquência churchilliana toda própria. Era famosa por ter afirmado que, por piores que as coisas estivessem, jamais deixaria a Inglaterra, e as pessoas a amavam por isso. Eu a amava por isso. Amava meu país, e a ideia de declarar que você nunca o deixaria me parecia maravilhosa.

Claro que ela era infame por afirmar outras coisas. Vinha de uma era diferente, desfrutara da realeza de um modo que parecia inapropriado para alguns. Eu não enxergava nada disso. Ela era minha Gan-Gan. Nascera três anos antes da invenção do avião, mas isso não a impediu de tocar bongô em seu aniversário de cem anos. Agora segurava minha mão como se eu fosse um cavaleiro voltando da guerra e se dirigia a mim com amor, bom humor e, nessa noite, nessa noite mágica, respeito.

Gostaria de ter perguntado sobre seu marido, o rei Jorge VI, que morreu jovem. Ou seu cunhado, o rei Eduardo VIII, que ela detestava. Ele abriu mão da coroa por amor. Gan-Gan acreditava no amor, mas nada transcendia a Coroa. Segundo contam, também desprezava a mulher escolhida por ele.

Quem dera tivesse perguntado sobre seus ancestrais distantes em Glamis, lar de Macbeth.

Ela vira tanta coisa, sabia tanta coisa, eu tinha tanto a aprender com ela, mas simplesmente não era maduro o suficiente, apesar da espichada, nem corajoso o suficiente, apesar do gim.

Mas consegui fazê-la dar risada. Normalmente, essa era função de papai; ele levava jeito para pôr um sorriso no rosto de Gan-Gan. Ele a amava tanto quanto qualquer outra pessoa no mundo, talvez mais. Lembro-me de vê-lo olhar de relance diversas vezes, parecendo feliz por eu arrancar umas boas risadas de sua pessoa favorita.

A certa altura comentei com Gan-Gan sobre Ali G, o personagem criado por Sacha Baron Cohen. Ensinei-a a dizer *Booyakasha*, mostrando como gesticular com os dedos da maneira que Sacha fazia. Ela não entendeu nada, não tinha ideia do que eu estava falando, mas achou a maior graça em tentar reproduzir os gestos e dizer a palavra. Cada vez que a repetia, *Booyakasha*, dava um gritinho, levando todos a sorrir. Fiquei deliciado, emocionado. Me fez sentir... que eu era parte das coisas.

Aquela era minha família, e eu, ao menos por uma noite, tinha um papel só meu.

E esse papel, pelo menos dessa vez, não era o do Rebelde.

30.

Semanas mais tarde, de volta a Eton, eu atravessava um par de portas azuis, num tom muito semelhante ao azul da saia de Gan-Gan. Ela teria gostado dessas portas, pensei.

Eram as portas da sala de TV, um dos meus santuários.

Quase todos os dias, logo depois do almoço, meus colegas e eu íamos à sala de TV assistir a um pouco de *Neighbours*, ou talvez *Home and Away*, antes da prática esportiva. Mas nesse dia, em setembro de 2001, a sala estava lotada e não era *Neighbours* que passava.

Era o noticiário.

E o noticiário era um pesadelo.

Edifícios pegando fogo?

Oh, nossa, onde é isso?

Nova York.

Tentei enxergar a tela em meio aos rapazes que se acotovelavam na sala. Perguntei ao garoto à minha direita o que estava acontecendo.

Ele disse que os Estados Unidos estavam sendo atacados.

Terroristas haviam colidido aviões contra as Torres Gêmeas em Nova York.

As pessoas estavam... pulando. Do alto de prédios com meio quilômetro de altura.

Cada vez mais meninos entravam e ficavam por lá, mordendo os lábios, roendo as unhas, puxando as orelhas. Em silêncio perplexo, numa confusão juvenil, observamos o único mundo que algum dia conhecêramos desaparecer entre nuvens de fumaça tóxica.

É a Terceira Guerra Mundial, alguém murmurou.

Alguém pôs um calço nas portas azuis para mantê-las abertas. Não parava de chegar meninos.

Ninguém dava um pio.

Quanto caos, quanta dor.

O que pode ser feito? O que podemos fazer?

O que será exigido de nós?

Dias depois, completei dezessete anos.

31.

Muitas vezes, assim que acordava, eu dizia a mim mesmo: *Talvez seja hoje.*

Depois do café da manhã, dizia: *Talvez seja hoje de manhã que ela vai aparecer.*

Após o almoço, dizia: *Talvez seja hoje à tarde que ela vai aparecer.*

Fazia quatro anos, afinal. Certamente, a essa altura, já se estabelecera, construíra uma nova vida, uma nova identidade. *Talvez, finalmente, apareça hoje, dê uma entrevista coletiva — deixe o mundo em choque.* Depois de responder às perguntas gritadas pelos perplexos repórteres, ela se inclinaria para o microfone: *William! Harry! Se podem me ouvir, venham até mim!*

À noite, eu tinha os sonhos mais elaborados. Eram essencialmente o mesmo sonho, embora os cenários e trajes fossem ligeiramente diferentes. Às vezes, mamãe orquestrava uma volta triunfal; em outras, eu simplesmente trombava com ela em algum lugar. Uma esquina. Uma loja. Ela sempre usava um disfarce — uma grande peruca loira. Ou grandes óculos escuros. E mesmo assim eu sempre a reconhecia.

Eu me aproximava, sussurrava: *Mãe? É você?*

Antes que ela pudesse responder, antes que eu pudesse descobrir por onde andara, por que não voltara, despertava de repente.

Então olhava em torno do quarto, sentindo a decepção arrasadora.

Apenas um sonho. Outra vez.

Mas então dizia a mim mesmo: *Talvez signifique... Será que é hoje?*

Eu era como esses fanáticos religiosos que acreditam que o mundo vai acabar nessa ou naquela data. E quando a data passa sem que nada aconteça, a fé dessas pessoas permanece inabalada.

Devo ter interpretado mal os sinais. Ou o calendário.

Imagino que no fundo eu soubesse a verdade. A ilusão de que mamãe estava se escondendo, preparando seu regresso, nunca era tão real que pudesse apagar completamente a realidade. Mas apagava o suficiente para eu conseguir postergar a maior parte do pesar. Eu ainda não entrara em luto, ainda não chorara, exceto uma vez em seu túmulo, ainda não processara a dura verdade. Parte do meu cérebro sabia, mas outra parte permanecia completamente isolada, e a divisão entre as duas mantinha o parlamento da minha consciência dividido, polarizado, paralisado. Exatamente do jeito que eu queria.

Às vezes tinha uma conversa dura comigo mesmo. *Todo mundo parece achar que a mamãe morreu, ponto, então talvez seja hora de você também aceitar.*

Mas daí pensava: quando tiver uma prova, acredito.

Se tivesse uma prova sólida, pensava, poderia sofrer e chorar como deveria e seguir em frente.

32.

Não lembro como conseguimos a erva. Foi um dos meus amigos, imagino. Ou talvez alguns deles. Sempre que tínhamos alguma, nos apossávamos de um banheirinho, onde formávamos uma fila surpreendentemente planejada, organizada. O fumante se sentava no vaso ao lado da janela, o segundo menino se apoiava na pia, o terceiro e o quarto ficavam sentados na banheira vazia, as pernas para fora, cada um esperando sua vez. A pessoa dava um trago, soprava a fumaça pela janela e ia para o posto seguinte, numa rotação em sentido horário, até o baseado acabar. Então íamos todos para o quarto de alguém e ríamos sem parar de um ou dois episódios de uma série nova. *Family Guy*. Sentia uma afinidade inexplicável com Stewie, profeta sem honra.

Eu sabia que era um mau comportamento. Sabia que era errado. Meus amigos também sabiam. Falávamos bastante disso, enquanto estávamos chapados, da burrice que era desperdiçar uma educação em Eton. Uma vez, chegamos a fazer um pacto. No começo da temporada de provas, chamada de "Julgamentos", juramos parar na marra até a última prova. Mas na noite seguinte, deitado na cama, ouvi meus amigos no corredor, gargalhando, cochichando. Indo ao banheiro. *Caramba, eles já estão quebrando o pacto!* Eu levantei da cama, fui com eles. Enquanto a linha de montagem se punha em marcha, da banheira para o vaso passando pela pia, e a maconha começava a fazer efeito, balançávamos a cabeça.

Que idiotas nós fomos, nos achando capazes de mudar.

Passa o baseado, cara.

Uma noite, sentado com as pernas abertas sobre o vaso, dei um longo trago e olhei para a lua, depois para o terreno da escola. Vi vários policiais do vale do Tâmisa andando de um lado para outro. Estavam ali por causa de mim e de Willy, os dois príncipes. Mas não me davam uma sensação de segurança. Eu me sentia enjaulado.

Depois deles, no entanto, era onde havia segurança. Tudo era pacato e silencioso *lá fora*. Pensei: Que beleza. Tanta paz no mundo em geral... para alguns. Para quem tem a liberdade de procurá-la.

Foi então que vi alguma coisa atravessar a quadra. Parou debaixo de um dos postes de luz laranja. Eu também parei e me debrucei para fora da janela.

Uma raposa! *Me encarando! Olha!*

Quê, Haz?

Nada.

Sussurrei para a raposa: *Oi, amiga. Como é que vai?*

Do que é que você está falando, Haz?

Nada, nada.

Talvez tenha sido a maconha — sem dúvida foi a maconha —, mas senti uma afinidade cortante e forte com a raposa. Senti uma conexão maior com a raposa do que com os garotos do banheiro, os outros garotos de Eton — e até com os Windsor no castelo ao longe. Na verdade, aquela raposinha, assim como o leopardo em Botsuana, me parecia uma mensageira, enviada de outro mundo. Ou talvez do futuro.

Se ao menos eu soubesse quem a havia mandado.

E qual era a mensagem.

33.

Sempre que chegava da escola, eu me escondia.

Eu me escondia no quarto das crianças no andar de cima. Me escondia em meus video games novos. Jogava *Halo* o tempo todo contra um adolescente nos Estados Unidos que se intitulava Profeta e me conhecia como BillandBaz.

Me escondia no porão de Highgrove, geralmente com Willy.

A gente o chamava de Clube H. Muitos supunham que H fosse de Harry, mas na verdade era de Highgrove.

O porão servira de abrigo antiaéreo no passado. Para chegar a suas profundezas você passava por uma pesada porta branca no térreo, então descia por uma escadaria de pedra, tateava seu caminho por um piso de pedra úmida, descia mais três escadas, caminhava por um longo corredor úmido com teto abobadado baixo, passava por diversas adegas, onde Camilla guardava suas garrafas mais finas, passava por um freezer e depósitos abarrotados de pinturas, equipamento de polo e presentes absurdos de governantes e potentados estrangeiros. (Ninguém os queria, mas não podiam ser representeados nem doados, muito menos jogados fora, assim eram cuidadosamente catalogados e guardados em segurança.) Depois desse último depósito havia portas verdes duplas com pequenos puxadores de latão, e do outro lado delas ficava o Clube H. O lugar não tinha janelas, mas as paredes de tijolo, pintadas de branco, atenuavam a sensação de claustrofobia. Além disso, decoramos o espaço com belas peças de várias residências reais. Um tapete persa, sofás marroquinos vermelhos, uma mesa de madeira, um jogo eletrônico de dardos. Também instalamos um enorme estéreo. O som não era lá essas coisas, mas era alto. Em um canto ficava um carrinho de bebidas, bem suprido graças a empréstimos criativos, de modo que sempre pairava no ambiente um leve aroma de cerveja e outras bebidas. Mas, graças a uma grande entrada de ventilação que funcionava perfeitamente, também havia sempre um aroma de flores. O ar fresco dos jardins de papai, com seus toques de lavanda e madressilva, era bombeado constantemente.

Willy e eu iniciávamos um fim de semana típico entrando disfarçadamente em um pub nas proximidades, onde tomávamos umas e outras, algumas canecas de *snakebite*, depois reuníamos um grupo de amigos e os levávamos ao Clube H. Nunca estávamos em mais de quinze, embora de algum modo nunca houvesse menos de quinze.

Seus nomes voltam flutuando até mim. Badger. Casper. Nisha. Lizzie. Skippy. Emma. Rose. Olivia. Chimp. Pell. Todo mundo se dava bem, e às vezes um pouco bem demais. Havia um bocado de amassos inocentes, que se faziam acompanhar de não tão inocentes drinques. Cuba-libre, ou vodca, em geral em um copo grande, tudo prodigamente batizado com Red Bull.

Era comum ficarmos meio bêbados, e às vezes travados, e no entanto nunca aconteceu de alguém usar ou levar drogas ali. Nossos guarda-costas estavam sempre por perto, mantendo-nos na rédea curta, mas era mais do que isso. Tínhamos noção dos limites.

O Clube H era um esconderijo perfeito para adolescentes, mas particularmente para este que vos fala. Quando eu queria paz, era no Clube H que a encontrava. Quando queria sair da linha, o Clube H era o local mais seguro para aprontar. Quando queria solidão, o que poderia ser melhor do que um abrigo antiaéreo em meio à paisagem rural britânica?

Willy se sentia da mesma forma. Muitas vezes achei que parecia mais em paz ali embaixo do que em qualquer outro lugar do mundo. E era um alívio, acho, estar em um lugar em que não sentisse a necessidade de fingir que eu era um estranho.

Quando estávamos apenas nós dois, jogávamos, escutávamos música, conversávamos. Ao som de Bob Marley, Fatboy Slim, DJ Sakin, Yomanda bombando ao fundo, Willy às vezes tentava falar sobre mamãe. O Clube H parecia ser um local suficientemente seguro para tocar no assunto tabu.

Só tinha um problema. Eu não queria. Sempre que estávamos juntos... eu mudava de assunto.

Ele ficava frustrado. E eu ignorava sua frustração. É mais provável que nem me desse conta.

Eu não era tão obtuso, tão emocionalmente inacessível, por opção. Simplesmente estava além da minha capacidade. Eu estava longe de estar pronto.

Um tema sempre seguro era como seria maravilhoso sentir-se invisível. Conversávamos longamente sobre a glória, o luxo da privacidade, de passar uma ou duas horas longe dos olhares sequiosos da imprensa. Nosso autêntico paraíso, dizíamos, onde essa turma nunca nos encontraria.

Até que encontrou.

No finalzinho de 2001, Marko me visitou em Eton. Combinamos de almoçar em um café no coração da cidade, o que considerei uma ótima pedida. Além de uma desculpa para cabular aula, ficar longe da escola? Eu era só sorrisos.

Mas nada disso. Com expressão carrancuda, Marko explicou que a ocasião nada tinha de festiva.

Qual o problema, Marko?

Pediram que eu descobrisse a verdade, Harry.

Sobre o quê?

Suspeitei que se referisse a minha recente perda da virgindade. Um episódio nada glorioso, com uma mulher mais velha. Ela gostava de cavalos, bastante, e me tratou como se eu fosse um jovem garanhão. Uma rápida cavalgada, depois do que deu um tapa em meu lombo e me mandou pastar. Dentre o monte de coisas que estavam erradas com isso, aconteceu em um campo relvado, atrás de um pub lotado.

Obviamente alguém nos vira.

A verdade, Marko?

Se você está ou não usando drogas, Harry.

Como é?

Ao que parecia a editora do maior tabloide britânico ligara recentemente para o escritório do meu pai afirmando ter "provas" de que eu usava drogas em vários locais, incluindo o Clube H. E também no barracão das bicicletas atrás de um pub. (Não o pub onde eu perdera a virgindade.) O escritório do meu pai despachou Marko imediatamente para uma reunião clandestina com um assistente da editora, em um sórdido quarto de hotel, e a pessoa explicou sobre a matéria do tabloide. Agora Marko a explicava para mim.

Ele perguntou se era verdade.

Mentira, falei. Tudo mentira.

Ele repassou as evidências fornecidas pela editora, item por item. Refutei cada uma. Neguei, neguei e neguei. Os fatos básicos, os detalhes, estava tudo errado.

Então questionei Marko. Quem diabos é essa mulher?

Uma cobra repugnante, constatei. Todo mundo que a conhecia estava plenamente de acordo que não passava de uma pústula infectada no traseiro da humanidade, além de deixar muito a desejar como jornalista. Mas nada disso importava, pois conseguira se arranjar numa posição de grande poder e ultimamente vinha concentrando todo esse poder em... mim. Estava à caça do Reserva, abertamente, e não pediria licença para ninguém. Não se deteria enquanto não visse minhas bolas pregadas na parede de sua sala.

Fiquei perdido. *Por fazer o que todo adolescente faz, Marko?*

Não, meu rapaz, não.

Na cabeça dessa mulher, disse Marko, eu era um viciado.

Como é?

E de um jeito ou de outro, disse Marko, a matéria que ela publicaria era essa.

Dei uma sugestão sobre o que a editora podia fazer com a matéria. Falei para Marko voltar lá, dizer a ela que estava completamente equivocada.

Ele prometeu ir.

Dias depois me ligou, afirmando ter feito como instruído, mas a mulher não acreditou nele, e agora jurava que iria atrás não só de mim, como também de Marko.

Papai certamente vai fazer alguma coisa para impedir, eu disse.

Um longo silêncio.

Não, disse Marko. O escritório do papai se decidira por uma... abordagem diferente. Em vez de dizer para ela parar com a perseguição, o palácio optou por cooperar. Uma jogada totalmente Neville Chamberlain.

Teria Marko me explicado o porquê? Ou só mais tarde fiquei sabendo que a inspiração por trás dessa estratégia pútrida era o relações-públicas que papai recém-contratara por insistência de Camilla, o mesmo sujeito que vazara os detalhes de nossas reuniões privadas com ela? Esse sujeito, disse Marko, decidira que a melhor abordagem nesse caso seria sacrificar minha reputação em nome do bem maior. Numa só tacada, deixaria a editora satisfeita e daria um lustro na imagem abalada de papai. Em meio a todos esses fatos desagradáveis, todo esse ambiente de extorsão e artimanhas, o relações-públicas encontrara um lado positivo, um alentador prêmio de consolação para papai. Não mais o marido infiel, ele agora se apresentaria perante o mundo como o aflito pai solteiro lidando com um filho drogado.

34.

Regressei a Eton, tentei tirar tudo isso da cabeça, tentei me concentrar nas tarefas escolares.

Tentei permanecer calmo.

Escutava sem parar meu infalível CD relaxante: *Sons do Okavango*. Quarenta faixas: grilos. Babuínos. Temporal. Trovão. Aves. Leões e hienas brigando pela presa. À noite, com as luzes apagadas, punha o volume no máximo, até a Manor House tremer, até o lugar soar como um afluente do Okavango. Devia ser duro para os outros rapazes. Mas só assim eu conseguia dormir.

Depois de alguns dias o encontro com Marko sumiu da minha consciência. Começou a parecer que tinha sido um pesadelo.

Mas daí acordei para o verdadeiro pesadelo.

A manchete em letras garrafais na primeira página: *O vergonhoso vício de Harry*.

Janeiro de 2002.

Espalhadas por sete páginas dentro do jornal estavam todas as mentiras que Marko me apresentara, e muitas mais. A matéria não só me caluniava como sendo um usuário de drogas habitual, como também afirmava que recentemente eu estivera em uma clínica de reabilitação. Uma *rehab*! A editora do tabloide pusera suas patas em fotos de Marko e eu visitando um centro de reabilitação no subúrbio, meses antes, atividade rotineira em minhas obras de caridade enquanto príncipe, e mudara o contexto das imagens, fazendo delas um suporte visual para sua ficção difamatória.

Vi as fotos e li a matéria em estado de choque. Fiquei enojado, horrorizado. Imaginei todo mundo, meus conterrâneos, lendo essas coisas, acreditando nelas. Dava para ouvir as pessoas pela Commonwealth inteira fofocando sobre mim.

Puxa, o menino é uma desgraça.

Coitado do pai... depois de tudo que passou.

Além do mais, a ideia de que aquilo fora em parte obra de minha própria família, meu pai e minha futura madrasta, partia meu coração. Haviam encorajado esse absurdo, arriscado arruinar minha vida... para tornar a deles um pouco mais fácil.

Liguei para Willy. Eu estava sem palavras. Ele tampouco sabia o que dizer. Foi solidário, e mais do que isso. (*Sacanagem, Harold.*) Em alguns momentos ficava até mais furioso do que eu com a coisa toda, pois estava por dentro de outros detalhes sobre o relações-públicas e os acordos de bastidores que levaram a esse sacrifício público do Reserva.

E no entanto, ao mesmo tempo, assegurou-me que nada havia a ser feito. Era coisa do papai. Coisa da Camilla. Coisas de quem vivia na realeza.

Era nossa vida.

Liguei para Marko. Ele também foi solidário.

Pedi que me lembrasse: Como era mesmo o nome dessa mulher? Ele disse, guardei-o na memória, mas durante todos esses anos tenho evitado pronunciá-lo, e não vou reproduzi-lo aqui. Quero poupar o leitor, bem como eu mesmo. Além do mais, como é possível ser coincidência que o nome da mulher que inventou que eu fora para a reabilitação seja um perfeito anagrama para... *Rehabber* Kooks [doido da reabilitação]? Será que o universo não está querendo me dizer alguma coisa aqui?

Quem estou deixando de escutar?

Durante várias semanas, os jornais continuaram a requentar as calúnias de Rehabber Kooks, junto com vários relatos inéditos e igualmente mentirosos dos acontecimentos no Clube H. A descrição de nosso clube adolescente razoavelmente inocente soava como a alcova de Calígula.

Nessa época, uma das amigas mais queridas de papai visitou Highgrove. Ela e o marido. Papai me pediu para lhes mostrar a propriedade. Levei-os aos jardins, mas eles não estavam nem aí para suas alfazemas e madressilvas.

A mulher perguntou ansiosa: *Onde fica o Clube H?*

Era uma leitora ávida dos jornais.

Eu a conduzi à porta, abri. Apontei a escadaria escura.

Ela respirou fundo, sorriu. *Ai, até cheira a maconha!*

Mas não cheirava. Cheirava à umidade vinda do chão, das pedras, do musgo. Cheirava a flores colhidas, terra limpa — e talvez um vestígio de cerveja. Um aroma agradável, totalmente orgânico, mas o poder da sugestão dominara aquela mulher. Mesmo quando jurei que não havia maconha alguma, que nunca tínhamos usado drogas ali embaixo, ela piscou para mim.

Achei que fosse me pedir para lhe vender alguns gramas.

35.

Nossa família não estava mais aumentando. Não havia casamentos novos no horizonte, novos bebês. As famílias de meus tios e tias, Sophie e Edward, Fergie e Andrew, haviam parado de crescer. A de papai também, claro. Entráramos em um período de estase.

Mas agora, em 2002, eu me dava conta, todos nós nos dávamos conta, de que a família não permanecera estática, afinal. Estávamos prestes a encolher.

Tanto a princesa Margaret como Gan-Gan andavam mal de saúde.

Eu não conhecia a princesa Margaret, que chamava de tia Margo. Sim, era minha tia-avó, partilhávamos 12,5% do DNA, passávamos juntos os feriados prolongados, contudo, ela era quase uma perfeita estranha. Como a maioria dos britânicos, eu a conhecia apenas *por cima*. Estava inteirado dos contornos gerais de sua triste vida. Grandes amores frustrados pelo Palácio. Exuberantes fases destrutivas estampadas nos tabloides. O casamento às pressas, que pareceu condenado de cara e terminou saindo pior do que a encomenda. Seu marido deixava bilhetes venenosos pela casa, listas aviltantes do que havia de errado com ela. *Vinte e quatro motivos para odiar você!*

Quando pequeno, a única coisa que sentia por ela era certa pena e bastante nervosismo. Ela podia matar uma planta com o olhar. Em geral, sempre que a via por perto, eu mantinha distância. Nas mais do que raras ocasiões em que nossos caminhos se cruzavam, quando se dignava a me notar, a falar comigo, eu ficava imaginando se teria alguma opinião formada a meu respeito. Pelo jeito nenhuma. Ou, considerando seu tom, sua frieza, a opinião não era grande coisa.

Até que, certo Natal, ela elucidou o mistério. A família inteira se reunia para abrir os presentes, como sempre, na véspera de Natal, tradição alemã que sobreviveu à anglicização do sobrenome familiar de Saxe-Coburg--Gotha para Windsor. Estávamos em Sandringham, em um salão com uma longa mesa coberta por uma toalha branca e cartões brancos com nomes. Segundo o costume, no início da noite cada um localizava seu lugar e parava diante de sua pilha de presentes. Depois, subitamente, todos passavam a abri-los ao mesmo tempo. Era uma bagunça, dezenas e dezenas de familiares falando, desatando laços, rasgando papéis de embrulho.

Parado diante da minha pilha, decidi abrir primeiro o presente menor. A etiqueta dizia: *Da tia Margo.*

Ergui o rosto, procurando-a, e exclamei: *Obrigado, tia Margo!*

Espero que goste, Harry.

Rasguei o papel. Era...

Uma caneta?

Falei: *Oh. Uma caneta. Uau.*

Ela disse: *É. Uma caneta.*

Falei: *Obrigado mesmo.*

Mas não era uma caneta qualquer, comentou minha tia. Havia um minúsculo peixe de plástico enrolado em torno dela.

Falei: *Ah. Uma caneta-peixe! Então tá.*

Pensei comigo mesmo: essa foi cruel.

Ocasionalmente, à medida que ficava mais velho, ocorria-me que tia Margo e eu deveríamos ter sido amigos. Tínhamos tanta coisa em comum. Dois Reservas. A relação entre ela e vovó não era um equivalente *exato* da minha com Willy, mas muito perto disso. A rivalidade em ebulição, a competição intensa (sustentada sobretudo pela irmã mais velha), tudo soava familiar. Tia Margo também não era muito diferente de mamãe. Ambas rebeldes, ambas rotuladas como irresistíveis. (Pablo Picasso era um dos muitos homens obcecados por Margo.) Assim, meu primeiro pensamento quando soube no início de 2002 que ela passava por problemas de saúde foi desejar ter tido mais tempo para conhecê-la. Mas era tarde demais para isso. Ela não conseguia mais cuidar de si mesma. Depois de queimar horrivelmente o pé em um banho, ficou confinada a uma cadeira de rodas e, segundo ouvi dizer, o declínio foi rápido.

Quando morreu, em 9 de fevereiro de 2002, a primeira coisa que me ocorreu foi que seria um duro golpe para Gan-Gan, cuja saúde também se deteriorava.

Vovó tentou convencer Gan-Gan a não ir ao enterro. Mas Gan-Gan se forçou a deixar a cama e pouco depois sofreu uma queda feia.

Foi papai quem me contou que ficara confinada ao leito em Royal Lodge, a ampla casa de campo em que vivera parte do tempo nos últimos cinquenta anos, quando não estava em sua residência principal, Clarence House. Royal Lodge ficava cinco quilômetros ao sul do Castelo de Windsor, dentro do Grande Parque de Windsor, ainda propriedade da Coroa, mas, como o castelo, com um pezinho em outro mundo. Tetos vertiginosamente elevados. Um caminho de cascalho serpenteando serenamente por vívidos jardins.

Construída não muito depois da morte de Cromwell.

Era um consolo saber que Gan-Gan estava ali, em um lugar que eu sabia que ela adorava. Em sua própria cama, afirmou papai, e sem sofrer.

Vovó passava bastante tempo com ela.

Dias depois, eu estudava em Eton quando atendi a ligação. Gostaria de conseguir me lembrar de quem era a voz na outra ponta; um cortesão, creio. Lembro que foi pouco antes da Páscoa, o tempo estava limpo e quente, a luz filtrando obliquamente por minha janela, cheia de cores vívidas.

Alteza, a Rainha-Mãe faleceu.

Corta para Willy e eu, dias depois. Ternos escuros, rostos voltados para o chão, olhares dominados pelo déjà-vu. Caminhamos vagarosamente atrás da carruagem de artilharia ao som das gaitas de foles, centenas delas. A música me catapultou de volta.

Comecei a tremer.

Empreendemos novamente a odiosa caminhada à Abadia de Westminster. Então entramos em um carro, juntamo-nos ao cortejo — partindo do centro da cidade, ao longo da Whitehall, depois pela Mall, até a Capela de São Jorge.

Durante toda a manhã meu olhar se dirigiu ao topo do caixão de Gan-
-Gan, onde sua coroa repousava. Os 3 mil diamantes e a cruz incrustada
cintilavam ao sol primaveril. No centro da cruz havia um diamante do
tamanho de uma bola de críquete. Mais que apenas uma pedra, na verdade;
o Maior Diamante do Mundo, um monstro de 105 quilates chamado Koh-
-i-Noor. O maior diamante jamais visto por olhos humanos. "Adquirido" no
auge do Império Britânico. Roubado, segundo alguns. Ouvira dizer que era
capaz de hipnotizar, e também que era amaldiçoado. Homens lutaram por
ele, morreram por ele, e por isso se afirmava que a maldição era masculina.

Só mulheres podiam usá-lo.

36.

Era estranho, depois de tanto prantear, apenas... *festejar*. Pois, meses mais
tarde, o Jubileu de Ouro chegou. Quinquagésimo aniversário do reinado
de vovó.

Por quatro dias no verão de 2002, Willy e eu passamos o tempo todo
nos enfiando em uma roupa elegante após outra, entrando em um carro
preto após outro, indo apressadamente a mais uma festa ou desfile, recepção ou baile de gala.

A Grã-Bretanha estava em êxtase. As pessoas dançavam nas ruas,
cantavam nos balcões e terraços. Todo mundo vestia alguma versão da
bandeira do Reino Unido, a Union Jack. Em uma nação conhecida por
sua reticência, era uma expressão surpreendente de alegria desenfreada.

Surpreendente para mim, pelo menos. Vovó não parecia surpresa. Fiquei
admirado de constatar como ela não se surpreendera. Não que não sentisse
emoção alguma. Pelo contrário, sempre considerei vovó dotada de todas
as emoções humanas normais. É que simplesmente ela sabia melhor que
o resto de nós mortais como controlá-las.

Permaneci a seu lado ou a suas costas durante boa parte da semana do
Jubileu de Ouro e muitas vezes pensei: se isso não conseguir comovê-la,
ela certamente fez por merecer sua reputação de serenidade imperturbável.
Nesse caso, será que não sou adotado? Porque estou uma pilha de nervos.

Havia diversos motivos para meu nervosismo, mas o principal era um escândalo em fermentação. Pouco antes do jubileu, eu fora chamado por um dos cortesãos da vovó a seu pequeno escritório e, sem mais delongas, o sujeito foi logo perguntando: *Harry... você anda cheirando cocaína?* Lembranças de meu almoço com Marko.

O quê? Eu...? Como pode...? Não!

Hum. Bom. Pode acontecer de ter uma foto sua por aí? É possível que alguém por aí tenha uma foto sua cheirando cocaína?

Meu Deus, não! Isso é ridículo! Por quê?

Ele explicou que fora procurado por um editor de jornal que alegava estar de posse de uma foto do príncipe Harry cheirando uma carreira.

É um mentiroso. Não é verdade.

Entendo. Seja como for, esse editor se dispôs a trancar a foto no cofre para sempre, mas em troca quer sentar com você e explicar que o que está fazendo é muito prejudicial. Ele quer lhe oferecer alguns conselhos de vida.

Ah. Que ideia mais pervertida. E traiçoeira. Insidiosa, na verdade, porque se eu concordar com esse encontro estarei admitindo minha culpa.

Certo.

Pensei: depois de Rehabber Kooks, todos querem tirar uma casquinha. Ela dera um golpe certeiro e agora a concorrência fazia fila para ver quem seria o próximo.

Quando isso vai acabar?

Assegurei-me de que o editor não tinha nada, que estava apenas blefando. Devia ter escutado algum rumor e estava sondando. Mantenha o curso, disse a mim mesmo, e em seguida afirmei ao cortesão que podia pagar para ver com o jornalista, negar enfaticamente a alegação, recusar a oferta. Acima de tudo, dizer não à proposta do encontro.

Não vou me submeter a nenhuma chantagem.

O cortesão assentiu. Feito.

Claro que... eu andava *mesmo* cheirando nessa época. Na casa de campo de alguém, em um fim de semana praticando tiro, ofereceram-me uma carreira, e desde então eu voltara a usar em mais algumas ocasiões. Não achei muita graça, não me deixou particularmente feliz, como parecia fazer com todos à minha volta, mas me fez sentir diferente, e esse era o objetivo principal. Sentir. Diferente. Eu era um jovem de dezessete anos profundamente infeliz, disposto a tentar quase qualquer coisa capaz de alterar o status quo.

Ao menos era isso que eu pensava. Nessa época, era capaz de mentir para mim mesmo com a mesma facilidade com que mentira para o cortesão.

Mas agora me dava conta de que o preço a pagar seria alto demais. O risco superava de longe a recompensa. A ameaça de exposição, a perspectiva de arruinar o Jubileu de Ouro da vovó, andar no fio da navalha com a imprensa enlouquecida — nada disso valia a pena.

Vendo pelo lado positivo, até que me saíra bem nesse jogo. Depois de eu pagar para ver, o jornalista ficou quieto. Como suspeitei, não havia foto alguma, e quando sua tramoia não funcionou, acabaram as insinuações. (Ou não exatamente. Ele se insinuou em Clarence House, e ficou muito amigo de Camilla e papai.) Fiquei com vergonha por mentir. Mas também senti orgulho. Acuado no canto, diante de uma crise horrivelmente assustadora, eu não exibira nenhuma serenidade, como vovó, mas ao menos conseguira projetar uma imagem. Incorporei um pouco de seu superpoder, seu heroico estoicismo. Não gostei nem um pouco de bancar o sonso com o cortesão, mas a alternativa teria sido dez vezes pior.

Então... bom trabalho?

Talvez eu não fosse adotado, afinal de contas.

37.

Na terça-feira, dia culminante do jubileu, milhões observaram vovó fazer o trajeto do palácio até a igreja. Um serviço de ação de graças especial. Ela e vovô iam numa carruagem de ouro — o veículo todo, cada palmo quadrado, em dourado brilhante. Portas de ouro, rodas de ouro, capota de ouro e, encimando tudo, uma coroa de ouro, altivamente erguida por três reluzentes anjos banhados em ouro. A carruagem fora construída treze anos antes da revolução americana de 1776 e ainda funcionava como nova. Conforme rodava depressa pelas ruas levando meus avós, em algum lugar ao longe um coro imenso entoava a plenos pulmões o hino da coroação. *Regozijem-se! Regozijem-se!* Conseguimos! Conseguimos! Pois até mesmo para o mais rabugento antimonarquista era difícil não ficar ao menos um pouco arrepiado.

Houve um almoço nesse dia, acho, e uma festa à noite, mas tudo pareceu ligeiramente anticlimático. O evento principal, concordavam todos, ocorrera na noite anterior, nos jardins defronte ao Palácio de Buckingham — a apresentação de alguns dos maiores artistas musicais do século. Paul McCartney cantou "Her Majesty". Brian May, do terraço, tocou "God Save the Queen". Que coisa mais maravilhosa, muitos disseram. E que coisa mais miraculosa vovó ser tão descolada, tão moderna, a ponto de permitir, na verdade apreciar, todo aquele rock moderno.

Sentado exatamente atrás dela, não pude deixar de pensar o mesmo. Vendo-a tamborilar com o pé e balançar no ritmo, senti vontade de abraçá-la, porém, claro, não fiz isso. Absolutamente fora de questão. Eu nunca fizera aquele gesto e era incapaz de imaginar qualquer circunstância em que tal ação pudesse ser sancionada.

Havia uma história famosa de mamãe tentando abraçar vovó. Na verdade, foi mais um mergulho do que um abraço, a se crer nas testemunhas oculares, com vovó desviando para evitar o contato, e a coisa toda terminou de forma muito constrangedora, com olhares para os lados e desculpas murmuradas. Sempre que tentava imaginar a cena, vinha-me à mente a ação frustrada de um batedor de carteiras ou de um jogador de rúgbi sendo interceptado. Observando vovó curtir Brian May, pensei se papai alguma vez tentara. Provavelmente não. Quando tinha cinco ou seis anos, vovó o deixou sozinho e partiu em viagens oficiais por vários meses; ao voltar o cumprimentou com um firme aperto de mão. O que devia ser mais do que ele jamais obtivera de vovô. Na verdade, ele era tão distante, tão ocupado viajando e trabalhando, que mal via papai em seus primeiros anos de vida.

O show continuou e comecei a ficar cansado. Estava com dor de cabeça por causa da música alta, bem como do estresse das últimas semanas. Mas vovó não mostrava o menor sinal de esmorecer. Seguia aguentando firme. Continuava tamborilando e gingando.

De repente, olhei com mais atenção. Notei alguma coisa em seus ouvidos. Alguma coisa… dourada?

Dourada como a carruagem de ouro.

Dourada como os anjos de ouro.

Inclinei-me um pouco para a frente. Talvez não fosse exatamente dourada.

Não, estava mais para amarelo.

É. Plugues de ouvido amarelos.

Baixei o rosto para o colo e sorri. Quando tornei a olhar, observei com prazer vovó acompanhando o ritmo da música que não podia escutar ou da música da qual encontrara um modo astucioso e sutil de... se distanciar. De controlar.

Mais do que nunca, tive gana de dar um abraço naquela mulher.

38.

Sentei para conversar com papai nesse verão, possivelmente em Balmoral, embora talvez fosse Clarence House, onde ele agora morava mais ou menos em período integral. Havia se mudado pouco depois da morte de Gan-Gan, e onde quer que morasse, eu também morava.

Quando não estava morando em Manor House.

Com meu último ano em Eton chegando ao fim, papai queria perguntar sobre como eu imaginava minha vida depois da escola. A maioria dos meus colegas estava a caminho da universidade. Willy já entrara para a St. Andrews e vinha se saindo muito bem. Henners acabara de obter sua qualificação na Harrow School e planejava ir para a Newcastle.

E você, menino querido? Já parou para pensar... no futuro?

Ora, já. Claro que sim. Por muitos anos eu falara com toda seriedade em trabalhar no resort de esqui em Lech am Arlberg, onde mamãe costumava nos levar. Que lembranças maravilhosas. Mais especificamente, queria trabalhar no lugar de fondue no centro da cidade, que mamãe adorava. Aquele fondue podia mudar sua vida. (Eu era mesmo louco por aquilo.) Mas agora eu explicava a meu pai que desistira da fantasia do fondue, e ele suspirou aliviado.

Em vez disso, eu considerava a ideia de me tornar instrutor de esqui...

Papai voltou a ficar tenso. Fora de questão.

Certo.

Longa pausa.

E que tal... guia de safári?

Não, menino querido.

Aquilo não ia ser nada fácil.

Parte de mim queria fazer alguma coisa ridícula de verdade, totalmente fora da caixa, que fizesse todos na família, no país, endireitar o corpo e dizer: *Mas que c...?* Parte de mim queria cair fora, sumir — como fez mamãe. E como fizeram outros príncipes. Não houve alguém assim na Índia, muito tempo antes, um sujeito que simplesmente deixou o palácio e foi sentar sob uma aprazível figueira-de-bengala? Havíamos lido a respeito na escola. Ou pelo menos deveríamos ter lido.

Mas outra parte de mim era imensamente ambiciosa. Supunha-se que o Reserva não tivesse ou não devesse ter ambições. Supunha-se que membros da realeza não tinham aspirações de carreira nem ansiedades. Você é da Família Real, ganha tudo de bandeja, por que se preocupar? Mas, na verdade, eu era muito preocupado em seguir meu próprio caminho, encontrar meu propósito no mundo. Não queria ser um desses indolentes que ficam bebericando coquetéis, provocando o revirar de olhos nas reuniões familiares, evitados por todo mundo. Houve um bocado de gente assim na minha família por séculos.

Na verdade, papai também podia ter se tornado um deles. Sempre fora desencorajado do trabalho duro, contou-me. O Herdeiro era aconselhado a não "fazer coisas demais", a não se esforçar demais, por receio de ofuscar a monarca. Mas ele se rebelara, dera ouvidos a sua voz interior, descobrira o trabalho que o empolgava.

Queria isso para mim.

Foi por isso que ele não me pressionou a ir para a universidade. Sabia que não estava no meu DNA. Não que eu fosse contra a universidade *em si*. De fato, a Universidade de Bristol parecia interessante. Dera uma espiada nos folhetos, cheguei a considerar história da arte. (O curso era pródigo em garotas bonitas.) Mas simplesmente não conseguia me imaginar passando anos debruçado sobre livros. Meu orientador pedagógico em Eton tampouco. Ele me disse na lata: *A universidade não faz seu tipo, Harry*. Agora papai referendava o veredicto. Não era segredo, falou delicadamente, que eu estava longe de ser o "acadêmico da família".

Não disse isso como uma alfinetada. Mesmo assim, estremeci.

Ele e eu demos voltas e mais voltas, e mentalmente eu ia de um lado para outro, e por um processo de eliminação acabamos no Exército. Tinha tudo a ver. Alinhava-se a meu desejo de estar fora da caixa, de sumir. O exército me protegeria dos olhares sequiosos do público e da imprensa. E também se adequava a minha esperança de fazer algo realmente importante.

E combinava com minha personalidade. Meu brinquedo preferido quando criança sempre foram soldados em miniatura. Eu costumava passar milhares de horas planejando e travando batalhas épicas nos jardins projetados por Rosemary Verey em Highgrove. Também encarava toda partida de paintball como se o futuro da Commonwealth dependesse daquilo.

Papai sorriu. *Sim, menino querido. O Exército parece perfeito pra você. Mas primeiro,* acrescentou...

Muita gente tirava um ano sabático só por tirar. Papai, porém, considerava o ano sabático um dos períodos mais formativos na vida da pessoa.

Viaje pelo mundo, menino querido! Viva algumas aventuras.

Assim, sentei para conversar com Marko e tentei entender como seriam essas aventuras. Decidimo-nos primeiro pela Austrália. Passar metade do ano trabalhando em uma fazenda.

Excelente.

Quanto à segunda metade do ano, disse a Marko que gostaria de participar do combate à aids. Seria um modo de homenagear mamãe, uma continuação explícita de sua obra, era desnecessário dizer.

Marko se foi, fez algumas pesquisas, voltou a me procurar e disse: Lesoto.

Nunca ouvi falar, confessei.

Ele me explicou. Um país sem acesso ao mar. Um país encantador. Na fronteira da África do Sul. Muita carência, trabalho de sobra a ser feito.

Fiquei exultante. Um plano — finalmente.

Pouco depois, visitei Henners. Um fim de semana em Edimburgo. Outono de 2002. Fomos a um restaurante e lhe contei tudo a respeito. *Vai ser ótimo pra você, Haz!* Ele também estava tirando um ano sabático, na África Oriental. Uganda, pelo que me lembro. Trabalhando numa escola rural. No momento, porém, tinha um emprego de meio período na Ludgrove. Trabalhando como marionete. (O termo ludgroviano para um "faz-tudo".) Era um trabalho muito legal, disse. Tinha de ficar com as crianças, consertar o que aparecesse.

Além disso, provoquei, *todos os morangos e cenouras de graça que puder comer!*

Mas ele levava o assunto muito a sério. *Gosto de lecionar, Haz.*

Oh.

Conversamos com empolgação sobre a África, fizemos planos de nos encontrar lá. Depois de Uganda, depois da faculdade, Henners provavelmente também entraria para o Exército. Iria ser um Green Jacket. Não era exatamente uma escolha; sua família era formada por gerações de militares. Falamos sobre nos encontrar ali também. Quem sabe um dia a gente se pegue marchando para a batalha lado a lado, dissemos.

O futuro. A gente se perguntava o que ele nos reservaria. Eu me preocupava com isso, mas Henners não. Ele não levava o futuro a sério, não levava nada a sério. É viver um dia de cada vez, Haz. Esse era Henners, eternamente. Eu invejava sua tranquilidade.

Mas, por ora, estava a caminho de um cassino em Edimburgo. Perguntou se gostaria de ir junto. Ah, não posso, respondi. Ser visto em um cassino, nem pensar. Causaria um escândalo daqueles.

Que pena, falou.

Até mais, dissemos ambos, prometendo voltar a conversar em breve.

Dois meses mais tarde, um domingo de manhã — pouco antes do Natal de 2002. A notícia deve ter chegado na forma de uma ligação, embora apenas muito vagamente eu me lembre de segurar o telefone e escutar as palavras. Henners e outro rapaz, saindo de uma festa perto da Ludgrove, bateram contra uma árvore. Embora o telefonema seja um borrão, lembro-me vividamente de minha reação. A mesma de quando papai me contou sobre mamãe. *Certo… então Henners sofreu um acidente. Mas ele está no hospital, certo? Ele vai ficar bem?*

Não, não iria.

E o outro rapaz, o motorista, estava em estado crítico.

Willy e eu fomos ao enterro. Uma pequena igreja paroquial na rua onde Henners crescera. Lembro-me de centenas de pessoas espremidas nos bancos de madeira rangentes. Lembro-me, depois da cerimônia, de entrar na fila para abraçar os pais de Henners, Alex e Claire, e seus irmãos, Thomas e Charlie.

Acho que enquanto esperávamos escutei conversas sussurradas sobre o acidente.

Tinha neblina...

Não iam longe...

Mas aonde estavam indo?

E àquela hora da noite?

Estavam numa festa e o som pifou!

Daí foram correndo buscar outro.

Não!

Iam pegar o CD player emprestado com um amigo. Era bem perto, sabe...

Não se preocuparam em pôr o cinto...

Como mamãe.

E contudo, diferente de mamãe, não havia como eu transformar isso em um sumiço. Era morte mesmo, sem a menor sombra de dúvida.

Além disso, ao contrário de mamãe, Henners não estava tão rápido.

Porque ninguém o perseguia.

Trinta quilômetros por hora, no máximo, disseram todos.

E no entanto o carro entrou direto numa árvore velha.

As antigas, alguém explicou, são bem mais duras do que as novas.

39.

Não me deixariam sair de Eton enquanto eu não atuasse. Diziam o seguinte: eu tinha de tomar parte em uma de suas peças formais para poderem carimbar minha passagem e me soltar na natureza.

Soava ridículo, mas o teatro era mortalmente sério em Eton. O departamento de teatro encenava diversas produções anualmente, e a do final do ano sempre era a mais importante de todas.

No fim da primavera de 2003, seria *Muito barulho por nada*, de Shakespeare.

Fui escolhido para fazer Conrado. Um personagem menor. Entre outras coisas, chegado num copo, talvez um pouco chegado demais, proporcionando à imprensa todo tipo de deixa espertinha para também me chamar de bêbado.

Ora! Mas isso não é imitar a realidade?

As histórias se escreviam sozinhas.

O professor de teatro de Eton não comentou nada sobre imitar a realidade quando me deu o papel. Disse apenas que eu seria Conrado — *Procure se divertir, Harry* —, e não questionei seus motivos. Não os teria questionado nem se suspeitasse de que estava fazendo isso de sacanagem, pois eu queria sair de Eton, e para sair de Eton você tinha de atuar.

Entre outras coisas, estudando a peça descobri que era equivocado, e reducionista, focar no consumo alcoólico de Conrado. O sujeito era verdadeiramente fascinante. Leal, só que também fraco. Cheio de conselhos, mas também facilmente influenciado pelos outros. Acima de tudo, um palhaço com a função de proporcionar algumas risadas, incluindo certa urinação pública bem cronometrada. Foi fácil para mim entrar num papel assim, e descobri nos ensaios que possuía um talento oculto. Acontece que pertencer à realeza não era tão diferente assim de pisar em um palco. Atuar é atuar, não importa o contexto.

Na noite de estreia, meu pai sentou bem no meio de um Teatro Farrer lotado e ninguém se divertiu mais do que ele. Lá estava seu sonho transformado em realidade, um filho fazendo Shakespeare, e ele tirava o máximo proveito. Gargalhava, urrava, aplaudia. Mas, inexplicavelmente, sempre nos momentos errados. Uma bizarra falta de timing. Ficava mudo quando todos riam. Ria quando todos ficavam em silêncio. Era mais do que visível, uma maldita distração. O público achou que papai fosse um ator infiltrado, parte da apresentação. *Quem é aquele ali, rindo de coisa nenhuma? Oh... é o Príncipe de Gales?*

Depois, na coxia, papai era só elogios. *Você foi maravilhoso, menino querido.*

Mas não consegui disfarçar a irritação.

Qual o problema, menino querido?

Pai, você ria sempre na hora errada!

Ele ficou pasmo. Eu também estava. Como era possível que não fizesse ideia do que eu estava falando?

Aos poucos ficou claro. Ele me contara certa vez que, quando tinha a minha idade, atuando numa peça de Shakespeare em sua escola, vovô apareceu e fez exatamente a mesma coisa. Riu sempre na hora errada. Um completo papelão. Papai reproduzira o que seu pai fizera? Porque esse era o único modo de ser pai que conhecia? Ou seria alguma coisa mais subliminar, a expressão de um gene recessivo? Estaria toda geração fadada a repetir involuntariamente os pecados da precedente? Eu queria saber, e poderia ter perguntado, mas não era o tipo de assunto em que pudesse tocar com papai. Ou com vovô. Assim, tirei isso da cabeça e tentei me concentrar na parte boa.

Papai está aqui, disse a mim mesmo, e está orgulhoso, e isso não é pouca coisa.

Era mais do que tinham muitos rapazes.

Agradeci a ele por vir, dei-lhe um beijo em cada bochecha.

Como diz Conrado: *Não poderiam os seus desgostos e inquietações servirem-lhe de alguma coisa?*

40.

Terminei os estudos em Eton em junho de 2003, graças a horas de trabalho duro e algumas aulas particulares extras providenciadas por papai. Nada mal para alguém tão pouco acadêmico, tão limitado, tão distraído, e embora não estivesse exatamente orgulhoso de mim mesmo, pois não sabia como sentir orgulho de mim mesmo, notei uma nítida suspensão em minha incessante autocrítica interna.

E então fui acusado de colar.

Uma professora de artes apresentou as evidências, que se revelaram não ser evidência alguma. Revelaram-se ser absolutamente nada, e posteriormente fui inocentado pela junta examinadora. Mas o estrago estava feito. A acusação pegou.

Arrasado, eu queria fazer um pronunciamento, dar uma entrevista coletiva, proclamar ao mundo: Estudei pra valer! Eu não trapaceei!

O Palácio não permitiu. Nisso, como na maioria das coisas, se atinham ao lema familiar: *Nunca se queixe, nunca se explique.* Especialmente se o queixoso fosse um menino de dezoito anos.

Assim, fui forçado a permanecer calado no meu canto enquanto os jornais me acusavam de colar e me chamavam de burro diariamente. (Por um trabalho de artes! Droga, como alguém "cola" num trabalho de artes?) Esse foi o início oficial do temido título: Príncipe Lerdo. Assim como fora selecionado como Conrado sem ser consultado nem dar meu consentimento, era agora destacado para esse papel. A diferença era que *Muito barulho por nada* fora encenada por três noites. Esse papel tinha toda pinta de algo que ficaria para a vida inteira.

O príncipe Harry? Ah, é, não é nenhum Einstein.

Precisou colar pra passar numa prova qualquer, foi o que eu li!

Procurei papai para falar sobre isso. Eu beirava o desespero.

Sua resposta foi a mesma de sempre.

Menino querido, não leia.

Ele nunca lia. Lia tudo mais, de Shakespeare a artigos científicos sobre mudança climática, mas nunca as notícias. (Mas assistia à BBC, embora muitas vezes acabasse atirando o controle na TV.) O problema era que todos os demais as liam. Todos em minha família afirmavam que não, como papai, mas mesmo enquanto diziam isso na sua cara, os funcionários de libré estavam para cima e para baixo ao redor deles, oferecendo um leque de jornais britânicos sobre bandejas de prata, tão ordenados quanto os *scones* e as torradinhas com geleia.

41.

A fazenda se chamava Tooloombilla. Seus donos eram os Hill.

Noel e Annie. Tinham sido amigos de mamãe. (Annie era colega de apartamento dela quando mamãe começou a sair com papai.) Marko me ajudou a localizá-los e de algum modo os convenceu a permitir que eu ajudasse como seu *jackaroo* não remunerado durante o verão.

Os Hill tinham três filhos. Nikki, Eustie e George. O mais velho, George, era exatamente da minha idade, embora parecesse mais velho, talvez devido aos muitos anos de labuta sob o escaldante sol australiano. Quando cheguei soube que George seria meu mentor, meu chefe — meu orientador pedagógico, por assim dizer. Mas Tooloombilla era bem diferente de Eton.

Na verdade, era bem diferente de qualquer lugar em que eu estivera.

Eu vinha de um lugar verde. A fazenda dos Hill era uma ode ao marrom. Eu vinha de um lugar onde todos os movimentos eram monitorados, catalogados e submetidos a julgamento. A fazenda dos Hill era tão vasta e remota que ninguém me via durante a maior parte do dia a não ser George. E o ocasional *wallaby*.

Acima de tudo, eu vinha de um lugar temperado, chuvoso, frio. A fazenda dos Hill era quente.

Eu não sabia muito bem se era capaz de suportar um calor daquele tipo. O *outback* australiano tinha um clima que eu não compreendia e que meu corpo parecia incapaz de aceitar. Como papai, eu definhava à mera menção do calor: como esperar que lidasse com um forno dentro de um alto-forno dentro de um reator nuclear construído no topo de um vulcão ativo?

Um ambiente hostil para mim, pior para meus guarda-costas. Coitados, que tarefa receberam. Além do mais, suas acomodações eram para lá de espartanas, uma construção nos limites da fazenda. Eu raramente os via e muitas vezes os imaginava ali, sentados em roupas de baixo diante de um ruidoso ventilador elétrico, irritados, trabalhando em seus currículos.

Os Hill me alojaram na casa principal, um pequeno bangalô agradável de tábuas brancas, os degraus de madeira conduzindo a uma ampla varanda, a uma porta da frente que guinchava como um gatinho sempre que era aberta e batia com estardalhaço sempre que você a soltava. A porta tinha uma tela para afastar os mosquitos, que eram grandes como pássaros. Naquela primeira noite, sentado diante do jantar, eu não escutava outra coisa além do tamborilar ritmado dos insetos sugadores de sangue batendo contra a tela.

Não havia muito mais a escutar. Estávamos todos um pouco constrangidos, tentando fingir que eu era um *jackaroo*, não um príncipe, tentando fingir que não estávamos pensando em mamãe, que adorava Annie, e era igualmente adorada por ela. Annie, claro, queria falar sobre mamãe, mas assim como acontecia com Willy, eu simplesmente não conseguia. De modo que me debruçava sobre a comida, e elogiava, e pedia para repetir, e ficava mentalmente procurando tópicos anódinos de conversa. Mas não conseguia pensar em nenhum. O calor já prejudicara minhas capacidades cognitivas.

Adormecendo nessas primeiras noites no *outback*, eu conjurava a imagem de Marko e indagava ansiosamente: *Será que foi mesmo uma boa ideia, parceiro?*

42.

O remédio para todos os males, como sempre, foi o trabalho. Trabalho braçal pesado, exaustivo, incessante, que era o que os Hill tinham a oferecer, e de sobra, e que nunca era o bastante para mim. Quanto mais ralava, menos sofria com o calor, e mais à vontade ficava com a conversa — ou o silêncio — à mesa do jantar.

Mas aquilo não era meramente um trabalho. Ser um *jackaroo* exigia resistência, sem dúvida, mas também certos dotes. Você tinha de se entender com os animais. Tinha de aprender a ler o céu, e a terra.

E além disso saber montar como um campeão de equitação. Eu viera à Austrália achando que entendia alguma coisa de cavalos, mas os Hill eram hunos, nasceram todos numa sela. Noel era filho de um jogador de polo profissional. (E ex-treinador de polo de papai.) Annie podia acariciar o nariz de um cavalo e dizer o que o animal estava pensando. E George subia na sela com mais facilidade do que a maioria das pessoas deita na cama.

Um dia de trabalho típico começava no meio da noite. Faltando horas para amanhecer, George e eu saíamos tropegamente e cuidávamos das primeiras tarefas, tentando fazer o máximo possível antes de o sol aparecer. Ao raiar da aurora selávamos os cavalos, galopávamos até os limites dos 16 mil hectares dos Hill (o dobro da área de Balmoral) e começávamos a arrebanhar. Ou seja, mover o gado para cá e para lá. Também procurávamos indivíduos extraviados durante a noite e os conduzíamos de volta ao rebanho. Ou carregávamos um trailer com algumas cabeças e as transportávamos a outro setor. Era raro eu saber exatamente por que levávamos esses animais de um lado para outro, mas entendia o ponto principal:

Gado precisa de espaço.

Eu entendia como se sentiam.

Sempre que George e eu encontrávamos um bando de reses extraviadas, uma pequena cabala rebelde de bovinos, era um desafio extraordinário. Era vital mantê-los juntos. Caso se dispersassem, estávamos em maus lençóis. Levaria horas para agrupá-los e o dia seria perdido. Se, digamos, um dos animais reunidos sob um grupo de árvores saísse em disparada, George ou eu teria de ir atrás a toda velocidade. De vez em quando, na perseguição, acontecia de alguém ser arrancado da sela por um galho baixo. Quando voltasse a si, examinaria o corpo para ver se não quebrara nada, se não havia alguma hemorragia, com o cavalo morosamente parado ao lado.

O segredo era nunca deixar a perseguição durar demais. Perseguições longas esgotavam o animal, reduziam sua gordura corporal, depreciavam seu valor de mercado. Gordura era dinheiro, e não havia margem para erro com o gado australiano, que antes de mais nada já tem muito pouca gordura. A água era escassa, a relva, mais ainda, e o pouco que havia para pastar era geralmente consumido por cangurus, que George e sua família viam como as pessoas veem ratos.

Eu sempre me encolhia e ria do modo como George falava com os animais errantes. Ele os repreendia, insultava, amaldiçoava, mostrando sua predileção por uma palavra em particular, um xingamento que muita gente passa a vida sem nunca usar. George não passava cinco minutos. A maioria se esconde debaixo da mesa quando escuta essa palavra, mas para George ela era o canivete suíço da língua — infinitos usos e aplicações. (Além de que soava quase charmosa proferida por ele, com seu sotaque australiano.)

Era meramente uma das dúzias de palavras no léxico completo de George. Por exemplo, *fat* era um boi gordo pronto para o abate. *Steer*, um jovem touro que deveria ter sido castrado mais ainda não fora. O novilho recém-separado da mãe era um *weaner*. A pausa para o cigarro, um *smoko*. *Tucker* significava comida. Passei boa parte de 2003 sobre uma sela observando algum *weaner* entre baforadas em um *smoko* enquanto sonhava com minha *tucker* seguinte.

Por vezes complicado, por vezes tedioso, o trabalho de arrebanhar podia ser inesperadamente emotivo. Com as jovens fêmeas era mais fácil, elas iam para onde fossem tocadas, mas os novilhos não gostavam de receber ordens e gostavam menos ainda de serem separados da mãe. Eles protestavam, gemiam, às vezes atacavam. Um chifre agitado em sua direção podia arruinar um braço ou uma perna, cortar uma artéria. Mas eu não sentia medo. Na verdade... sentia compaixão. E os novilhos pareciam perceber.

O único serviço que eu não fazia, o único trabalho duro do qual eu fugia, era cortar colhões. Sempre que George aparecia com a longa lâmina reluzente eu jogava as mãos para o alto. *Não, parceiro, isso não consigo fazer.*

Você que sabe.

No fim do dia eu tomava uma ducha escaldante, comia um jantar gargantuesco e depois ia sentar com George na varanda, enrolando cigarros, bebendo cerveja gelada. Às vezes escutávamos seu pequeno CD player, que me fazia pensar no rádio de papai. Ou em Henners. *Ele e o outro rapaz foram pegar um CD player emprestado...* Muitas vezes ficávamos apenas olhando para o horizonte. O terreno era tão plano que dava para ver as tempestades se formando horas antes de chegarem, as primeiras descargas elétricas relampejando ao longe. Conforme os raios encorpavam, e se aproximavam, o vento soprava através da casa, agitando as cortinas. Então os cômodos pulsavam com luz branca. Os primeiros trovões sacudiam a mobília. Finalmente, o dilúvio. George suspirava. Seus pais suspiravam. Chuva era relva, chuva era gordura. Chuva era dinheiro.

Se não chovia, era igualmente uma bênção, porque depois da ventania de uma tempestade o céu limpo ficava pontilhado de estrelas. Eu apontava para George o que o pessoal em Botsuana apontara para mim. *Está vendo aquela brilhante perto da lua? É Vênus. E ali fica Escorpião — o melhor lugar para ver é no hemisfério Sul. E ali é a Plêiades. E aquela ali é Sirius — a estrela mais brilhante do céu. E ali é Órion: o Caçador. Tudo se resume à caça, não é? Caça e caçadores...*

Como assim, Harry?

Nada, parceiro.

Para mim o mais fascinante sobre as estrelas era sua distância imensa. A luz que você via nascera centenas de séculos antes. Em outras palavras, ao olhar para uma estrela estamos olhando para o passado, para um tempo muito anterior a qualquer pessoa que conhecemos ou amamos ter vivido.

Ou morrido.

Ou sumido.

George e eu normalmente caíamos na cama lá pelas oito e meia. Com frequência exaustos demais para tirar a roupa. Eu não tinha mais medo do escuro, ansiava por ele. Dormia como um morto, acordava como um renascido. Quebrado, mas pronto para mais.

Não havia dias de folga. Entre o trabalho implacável, o calor implacável, o gado implacável, eu me sentia sendo desbastado, um quilo mais leve a cada manhã, algumas dezenas de palavras mais calado. Até meu sotaque britânico foi sendo aparado. Depois de seis semanas, eu soava bem diferente de Willy e papai. Soava mais como George.

E também me vestia um pouco como ele. Passei a usar um amarrotado chapéu de caubói, como o seu. Andava com um de seus velhos chicotes de couro.

Finalmente, para acompanhar esse novo Harry, ganhei um novo nome. Spike.

Aconteceu assim. Meu cabelo nunca mais fora o mesmo depois de eu deixar que meus colegas em Eton o raspassem. Alguns tufos ficavam de pé como o capim no verão, outros achatados como feno com laquê. George costumava apontar minha cabeça e dizer: *Parece que você acordou agora!* Mas, em uma viagem a Sydney para assistir à Copa do Mundo de rúgbi, fiz uma aparição oficial no zoológico de Taronga e me pediram que posasse para uma foto com uma criatura chamada equidna. Um cruzamento entre o ouriço e o tamanduá, seu pelo era coberto por espinhos, por isso os cuidadores o batizaram de Spike. Parecia, como diria George, que ele acabara de acordar.

Ou, mais precisamente, parecia comigo. Parecia muito comigo. E quando George viu minha foto posando com Spike, exclamou.

Haz... os espinhos desse bicho parecem seu cabelo!

Depois disso, nunca mais me chamou de outra coisa além de Spike. E meus guarda-costas também foram na onda. Na verdade, passaram a usar Spike como meu codinome no rádio. Alguns até mandaram fazer camisetas para vestir quando trabalhavam na minha segurança: *Spike 2003.*

Não demorou para meus amigos na Inglaterra ficarem sabendo do meu novo apelido e o adotarem. *Virei Spike,* quando não era Haz, ou Baz, ou Príncipe Jackaroo, ou Harold, ou Menino Querido, ou Magricela, como fora apelidado por alguns na equipe do palácio. Minha identidade sempre fora problemática, mas com meia dúzia de nomes formais e uma dúzia de apelidos, estava se transformando num labirinto de espelhos.

Em geral eu não me importava em ser chamado por esses nomes. Normalmente pensava: tanto faz quem eu seja contanto que seja alguém novo, tudo menos o príncipe Harry. Mas então um pacote oficial chegou de Londres, do palácio, e meu antigo eu, minha antiga vida, a vida da realeza, voltava com tudo.

O pacote quase sempre vinha com a correspondência normal, embora às vezes estivesse debaixo do braço de um novo guarda-costa. (Havia uma constante troca da segurança, a cada duas semanas, para manter os homens descansados e permitir que vissem suas famílias.) Dentro do pacote costumavam estar cartas de papai e papelada de escritório, além de alguns relatórios sobre obras de caridade com as quais eu estava envolvido. Tudo carimbado: ATT SUA ALTEZA REAL O PRÍNCIPE HENRY DE GALES.

Um dia, o pacote continha uma série de memorandos da equipe de comunicação do palácio sobre um assunto delicado. O ex-mordomo de mamãe publicara memórias reveladoras que na verdade não revelavam nada. Não passava de sua versão hipócrita e autocentrada dos eventos. Minha mãe certa vez chamara esse mordomo de caro amigo, confiara implicitamente nele. Nós também. Agora isso. Ele procurava lucrar com o sumiço dela. Meu sangue ferveu. Quis voltar imediatamente, confrontá-lo. Liguei para papai, anunciei que iria pegar um avião. Tenho certeza de que essa foi a única conversa que tivemos enquanto permaneci na Austrália. Ele — e depois, num telefonema separado, Willy — me convenceu a não ir.

A única coisa que podíamos fazer, disseram ambos, era divulgar uma nota conjunta de repúdio.

E foi o que fizemos. Ou eles. Eu não tive nada a ver com o texto. (Pessoalmente, teria ido mais fundo, pegado mais pesado.) Em tom comedido denunciava a traição do mordomo e exigia publicamente um encontro para descobrir seus motivos e investigar suas assim chamadas revelações.

O mordomo nos respondeu publicamente, afirmando que o encontro era bem-vindo. Mas não para qualquer propósito construtivo. Ele prometeu a um jornal: "Adoraria lhes dizer umas poucas e boas".

Ele queria dizer umas poucas e boas para *nós*?

Eu não via a hora desse encontro. Contava os dias.

Claro que não aconteceu.

Nunca descobri por quê; concluí que fora cancelado pelo palácio.

Disse a mim mesmo: que pena.

Pensei naquele homem como o único *steer* extraviado que escapou naquele verão.

43.

Não lembro como fiquei sabendo sobre o primeiro a tentar entrar escondido na fazenda. Talvez por George? Quando estávamos arrebanhando o gado?

Mas lembro que a polícia local capturou o intruso e se livrou dele. Dezembro de 2003.

Os policiais se deram por satisfeitos. Mas eu estava desanimado. Sabia o que vinha pela frente. Paparazzi eram como formigas. Nunca havia apenas um.

E, dito e feito, no dia seguinte, mais dois invadiram a fazenda.

Hora de partir.

Eu devia tanto aos Hill, não queria retribuí-lhes arruinando a vida deles. Não queria ser o motivo para perderem um recurso mais precioso que a água — privacidade. Agradeci a eles pelas nove melhores semanas da minha vida e voltei para casa, chegando pouco antes do Natal.

Fui direto para um clube na minha primeira noite. E na seguinte. E na seguinte. A imprensa achava que eu continuava na Austrália, e decidi que a ignorância deles me dava carta branca.

Certa noite conheci uma menina e conversamos entre umas e outras. Não sabia que era uma garota da página 3. (Esse era o misógino e objetificador termo usado para se referir às jovens seminuas retratadas diariamente na terceira página do *Sun* de Rupert Murdoch.) Não teria feito diferença para mim se soubesse. Ela me pareceu inteligente e divertida.

Saí do clube usando um boné de beisebol. Paparazzi por toda parte. Adeus, carta branca. Tentei me misturar à multidão, andei casualmente pela rua com meu guarda-costa. Atravessamos a praça St. James e entramos em uma viatura à paisana. No momento em que o carro andou, uma

Mercedes com vidros pretos veio pela calçada e nos atingiu, quase numa colisão frontal contra a porta traseira do lado do passageiro. Percebemos o acidente vindo, o motorista não olhava para a frente, estava ocupado demais batendo fotos. A notícia nos jornais no dia seguinte deveria ser sobre o príncipe Harry quase ser morto pela negligência de um paparazzo. Em vez disso, foi sobre o príncipe Harry conhecer e supostamente beijar uma garota da página 3, além de um monte de comentários exaltados sobre a deprimente escolha do Reserva por sair com... uma mulher vulgar.

O terceiro na linha de sucessão... *com ela?*

O esnobismo, o classicismo, era nauseante. A impropriedade das prioridades, inconcebível.

Mas tudo isso serviu para fortalecer imensamente minha sensação de alegria e alívio em fugir. Outra vez.

Ano Sabático, Parte Dois.

Dias depois, estava em um avião para Lesoto.

E, melhor ainda, ficou decidido que eu poderia levar alguém.

O plano, outrora, era ir com Henners.

Em seu lugar agora eu chamei George.

44.

Lesoto era lindo. Mas também um dos lugares mais desoladores do mundo. Era o epicentro da pandemia mundial de aids, e em 2004 o governo acabara de decretar estado de calamidade médica. Dezenas de milhares haviam perecido com a doença e a nação estava se transformando em um vasto orfanato. Aqui e ali, viam-se crianças pequenas correndo de um lado para outro, com um olhar perdido no rosto.

Cadê o papai? Cadê a mamãe?

George e eu nos candidatamos a ajudar diversas instituições de caridade e escolas. Ficamos ambos impressionados com as pessoas encantadoras que conhecemos, sua resiliência, sua altivez, sua coragem e seu ânimo diante de tanto sofrimento. Demos tão duro quanto na fazenda, com alegria e disposição. Construímos escolas. Reformamos escolas. Misturamos cascalho, despejamos cimento, o que fosse necessário.

Nesse mesmo espírito de servir, concordei um dia em realizar uma tarefa que de outro modo provavelmente teria sido impensável — uma entrevista. Se queria mesmo expor as condições ali, não havia escolha: tinha de cooperar com a temida imprensa.

Mas era mais do que cooperar. Seria meu primeiro tête-à-tête individual com um repórter.

Combinamos de nos encontrar na encosta de uma colina verdejante de manhã cedo. Ele começou perguntando: Por que este país? Entre tantos lugares?

Afirmei que as crianças de Lesoto estavam em dificuldades e que eu adorava crianças, entendia as crianças, então naturalmente queria ajudar.

Ele insistiu. Por que eu adorava crianças?

Arrisquei meu melhor palpite: Minha incrível imaturidade?

Eu estava sendo leviano, mas o repórter riu e passou à pergunta seguinte. O assunto das crianças abriu passagem para o assunto da minha infância, e isso foi a porta de entrada para o único tema que ele, ou qualquer um, realmente queria saber.

Você pensa muito... nela... ao fazer coisas assim?

Desviei o rosto, olhei para o declive, respondi com uma série de palavras desconexas: *Infelizmente já faz um longo tempo, hum, não para mim, mas para a maioria das pessoas, faz bastante tempo que ela morreu, mas esse negócio que surgiu foi ruim, todo o negócio que surgiu, todas essas fitas...*

Estava me referindo a gravações que minha mãe fizera antes de morrer, em um tom quase confessional, e que tinham sido havia pouco tempo vazadas à imprensa para coincidir com o lançamento das memórias do mordomo. Seis anos depois de ser caçada e obrigada a se refugiar, minha mãe continuava caçada e difamada — não fazia sentido. Em 1997, houve um acerto de contas nacional, um período de remorso e reflexão coletiva entre os britânicos. Todos estavam de acordo que a imprensa não passava de um bando de monstros, mas os consumidores também admitiram parte da culpa. Precisávamos todos agir melhor, concordou a maioria. Agora, meia dúzia de anos mais tarde, tudo estava esquecido. A história se repetia diariamente, e afirmei ao repórter que era "uma pena".

Não a declaração mais impactante. Mas representava a primeira vez que Willy ou eu falávamos publicamente sobre mamãe. Fiquei admirado

118

por ter sido o primeiro a fazer isso. Willy sempre era o primeiro, em tudo, e me perguntei como aquilo seria recebido — por ele, pelo mundo, mas sobretudo por papai. (Nada bem, Marko me contou mais tarde. Papai era absolutamente contra eu tocar no assunto; não queria nenhum dos filhos falando sobre mamãe, com receio de causar um alvoroço, distraí-lo do trabalho e talvez mostrar Camilla sob uma luz desfavorável.)

Por fim, com um ar completamente falso de valentia, dei de ombros e disse ao repórter: *Má notícia vende. Simples assim.*

Falando em má notícia… o repórter agora se referia ao meu escândalo mais recente.

A garota da página 3, claro.

Ele mencionou que *algumas pessoas queriam saber* se eu realmente aprendera alguma coisa em minha visita à clínica de reabilitação. Havia me "convertido" de fato? Não me lembro de ter usado essa palavra, *convertido*, mas pelo menos um jornal usou.

Harry precisava ser convertido?

Harry, o Herético?

Mal conseguia enxergar o repórter através da névoa vermelha da raiva. Por que estávamos tocando nesse assunto? Afirmei qualquer coisa sobre não ser normal, o que deixou o repórter boquiaberto. *Lá vamos nós.* Eis aí sua manchete, sua dose de notícias na veia. Ele estava revirando os olhos?

E *eu* é que era o viciado?

Expliquei o que quis dizer com normal. Eu não levava uma vida normal, porque não era possível para mim. *Até meu pai vive me lembrando de que infelizmente Willy e eu não podemos ser normais.* Afirmei ao repórter que ninguém além de Willy compreendia como era viver nesse aquário surreal, em que eventos normais eram tratados como anormais e o anormal era rotineiramente normalizado.

Era o que eu tentava dizer, começava a dizer, mas então voltei a fitar o declive. Pobreza, doença, órfãos — morte. Tudo se tornava irrelevante diante disso. Em Lesoto, fosse qual fosse seu problema, todo mundo era um ricaço por comparação. De repente senti vergonha e pensei se o jornalista seria suficientemente dotado de bom senso para ter vergonha também. Sentado ali, contemplando toda aquela miséria, e falando sobre garotas da página 3? Tenha dó.

Depois da entrevista fui à procura de George para tomarmos uma cerveja. Várias cervejas. Litros.

Acredito que foi nessa noite também que fumei maconha suficiente para encher uma sacola de supermercado.

Não recomendo.

Mas talvez tenha sido outra noite. É difícil ser preciso quando o assunto é uma sacola de maconha.

45.

George e eu viajamos de Lesoto à Cidade do Cabo para encontrar alguns amigos, e Marko.

Março de 2004.

Ficamos hospedados na casa do cônsul-geral e certa noite falamos em convidar algumas pessoas. Para o jantar. Só havia um pequeno problema. Não conhecíamos ninguém na Cidade do Cabo.

Mas espere — isso não era completamente verdade. Eu havia conhecido alguém anos antes, uma garota da África do Sul. No Clube de Polo de Berkshire.

Chelsy.

Lembro que ela era...

Diferente.

Olhei meu celular, encontrei seu número.

Liga pra ela, disse Marko.

Acha mesmo?

Por que não?

Para meu choque, o número funcionou. E ela atendeu.

Gaguejando, lembrei-a de quem eu era, disse que estava na cidade, queria saber se não gostaria de aparecer...

Ela pareceu insegura. Parecia não acreditar que fosse eu. Atrapalhado, entreguei o telefone para Marko, que jurou ser realmente eu e que o convite era sincero, e que a ocasião seria muito discreta — nada com que se preocupar. Indolor. Talvez até divertido.

120

Ela perguntou se podia levar uma amiga. E seu irmão.

Claro! Quanto mais, melhor.

Horas mais tarde, lá estava ela, passando pela porta. Descobri que minha memória não me tapeara. Ela era... *diferente.* Foi a palavra que me veio à cabeça quando a conheci e que agora me vinha imediatamente, e depois várias vezes durante o churrasco. Diferente.

Ao contrário de tanta gente que eu conhecia, parecia totalmente despreocupada com as aparências, com o decoro, com a realeza. Ao contrário de tantas garotas que conheci, não estava visivelmente se candidatando a uma coroa no instante em que apertou minha mão. Parecia imune a essa doença comum chamada às vezes de *síndrome do trono.* Que é similar ao efeito que atores e músicos exercem sobre as pessoas, exceto que no caso de músicos e atores a causa é o talento. Eu não tinha talento nenhum — conforme me disseram repetidas vezes — e, assim, qualquer reação à minha pessoa não tinha nada a ver comigo. Devia-se à minha família, meu título, e consequentemente sempre me constrangia, porque eu não fizera nada por merecê-la. Sempre quis saber como seria a sensação de conhecer uma mulher que não arregalasse os olhos à menção de meu título, e sim quando eu lhe abrisse minha mente e meu coração. Com Chelsy isso parecia uma possibilidade real. Mais do que desinteressada de meu título, ela parecia achar a questão enfadonha. *Ah, você é príncipe?* (Bocejo.)

Não sabia nada da minha biografia, menos ainda da minha família. Vovó, Willy, papai — quem são esses? Melhor ainda era sua extraordinária falta de curiosidade. Provavelmente não sabia nem sobre minha mãe; devia ser nova demais para se lembrar dos trágicos eventos de agosto de 1997. Eu não tinha como saber se isso era verdade, claro, porque, para crédito de Chelsy, nunca conversamos a respeito. Em vez disso conversávamos sobre a principal coisa que tínhamos em comum — a África. Nascida e criada no Zimbábue, agora morando na Cidade do Cabo, Chelsy amava a África de todo coração. Seu pai era proprietário de uma fazenda de caça e seu mundo girava em torno desse eixo. Embora tivesse apreciado os anos passados em um internato britânico, Stowe, sempre voltava correndo para casa a cada feriado. Afirmei que a compreendia. Contei-lhe sobre as experiências na África que mudaram minha vida, minhas primeiras viagens formativas.

Contei-lhe sobre a estranha aparição do leopardo. Ela balançou a cabeça. Entendia. *Genial. A África de fato proporciona momentos como esses se a pessoa está preparada. Se for digna deles.*

A certa altura da noite lhe contei que em breve entraria para o Exército. Não consegui avaliar sua reação. Nenhuma, talvez? Pelo menos não pareceu nenhum empecilho.

Então contei que George, Marko e eu estávamos a caminho de Botsuana no dia seguinte. Iríamos nos encontrar com Adi e alguns outros, subir o rio. *Que tal vir com a gente?*

Ela sorriu timidamente, refletiu por um instante. Ela e a amiga tinham outros planos...

Ah. Que pena.

Mas cancelaria, disse. Adorariam ir conosco.

46.

Passamos três dias caminhando, rindo, bebendo, misturados aos animais. Não apenas animais selvagens. Encontramos por acaso um especialista em cobras que nos mostrou sua naja, sua cascavel. Ele manipulava as serpentes, fazendo-as deslizar por seus ombros, seus braços, proporcionando-nos um show particular.

Mais tarde nessa noite, Chelsy e eu demos nosso primeiro beijo sob as estrelas.

Enquanto isso, George ficou perdidamente apaixonado pela amiga dela.

Quando chegou a hora de Chelsy e a amiga voltarem para casa, e George voltar para a Austrália, e Marko voltar para Londres, todos se despediram com tristeza.

De repente me vi a sós na mata, apenas com Adi.

E agora, parceiro?

Ficamos sabendo de um acampamento nas imediações. Um casal de cineastas fazia um documentário da vida selvagem e fomos convidados a ir até lá para visitá-los.

Subimos numa Land Cruiser e em pouco tempo avistamos uma ruidosa festa no mato. Homens e mulheres bebendo, dançando, todos

usando bizarras máscaras de animais feitas de cartolina e coloridos limpa-
-cachimbos. Carnaval em Okavango.

Os líderes dessa folia eram duas pessoas de trinta e poucos anos: Teej
e Mike. Os cineastas, concluí. Na verdade, eram donos de uma produtora
de filmes, além daquele acampamento. Apresentei-me, cumprimentei-os
por promover uma farra verdadeiramente épica. Riram e disseram que,
no dia seguinte, pagariam o preço.

Os dois precisavam acordar para trabalhar.

Perguntei se poderia acompanhá-los. Adoraria ver o processo de filmagem.

Olharam para mim, depois se entreolharam. Sabiam quem eu era, e
embora fosse bastante surpreendente me encontrar ali em plena mata, a
ideia de me contratar como ajudante era mais do que conseguiam assimilar.

Mike disse: *Claro que pode. Mas vai ter que trabalhar. Carregar caixas
pesadas, levar câmeras pra cima e pra baixo.*

Pude perceber pela expressão deles que imaginavam que com isso o
assunto estaria encerrado.

Sorri e disse: *Parece perfeito.*

Eles ficaram em choque. E felizes.

Pareceu amor à primeira vista. De parte a parte.

Teej e Mike eram africanos. Ela era da Cidade do Cabo; ele, de Nairóbi.
Mas ela nascera na Itália, passara os primeiros anos em Milão, e tinha especial orgulho de suas raízes milanesas, fonte de sua espiritosidade, afirmou,
que era o mais perto de contar vantagem que alguém poderia ouvir de
Teej. Crescera falando italiano, embora não recordasse mais nada, afirmou
com tristeza. Só que não. Todas as vezes em que passou por uma cirurgia,
chocava todo mundo ao sair da anestesia falando italiano fluentemente.

Mike crescera em uma fazenda, aprendera a cavalgar não muito depois de ter aprendido a andar. Acontecia de seu vizinho ser um cineasta
pioneiro da vida selvagem. Sempre que Mike tinha um tempo livre, corria
até a casa ao lado e batia um papo com o homem, bombardeava-o com
perguntas. Mike descobrira sua verdadeira vocação e o vizinho percebeu
e incentivou isso.

Tanto Teej como Mike eram talentosos, brilhantes e inteiramente devo-
tados à vida selvagem. Eu queria passar o máximo de tempo possível com

os dois, não só nessa viagem, como também de modo geral. O problema era: será que deixariam?

Várias vezes surpreendi Teej olhando na minha direção, medindo-me com um sorriso curioso no rosto — como se eu fosse uma criatura selvagem que fora parar inesperadamente em seu acampamento. Mas em vez de me enxotar, ou de me usar, como muitos haviam feito, ela estendeu a mão e... me adotou. Décadas de observação da natureza haviam lhe proporcionado certa sensibilidade para o caráter selvagem, uma reverência por ele enquanto virtude e até direito fundamental. Ela e Mike foram as primeiras pessoas a valorizar o aspecto selvagem que porventura ainda havia em mim, que não tinha sido arruinado pelo luto — e pelos paparazzi. Ficavam indignados que os demais pudessem querer eliminar esse pouco que restava, que ansiassem por me enfiar numa jaula.

Nessa viagem, ou talvez na seguinte, perguntei a Teej e Mike como haviam se conhecido. Os dois deram um sorriso encabulado.

Um amigo comum, murmurou Mike.

Um encontro às cegas, sussurrou Teej.

O cenário era um pequeno restaurante. Quando Mike entrou, Teej já estava sentada a uma mesa, de costas para a porta. Não pôde ver Mike, apenas escutou sua voz, mas mesmo antes de se virar ela soube, pelo tom, pelo timbre, pela mudança na temperatura ambiente, que estava em apuros.

Deram-se maravilhosamente bem durante o jantar e, no dia seguinte, Teej foi à casa de Mike para um café. Quase desmaiou ao entrar. Na prateleira superior de sua estante havia um livro escrito pelo avô dela, Robert Ardrey, um lendário cientista, ensaísta e escritor. (Ele recebera uma indicação ao Oscar pelo roteiro de *Khartoum*.) Além dos livros de seu avô, Mike tinha todas as demais obras favoritas de Teej arrumadas na mesma ordem em que ficavam na estante dela. Levou a mão à boca. Aquilo era sincronicidade. Era um sinal. Nunca mais voltou a seu apartamento, exceto para pegar suas coisas. Ela e Mike permaneceram juntos desde então.

Contaram essa história em torno da fogueira. Para Marko e aquela turma, a fogueira era fundamental, mas para Teej e Mike, era sacrossanta. Circulavam as mesmas bebidas, as mesmas histórias envolventes, mas parecia mais ritualístico. Em poucos outros lugares me senti mais próximo da verdade ou mais vivo.

Teej notou. Percebeu como eu ficava à vontade com eles. Disse: *Seu corpo pode ter nascido na Grã-Bretanha, mas acho que sua alma nasceu aqui na África.*

Esse foi possivelmente o maior elogio que já recebi.

Depois de alguns dias caminhando com eles, comendo com eles, me apaixonando por eles, sentia uma paz irresistível.

E uma necessidade igualmente irresistível de voltar a ver Chelsy.

O que fazer?, pensei. Como conseguir isso? Como chegar à Cidade do Cabo sem que a imprensa veja e arruíne tudo?

Adi disse: Vamos de carro!

De carro? Hum. Sim. Genial!

Eram só dois dias, afinal.

Dirigimos direto, sem fazer uma única parada, tomando uísque e tirando energia de chocolates. Apareci na porta de Chelsy descalço, amarfanhado, coroado com um gorro imundo, um enorme sorriso vincando meu rosto sujo.

Ela levou um susto... depois riu.

Então... abriu a porta um pouco mais.

47.

Chels e eu aprendemos uma importante lição. A África era a África... mas a Grã-Bretanha sempre seria a Grã-Bretanha.

Nem bem desembarcamos em Heathrow e fomos cercados pelos paparazzi.

Divertido para mim nunca é, mas tampouco é um choque. Por alguns anos, depois do sumiço de mamãe, eu dificilmente via algum paparazzo, mas agora era o tempo todo. Aconselhei Chelsy a tratar o assunto como uma doença crônica, uma coisa a ser administrada.

Mas ela não tinha certeza se queria ter uma doença crônica.

Disse-lhe que compreendia. Um sentimento perfeitamente válido. Mas essa era minha vida, e se ela queria partilhar alguma parte dela, teria de partilhar isso também.

Você se acostuma, menti.

Depois disso, calculei que as chances de algum dia voltar a ver Chels eram de cinquenta-cinquenta, talvez sessenta-quarenta. Muito provavelmente a imprensa me custaria mais uma pessoa de quem eu gostava. Tentei me consolar dizendo que tudo bem, que nesse momento eu não tinha tempo de verdade para um relacionamento.

Havia trabalho a fazer.

Para começar, eu estava prestando as provas de admissão para a Real Academia Militar em Sandhurst.

Duraram quatro dias, e não tinham nada a ver com as provas feitas em Eton. Um pouco de leitura era exigida, e também escrever algumas coisas, mas na maior parte eram testes de resiliência psicológica e habilidades de liderança.

E não é que eu tinha ambas? Passei com mérito.

Fiquei em êxtase. Minha dificuldade de concentração, o trauma com minha mãe, nada disso contava. Nada disso depunha contra mim no Exército britânico. Pelo contrário, descobri, essas coisas faziam de mim um candidato ainda mais ideal. O Exército estava *atrás* de rapazes como eu.

O que tem a dizer, meu jovem? Pais divorciados? Sua mãe morreu? Luto não resolvido ou trauma psicológico? Por aqui!

Junto com a notícia de que passara recebi uma data para me apresentar, dali a vários meses. O que significava que teria tempo para pôr minha cabeça em ordem, amarrar algumas pontas soltas. Melhor ainda, tempo para passar com Chels... Se ela ainda me quisesse.

Queria. Ela me convidou para voltar à Cidade do Cabo e conhecer seus pais.

Aceitei o convite. E gostei deles instantaneamente. Não havia como não gostar. Eles apreciavam histórias divertidas, gim-tônica, boa comida, caçadas. O pai era um ursão fofo de ombros largos, mas definitivamente um alfa. A mãe era do tipo mignonne, escutava as pessoas como ninguém e não economizava em épicos abraços. Eu não sabia o que o futuro traria, não queria pôr o carro na frente dos bois, mas pensei: se alguém projetasse sogros do zero, dificilmente conseguiria algo muito melhor do que esses dois.

48.

Devia haver alguma coisa no ar. Bem quando eu embarcava em meu novo romance, papai anunciou que iria casar. Pedira a permissão de vovó, e ela concedera. Com relutância, segundo se dizia.

Embora Willy e eu fôssemos contra, papai permaneceu firme. Apertamos sua mão, lhe desejamos sorte. Sem ressentimentos. Reconhecíamos que finalmente estaria com a mulher que amava, a mulher que sempre amara, a mulher que o Destino talvez houvesse designado a ele, antes de mais nada. A despeito da eventual amargura ou tristeza que sentíamos com o fim de mais um ciclo na história de mamãe, compreendíamos que isso não vinha ao caso.

Além do mais, simpatizávamos com papai e Camilla como casal. Eles haviam elevado o infortúnio amoroso a um novo patamar. Depois de anos de anseios frustrados, agora estavam a poucos passos da felicidade... Mas novos obstáculos continuavam aparecendo. Primeiro havia a controvérsia sobre a natureza da cerimônia. Os cortesãos insistiam que teria de ser uma cerimônia civil, porque papai, como futuro governador supremo da Igreja da Inglaterra, não podia casar com uma divorciada na igreja. Isso levou a um furioso debate sobre locais. Se a cerimônia civil fosse realizada no Castelo de Windsor, a primeira escolha do casal, Windsor precisaria primeiro receber uma licença para casamentos civis, e se isso acontecesse todo mundo na Grã-Bretanha teria permissão de realizar seu casamento civil ali. Ninguém queria aquilo.

A decisão, portanto, foi de que o casamento seria realizado em Windsor Guildhall.

Mas então o papa morreu.

Confuso, perguntei a Willy: *O que o papa tem a ver com papai?*

Muita coisa, descobri. Papai e Camilla não queriam casar no mesmo dia em que o papa era enterrado. Carma ruim. Menos imprensa. Mais importante, vovó queria que papai a representasse no enterro.

Os planos de casamento foram alterados mais uma vez.

Adiamento após adiamento. Se você prestasse atenção, escutaria os gritos e gemidos de desespero pairando pelos cômodos do palácio, mas não saberia dizer sua origem: se vinham do organizador do casamento ou de Camilla (ou papai).

Apesar da pena que senti deles, não pude deixar de pensar que alguma força do universo (mamãe) estava impedindo em vez de abençoar a união. Será que o universo adia o que desaprova?

Quando o casamento finalmente aconteceu — sem vovó, que preferiu não comparecer —, foi quase catártico para todos, até mesmo para mim. De pé junto ao altar, mantive a cabeça quase sempre abaixada, o olhar fixo no chão, como fizera no enterro de mamãe, mas sem me furtar a dar diversas longas espiadas no noivo e na noiva, pensando a cada vez: que bom para os dois.

Mas pensando também: sentirei sua falta.

Eu sabia sem a menor dúvida que o casamento afastaria papai de nós. Não em um sentido real, não de algum modo deliberado ou malicioso, mas mesmo assim — afastaria. Ele entrava em um novo espaço, um espaço fechado, um espaço firmemente insular. Willy e eu veríamos papai com menos frequência, previ, e isso provocou sensações conflitantes em mim. Não me agradava perder meu pai também, e eu tinha sentimentos complicados quanto a ganhar uma madrasta que, acreditava eu, me sacrificara recentemente em seu altar pessoal de relações públicas. Mas vi o sorriso de papai e era difícil argumentar contra aquilo, e mais difícil ainda negar o motivo: Camilla. Eu queria tantas coisas, mas fiquei surpreso em descobrir no casamento deles que uma das coisas que mais queria ainda era que meu pai fosse feliz.

De um modo esquisito, também queria que Camilla fosse feliz.

Seria talvez menos perigosa se estivesse feliz?

Alguém publicou que Willy e eu saímos de fininho da igreja e penduramos placas de RECÉM-CASADOS no carro. Acho que não. Eu teria pendurado uma placa assim: SEJAM FELIZES. Se tivesse pensado nisso na hora.

Mas me lembro de observá-los se afastar e pensar: estão felizes. Felizes de verdade.

Droga, queria que todos nós fôssemos felizes.

49.

Por volta dessa época, logo antes — ou talvez logo depois — do casamento, fui treinar com Willy no British Special Boat Service. Não era um treinamento oficial. Só um pouco de brincadeira para a molecada, como dizíamos. Basicamente uma diversão, embora vindo de uma longa e solene tradição.

A nossa família sempre manteve ligações próximas com as forças armadas britânicas. Às vezes era uma visita oficial, outras vezes um almoço informal. Às vezes uma conversa particular com homens e mulheres voltando da guerra. Mas às vezes uma participação em exercícios puxados. A maior mostra de respeito pelos militares era fazer, ou tentar fazer, o que eles faziam.

Esses exercícios eram secretos e nunca chegavam à imprensa. Os militares preferiam assim, e claro que a realeza também.

Foi mamãe que nos levou, Willy e eu, ao nosso primeiro exercício militar — uma "Operação de Resgate" em Herefordshire. Nós três fomos postos numa sala, com instruções para não nos mexer. Então o aposento ficou às escuras. Um pelotão derrubou a porta a pontapés. Atiraram granadas de atordoamento e quase nos mataram de medo, e era esse o objetivo deles. Queriam nos ensinar como reagir "se algum dia" corrêssemos perigo de vida.

Se algum dia? Demos risada. *Vocês já viram as cartas que recebemos?*

Mas esse dia com Willy foi diferente. Muito mais físico e mais ativo. Menos aula, mais adrenalina. Percorremos Poole Harbour de lancha, "atacamos" uma fragata, subimos pela escadinha de cabos disparando pistolas de nove milímetros carregadas de bolinhas de tinta colorida. Num dos exercícios descemos correndo um lance de escada de metal dentro do porão da fragata. Alguém cortou as luzes, imagino que para deixar a coisa mais interessante. Naquele breu, a quatro degraus do piso, caí e bati com o joelho esquerdo, que na mesma hora foi atravessado por uma cavilha que saía do chão.

A dor foi alucinante.

Consegui levantar, continuei e terminei o treinamento. Mas no final do dia saltamos do heliponto do barco para dentro d'água, e vi que o meu joelho não obedecia. A perna inteira não obedecia. Quando saí da água e tirei a roupa de borracha, Willy olhou e empalideceu.

O meu joelho esguichava sangue.

Enquanto os paramédicos ainda estavam me atendendo, o Palácio anunciou que o meu ingresso no Exército seria adiado. Por tempo indeterminado.

Os jornalistas quiseram saber a razão.

A assessoria de imprensa respondeu: *O príncipe Harry machucou o joelho jogando rúgbi.*

No dia seguinte, lendo os jornais, com a perna enfaixada e levantada, joguei a cabeça para trás e dei risada. Impossível evitar uma pontinha de satisfação ao ver que os jornais, dessa vez, publicavam *involuntariamente* uma mentira ao meu respeito.

Mas logo se vingaram. Começaram a promover a história de que eu estava *com medo* de entrar no Exército, estava dando para trás e usando um machucado falso no joelho como pretexto para me safar.

Eu era, disseram eles, um covarde.

50.

Um dos amigos de Willy estava dando uma festa de aniversário. No campo, em Gloucestershire. Mais do que uma festa de aniversário, era uma festa à fantasia, com um tema embaraçoso. Nativos e colonos. Os convidados *tinham* de se fantasiar de acordo com o tema.

Janeiro de 2005.

Eu não gostava de festas à fantasia. E não suportava temas. No último ou penúltimo aniversário de Willy, ele tinha dado uma festa à fantasia com um tema: *Out of Africa*. Aquilo me irritou e me deixou desnorteado. Toda vez que eu ia à África, usava short e camiseta, às vezes um *kokoi*. *Serve, Willy?* Mas isso agora era infinitamente pior.

Não havia nenhuma peça de roupa nativa ou colonial no meu guarda-roupa. Na verdade, eu nem tinha guarda-roupa. Eu estava ficando com papai e Camilla, alguns dias em St. James, alguns dias em Highgrove, vivendo basicamente com o que havia na mala, e não estava nem aí para roupas. Em geral parecia que eu tinha me vestido num quarto escuro e bagunçado. Assim, uma festa à fantasia *com um tema* era um pesadelo.

Passo. Passo mesmo.

Mas Willy insistiu. *A gente vai encontrar alguma coisa para você vestir, Harold.*

A nova namorada dele prometeu ajudar.

Eu gostava de sua nova namorada. Era descontraída, meiga, simpática. Tinha passado um ano em Florença, entendia de fotografia, de arte. E de roupas. Ela adorava roupas.

Chamava-se Kate. Não lembro que troço nativo ou colonial Kate usou na festa, mas Willy, com a ajuda dela, escolheu para si uma espécie de... fantasia de felino. Uma malha justa com (será que estou lembrando direito?) uma cauda flexível, que balançava. Ele provou na nossa frente e parecia um cruzamento entre Tigger e Baryshnikov. Kate e eu tiramos o maior sarro, rolando de rir. Era ridículo, principalmente num espelho de três faces. Mas, disseram os dois, o grande lance da festa era justamente o ridículo.

Eu gostava de ver Kate rindo. Melhor ainda, gostava de fazê-la rir. O meu lado explicitamente bobo batia com o lado bobo dela, profundamente disfarçado. Sempre que ficava aflito que Kate fosse tirar Willy de mim, eu me consolava pensando em todas as nossas futuras gargalhadas juntos, e dizia a mim mesmo como seria ótimo quando eu encontrasse uma namorada a sério capaz de rir junto conosco. Quem sabe podia ser Chelsy.

Quem sabe, pensei eu, Kate dê risada da minha fantasia.

Mas qual seria? O que Harold ia ser? Esse se tornou o nosso assunto constante.

No dia da festa, ficou decidido que eu iria até um vilarejo próximo, Nailsworth, onde havia uma loja de fantasias bastante conhecida. Certamente encontraria alguma coisa por lá.

As lembranças ficam um pouco embaçadas, embora algumas coisas voltem com total certeza. A loja tinha um cheiro inesquecível de mofo, bolor, com traços de alguma outra coisa, uma coisa indefinível, um subproduto do ar de uma sala fechada com centenas de calças usadas por várias décadas por milhares de seres humanos.

Percorri as fileiras, vasculhando as prateleiras, sem encontrar nada que me agradasse. O tempo estava acabando e reduzi as minhas opções a duas coisas.

Um uniforme de piloto britânico.

E um uniforme nazista cor de areia.

Com uma braçadeira com a suástica.

E uma boina.

Liguei para Willy e Kate e perguntei o que achavam.

O uniforme nazista, disseram eles.

Aluguei o uniforme, mais um bigode bobo, e voltei para casa. Experimentei. Os dois soltaram gritinhos. Pior do que a malha justa de Willy! Muito mais ridículo!

O que, afinal, era o objetivo da coisa.

Mas o bigode precisava ser aparado, e assim cortei as pontas compridas dele, que se tornou o próprio bigodinho hitleriano. Então acrescentei a calça de combate.

Lá fomos para a festa, e ninguém olhou duas vezes a minha fantasia. Todos os nativos e colonos estavam mais ocupados em se embebedar e se apalpar. Ninguém me deu qualquer atenção, o que tomei como uma pequena vitória.

Só que alguém tirou fotos. Dias depois esse alguém viu nelas a chance de faturar uma grana ou de criar encrenca e procurou um jornalista. *Quanto vocês pagariam por fotos dos jovens príncipes em uma festa recente?* Pensava que a joia da coroa das fotos era Willy com o seu collant.

Mas o jornalista percebeu outra coisa. Opa, o que é isso? O Reserva? Como nazista?

Regatearam um pouco no preço, pelo que ouvi dizer. Ficou combinado um valor de 5 mil libras, e algumas semanas mais tarde a foto apareceu em todos os jornais do mundo conhecido, sob uma manchete gigantesca.

Heil Harry!

Herdeiro Aberrante.

Príncipe se retrata por saudação nazista.

Seguiu-se uma tremenda tempestade, que às vezes eu achava que ia me engolfar. E senti que merecia ser engolfado. Por várias semanas e meses, houve horas em que achei que ia morrer de vergonha.

A reação típica às fotos foi: O que ele estava *pensando?* A resposta mais simples era: agi sem pensar. Quando vi aquelas fotos, percebi na mesma hora que a minha cabeça não estava funcionando, que talvez não estivesse funcionando fazia algum tempo. Eu queria percorrer o país batendo de porta em porta, explicando para as pessoas: *Agi sem pensar. Não foi por mal.* Mas não ia adiantar nada. O julgamento foi duro e rápido. De duas uma: ou eu era um criptonazista ou um deficiente mental.

Recorri a Willy. Ele foi solidário, mas não havia muito o que dizer. Então liguei para papai. Para a minha surpresa, ele estava calmo. No começo desconfiei. Achei que talvez ele visse a minha crise como mais uma chance para melhorar sua imagem pública. Mas ele falou comigo com tanta ternura, com tanta compaixão genuína, que me senti desarmado. E agradecido.

Ele não se demorou sobre os fatos. *Menino querido, como você pôde ser tão tolo?* Fiquei com a cara ardendo de vergonha. *Eu sei, eu sei.* Mas logo a seguir ele disse que era apenas uma bobagem de juventude, que se lembrava de ter sido publicamente tripudiado por pecados de juventude e que isso não era justo, pois é a época em que, por definição, não estamos plenamente formados. Ainda estamos crescendo, nos transformando, aprendendo, disse ele. Não citou especificamente nenhuma das suas humilhações de juventude, mas eu sabia. Tinham vazado as suas conversas mais íntimas, alardeado os seus comentários mais imprudentes. Tinham interrogado namoradas antigas, espalhado pelos tabloides e mesmo em livros as notas que elas lhe davam pelo desempenho na cama. Ele sabia muito bem o que era humilhação.

Papai garantiu que todo o furor em torno desse episódio se esvaziaria, a vergonha passaria. Adorei essa sua garantia, embora — ou talvez porque — eu soubesse que era falsa. A vergonha nunca passaria. E não devia mesmo passar.

Dia após dia, o escândalo só aumentava. Fui trucidado nos jornais, no rádio, na TV. Parlamentares pediam a minha cabeça. Um deles disse que deviam proibir que eu entrasse em Sandhurst.

Portanto, segundo a equipe de papai, seria preciso alguma ajuda para a coisa se esvaziar. Eu teria que fazer uma espécie de expiação pública.

Tudo bem, disse eu. Quanto mais cedo, melhor.

Então papai me encaminhou a um religioso.

51.

Com barba, de óculos, um rosto de sulcos profundos e olhos escuros com expressão sábia, ele era o rabino-chefe da Grã-Bretanha: foi o que me disseram. Mas vi na mesma hora que ele era muito mais do que isso. Grande estudioso, filósofo religioso, escritor prolífico com algumas dezenas de livros, ele passava muitos dos seus dias olhando pela janela e pensando nas raízes da dor, do mal, do ódio.

Ele me ofereceu uma xícara de chá e então foi direto ao assunto. Não mediu palavras. Condenou as minhas ações. Não foi cruel, mas precisava fazer aquilo. Não havia como contornar. Também situou a minha asneira no contexto histórico. Falou dos 6 milhões de aniquilados. Judeus, poloneses, dissidentes, intelectuais, homossexuais. Bebês, crianças, velhos transformados em cinzas e fumaça.

Poucas décadas antes.

Eu tinha chegado na casa dele sentindo vergonha. Agora sentia outra coisa mais, um asco incomensurável por mim mesmo.

Mas não era essa a intenção do rabino. Certamente não queria que eu saísse me sentindo desse jeito. Insistiu que o meu erro não deveria me deixar arrasado, mas sim motivado. Conversou comigo com aquela qualidade que a gente encontra em pessoas realmente sábias — o perdão. Falou que as pessoas fazem besteiras, dizem besteiras, mas isso não quer dizer que essa seja necessariamente a sua natureza intrínseca. Eu estava mostrando a minha verdadeira natureza, disse ele, ao procurar me expiar. Ao procurar a absolvição.

Até onde era capaz e qualificado para tal, ele me absolveu. Ofereceu-me misericórdia. Disse-me para erguer a cabeça, seguir em frente, utilizar essa experiência para melhorar o mundo. Para ensinar sobre o evento. Henners, pensei, ia gostar de ouvir aquilo. Henners, com o seu amor pelo ensino.

Por mais que eu fizesse, clamavam cada vez mais alto para que eu fosse impedido de ingressar no Exército. Mas o alto-comando mantinha a sua posição. Se o príncipe Harry estivesse no Exército quando se fantasiou de Führer, disseram, ele teria sido punido.

Mas, acrescentaram, ele ainda não está no Exército.

Portanto, tem total liberdade para ser um tapado.

52.

Ele ia ser o nosso novo secretário particular: se chamava Jamie Lowther-
-Pinkerton. Mas não me lembro de nenhuma vez em que Willy e eu o
tenhamos chamado de outra coisa além de JLP.

Daria para chamá-lo de Marko II. Ou talvez Marko 2.0. Estava ali para
substituir Marko, mas era também uma versão mais oficial, mais minuciosa,
mais permanente do nosso caro amigo.

Disseram-nos que tudo o que Marko tinha feito informalmente, acompanhar, orientar, aconselhar, agora JLP faria de modo formal. Na verdade,
foi Marko quem encontrou e recomendou JLP para papai, e então o treinou.
Assim, já confiávamos no sujeito, desde o começo. Ele vinha com aquele
importantíssimo selo de aprovação. Marko disse que era um bom homem.

Extremamente calmo, levemente altivo, JLP usava abotoaduras brilhantes de ouro e um anel de sinete de ouro, símbolos da sua probidade,
constância e firme convicção em certo tipo de estilo decidido. A gente
sempre tinha a sensação de que, mesmo na manhã do Armagedom, JLP
poria esses amuletos antes de sair de casa.

Mas, apesar da fala mansa, da polidez e do verniz exterior, JLP era uma
força, fruto do mais alto treinamento militar britânico, o que significava,
entre outras coisas, que não tolerava besteiras. Não fazia, não aceitava, e
todo mundo parecia saber disso. Quando os oficiais britânicos decidiram
lançar uma grande ofensiva contra um cartel de drogas colombiano, es-
colheram JLP para o comando. Quando o ator Ewan McGregor resolveu
fazer trilha de moto durante três meses pela Mongólia, Sibéria e Ucrânia,
para a qual precisaria de treinamento de sobrevivência, foi a JLP que ele
recorreu.

Para mim, o melhor atributo de JLP era o seu respeito pela verdade,
a sua expertise em verdade. Ele era o oposto de muita gente no governo
e que trabalhava no Palácio. Assim, não muito depois que ele começou a
trabalhar para Willy e para mim, pedi que me revelasse algumas verdades
— na forma dos arquivos policiais secretos sobre o acidente de mamãe.

Ele baixou os olhos, desviou o olhar. Sim, ele trabalhava para mim e para
Willy, mas também cuidava de nós, da tradição e da cadeia de comando.
O meu pedido parecia pôr em risco esses três aspectos. Torceu a cara e

franziu a testa, uma área amorfa, visto que JLP não tinha muito cabelo. Por fim, alisou para trás os tufos eriçados, pretos como carvão, que restavam nos lados da cabeça e disse que, se providenciasse os tais arquivos, ia ser uma coisa muito perturbadora para mim. *Muito perturbadora mesmo, Harry.*

É. Eu sei. É mais ou menos esse o objetivo.

Ele assentiu. *Ah. Hum. Entendo.*

Uns dias mais tarde, ele me levou até um exíguo escritório, subindo por uma escada dos fundos no Palácio de St. James, e me estendeu um envelope pardo com os dizeres FAVOR NÃO DOBRAR. Falou que tinha decidido não me mostrar *todos* os arquivos da polícia. Tinha olhado e removido os mais... "complicados". *Para o seu bem.*

Fiquei frustrado. Mas não discuti. Se JLP não me achava capaz de lidar com eles, então provavelmente eu não era mesmo.

Agradeci por me proteger.

Ele disse que deixava a coisa comigo e saiu.

Respirei fundo várias vezes e abri o envelope.

Fotos externas. Fora do túnel onde ocorreu o acidente. Olhando para dentro do túnel.

Fotos internas. Um ou dois metros dentro do túnel.

Fotos internas mais no fundo. Bem dentro do túnel. Olhando para baixo e para a outra saída do túnel.

Finalmente... closes da Mercedes batida, que diziam ter entrado no túnel por volta da meia-noite e nunca saiu inteira.

Todas as fotos pareciam ser da polícia. Mas aí percebi que muitas, se não a maioria, eram de paparazzi e outros fotógrafos na cena. A polícia de Paris tinha apreendido as câmeras deles. Algumas fotos foram tiradas momentos depois da batida, outras bem mais tarde. Algumas mostravam policiais andando por ali, outras mostravam curiosos circulando em volta, boquiabertos. Tudo passava uma sensação de caos, um clima de infame comoção.

Então vinham fotos mais detalhadas, cada vez mais próximas, dentro da Mercedes. Ali estava o corpo sem vida do amigo da mamãe, que agora eu sabia que era o seu namorado. Ali estava o guarda-costa dela, que sobreviveu ao acidente, embora tenha ficado com lesões terríveis. E ali estava o motorista, curvado sobre a direção. Muitos o culparam pelo acidente, porque supostamente tinha álcool no sangue, e porque estava morto e não podia responder.

Por fim cheguei às fotos de mamãe. Havia luzes, auras, quase auréolas em volta dela. Que estranho. A cor das luzes era a mesma do seu cabelo — dourada. Eu não sabia o que eram as luzes, não conseguia imaginar, embora me viessem as mais diversas explicações sobrenaturais.

Quando entendi a verdadeira origem delas, senti uma contração no estômago.

Flashes. Eram flashes. E dentro de alguns flashes havia rostos fantasmagóricos, rostos pela metade, paparazzi, reflexos de paparazzi e refrações de paparazzi em todas as superfícies metálicas lisas e em todos os vidros do carro. Aqueles homens que a perseguiram... nem por um instante pararam de fotografá-la enquanto ela jazia entre os assentos, inconsciente ou semiconsciente, e no seu frenesi às vezes fotografavam sem querer uns aos outros. Nenhum deles estava verificando o estado dela, oferecendo ajuda, nem mesmo a reconfortando. Estavam só tirando fotos, fotos e mais fotos.

Eu jamais soube. Jamais sonhei. Tinham me dito que mamãe fora perseguida por paparazzi, caçando-a como uma matilha de cães selvagens, mas nunca me atrevi a imaginar que, como cães selvagens, eles também tinham se banqueteado com o seu corpo indefeso. Até então nunca soubera que a última coisa que mamãe viu nesta terra foi uma lâmpada de flash.

A não ser que... Agora eu olhava mamãe bem mais de perto: nenhum ferimento visível. Estava encurvada, sem sentidos, mas no geral... bem. Mais do que bem. O casaco escuro, o cabelo brilhante, a pele radiosa — os médicos no hospital para onde foi levada comentavam o tempo todo como ela era bonita. Fiquei encarando a foto, tentando chorar, mas sem conseguir, pois estava tão encantadora e cheia de vida.

Talvez as fotos retidas por JLP fossem mais definitivas. Talvez mostrassem a morte em termos mais diretos. Mas não pensei muito nessa possibilidade. Fechei o envelope e disse: *Ela está escondida.*

Eu tinha pedido esse arquivo porque queria provas, e o arquivo não provou nada, a não ser que mamãe estivera num acidente de carro, do qual parecia de modo geral ter saído ilesa, enquanto os seus perseguidores continuavam a molestá-la. Só isso. Em vez de provas, encontrei mais razões para raiva. Naquele escritoriozinho, sentado diante daquele envelope desgraçado FAVOR NÃO DOBRAR, baixou em mim uma névoa rubra de fúria, e não era uma névoa, era uma torrente.

53.

Carregava uma mochila com alguns artigos pessoais e uma tábua de passar roupa de tamanho padrão, pendurada debaixo do braço como uma prancha de surfe. O Exército tinha dado ordens de trazê-la. A partir desse momento, as minhas camisas e calças tinham de ser impecáveis, sem nenhuma ruga.

Eu sabia lidar com uma tábua de passar roupa tanto quanto com um tanque blindado — na verdade, menos. Mas agora isso era problema do Exército. Agora eu era problema do Exército.

Desejei boa sorte a eles.

Papai também. Foi ele quem me deixou em Camberley, Surrey, na Real Academia Militar em Sandhurst.

Maio de 2005.

Ele ficou de lado, olhando enquanto eu punha a etiqueta vermelha com o meu nome, GALES, e então dava entrada. Falou aos repórteres que estava muito orgulhoso.

Então me estendeu a mão. *Vai lá, menino querido.*

Hora da foto. Clique.

Fui designado para um pelotão de 29 rapazes e moças. No dia seguinte cedo, depois de vestirmos nossos uniformes novos de campanha, entramos em fila numa sala antiga, com séculos de idade. Dava para sentir o cheiro da história — parecia sair como vapor das paredes com painéis de madeira. Recitamos um juramento à Rainha. *Juro lealdade à Coroa e ao país...* O garoto ao meu lado me deu uma cotovelada: *Aposto que você diz Vó em vez de Rainha!*

Aquela foi a última vez, pelas cinco semanas seguintes, que alguém se arriscou a fazer uma piada. Não havia nada de engraçado num campo de treino.

Campo de treino — que nome tão benigno para o que acontecia... Forçavam-nos ao máximo, em termos físicos, mentais e espirituais. Éramos levados — ou arrastados — a um lugar para além dos nossos limites, e ainda mais um pouco, por um grupo imperturbável de adoráveis sádicos chamados suboficiais. Sujeitos grandes, ruidosos, extremamente viris — e, no entanto, todos eles tinham cachorrinhos pequenos. Nunca li nem ouvi nenhuma explicação para isso, e não arrisco nenhuma. Só digo que era esquisito ver aqueles ogros cheios de testosterona, quase carecas, paparicando seus poodles, shih tzus e pugs.

Eu poderia dizer que eles nos tratavam feito cachorros, só que tratavam os seus cachorros muito melhor do que a gente. Nunca falavam: *Bom menino!* Ficavam na frente da nossa cara, gritavam conosco entre nuvens de loção pós-barba e nunca, nunca paravam. Eles humilhavam, assediavam, berravam e não escondiam as suas intenções. Pretendiam nos quebrar.

Se não conseguissem nos quebrar, ótimo. Bem-vindo ao Exército! Se conseguissem, melhor ainda. Melhor saber desde já. Melhor que fossem *eles* e não os inimigos a nos quebrar.

Usavam várias abordagens. Coação física, intimidação psicológica — e humor? Lembro-me de um suboficial que me puxou de lado: *Sr. Gales, um dia eu estava de guarda no Castelo de Windsor, com o meu chapéu alto de pele de urso, e veio um menino que chutou cascalho nas minhas botas! E aquele menino... era* VOCÊ!

Ele estava brincando, mas eu não sabia se ria ou se era verdade. Não o reconheci, e certamente não me lembrava de ter chutado cascalho em nenhum guarda. Mas, *se* fosse verdade, devia me desculpar e pedir para deixar isso para lá?

Depois de duas semanas, vários cadetes tinham caído fora. A gente acordava e via suas camas feitas, e as coisas deles não estavam mais lá. Ninguém os condenava por isso. Aquela bosta não era para qualquer um. Alguns colegas cadetes confessavam, antes das luzes se apagarem, que tinham medo de serem os próximos.

Mas eu não. Em geral estava bem. O campo de treino não era nenhum piquenique, mas nunca vacilei na minha certeza de estar exatamente onde devia estar. Eles não vão me quebrar, pensei. Será, indaguei-me, porque já estou quebrado?

Além disso, qualquer coisa que eles faziam com a gente era feita longe da imprensa, e então, para mim, todo dia era uma espécie de feriado. O centro de treinamento era como o Clube H. Os suboficiais podiam avacalhar com a gente, mas sempre, sempre havia uma grande compensação: a ausência de paparazzi. Nada podia me ferir de verdade num lugar onde a imprensa não conseguiria me encontrar.

Mas aí me encontraram. Um repórter do *Sun* se esgueirou na área, vagueando por lá com uma bomba falsa, tentando provar — o quê? Ninguém sabia. O *Sun* disse que o seu repórter, esse falso flâneur, estava tentando expor a falta de segurança do centro de treinamento e provar que o príncipe Harry corria perigo.

A parte realmente assustadora foi que alguns leitores de fato acreditaram nessa bobagem.

54.

Todos os dias, após acordar às cinco da manhã, éramos obrigados a engolir uma garrafa enorme de água. A garrafa era de tipo militar, de plástico preto, lembrança da Guerra dos Bôeres. Qualquer líquido ali dentro ficava com gosto de plástico de primeira geração. E de mijo. E pior, quente como mijo. Então, depois de meter aquilo goela abaixo, uns momentos antes de sair para a nossa corrida matinal, a maioria caía no chão e vomitava a água de um jato só.

Não interessava. No dia seguinte, a gente tinha de meter aquele líquido mijento de plástico goela abaixo outra vez, da mesma garrafa de água, e então sair para outra corrida pós-vômito.

Ah, a corrida. A gente corria constantemente. Corria em volta de uma pista. Corria ao longo de uma estrada. Corria em matas fechadas. Corria em campinas. Às vezes corria com quarenta quilos nas costas, às vezes carregando um tronco enorme. Corria, corria, corria até desmaiar, e às vezes desmaiava ainda correndo. Ficávamos estendidos ali, semiconscientes, as pernas ainda latejando, como cachorros dormindo e sonhando que estão perseguindo esquilos.

Entre as corridas, a gente subia por cordas, se jogava contra paredes, se atirava um contra o outro. À noite, sentíamos nos ossos alguma coisa que não era só dor. Era uma palpitação forte, que fazia estremecer. A única forma de sobreviver àquela palpitação era se dissociar dela, dizer a si mesmo que *você* não era *ela*. Separar-se de si mesmo. Os suboficiais diziam que isso fazia parte de seu Grande Plano, Matar o Eu.

Então todos estaríamos juntos. Então realmente seríamos Uma Unidade.

Quando o predomínio do Eu cede, garantiam eles, a ideia de Serviço prevalece.

Pelotão, país, é só isso que vocês vão conhecer, cadetes. E vai ser mais do que suficiente.

Não sei como os outros cadetes se sentiam em relação a isso, mas entrei nessa sem vacilar. O Eu? Estava mais do que pronto para me livrar daquele peso morto. Identidade? Tome, pode ficar com ela.

Eu entendia que, para alguém apegado ao seu eu, à sua identidade, essa experiência podia ser dura. Não para mim. Ficava feliz em me sentir sendo reduzido, lenta e gradualmente, a uma essência, as impurezas removidas, permanecendo apenas a matéria vital.

Parecido com o que aconteceu em Tooloombilla. Só que mais.

Tudo aquilo era como uma imensa dádiva dos suboficiais, da Commonwealth.

Amava-os por isso. À noite, antes de ferrar no sono, eu agradecia.

55.

Depois daquelas cinco primeiras semanas, depois do encerramento do campo de treino, os suboficiais afrouxaram um pouco. Sempre devagarinho. Já não gritavam tanto com a gente. Tratavam-nos como soldados.

Mas, como soldados, era hora de aprender sobre a guerra. Como combater, como vencer. Isso incluía aulas espantosamente chatas. As partes melhores incluíam a simulação de várias maneiras de ser ou, dependendo, não ser morto.

Chamavam-se CBRN. Química, Biológica, Radiológica, Nuclear. Praticávamos pondo os equipamentos de proteção, tirando-os, limpando e enxugando os venenos e outras porcarias que podiam ser atiradas, despejadas ou espirradas em nós. Cavávamos uma quantidade incontável de trincheiras, vestíamos máscaras, encolhíamo-nos em posição fetal, recitávamos o Livro das Revelações repetidas vezes.

Um dia, os suboficiais nos reuniram diante de uma casa que tinha sido convertida numa câmara de gás lacrimogêneo. Mandaram que entrássemos e ativaram o gás. Tiramos a máscara antigás, pusemos de novo, tiramos de novo. Se não agíssemos rápido, enchíamos a boca ou o pulmão de gás. Mas nem sempre dava para ser rápido, e essa era a questão, de modo que todo mundo acabava absorvendo gás. Os exercícios supostamente diziam respeito à guerra; para mim, diziam respeito à morte. Todo o tema do treinamento do Exército era a morte, como evitá-la, mas também como enfrentá-la, de cabeça erguida.

Assim, parecia natural, quase inevitável, que nos pusessem em ônibus e nos levassem ao Cemitério Militar de Brookwood, para ficarmos de pé junto aos túmulos e ouvirmos a leitura de um poema.

"Aos Tombados."

O poema era anterior às mais sinistras guerras do século XX, então ainda guardava traços de inocência.

Eles não envelhecerão,
Como nós deixados a envelhecer...

Era impressionante como grande parte do nosso treinamento inicial era entremeado, impregnado de poesia. A glória de morrer, a beleza de morrer, a necessidade de morrer, todos esses conceitos nos eram incutidos junto com as habilidades para evitar a morte. Às vezes era explícito, mas outras vezes estava bem diante de nós. Sempre que éramos conduzidos à capela, olhávamos para cima e víamos gravado na pedra: *Dulce et decorum est pro patria mori.*

Doce e nobre é morrer pela pátria.

Palavras escritas originalmente por um romano da Antiguidade, um exilado, então retomadas por um jovem soldado britânico que morrera pelo seu país. Retomadas ironicamente, mas isso ninguém nos disse. Claro que não tinham sido gravadas ironicamente naquela pedra.

Para mim, a poesia era levemente preferível à história. E à psicologia. E à estratégia militar. Estremeço só de lembrar aquelas longas horas, aquelas cadeiras duras no Faraday Hall e no Churchill Hall, lendo livros, decorando datas, analisando batalhas famosas, escrevendo dissertações sobre os mais esotéricos conceitos de estratégia militar. Elas eram, para mim, a provação suprema de Sandhurst.

Se pudesse escolher, ficaria mais cinco semanas no campo de treino.

Mais de uma vez caí no sono no Churchill Hall.

Ei, sr. Gales! O senhor está dormindo!

O conselho era que, quando sentíssemos sono, nos erguêssemos num salto, fazendo o sangue circular. Mas isso parecia uma clara afronta. Ficando de pé, a gente estava informando ao instrutor o quanto ele era chato. Com que disposição se sentiriam na hora de dar nota ao nosso próximo trabalho?

As semanas corriam. Na semana nove — ou foi na dez? —, aprendemos a usar baioneta. Manhã de inverno. Um campo em Castlemartin, em Gales. Os suboficiais puseram um punk rock de rachar o coco, a todo volume, para atiçar nossos instintos animais, e então começamos a correr na direção de bonecos de saco de areia, empunhando alto a baioneta, golpeando e gritando: *MATA, MATA, MATA!*

Quando soavam os apitos e o treino terminava, alguns caras não conseguiam desligar. Continuavam esfaqueando os seus bonecos. Um rápido vislumbre do lado sombrio da natureza humana. Então todos ríamos e fingíamos que não tínhamos visto o que acabáramos de ver.

A semana doze — ou talvez treze? — foi de armas e lançamento de granadas. Eu atirava bem. Desde os doze anos atirava em coelhos, pombos e esquilos com uma 22.

Mas então melhorei.

Melhorei muito, muito mesmo.

56.

No final do verão, despacharam-nos para Gales e nos impuseram um exercício penoso chamado Longo Alcance. Marcha, trilha e corrida ininterruptas por vários dias, numa zona árida, com uma carga de equipamento nas costas equivalente ao peso de um garoto. E pior: a Europa estava sofrendo uma onda histórica de calor e partimos no auge dessa onda, no dia mais quente do ano.

Uma sexta-feira. Disseram-nos que o exercício iria até domingo à noite.

No final do sábado, durante o nosso descanso forçado, dormimos em sacos numa trilha de terra. Depois de duas horas, fomos acordados por trovões e uma chuva forte. Eu estava num grupo de cinco. Nos levantamos, erguemos o rosto para o alto, bebendo as gotas de chuva. Uma delícia. Mas ficamos molhados. E despertos. E era hora de retomar a marcha.

Encharcados, debaixo de um toró, a marcha agora era outra coisa totalmente diferente. Íamos grunhindo, arfando, gemendo, escorregando. Aos poucos comecei a querer desistir.

Numa breve parada em um posto de controle, senti os pés arderem. Sentei no chão, tirei a bota e a meia do pé direito, e a sola se despelou.

Pé de trincheira.

O soldado ao meu lado balançou a cabeça. *Merda. Você não pode continuar.*

Fiquei decepcionado. Mas, confesso, também aliviado.

Estávamos numa estrada rural. Num campo ali perto havia uma ambulância. Fui cambaleando até lá. Ao me aproximar, os médicos me ergueram e me puseram na traseira pela porta aberta. Examinaram os meus pés, disseram que a marcha para mim tinha acabado.

Assenti, encurvado.

A minha equipe se preparava para partir. *Tchau, pessoal. Vejo vocês no acampamento.*

Mas aí apareceu um dos nossos suboficiais. Suboficial Spence. Pediu uma palavrinha. Pulei da traseira da ambulância, fui mancando com ele até uma árvore próxima.

Encostado na árvore, ele falou comigo em tom normal. Era a primeira vez em meses que não gritava comigo.

Sr. Gales, o senhor tem um último estirão. Faltam literalmente só uns dez ou doze quilômetros. Eu sei, eu sei, os seus pés estão um trapo, mas sugiro que não desista. Sei que o senhor consegue. O senhor sabe que consegue. Faça um esforço. O senhor nunca vai se perdoar se não fizer.

E se afastou.

Voltei mancando para a ambulância, pedi toda a fita de óxido de zinco que tinham. Passei-a bem apertado nos pés e calcei as botas.

Sobe morro, desce morro, morro em frente, prossegui, tentando pensar em outras coisas para me distrair daquela agonia. Chegamos perto de um riacho. A água gelada vai ser um bendito alívio, pensei. Que nada. Só consegui sentir as pedras no leito do rio pressionando a carne viva.

Os últimos seis ou sete quilômetros foram os passos mais difíceis que dei neste planeta. Ao cruzarmos a linha de chegada, comecei a hiperventilar, aliviado.

Uma hora mais tarde, de volta ao acampamento, todo mundo estava de tênis. Passamos vários dias andando pelas barracas arrastando os pés feito velhos.

Mas velhos orgulhosos.

Em certo momento, fui mancando até o suboficial Spence e lhe agradeci.

Ele deu um pequeno sorriso e se afastou.

57.

Embora exausto, embora um pouco solitário, eu me sentia radiante. A minha vida tinha forma, eu pensava e enxergava com mais clareza do que nunca. Era uma sensação parecida com aquela descrita pelas pessoas que ingressam em ordens monásticas. Tudo parecia iluminado.

Como os monges, cada cadete dispunha de uma cela própria. Ela tinha de estar sempre impecável. Os catres tinham de estar arrumados — bem-arrumados. As botas pretas tinham de ficar lustrosas — brilhantes como tinta fresca. As portas das nossas celas tinham de ficar escancaradas — sempre. A gente podia fechar a porta à noite, mas os suboficiais podiam entrar — e muitas vezes entravam mesmo — a qualquer hora.

Alguns cadetes reclamavam muito. *Falta privacidade!*

Eu dava risada. Privacidade? O que é isso?

Ao final de cada dia, eu sentava na minha cela, engraxando as botas, cuspindo nelas, escovando até reluzirem feito espelhos em que eu pudesse ver minha cabeça tosquiada. Em qualquer instituição onde eu ia parar, parecia que o ponto número um era um corte de cabelo tragicamente horroroso. Então mandava uma mensagem de texto para Chels. (Deixaram que eu ficasse com o celular, por razões de segurança.) Comentava como iam as coisas, comentava que estava com saudades. Então emprestava o celular para qualquer outro cadete que quisesse mandar mensagem para sua namorada ou namorado.

Aí se apagavam as luzes.

Numa boa. Eu não sentia mais medo do escuro.

58.

Agora era oficial. Eu não era mais o príncipe Harry. Era o Segundo-Tenente Gales dos Blues and Royals, o segundo regimento mais antigo do Exército britânico, parte da Cavalaria do Palácio, guarda-costas da Monarca.

A "formatura", como diziam, aconteceu em 12 de abril de 2006.

Lá estavam papai e Camilla, vovô, Tiggy e Marko.

E, claro, vovó.

Fazia décadas que ela não comparecia a um desfile de formatura, portanto sua presença era uma honra maravilhosa. Quando passei marchando, ela sorriu para todos verem.

E Willy prestou continência. Agora ele também estava em Sandhurst. Colega cadete. (Ele entrou depois de mim, porque primeiro foi fazer faculdade.) Agora ele não podia recorrer à sua atitude típica quando estávamos na mesma instituição, não podia fingir que não me conhecia — pois seria insubordinação.

Por um breve momento, o Reserva suplantou o Herdeiro.

Vovó fez a revista das tropas. Quando chegou a mim, disse: *Oh... olá.* Sorri. E corei.

Depois da cerimônia de formatura tocaram "Auld Lang Syne", e o oficial da faculdade subiu com o seu cavalo branco pela escadaria do Old College.

Por último veio um almoço no Old College. Vovó fez um belo discurso. Findando o dia, os adultos foram embora e a festa de verdade começou. Uma noitada regada a muito álcool e gargalhadas estrondosas. A minha acompanhante era Chels. Acabou sendo uma espécie de segunda formatura. Acordei no dia seguinte com um enorme sorriso e uma leve dor de cabeça.

Próxima parada, falei para o espelho de barbear, Iraque.

Mais especificamente, o sul do Iraque. A minha unidade ia substituir outra, que tinha passado meses fazendo reconhecimento avançado. Trabalho perigoso, constantemente se desviando de atiradores e dispositivos explosivos improvisados na beira da estrada. Naquele mês, tinham sido mortos dez soldados britânicos. Nos seis meses anteriores, quarenta.

Examinei meu coração. Não sentia medo. Sentia-me engajado. Estava doido para ir. Mas também pudera: guerra, morte, qualquer coisa era melhor do que ficar na Grã-Bretanha, que era para mim, propriamente, uma espécie de batalha. Logo antes, os jornais tinham publicado uma matéria dizendo que Willy me deixara uma mensagem de voz fingindo ser Chels. Também publicaram uma matéria em que eu pedia ajuda a JLP num projeto de pesquisa de Sandhurst. Dessa vez, as duas histórias eram verdadeiras. A pergunta era: como os jornais ficaram sabendo dessas coisas tão particulares?

Aquilo me deixou paranoico. E Willy também. Isso nos levou a reavaliar a dita paranoia de mamãe, a vê-la por uma lente muito diferente.

Começamos a examinar o nosso círculo mais próximo, a questionar os nossos amigos de maior confiança — e também os amigos deles. Com quem andavam falando? Em quem tinham confiado? Ninguém estava livre de suspeitas, pois não havia como escapar a elas. Suspeitamos até dos nossos guarda-costas, e sempre tínhamos adorado os nossos guarda-costas. (Caramba, e agora *eu* era oficialmente um guarda-costa — o guarda-costa da Rainha.) Eles sempre tinham sido como irmãos mais velhos para nós. Mas agora também eram suspeitos.

Por uma fração de segundo, suspeitei até de Marko. A suspeita pode ser tóxica a esse ponto. Ninguém escapa a ela. Havia alguém, ou uns alguéns, extremamente próximo de mim e de Willy, passando escondido coisas para os jornais, e era preciso levar em conta todo mundo.

Vai ser um grande alívio, pensei, estar numa zona de guerra de verdade, onde nada disso fará parte dos meus cálculos diários.

Ponham-me, por favor, num campo de batalha onde existam regras claras de engajamento.

Onde exista algum senso de honra.

Parte II

Ferido, mas sem se curvar

1.

Em fevereiro de 2007, o Ministério da Defesa anunciou ao mundo que eu estava saindo em missão, para comandar um grupo de tanques leves na fronteira iraquiana, perto de Basra. Era oficial. Eu ia para a guerra.

O público teve uma reação peculiar. Metade dos britânicos ficou furiosa, dizendo que era pavoroso arriscar a vida do neto caçula da Rainha. Reserva ou não, disseram, é insensato enviar um membro da realeza para uma zona de guerra. (Era a primeira vez em 25 anos que se fazia uma coisa dessas.)

Metade, porém, aplaudiu. Por que Harry haveria de ter tratamento especial? Seria um desperdício do dinheiro dos contribuintes treinar o garoto como soldado e depois não o utilizar.

Se morrer, morreu, disseram eles.

Certamente era o que o inimigo achava. Sim, sim, diziam os rebeldes que tentavam fomentar uma guerra civil no Iraque, mandem-nos o garoto.

Um dos líderes insurgentes fez um convite formal digno de uma ceia:

"Estamos aguardando ansiosamente a chegada do jovem e belo príncipe mimado..."

Havia um plano para mim, disse o líder insurgente. Iam me sequestrar e então decidiriam o que fazer comigo — torturar, exigir resgate, matar.

Numa aparente contradição direta a esse plano, ele concluía prometendo que o belo príncipe regressaria para a avó "sem orelhas".

Lembro que li aquilo e senti um calor na ponta das orelhas. Veio-me uma lembrança da infância, quando um amigo sugeriu que as minhas orelhas fossem cirurgicamente fixadas para trás, a fim de prevenir ou corrigir a maldição da família. Fui direto: não.

Dias depois, outro líder insurgente invocou a minha mãe. Disse que eu devia aprender com o exemplo dela e romper com a minha família. *Rebele-se contra os imperialistas, Harry.*

Ou, alertou ele, "correrá no nosso deserto o sangue" de um príncipe.

Eu ficaria preocupado se Chels ouvisse essas coisas, mas, desde que começamos a namorar, ela passara a ser tão assediada pela imprensa que se desconectou totalmente. Os jornais não existiam para ela. A internet, nem pensar.

Os militares britânicos, porém, estavam muito conectados. Dois meses depois de anunciarem a minha designação, o chefe do Exército, general Dannatt, bruscamente cancelou a decisão. Além das ameaças públicas dos líderes da insurreição, os serviços secretos britânicos souberam que haviam distribuído a minha foto entre um grupo de atiradores iraquianos, com instruções de que eu era "o alvo principal". Esses atiradores eram de elite: haviam abatido recentemente seis soldados britânicos. Assim, a missão simplesmente se tornara perigosa demais, tanto para mim quanto para qualquer pessoa que tivesse o azar de estar ao meu lado. Na avaliação de Dannatt e outros, eu me tornara um "ímã de balas". E isso, disse ele, por causa da imprensa. Na declaração pública em que cancelou a minha designação, ele criticou os jornalistas pela cobertura exagerada, pelas especulações desenfreadas, que tinham "exacerbado" o nível de ameaça.

A equipe de papai também lançou uma declaração pública, dizendo que fiquei "muito desapontado", o que não era verdade. Fiquei arrasado. Eu soube da notícia quando estava no Quartel de Windsor, sentado com os meus camaradas. Demorei um pouco para me recompor e então lhes contei a má notícia. Tínhamos passado meses viajando, treinando juntos, e nesse período viramos irmãos de armas, mas agora eles estavam por conta própria.

Não foi uma mera questão de lamentar por mim mesmo. Fiquei preocupado com o meu grupo. Outra pessoa teria de cumprir a minha tarefa, e eu teria de conviver para sempre com a dúvida, com a culpa. E se eu tivesse feito melhor?

Na semana seguinte, vários jornais divulgaram que eu estava numa profunda depressão. Um ou dois deles, porém, disseram que a súbita reviravolta na minha designação tinha sido por obra minha. A história do covarde, mais uma vez. Disseram que eu havia pressionado os meus superiores nos bastidores para cancelar a ida.

2.

Pensei em deixar o Exército. Que sentido teria ficar se não podia ser realmente um soldado?

Conversei com Chels. Ela ficou dividida. Por um lado, não conseguiu disfarçar o alívio. Por outro, ela sabia o quanto eu queria estar lá com o meu grupo. Sabia que me sentira perseguido pela imprensa por muito tempo, e que o Exército tinha sido a única saída saudável que eu encontrara.

Ela também sabia que eu acreditava na Missão.

Conversei com Willy. Ele se sentiu ambivalente. Como soldado, ele se solidarizava. Mas como irmão? Um irmão mais velho altamente competitivo? Não conseguia propriamente lamentar a guinada dos fatos.

Em geral Willy e eu não tínhamos nada a ver com aquela besteira do Herdeiro e do Reserva. Mas de vez em quando eu parava e percebia que, em algum nível, isso realmente tinha importância para ele. Em termos profissionais, em termos pessoais, ele se preocupava com o que eu fazia, em que pé eu estava.

Não encontrando consolo em lugar algum, fui procurá-lo na vodca e no Red Bull. No gim-tônica. Nessa época, fui fotografado entrando ou saindo de inúmeros bares, clubes, festas durante a madrugada.

Não gostava de acordar e ver uma foto minha na primeira página de um tabloide, mas o que eu realmente não suportava era, em primeiro lugar, o som da câmera tirando a foto. Aquele clique, aquele barulhinho medonho por cima do ombro, atrás das costas ou no meu campo de visão periférica, sempre acionava alguma coisa dentro de mim, sempre fazia o coração disparar, mas, depois de Sandhurst, soava como o engatilhar de uma arma ou o destrave de uma lâmina. E então, e ainda um pouco pior, um pouco mais traumatizante, via aquele clarão cegante.

Que beleza, pensei eu. O Exército me tornara mais capaz de reconhecer ameaças, de *sentir* ameaças, de ficar cheio de adrenalina diante dessas ameaças, e agora estava me pondo de lado.

Era uma posição nada boa.

De alguma maneira, os paparazzi sabiam. Nessa época, começaram a me atingir fisicamente com as câmeras, de propósito, tentando me atiçar. Relavam, batiam, empurravam ou até socavam, esperando despertar uma reação, esperando que eu revidasse, porque aí teriam uma foto melhor e, portanto, mais grana no bolso. Uma foto minha em 2007 rendeu cerca de 30 mil libras. Valor da entrada de um apartamento. Mas uma foto minha fazendo alguma coisa *agressiva*? Seria o valor da entrada de uma casa de campo.

Entrei numa briga que virou uma notícia e tanto. Saí com o nariz inchado, e o meu guarda-costa ficou lívido. *Você enriqueceu esses paparazzi, Harry! Está contente?*

Contente? Não, respondi. Não estou contente.

Os paparazzi sempre tinham sido grotescos, mas, quando cheguei à maioridade, pioraram ainda mais. Dava para ver nos olhos, na linguagem corporal deles. Estavam mais abusados, mais radicalizados, como aqueles rapazes radicalizados no Iraque. Os seus mulás eram os editores, os mesmos que, depois que mamãe morreu, tinham prometido que iam se comportar melhor. Os editores prometeram publicamente que nunca mais mandariam fotógrafos à caça das pessoas, e agora, dez anos mais tarde, tinham retomado os velhos procedimentos. Justificavam o fato deixando de enviar os próprios fotógrafos; em vez disso, contratavam agências de paparazzi, uma distinção que não fazia a mínima diferença. Os editores continuavam a pagar generosamente os rufiões e fracassados para perseguir a Família Real ou qualquer um que tivesse o azar de ser considerado famoso ou digno de notícia.

E ninguém parecia se importar minimamente. Lembro que saí de um clube em Londres e me vi atacado por uns vinte paparazzi. Eles me cercaram, cercaram a viatura em que eu estava, se jogaram em cima do capô, todos com cachecóis em volta do rosto e capuz na cabeça, o uniforme dos terroristas em qualquer lugar. Foi um dos momentos mais assustadores da minha vida, e eu sabia que ninguém estava nem aí. É o preço que se paga, diziam as pessoas, mas nunca entendi o que queriam dizer.

Preço pelo quê?

Eu era especialmente próximo de um dos meus guarda-costas, Billy. Chamava-o de Billy, a Rocha, pois era tremendamente firme e confiável. Uma vez, ele saltou e agarrou uma granada que alguém numa multidão tinha atirado em mim. Por sorte, a granada não era de verdade. Prometi a Billy que não ia mais empurrar nenhum paparazzo. Mas também não ia simplesmente cair nas emboscadas deles. Assim, quando saíamos de um clube, falei: *Billy, você vai ter de me enfiar no bagageiro do carro.*

Ele arregalou os olhos. *Mesmo?*

É o único jeito de não me sentir tentado a ir para cima deles, e eles não vão conseguir faturar em cima de mim.

Bom para os dois lados.

Não contei ao Billy que era uma coisa que minha mãe costumava fazer.

Assim começou uma rotina nossa muito estranha. Várias vezes, ao sair de um bar ou de um clube em 2007, eu entrava no bagageiro, Billy fechava a porta e eu ficava ali no escuro, as mãos cruzadas no peito, enquanto ele e outro guarda-costa me levavam para casa. Parecia um caixão. Não me incomodava.

3.

Para marcar os dez anos de morte da nossa mãe, Willy e eu organizamos um show em honra a ela. A renda iria para as suas entidades beneficentes preferidas e para uma nova entidade que eu acabara de lançar — Sentebale. Sua missão: combater o HIV em Lesoto, principalmente entre as crianças. (Sentebale em sesoto significa "não-te-esqueças-de-mim". A flor favorita de mamãe.)

Enquanto organizávamos o show, Willy e eu estávamos imperturbáveis. Era uma coisa profissional. *É o aniversário, precisamos fazer isso, há 1 milhão de detalhes, ponto-final.* O local precisava ser de bom tamanho (o estádio de Wembley), os ingressos tinham de ter um preço certo (45 libras) e os artistas tinham de ser de primeira categoria (Elton John, Duran Duran, P. Diddy). Mas na noite do evento, nos bastidores, olhando todas aquelas pessoas, sentindo aquela energia vibrante, aquele amor reprimido e as saudades da nossa mãe, desmoronamos.

Então Elton entrou no palco. Sentou-se a um piano de cauda e o público enlouqueceu. Eu tinha pedido que ele cantasse "Candle in the Wind", mas Elton se recusou, não queria ser mórbido. E escolheu "Your Song".

I hope you don't mind
That I put down in words
*How wonderful life is while you're in the world.**

Ele cantou com um olhar e um sorriso que brilhavam com as boas recordações. Willy e eu tentamos acompanhar essa mesma energia, mas então fotos de mamãe começaram a passar na tela. Uma mais radiante do que a outra. De desmoronados passamos a arrebatados.

Terminada a canção, Elton se pôs de pé e nos apresentou. *Suas Altezas Reais, príncipe William e príncipe Harry!* Os aplausos foram ensurdecedores, como nunca ouvíramos antes. Tínhamos sido aplaudidos nas ruas, em jogos de polo, em desfiles, teatros, mas nunca num lugar tão enorme ou num contexto tão carregado de emoção. Willy foi para o palco, eu segui atrás, ambos de blazer e camisa de colarinho desabotoado, como se fôssemos a um baile da escola. Estávamos nervosíssimos. Não éramos acostumados a falar em público sobre assunto nenhum, muito menos sobre mamãe. (Na verdade, não éramos acostumados a falar sobre ela nem *em privado*.) Mas na frente de 65 mil pessoas, e mais 500 milhões assistindo ao vivo em 140 países, ficamos paralisados.

---

* Em tradução livre: "Espero que não se importe/ Que eu ponha em palavras/ Como é maravilhosa a vida com você neste mundo". (N. E.)

Talvez tenha sido por isso que, na verdade, não... dissemos nada? Hoje assisto ao vídeo e é impressionante. Era um momento, talvez o momento, em que podíamos descrevê-la, procurar fundo e encontrar as palavras para lembrar ao mundo suas admiráveis qualidades, a sua magia única — o seu desaparecimento. Mas não o fizemos. Não estou sugerindo que rendêssemos uma homenagem completa, mas talvez prestar algum pequeno tributo pessoal?

Não prestamos.

Ainda era demais, sensível demais.

A única coisa sincera que eu disse, vinda do coração, foi um salve aos meus camaradas. *Gostaria também de aproveitar essa oportunidade para dar um alô a todo o pessoal do Esquadrão A, da Cavalaria do Palácio, que no momento está servindo no Iraque! Gostaria de estar aí com vocês. Lamento não poder! Mas a vocês e todos os outros participando de operações no momento, nós dois queremos dizer: Cuidem-se bem!*

4.

Dias depois, eu estava em Botsuana, com Chels. Fomos ficar com Teej e Mike. Adi estava lá também. A primeira convergência dessas quatro pessoas especiais na minha vida. Parecia ser a hora de levar Chels em casa para conhecer mamãe, papai e o irmãozão. Um grande passo, sabíamos.

Por sorte, Teej, Milke e Adi adoraram Chels. E ela também viu como eles eram especiais.

Uma tarde, quando nos preparávamos para sair numa caminhada, Teej começou a pegar no meu pé.

Traga um chapéu!

Tá, tá.

E protetor solar! Montes de protetor solar! Spike, você vai torrar com essa pele branquela!

Tá bom, tá bom.

Spike...

Tááá, mãe.

157

Simplesmente deixei escapar. Ouvi e parei. Teej ouviu e parou. Mas não me corrigi. Teej parecia chocada, mas também comovida. Eu também fiquei comovido. Depois disso, passei a chamá-la sempre de mãe. Era gostoso. Para nós dois. Embora eu sempre fizesse questão de chamá-la de mãe, e não de mamãe.

Mamãe era uma só.

Uma visita feliz, no geral. Mas havia sempre uma tensão subjacente. Ficava evidente na quantidade de álcool que eu bebia.

A certa altura, Chels e eu pegamos um bote, indo à deriva pelo rio, e a coisa principal que lembro é o Southern Comfort e o Sambuca. (Sambuca Gold de dia, Sambuca Black à noite.) Lembro que acordava de manhã com a cara grudada no travesseiro, a cabeça parecendo ter se soltado do pescoço. Estava me divertindo, claro, mas também lidando do meu jeito com uma raiva difusa e um sentimento de culpa por não estar na guerra — não estar comandando a minha rapaziada. E não estava lidando bem com aquilo. Chels e Adi, Teej e Mike não diziam nada. Talvez não percebessem nada. Provavelmente eu estava encobrindo bem a coisa toda. Vista de fora, a minha bebedeira decerto parecia farra. E era o que eu dizia a mim mesmo. Mas lá no fundo, em algum nível, eu sabia.

Alguma coisa precisava mudar. Sabia que assim não dava para continuar.

Então, na hora que voltei para a Grã-Bretanha, pedi para conversar com meu comandante, o coronel Ed Smyth-Osbourne.

Eu admirava o coronel Ed. E era fascinado por ele. Ele não era do mesmo estofo de outros homens. Aliás, não era do mesmo estofo de nenhum outro ser humano que conheci. Os ingredientes básicos eram diferentes. Limalha de ferro, palha de aço, sangue de leão. Sua *aparência* também era diferente. Tinha uma cara comprida de cavalo, mas sem a maciez equina: tinha um visível tufo de pelos nos dois lados da cara. Os olhos eram grandes, calmos, capazes de sabedoria e estoicismo. Os meus olhos, pelo contrário, ainda estavam injetados de sangue com a farra de Okavango e ficavam dardejando por todo lado enquanto eu fazia o meu discurso.

Coronel, preciso encontrar um jeito de entrar em operação, ou terei de deixar o Exército.

Não sei se o coronel Ed acreditou na minha ameaça. Não sei se eu mesmo acreditava. Mas, em termos políticos, diplomáticos e estratégicos, ele não podia passar por cima dela. Um príncipe nas suas fileiras era um grande trunfo para as relações públicas, um instrumento poderoso para o recrutamento. Ele não podia ignorar que, se eu caísse fora, seus superiores poderiam pôr a culpa nele, e os superiores dos seus superiores também, subindo assim por toda a cadeia de comando.

Por outro lado, o que vi muito nele naquele dia foi uma genuína humanidade. O cara entendia. Como soldado, percebia o meu drama. Estremecia à ideia de ser impedido de entrar na briga. Realmente queria ajudar.

Harry, talvez exista uma maneira...

O Iraque estava definitivamente descartado, disse ele. Ai. *Sem chance, temo eu.* Mas talvez uma opção possível, acrescentou ele, seja o Afeganistão.

Olhei com o canto dos olhos. *Afeganistão?*

Ele murmurou alguma coisa como "a opção mais segura".

Ceeerto... mais segura...

Mas como assim, o que ele estava dizendo? O Afeganistão era mil vezes mais perigoso do que o Iraque. Naquele momento, a Grã-Bretanha estava com 7 mil soldados no Afeganistão, e todo dia estavam lutando num dos combates mais ferozes desde a Segunda Guerra Mundial.

Mas quem era eu para discutir? Se o coronel Ed achava o Afeganistão mais seguro, e se estava disposto a me enviar para lá, maravilha.

Qual seria a minha tarefa no Afeganistão, coronel?

CALF. Controlador Aéreo da Linha de Frente.

Pestanejei, sem entender bem.

Tarefa altamente disputada, explicou ele. Os CALFs ficavam encarregados de orquestrar todas as operações aéreas, dando cobertura à rapaziada no solo, liberando os ataques — sem falar dos resgates, das evacuações médicas e assim por diante. Não era uma função nova, mas nesse novo tipo de guerra tinha uma recém-adquirida importância vital.

Como assim, senhor?

Porque o desgraçado do Talibã está por toda parte! E em parte nenhuma!

Simplesmente não dava para *encontrar* os caras, explicou ele. O terreno era acidentado demais, longínquo demais. Montanhas e desertos cheios de túneis e cavernas — era como caçar cabras. Ou fantasmas. Precisavam da vista aérea.

Como o Talibã não tinha nenhuma força aérea, nenhum avião, era fácil. Nós britânicos, mais os ianques, éramos donos do ar. Mas os CALFs ajudavam a aproveitar melhor essa vantagem. Por exemplo, um esquadrão em patrulha precisava saber das ameaças nas proximidades. O CALF verificava com drones, verificava com pilotos de combate, verificava com helicópteros, verificava seu laptop de alta tecnologia, criava uma imagem do campo de batalha em 360 graus.

E se, por exemplo, aquele mesmo esquadrão de repente estivesse sob fogo. O CALF consultava um menu — Apache, Tornado, Mirage, F-15, F-16, A-10 — e colocava em ação a aeronave mais adequada para a situação ou a melhor disponível, então a guiava na direção do inimigo. Usando programas de última geração, os CALFs não se limitavam a despejar fogo do alto na cabeça do inimigo, eles punham o fogo sobre ela, como uma coroa.

Então ele me contou que todos os CALFs tinham a chance de entrar em um Hawk e ter a experiência de estar no ar.

Na hora em que o coronel Ed parou de falar, eu já estava salivando. *Então CALF, senhor. Quando parto?*

Não tão depressa.

O CALF era a cereja do bolo. Todo mundo queria. Então daria um trabalhinho. Além disso, era uma tarefa complexa. Toda aquela tecnologia exigia um monte de treinamento.

Comecemos pelo começo, disse ele. Eu tinha de passar por um processo de certificação bem puxado.

Onde, senhor?

Em Leeming, na base da Real Força Aérea.

Nos... Dales de Yorkshire?

5.

Começo do outono. Muros de pedra solta, campos recortados, rebanhos pastando nas encostas. Falésias de calcário, penhascos e seixos. Em todas as direções, charnecas de molínias. Logo a leste de Lake District, local de nascimento (e tema) de alguns dos maiores artistas britânicos de todos os tempos. Wordsworth, por exemplo. Na escola eu tentei evitar a leitura das coisas que esse velho camarada escreveu, mas agora tinha certeza de que ele devia ser muito bom se passou um tempo de sua vida nessa região.

Parecia um sacrilégio estar no alto de um penhasco sobre esse lugar, tentando eliminá-lo.

Claro que era uma eliminação simulada. Na verdade, não explodi um único Dale.* Mesmo assim, ao final de cada dia, eu me sentia como se tivesse explodido. Estava estudando a Arte da Destruição, e a primeira coisa que aprendi foi que a destruição é, em parte, criativa. Começa com a imaginação. Antes de destruir alguma coisa, a gente precisa imaginá-la destruída, e eu estava ficando um especialista em imaginar os Dales como um inferno em chamas.

O treinamento era o mesmo, todos os dias. Acordar ao amanhecer. Um copo de suco de laranja, um prato de mingau de aveia, então um desjejum inglês completo, depois partir para o campo. Enquanto as primeiras luzes do dia se espalhavam pelo horizonte, eu começava a falar com uma aeronave, geralmente um Hawk. A aeronave ia até seu PI, Ponto Inicial, a oito milhas náuticas de distância, e então eu dava o alvo e o sinal de saída. A aeronave virava e começava. Eu falava com ela pelo céu, sobre o campo, usando vários pontos de referência. Mata em L. Vala em T. Celeiro cinza-prata. Para escolher os pontos de referência, haviam me instruído que eu devia começar por alguma coisa de tamanho grande, passar para outra coisa de tamanho médio e então escolher uma coisa pequena. Representar o mundo, me disseram, como uma hierarquia.

Hierarquia? Acho que dou conta.

A cada vez que eu anunciava um marco, o piloto respondia: *Positivo.*

Ou: *Estou no visual.* Eu gostava daquilo.

Gostava dos ritmos, da poesia, da entoação meditativa de tudo aquilo. E encontrava sentidos mais profundos no exercício. Volta e meia pensava: Então o lance todo é esse, né? Fazer as pessoas verem o mundo como a gente vê? E repetirem de volta para a gente?

---

* Palavra derivada do inglês antigo que significa "vale". (N. E.)

161

Normalmente o piloto ficava voando baixo, a quinhentos pés do solo, na altura do sol nascente, mas às vezes eu dizia para baixar mais e o punha num pop-up. Quando ele vinha disparado na minha direção à velocidade do som, freava e então subia num ângulo de 45 graus. Aí eu começava outra série de descrições e novos detalhes. Quando chegava no alto e virava as asas, quando se alinhava e começava a sentir força G negativa, ele via o mundo exatamente como eu tinha representado.

De repente ele gritava: *Alvo avistado!* E então: *Em posição!*

E eu dizia: *Posição autorizada.*

Quer dizer que suas bombas eram apenas vapores se dissolvendo no ar.

Aí eu esperava, procurando ouvir atentamente as explosões simuladas.

As semanas passavam voando.

6.

Terminado o treino de CALF, eu tinha de preparar o combate, o que significava dominar 28 "controles" diferentes.

Um controle era basicamente uma interação com uma aeronave. Cada controle era um roteiro, uma pequena peça. Por exemplo, imagine duas aeronaves entrando no seu espaço aéreo. *Bom dia, aqui é Cara Zero Um e Cara Zero Dois. Somos dois F-15 com dois PGMs a bordo, mais um JDAM, temos noventa minutos de diversão e agora estamos a duas milhas náuticas a leste da sua localização esperando contato a 15 mil pés...*

Eu precisava saber com precisão o que estavam dizendo e responder a eles com precisão, usando o mesmo jargão.

Infelizmente, não dava para fazer isso numa área de treinamento normal. Como a planície de Salisbury, elas eram abertas demais. Alguém me veria, daria um toque para a imprensa, e o meu esconderijo iria pelos ares; voltaria ao ponto de partida. Assim, o coronel Ed e eu resolvemos que eu devia aprender os controles em algum lugar remoto... algum lugar como...

Sandringham.

Sorrimos com essa ideia. E então demos risada.

O último lugar onde alguém imaginaria o príncipe Harry preparando-se para o combate. A propriedade da vovó no campo.

Peguei um quarto num hotel pequeno perto de Sandrigham — Knights Hill. Eu conhecia o lugar desde sempre, tinha passado por ali milhões de vezes. Sempre que íamos visitar a vovó no Natal, era lá que os nossos guarda-costas ficavam hospedados. Quarto normal: cem pilas.

Nos verões, o Knights Hill costumava ficar lotado com observadores de aves e festas de casamento. Mas agora, no outono, estava vazio.

A privacidade era fantástica, e seria total se não fosse a senhora do bar ligado ao hotel. Toda vez que eu passava, ela me observava de olhos arregalados.

Sozinho, *quase* anônimo, a minha existência se resumia a uma única tarefa interessante. Eu delirava de alegria. Tentava não comentar isso com Chelsy nos telefonemas à noite, mas era um tipo de felicidade difícil de esconder.

Lembro uma conversa complicada. O que estávamos fazendo? Para onde estávamos indo?

Chelsy sabia que eu gostava dela. Mas não se sentia vista. *Não estou no seu radar.*

Ela sabia que eu estava doido de vontade de ir para a guerra. Como ela era capaz de não me perdoar por parecer um pouco distante? Fiquei perplexo.

Expliquei que era isso o que eu precisava fazer, o que sempre quis a vida toda, e precisava fazer com toda a minha alma e coração. Se isso significava que sobrava menos alma e menos coração para qualquer outra coisa ou qualquer outra pessoa, bom... lamentava muito.

7.

Papai sabia que eu estava morando em Knights Hill, sabia do que eu estava a fim. E ele estava logo adiante em Sandringham, numa visita prolongada. Mesmo assim, nunca apareceu por lá. Imagino que para me dar espaço.

Além disso, ele ainda estava muito envolvido na sua fase de recém--casado, embora o casamento tivesse acontecido mais de dois anos antes.

Aí, um dia ele olhou o céu e viu um Typhoon voando baixo pela amurada do mar e logo imaginou que devia ser eu. Entrou no seu Audi e saiu às pressas.

Ele me encontrou no mangue, num quadriciclo, falando com um Typhoon a uns bons quilômetros de distância. Enquanto eu esperava o Typhoon aparecer no céu logo acima, tivemos uma rápida conversa. Ele falou que via como eu estava indo bem nessa nova tarefa. E, principalmente, via como eu estava dando duro e ficava muito feliz com isso.

Papai sempre foi muito trabalhador. Acreditava no trabalho. Todo mundo deve *trabalhar*, dizia com frequência. Mas o trabalho dele também era uma espécie de religião, pois estava tentando freneticamente salvar o planeta. Fazia décadas que ele batalhava para alertar as pessoas sobre as mudanças climáticas, nunca vacilando, apesar das zombarias cruéis da imprensa, que o chamava de Henny Penny.[*] Inúmeras vezes, tarde da noite, Willy e eu o encontrávamos sentado à escrivaninha entre montanhas de sacos postais azuis abarrotados — a correspondência dele. Mais de uma vez o encontramos com a cara em cima da escrivaninha, dormindo pesado. Sacudíamos papai pelos ombros e ele erguia rápido a cabeça, com um pedaço de papel grudado na testa.

Mas, além da importância do trabalho, ele também acreditava na magia do voo. Afinal, era piloto de helicóptero e, assim, gostava especialmente de me ver orientando aqueles jatos acima das planícies pantanosas a velocidades diabólicas. Comentei que os bons cidadãos de Wolferton não sentiam o mesmo entusiasmo. Um jato de dez toneladas passando logo acima do telhado deles não despertava propriamente uma grande alegria. Marham tinha recebido dezenas de reclamações. A princípio, Sandringham devia ser uma zona de exclusão aérea.

Todos os reclamantes ouviam a mesma resposta: Assim é a guerra.

Estava adorando ver papai, adorando perceber o seu orgulho, e me sentia entusiasmado com os seus elogios, mas precisava voltar ao trabalho. Eu estava no meio da operação de controle e não podia pedir ao Typhoon o favor de esperar um pouco.

Sim, sim, menino querido, volte ao trabalho.

E foi embora. Enquanto ele seguia pela estrada, falei ao Typhoon: *Novo alvo. Audi cinzento. Seguindo estrada rumo sudeste. Na direção de um celeiro prata grande voltado leste-oeste.*

---

[*] Henny Penny é um conto de fadas europeu sobre um frango que acredita que o fim do mundo está próximo. (N. E.)

O Typhoon rastreou papai, passou em voo rasante por cima dele, quase espatifando as janelas do Audi.

Mas por fim o poupou. Por ordens minhas.

E seguiu para reduzir a farelos um celeiro cinza-prata.

8.

A Inglaterra estava na semifinal da Copa do Mundo de Rúgbi de 2007. Ninguém tinha previsto aquilo. Ninguém tinha imaginado que o time inglês valia alguma coisa, e agora estava prestes a ser campeão. Milhões de britânicos foram arrebatados pela febre do rúgbi, inclusive eu.

Assim, quando fui convidado para assistir à semifinal, naquele outubro, não vacilei. Aceitei na mesma hora.

Vantagem extra: a semifinal naquele ano ia ser em Paris — cidade onde eu nunca tinha estado.

A Copa do Mundo me providenciou um motorista, e na minha primeira noite na Cidade das Luzes perguntei se ele conhecia o túnel onde a minha mãe...

Pelo retrovisor, vi seus olhos se arregalarem.

Era irlandês, de rosto franco e afável, e foi fácil perceber o que estava pensando: *Que porra é essa? Não foi pra isso que me contrataram.*

O túnel se chama Pont de l'Alma, eu disse.

Sim, sim. Ele conhecia.

Quero ir por lá.

Você quer ir pelo túnel?

A 105 quilômetros por hora, para ser preciso.

Cento e cinco?

Isso.

A velocidade exata a que supostamente estava o carro de mamãe, segundo a polícia, na hora da batida. Não a 120 quilômetros por hora, como foi noticiado pela mídia a princípio.

O motorista olhou para o banco do passageiro. Billy, a Rocha, assentiu. *Vamos nessa.* Billy acrescentou que, se o motorista algum dia revelasse a qualquer ser humano que nós tínhamos pedido que ele fizesse isso, a gente o encontraria e ia dar a maior confusão.

O motorista assentiu solenemente.

E lá fomos nós, costurando o trânsito, passando devagar pela frente do Ritz, onde mamãe fez a sua última refeição, com o namorado, naquela noite de agosto. Então chegamos à entrada do túnel. Avançamos em disparada, passamos pelo desnível da entrada, o solavanco que supostamente teria feito a Mercedes de mamãe se desviar do curso.

Mas o desnível não era nada. Mal sentimos.

Quando o carro entrou no túnel, me inclinei para a frente, observei a luz mudando para um tom laranja-claro, observei as colunas de concreto passando depressa. Contei as colunas, contei as batidas do meu coração e em poucos segundos saímos pelo outro lado do túnel.

Voltei a me encostar no banco. Falei em voz baixa: *É isso? Não é... nada. Só um túnel reto.*

Eu sempre tinha imaginado o túnel como uma via traiçoeira, intrinsecamente perigosa, mas era apenas um túnel curto, simples, reto.

Não tem nenhuma razão para alguém morrer ali dentro.

O motorista e Billy, a Rocha, não responderam.

Olhei pela janela: *Outra vez.*

O motorista me fitou pelo retrovisor. *Outra vez?*

Sim. Por favor.

Atravessamos o túnel outra vez.

Está bom assim. Obrigado.

Foi uma péssima ideia. Eu tinha tido um monte de más ideias nos meus 23 anos de vida, mas esta foi especialmente ruim. Tinha dito a mim mesmo que queria um encerramento, mas na verdade não queria. Lá no fundo, eu esperava sentir naquele túnel o que tinha sentido quando JLP me deu os arquivos policiais — descrença. Dúvida. Em vez disso, toda e qualquer dúvida sumiu naquela noite.

Ela morreu, pensei. *Meu Deus, ela realmente se foi para sempre.*

Tive o encerramento que fingia querer. Veio com tudo. E agora nunca mais conseguiria me livrar dele.

Eu tinha imaginado que esse percurso pelo túnel traria o fim ou, pelo menos, uma breve interrupção da dor, dessa década de dor incessante. Em vez disso, ele trouxe o começo da Dor, Parte Dois.

166

Era quase uma da manhã. O motorista me deixou junto com Billy num bar, onde bebi sem parar. Tinha uns caras lá, e bebi com eles, e tentei arranjar briga com vários. Quando o bar nos pôs para fora, quando Billy, a Rocha, me escoltou até o hotel, tentei arrumar briga com ele também. Rosnei, fui para cima, estapeei sua cabeça.

Billy mal reagiu. Só franziu a testa como um pai superpaciente.

Dei outro tapa nele. Eu o amava, mas queria machucá-lo.

Ele já tinha me visto assim. Uma, talvez duas vezes. Ouvi-o dizer a outro guarda-costa: *Hoje ele está a toda.*

Ah, estou a toda, é? Tome essa, a toda.

Billy e o outro guarda-costa deram um jeito de me levar para o quarto e me largaram na cama. Mas, depois que saíram, dei um pulo e fiquei de pé.

Olhei em volta do quarto. O sol começava a nascer. Saí para o corredor. Havia um guarda-costa numa cadeira ao lado da porta, mas estava ferrado no sono. Passei por ele na ponta dos pés, entrei no elevador e deixei o hotel.

Entre todas as regras da minha vida, esta era considerada a mais inviolável. Nunca deixe os seus guarda-costas. Nunca ande sozinho, em lugar nenhum, e sobretudo nunca numa cidade estranha.

Eu não estava nem aí.

Caminhei ao longo do Sena. Olhei os Champs-Élysées à distância. Parei ao lado de uma roda-gigante enorme. Passei por banquinhas de livros, por gente tomando café e comento croissant. Eu estava fumando, com o olhar distraído. Tenho uma vaga lembrança de algumas pessoas me reconhecendo e me olhando fixo, mas ainda bem que isso foi antes da época dos smartphones. Ninguém me parou para uma foto.

Mais tarde, depois de dormir, liguei para Willy e falei da minha noitada.

Nada disso era novidade para ele. Acabei sabendo que ele também tinha percorrido o túnel.

Willy estava vindo a Paris para a final do rúgbi. Decidimos ir juntos.

Depois, pela primeira vez, falamos sobre o acidente. Falamos sobre o inquérito recente. Concordamos que era uma piada. O relatório final era um insulto. Fantasioso, cheio de erros factuais básicos e enormes falhas lógicas. Trazia mais perguntas do que respostas.

Depois de todos esses anos, dissemos nós, e de toda aquela dinheirama — como?

E, acima de tudo, a conclusão sumária, de que o motorista de mamãe estava bêbado e, portanto, foi o único responsável pelo acidente, era muito conveniente e absurda. Mesmo que o sujeito tivesse bebido, mesmo que estivesse chapado, ele não teria tido nenhum problema em atravessar aquele túnel curto.

A menos que estivesse sendo perseguido e cegado pelos paparazzi.

Por que aqueles paparazzi não foram mais diretamente responsabilizados?

Por que eles não estavam na cadeia?

Quem foram os seus mandantes? E por que *eles* não estavam na cadeia?

De fato, por quê? — a menos que a corrupção e os acobertamentos estivessem na ordem do dia.

Estávamos de acordo em todos esses pontos e também nos passos seguintes. Lançaríamos uma declaração e entraríamos com uma solicitação conjunta para a reabertura do inquérito. Talvez déssemos uma entrevista coletiva.

Fomos dissuadidos pelos poderes constituídos.

9.

Um mês mais tarde, fui para a base da Real Força Aérea em Brize Norton e embarquei num C-17. Havia dezenas de soldados no avião, mas eu era o único clandestino. Com a ajuda do coronel Ed e de JLP, entrei em segredo e me esgueirei para um cubículo atrás da cabine do piloto.

O cubículo tinha beliches para a tripulação dos voos noturnos. Enquanto o avião seguia pela pista de decolagem com os motores roncando, deitei na parte de baixo de um beliche, com a mochila de travesseiro. Em algum lugar do compartimento de carga, minha sacola de viagem Bergen estava devidamente recheada com três pares de calças camufladas, três camisetas limpas, um par de óculos de proteção, uma cama inflável, uma agenda pequena, um tubo de protetor solar. Parecia mais do que suficiente. Eu podia sinceramente dizer que não tinha deixado para trás nada do que precisava ou queria, a não ser algumas joias de mamãe, o seu cacho de cabelo na caixinha azul e a sua fotografia, com moldura de prata, que ficava na minha mesa em Eton, e tudo isso eu tinha guardado num local seguro. E, claro, as minhas armas. A pistola nove milímetros e o fuzil de assalto SA80A tinham sido entregues a um funcionário de ar severo, que os trancou numa caixa de aço que também foi para o compartimento. Senti profundamente a falta delas, pois era a primeira vez na vida, tirando aquela minha cambaleante caminhada matinal em Paris, que estava prestes a me aventurar no vasto mundo sem guarda-costas armados.

O voo durou uma eternidade. Sete horas? Nove horas? Não sei. Pareceu levar uma semana. Tentei dormir, mas tinha coisas demais na cabeça. Passei a maior parte do tempo com o olhar fixo. Para o beliche de cima. Para os meus pés. Ouvia os motores, ouvia os outros soldados a bordo. Repassei a minha vida. Pensei no papai e em Willy. E em Chels.

Os jornais publicaram que tínhamos terminado. (Uma manchete: HARRY FESTEIRO LEVA O FORA.) A distância, a diferença nas metas de vida eram grandes demais. Já era bem difícil manter um relacionamento no mesmo país, mas, estando eu indo para a guerra, parecia simplesmente inviável. Claro que nada disso era verdade. Não tínhamos terminado. Ela se despediu de maneira terna e emocionada, e prometeu que ia me esperar.

Portanto, ela sabia que devia desconsiderar todas as outras histórias nos jornais sobre a minha reação ao rompimento. Diziam que eu tinha ido de bar em bar, emborcando dezenas de doses de vodca, e depois entrei cambaleando num carro à espera. Um jornal de fato perguntou à mãe de um soldado morto em combate recentemente o que ela achava sobre a minha bebedeira em público.

(Ela era contra.)

Se eu morrer no Afeganistão, pensei, pelo menos nunca mais vou ver outras manchetes falsas nem ler outras mentiras vergonhosas a meu respeito.

Naquele voo, pensei muito em morrer. O que significaria? Me incomodava? Tentei imaginar meu funeral. Seria um funeral oficial? Privado? Fiquei imaginando as manchetes: *Tchau, Harry.*

Como eu seria lembrado pela história? Pelas manchetes? Ou por quem eu realmente era?

Willy seguiria atrás do caixão? E vovô? E papai?

Antes de me despacharem, JLP me pôs sentado e disse que eu precisava atualizar meu testamento.

O meu testamento? Sério?

Se acontecesse alguma coisa, disse JLP, o Palácio precisava saber o que eu queria que fizessem com os meus poucos pertences e onde eu desejava ser... enterrado. Ele perguntou de modo muito direto, muito calmo, como quando a gente pergunta a alguém se quer fazer um lanche. Mas esse era o seu dom. A verdade era a verdade, não adiantava tentar se esquivar.

Desviei os olhos. Na verdade, não conseguia pensar num local onde quisesse estar dali em diante. Não conseguia pensar em nenhum lugar que me parecesse sagrado, afora Althorp, talvez, mas essa hipótese não existia. Então falei: Frogmore Gardens?

Era bonito e ligeiramente afastado das coisas. Pacífico.

JLP assentiu. Cuidaria disso.

Entre esses pensamentos e lembranças, consegui cochilar por uns minutos e, quando abri os olhos, estávamos descendo velozmente para o aeródromo de Kandahar.

Hora de pôr a armadura. Hora de pôr o Kevlar.

Esperei que todos os outros desembarcassem, e aí alguns caras das Forças Especiais apareceram no cubículo. Devolveram as minhas armas e me entregaram um frasco de morfina, que eu devia manter sempre junto comigo. Agora estávamos num lugar onde a dor, os ferimentos, os traumas eram corriqueiros. Fizeram-me sair depressa do avião e entrar num 4×4 com os vidros escuros e os assentos empoeirados. Fomos para outra parte da base, e então entramos correndo numa cabine transportável.

Vazia. Nenhuma vivalma.

Onde está todo mundo? Caraca, declararam a paz enquanto eu estava voando?

Não, a base inteira tinha saído numa missão.

Olhei em volta. Pelo visto, tinham saído no meio da refeição. As mesas estavam cobertas de embalagens de pizza pela metade. Tentei lembrar o que eu tinha comido durante o voo. Nada. Comecei a devorar os pedaços de pizza fria.

Fiz o meu teste in loco, a última barreira a transpor, a última medida para provar que eu sabia o que tinha de fazer. Alguns momentos depois, subi num Chinook e voei uns oitenta quilômetros até um posto muito menor. Base de Operações da Linha de Frente de Dwyer. Um nome comprido e complicado para um lugar que não era muito mais do que um castelo de areia feito de sacos de areia.

Fui recepcionado por um soldado coberto de areia, que falou que tinha recebido ordens de me mostrar o local.

Bem-vindo a Dwyer.

Obrigado.

Perguntei de onde vinha o nome do lugar.

De um dos nossos rapazes. Morto em ação. O veículo passou sobre uma mina terrestre.

O rápido giro mostrou que Dwyer era ainda mais espartana do que parecia quando vista do Chinook. Sem aquecimento, poucas luzes, não muita água. Havia uma espécie de encanamento, mas os canos no geral estavam entupidos ou congelados. Havia também um edifício que se propunha a ser a "sala dos chuveiros", mas me avisaram: se for usar, é por sua conta e risco.

Resumindo, disse meu guia, desista de se manter limpo. Concentre-se em ficar aquecido.

Aqui é tão frio assim?

Ele caiu na gargalhada.

Dwyer abrigava uns cinquenta soldados, a maioria da artilharia e da Cavalaria do Palácio. Fui conhecendo dois ou três por vez. Todos tinham cabelo cor de areia, quero dizer, o cabelo deles era um emaranhado de areia. O rosto, o pescoço, as pestanas — também incrustados de areia. Pareciam filés de peixe empanados em farinha de rosca antes de ir para a frigideira.

Dali a uma hora, eu também parecia.

Tudo e todos em Dwyer estavam cobertos de areia, ou salpicados de areia, ou pintados da cor de areia. E adiante das barracas cor de areia, dos sacos de areia e dos muros de areia, havia um oceano infinito de... areia. Areia fina, bem fina, como talco. O pessoal passava grande parte do dia olhando toda aquela areia. Assim, depois de concluir o meu giro, de pegar a minha cama de lona e um pouco de comida, lá fui eu também.

Dizíamos a nós mesmos que estávamos esquadrinhando o inimigo e, suponho, estávamos mesmo. Mas não dava para ficar olhando tantos grãos de areia sem pensar também na eternidade. Toda aquela areia se movendo, girando, rodopiando, a impressão que a gente tinha era de que ela estava nos dizendo alguma coisa sobre o nosso lugarzinho minúsculo no cosmo. Das cinzas às cinzas. Da areia à areia. Mesmo depois de me retirar, de ir para o meu catre de metal e deslizar para o sono, a areia continuou a ocupar a minha cabeça. Ouvia-a lá fora, sussurrando consigo mesma. Sentia grãos na língua. No globo ocular. Sonhei com ela.

E, quando acordei, estava com a boca cheia de areia.

10.

No centro de Dwyer havia um poste alto, uma espécie de Coluna de Nelson improvisada. Pregadas nele havia dezenas de setas, apontando em todas as direções, cada uma pintada com o nome de um lugar que, para algum soldado em Dwyer, era o seu lar.

Sydney Austrália 11556 quilômetros
Glasgow 5846 quilômetros
Bridgwater Somerset 5776 quilômetros

Naquela primeira manhã, passando pelo poste, tive uma ideia. Bem que eu podia anotar ali o nome do meu lar.

Clarence House 5530 quilômetros

Ia ser engraçado.

Mas não. Assim como nenhum de nós queria atrair a atenção do Talibã, eu também não queria atrair a atenção dos meus colegas. Minha prioridade era me misturar a eles.

Uma das setas apontava para "Os Canhões", duas armas enormes de 105 milímetros atrás da sala dos chuveiros que não funcionavam. Quase todos os dias, várias vezes por dia, Dwyer disparava uma daquelas armas enormes, arremessava uns tremendos projéteis que traçavam uma parábola enfumaçada na direção das posições do Talibã. O barulho paralisava o sangue, fritava os miolos da gente. (Um dia, deram pelo menos uns cem disparos.) Eu sabia que ia ouvir pelo resto da vida algum vestígio daquele barulho; ele ecoaria para sempre em alguma parte do meu ser. E também nunca esqueceria, depois que as armas finalmente paravam, aquele silêncio imenso.

11.

A sala de operações de Dwyer era uma caixa com camuflagem de deserto. O piso era um plástico preto grosso feito de peças interligadas, como um quebra-cabeça. Fazia um som esquisito quando a gente andava. O ponto central da sala — na verdade, de todo o acampamento — era a parede principal, com um mapa gigante da província de Helmand, com alfinetes (amarelos, alaranjados, verdes, azuis) representando as unidades do grupo de combate.

Fui recebido pelo cabo da cavalaria Baxter. Mais velho do que eu, mas ruivo também. Trocamos algumas ironias e um sorriso pesaroso pelo nosso involuntário pertencimento à Liga dos Cavalheiros Ruivos. E também à Confraria dos Carecas. Como eu, Baxter também estava perdendo depressa a pelagem do coco.

Perguntei de onde ele era.

Condado de Antrim.

Irlandês, hein?

Ôôô.

A sua pronúncia cantada me deu vontade de pegar no pé dele. Tirei muito sarro dos irlandeses, e ele devolveu, rindo, mas os olhos azuis mostravam dúvida. *Ops, tô tirando sarro de um príncipe.*

Passamos ao trabalho. Ele me mostrou vários rádios enfileirados numa mesa abaixo do mapa. Mostrou o terminal Rover, um laptop pequeno e troncudo com os pontos da bússola marcados nos lados. *Esses rádios são os seus ouvidos. Esse Rover são os seus olhos.* Com eles eu montaria um quadro do campo de batalha e então tentaria controlar o que estivesse acontecendo lá, em terra e no ar. Em certo sentido, eu seria igual aos controladores de tráfego aéreo em Heathrow: passaria o tempo guiando a chegada e a partida dos jatos. Mas muitas vezes a tarefa nem chegava a esse glamour todo. Eu ia ser um guarda de segurança, monitorando exausto as transmissões de dezenas de câmeras, montadas em tudo, de drones a aeronaves de reconhecimento. A minha única luta ia ser contra o sono.

Venha. Sente-se, tenente Gales.

Pigarreei, sentei. Olhei o Rover. E fiquei olhando.

Passaram-se minutos. Aumentei o volume dos rádios. Baixei.

Baxter deu uma risadinha. *Esse é o serviço. Bem-vindo à guerra.*

12.

O Rover tinha também um nome alternativo, porque tudo no Exército precisava ter um nome alternativo.

Mata TV.

Assim, por exemplo:

Tá fazendo o quê?

Só vendo um pouco de Mata TV.

O nome era para ser irônico, imaginei. Senão, era propaganda descaradamente falsa. Porque a única coisa que a gente matava era o tempo.

A gente ficava observando um complexo abandonado que, imaginava-se, teria sido usado pelo Talibã.

Não acontecia nada.

A gente ficava observando um sistema de túneis que supostamente teria sido usado pelo Talibã.

Não acontecia nada.

A gente ficava observando uma duna de areia. E outra duna de areia.

Se existe uma coisa mais chata do que ficar olhando a grama crescer, é ficar olhando o deserto... *deserto*. Eu me perguntava como Baxter não tinha enlouquecido.

Perguntei a ele.

Ele disse que, depois de horas de coisa nenhuma, alguma coisa acontecia. O lance era ficar esperto para *aquilo*.

Se a Mata TV era uma chatice, a Mata Rádio era uma doideira. Todos os fones na mesa soltavam um palavrório constante, com uma dúzia de sotaques, britânicos, americanos, holandeses, franceses, para não falar das várias personalidades.

Comecei tentando casar os sotaques com os indicativos de chamada. Os pilotos americanos eram Cara. Os pilotos holandeses eram Rammit. Os franceses eram Mirage ou Rage. Os britânicos eram Vapor.

Os helicópteros Apache eram Feio.

Meu indicativo pessoal era Viúvo Seis Sete.

Baxter me disse para pegar um fone e dar um alô. *Se apresente.* Quando me apresentei, todas as vozes se animaram e voltaram a atenção para mim. Pareciam filhotes de passarinho pedindo comida. A comida deles era informação.

Quem é você? O que anda acontecendo aí embaixo? Para onde vou?

Além da informação, o que eles mais queriam em geral era permissão. Para entrar ou sair do meu espaço aéreo. As regras proibiam que os pilotos passassem sem a garantia de que era seguro, de que não havia uma batalha em curso, que Dwyer não estava disparando as suas armas pesadas. Em outras palavras, era uma ZOR (Zona de Operação Restrita) quente? Ou fria? Tudo na guerra girava em torno dessa pergunta binária. Hostilidades, condições do clima, água, comida — quentes ou frias?

Eu gostava desse papel, o guardião da ZOR. Gostava da ideia de trabalhar junto com o pessoal de primeira, de ser os olhos e ouvidos dessas pessoas tão altamente qualificadas, o último vínculo delas com a *terra firme*, o alfa e o ômega delas. Eu era... a Terra.

A necessidade, a dependência delas em relação a mim criava laços instantâneos. Fluíam emoções estranhas, intimidades esquisitas se formavam.

Ei, Viúvo Seis Sete.

Ei, cara.

Como está teu dia?

Até agora tranquilo, cara.

Virávamos parceiros na hora. Camaradas. Dava para sentir.

Depois de conferirem comigo, eu os transferia para o CALF de Garmsir, uma cidade perto com um pequeno rio.

Valeu, Viúvo Seis Sete. Boa noite.

Câmbio, cara. Cuide-se.

13.

Depois de receber permissão para cruzar o meu espaço aéreo, o piloto nem sempre passava devagar, passava feito uma flecha, e às vezes tinha urgência em saber como estavam as condições em terra. Qualquer segundo fazia diferença. Vida e morte nas minhas mãos. Eu ficava calmamente sentado a uma mesa, com uma bebida gasosa e uma esferográfica na mão (*Oh. Uma esferográfica. Uau.*), mas também estava no meio da ação. Era empolgante, eu tinha treinado para aquilo, mas também era aterrorizante. Logo antes da minha chegada, um CALF errou num número quando estava passando as coordenadas geográficas para um F-15 americano; o resultado foi uma bomba errante caindo em cima das forças britânicas em vez do inimigo. Três soldados mortos, dois horrivelmente mutilados. Portanto, cada palavra e cada dígito que eu falava tinham consequências. Estávamos "fornecendo apoio", era o que se dizia constantemente, mas eu percebia que era um grande eufemismo. Tanto quanto os pilotos, às vezes estávamos levando a morte, e quando se trata da morte, bem mais do que da vida, a precisão era indispensável.

Admito: eu estava feliz. Era um trabalho importante, um trabalho patriótico. Estava utilizando habilidades desenvolvidas nos Dales e em Sandringham e que remontavam à minha infância. Mesmo a Balmoral. Havia uma linha luminosa conectando as minhas caçadas com Sandy e o meu trabalho aqui e agora. Eu era um soldado britânico, num campo de batalha, finalmente, papel para o qual me preparara durante toda a vida.

Também era Viúvo Seis Sete. Tive uma penca de apelidos na vida, mas esse era o primeiro que se parecia mais com um pseudônimo. Eu podia realmente *me esconder* atrás dele. Pela primeira vez, eu era *apenas* um nome, um nome aleatório e um número aleatório. Sem títulos. E sem guarda-costas. *É assim que os outros se sentem diariamente?* Eu saboreava a normalidade, me deleitava com ela, e também pensava na longa viagem que tinha feito até encontrá-la. O centro do Afeganistão, no auge do inverno, no meio da noite, no meio de uma guerra, falando com um homem 15 mil pés acima de mim — quão anormal é a vida da gente quando esse é o primeiro lugar onde a gente se sente normal?

Depois de toda ação, vinha uma calmaria, que às vezes era mais difícil de enfrentar psicologicamente. O tédio era o inimigo e o combatíamos jogando rúgbi, usando como bola um rolo de papel higiênico totalmente revestido de fita adesiva, ou correndo no mesmo lugar. Também fazíamos mil flexões e montávamos equipamentos primitivos de levantamento de peso, fixando caixas de madeira em barras de metal. Fazíamos sacos de boxe com mochilas de pano grosso. Líamos livros, organizávamos maratonas de xadrez, dormíamos feito gatos. Eu via homens crescidos ficarem doze horas por dia na cama, ferrados no sono.

Também comíamos, comíamos. Dwyer tinha uma cozinha completa. Macarrão. Batata frita. Feijão. Tínhamos trinta minutos por semana no telefone por satélite. O cartão telefônico se chamava Paradigm, com um código no verso, que a gente enfiava no aparelho. Aí um robô, uma voz feminina afável, dizia de quantos minutos a gente ainda dispunha. E aí...

Spike, é você?

Chels.

A vida de antes, do outro lado da linha. O som sempre me tirava o fôlego. Pensar em casa nunca era fácil, por uma complicada série de razões. *Ouvi-la* era uma facada no peito.

Quando eu não ligava para Chels, ligava para papai.

Como vai, menino querido?

Nada mal. Sabe como é.

Mas ele me pedia para escrever, em vez de telefonar. Amava as minhas cartas.

Dizia que preferia muito mais uma carta.

14.

Às vezes eu me preocupava por estar perdendo a verdadeira guerra. Não estaria sentado na sala de espera da guerra? A guerra de verdade, temia, ficava logo ali embaixo, no vale; eu via as densas colunas de fumaça, as nuvens das explosões, basicamente dentro e em volta de um vilarejo ribeirinho chamado Garmsir. Lugar de tremenda importância estratégica. Porta de entrada crítica, porto fluvial por onde chegavam suprimentos, sobretudo armas, para o Talibã. E mais, via de ingresso para novos combatentes. Recebiam um AK-47, um punhado de balas e instruções para avançarem na nossa direção por entre o labirinto das suas trincheiras. Era o teste de iniciação deles, que o Talibã chamava de "batismo de sangue".

Sandy e Tiggy estavam trabalhando para o Talibã?

Isso acontecia muito. Um recruta do Talibã aparecia, disparava em nós e devolvíamos o fogo com força vinte vezes maior. O recruta do Talibã que sobrevivesse a essa barragem seria então promovido, enviado para lutar e morrer em alguma das cidades maiores, como Gereshk ou Lashkar Gah, que alguns chamavam de Lash Vegas. A maioria, porém, não sobrevivia. O Talibã deixava os corpos lá, apodrecendo. Vi cães do tamanho de lobos devorarem muitos recrutas caídos no campo de batalha.

Comecei a pedir aos meus superiores: me tirem daqui. Alguns outros pediram o mesmo, mas por outras razões. Eu implorava que me pusessem mais perto do front. *Me mandem para Garmsir.*

Finalmente, na véspera do Natal de 2007, meu pedido foi aprovado. Eu ia substituir um CALF de saída na Base de Operações da Linha de Frente de Délhi, que ficava numa escola abandonada de Garmsir.

Um patiozinho de cascalho, o telhado de alumínio corrugado. Alguém falou que a escola tinha sido uma universidade agrícola. Outro alguém falou que tinha sido uma madraça. Agora, porém, fazia parte da Commonwealth. E era o meu novo lar.

Era o lar também de uma companhia de gurcas.

Recrutados no Nepal, nas mais remotas aldeias nos sopés do Himalaia, os gurcas haviam lutado em todas as guerras britânicas dos últimos duzentos anos e se distinguiram em todas elas. Lutavam como tigres, nunca desistiam e, por causa disso, ocupavam um lugar especial no Exército britânico — e no meu coração. Eu ouvia falar dos gurcas desde menino: um dos primeiros uniformes que vesti na vida era um uniforme gurca. Em Sandhurst, os gurcas sempre faziam o papel do inimigo nos exercícios militares, o que sempre parecia um pouco ridículo, pois eram muito amados.

Depois dos exercícios, um gurca invariavelmente vinha até mim e me oferecia uma xícara de chocolate quente. Eles nutriam uma solene reverência pela realeza. No entendimento deles, um rei era divino. (Os gurcas consideravam o seu próprio rei como reencarnação do deus hindu

Vishnu.) Um príncipe, portanto, não estava muito longe. Eu tinha sentido isso quando novo, mas agora sentia outra vez. Ao caminhar por Délhi, todos os gurcas se inclinavam. Tratavam-me por *saab*.

Sim, saab. Não, saab.

Eu pedia: não, não. Sou só tenente Gales. Sou só Viúvo Seis Sete.

Eles riam. *De jeito nenhum, saab.*

E jamais sonhariam em me deixar ir sozinho a qualquer lugar. Pessoas da realeza demandavam escolta real. Muitas vezes eu estava indo à missa ou ao banheiro, e de repente percebia uma sombra à minha direita. E então outra à minha esquerda. *Olá, saab.* Era embaraçoso, embora comovente. Eu os adorava, e os afegãos locais também os adoravam, vendendo-lhes muitos frangos e cabras, e até trocando gracejos sobre receitas. O Exército falava muito em conquistar "os corações e as mentes" dos afegãos, referindo-se a convertê-los à democracia e à liberdade, mas somente os gurcas pareciam estar realmente fazendo isso.

Quando não estavam me escoltando, estavam empenhados em me fazer engordar. A comida era a sua linguagem do amor. E embora cada gurca se achasse um chef cinco estrelas, todos tinham a mesma especialidade. Curry de cabra.

Lembro-me de um dia ouvir o barulho de rotores vindo do alto. Olhei para cima. Todo mundo na base olhou para cima. Era um helicóptero descendo devagar. E dos esquis de aterrissagem, dentro de uma rede, pendia uma cabra. Presente de Natal para os gurcas.

Levantando uma imensa nuvem de poeira, o helicóptero baixou. Dele saltou um homem calvo e aloirado, o próprio retrato de um oficial britânico.

Era também vagamente familiar.

Conheço esse cara, falei em voz alta.

Estalei os dedos. *É o bom e velho Bevan!*

Ele tinha trabalhado alguns anos para papai. Até nos acompanhou a Klosters num inverno. (Lembrei-me dele esquiando com uma jaqueta Barbour, a própria quintessência aristocrática.) Agora, pelo visto, era o número dois no comando da brigada. E assim entregava cabras em nome do comandante aos amados gurcas.

Fiquei sem palavras ao topar com Bevan, mas ele não pareceu muito surpreso — ou interessado. Estava preocupado demais com aquelas cabras.

Além da cabra na rede, ele passou o voo todo com outra no colo, e então levou a bichinha numa coleira, feito um cocker spaniel, até um gurca.

Pobre Bevan. Dava para ver como ele ficara ligado àquela cabra, como estava despreparado para o que viria a seguir.

O gurca tirou o seu *kukri* e cortou fora a cabeça dela.

A cabeça castanha e barbada caiu no chão como um daqueles rolos de papel higiênico que a gente usava como bola de rúgbi.

Então o gurca, com muita prática e cuidado, coletou o sangue numa xícara. Não se devia desperdiçar nada.

Para a segunda cabra, o gurca me estendeu o *kukri* e perguntou se eu não faria as honras.

Em casa eu tinha vários *kukris*. Eram presentes de gurcas. Sabia manejá-los. Mas não, disse eu, não, obrigado, não aqui, não agora.

Não sabia bem por que estava recusando. Talvez porque já havia matança suficiente à minha volta sem precisar acrescentar mais uma. Voltou-me num flash a vez em que falei a George que eu não queria cortar nenhum colhão. Onde eu traçava a minha linha divisória?

No sofrimento, era aí. Eu não queria fazer o Henrique VIII com aquela cabra principalmente porque não era experiente na arte e, se eu errasse ou calculasse mal, a coitadinha ia sofrer.

O gurca assentiu. *Como quiser, saab.*

Ele girou o *kukri*.

Mesmo depois que a cabeça caiu no chão, lembro que os olhos amarelos continuaram piscando.

15.

Minha tarefa em Délhi era parecida com a que eu tinha em Dwyer. Só o horário era diferente. Ininterrupto. Em Délhi, eu estava de serviço dia e noite.

A sala de operações era uma antiga sala de aula. Como parecia ter acontecido com tudo no Afeganistão, a escola que abrigava a base de Délhi tinha sido bombardeada — as vigas de madeiras pendentes, as carteiras viradas de ponta-cabeça, os assoalhos cheios de papéis e livros espalhados —, mas a sala de operações parecia ter sido o Marco Zero. Uma área de catástrofe.

Pelo lado positivo, os inúmeros buracos nas paredes ofereciam, nos turnos da noite, uma visão deslumbrante das estrelas.

Lembro-me de um turno, lá pela uma da madrugada. Pedi a um piloto no alto que me passasse o seu código, para inserir no meu Rover e ver o seu sinal.

O piloto respondeu azedo que eu estava fazendo errado.

Fazendo errado o quê?

Não é o Rover, é o Longhorn.

Long o quê?

Novato, hein?

Ele descreveu o Longhorn, uma máquina que ninguém se dera ao trabalho de me mostrar. Olhei em volta, encontrei. Uma maleta preta grande coberta de pó. Espanei, liguei. O piloto foi me explicando até fazer funcionar. Eu não sabia por que se exigia para ele o Longhorn em vez do Rover, mas não estava a fim de perguntar e deixar o cara ainda mais irritado.

Principalmente porque a experiência tinha criado uma ligação. A partir daí éramos parceiros.

O indicativo de chamada dele era Magic.

Muitas vezes eu passava a noite inteira batendo papo com Magic. Ele e sua tripulação gostavam de falar, de rir, de comer. (Lembro vagamente uma noite em que se banquetearam com caranguejos frescos.) E, mais que tudo, gostavam de pregar peças. Depois de uma investida, Magic diminuiu o zoom da câmera e me falou para olhar. Me inclinei sobre a tela. A 20 mil pés de altura, ele tinha uma vista assombrosa da curvatura da Terra.

Então virou a câmera devagarinho.

Minha tela se encheu de seios.

Revista pornográfica.

Ah, me pegou, Magic.

Havia algumas mulheres pilotando. O contato com elas era muito diferente. Uma noite me vi falando com uma piloto britânica, que comentou que a lua estava linda.

É lua cheia, disse ela. *Você precisa ver, Viúvo Seis Sete.*

Estou vendo. Por um dos buracos na parede. Um encanto.

De repente o rádio se encheu de vozes: um coro estridente. Os caras em Dwyer nos disseram para "arranjar um quarto". Me senti corar. Torci para que a piloto não tivesse achado que eu estava flertando. Torci para que não pensasse isso agora. E, mais que tudo, torci para que ela e todos os outros pilotos não descobrissem quem eu era e dissessem à imprensa britânica que eu estava usando a guerra como meio de arranjar mulher. Torci para que então a imprensa não a tratasse como tinha tratado todas as outras garotas com as quais me relacionei.

Mas, antes que o turno terminasse, a piloto e eu superamos esse rápido constrangimento e fizemos um bom trabalho juntos. Ela me ajudou a monitorar um bunker do Talibã, bem no centro de uma terra de ninguém, não muito longe dos muros de Délhi. Havia manchas de calor em volta do bunker... Formas humanas. Uma dúzia, calculei. Quinze, talvez.

Talibã, na certa, dissemos. Quem mais estaria se movendo naquelas trincheiras?

Percorri a lista de verificação, para garantir. Padrão de vida, como dizia o Exército. Consegue ver mulheres? Consegue ver crianças? Consegue ver cachorros? Gatos? Tem alguma coisa indicando que esse alvo possa ser ao lado de um hospital? De uma escola?

Algum civil, qualquer que seja?

Não. Não para todas as perguntas.

Isso significava Talibã, e nada além do Talibã.

Planejei um ataque para o dia seguinte. Fui designado para montá-lo com dois pilotos americanos. Cara Zero Um e Cara Zero Dois. Informei sobre o alvo, falei que queria uma JDAM (Munição Conjunta de Ataque Direto) de 2 mil libras. Eu me perguntava por que usávamos esse nome truncado: por que não bomba, simplesmente? Talvez porque não era uma bomba comum; ela tinha sistemas de orientação controlados por radar. E era pesada. Tinha o peso de um rinoceronte preto.

Normalmente, sendo um grupo pequeno do Talibã, o que se solicitava era uma bomba de quinhentas libras. Mas achei que não teria força suficiente para penetrar nos bunkers fortificados que eu estava vendo na tela.

Claro que os CALFs nunca achavam que quinhentas libras eram suficientes. Sempre queríamos bombas de 2 mil libras. Mais vale ir com tudo, a gente sempre dizia. E, nesse caso, eu achava mesmo que tínhamos de ir com tudo. O sistema de bunker resistiria a qualquer coisa abaixo disso. E o que eu queria não era só uma JDAM de 2 mil libras sobre o bunker.

Queria também que a seguir viesse uma segunda aeronave com um canhão de vinte milímetros, para metralhar as trincheiras no topo do bunker e pegar os caras enquanto eram "removidos".

Negativo, disse Cara Zero Um.

Os americanos não viam qualquer necessidade de uma bomba de 2 mil libras.

Preferimos jogar duas bombas de quinhentas, Viúvo Seis Sete. Nada americano.

Eu realmente acreditava que estava com a razão e quis discutir, mas era novato e me faltava confiança. Era o meu primeiro ataque aéreo. Então só respondi:

Entendido.

Véspera de Ano-Novo. Mantive os F-15 à distância, uns oito quilômetros, para que o barulho dos motores não alertasse os alvos. Quando tudo estava calmo e as condições pareciam corretas, mandei virem.

Viúvo Seis Sete, estamos em posição.

Cara Zero Um, Cara Zero Dois, permissão para atirar.

Permissão para atirar.

Seguiram em disparada para o alvo.

Na minha tela observei enquanto o piloto travava a mira sobre o bunker.

Um segundo.

Dois segundos.

Clarão branco. Estrondo alto. A parede da sala de operações estremeceu. Do teto desceu uma chuva de poeira e estilhaços de pedra.

Ouvi a voz de Cara Zero Um: *Delta Hotel* (No alvo). No aguardo BDA (avaliação de danos de batalha).

Do deserto subiram colunas de fumaça.

Alguns momentos depois… exatamente como eu temia, talibãs vieram correndo pela trincheira. Rosnei para o meu Rover e saí lá fora.

O ar estava frio, o céu de um azul pulsante. Dava para ouvir Cara Zero Um e Cara Zero Dois lá no alto, no encalço. Dava para ouvir o eco das suas bombas. E então veio o silêncio.

Consolei-me pensando: nem todos se safaram. Dez, pelo menos, não conseguiram sair daquela trincheira.

Mesmo assim, uma bomba maior realmente teria feito o serviço.

Da próxima vez, disse a mim mesmo. Da próxima vez, vou confiar no meu instinto.

16.

Fui meio que promovido. Para um pequeno posto de observação acima do campo de batalha. Fazia um bom tempo que o posto andava deixando o Talibã doido. Era nosso, eles queriam e, se não conseguissem tomá-lo, estavam decididos a destruí-lo. Tinham atacado o posto de vigia dezenas de vezes nos meses anteriores à minha chegada.

Poucas horas depois que cheguei, lá vieram eles de novo.

Rifles AK-47 estralando, projéteis assobiando. Era como se alguém estivesse atirando colmeias pela nossa janela. Havia quatro gurcas comigo, e soltaram um míssil Javelin na direção do fogo.

Então me disseram para tomar posição atrás da metralhadora. *Vai lá, saab!*

Entrei no ninho de metralhadora e a segurei pelas enormes alças. Enfiei meus plugs de ouvido e mirei através da tela que pendia da janela. Apertei o gatilho. Foi como se um trem passasse pelo meio do meu peito. O som também parecia o de uma locomotiva. *Rá-tá-tá-tá*. A arma espalhava os projéteis pelo deserto, e as cápsulas vazias saltavam feito pipoca em volta do posto de vigia. Era a primeira vez que eu disparava uma arma daquela. Nem dava para acreditar na sua potência.

Na minha linha de visão direta havia uma lavoura, valas e árvores, tudo abandonado. Varri tudo aquilo. Tinha uma construção velha com duas cúpulas que pareciam os olhos de um sapo. Crivei de balas aquelas duas cúpulas.

Enquanto isso, Dwyer começou a atirar com seus canhões.

Era um caos total.

Não lembro muita coisa depois disso, mas nem precisa — está em vídeo. A imprensa estava lá, ao meu lado, filmando. Odiei que os repórteres estivessem ali, mas tinha recebido ordens de levá-los para dar uma volta.

184

Em troca, concordaram que não divulgariam nenhuma das imagens ou informações que reunissem enquanto eu não saísse do país.

Quantos matamos?, queriam saber.

Não tínhamos certeza.

Número indeterminado, dissemos.

Achei que eu ficaria muito tempo naquele posto. Mas logo após esse dia fui convocado para o norte, para a Base de Operações da Linha de Frente de Edimburgo, em Helmand. Embarquei num Chinook cheio de malas postais, deitado entre elas para me esconder. Quarenta minutos depois eu descia num lamaceiro que batia pelo joelho. *Quando é que choveu?* Mostraram meu alojamento numa casa de sacos de areia. Um catre minúsculo.

E um colega de quarto. Oficial de sinalização estoniano.

Simpatizamos na hora. Ele me deu uma das suas divisas como presente de boas-vindas.

A oito quilômetros dali ficava Musa Qala, cidadezinha que antes tinha sido uma fortaleza do Talibã. Tínhamos capturado o lugar em 2006, depois de um dos piores combates que os soldados britânicos tinham visto em cinquenta anos. Mais de mil talibãs foram derrotados. Mas, após pagar esse preço, logo depois perdemos descuidadamente a cidade. Agora nós a tínhamos retomado outra vez e pretendíamos mantê-la.

E a coisa era feia. Um dispositivo explosivo improvisado (IED) tinha acabado de explodir um dos nossos rapazes.

Além disso, todos na cidade e nos arredores nos desprezavam. Os locais que haviam cooperado conosco tinham sido torturados, as cabeças fincadas em estacas ao longo dos muros da cidade.

Não dava para ganhar nem corações nem mentes.

17.

Saí imediatamente em patrulha. Juntei-me a um comboio de tanques Scimitar partindo da BOLF Edimburgo rumo a Karis De Baba. A estrada nos levou por uma ravina, na qual logo demos com um IED.

O primeiro com que eu me deparava.

Foi tarefa minha chamar os especialistas em bombas. Uma hora mais tarde chegou o Chinook. Encontrei para ele um local seguro para aterrissar, atirei uma granada de fumaça para indicar o melhor lugar e mostrar para que lado o vento estava soprando.

Uma equipe saltou depressa e se aproximou do IED. Trabalho lento e meticuloso. Levou um tempo danado. Enquanto isso, todos nós estávamos completamente expostos. Esperávamos a qualquer instante um contato do Talibã; ouvíamos em volta as motos zunindo. Batedores talibãs, sem dúvida. Verificando a nossa posição. Quando as motos chegavam perto demais, disparávamos sinalizadores, para afastá-los.

Ao longe havia campos de papoulas. Olhei para lá, pensei no famoso poema. *Nos campos de Flandres florescem as papoulas...* Na Grã-Bretanha, a papoula simbolizava a memória, mas aqui era apenas a moeda do país. Todas as papoulas logo seriam transformadas em heroína, cuja venda pagava os projéteis talibãs disparados contra nós e os IEDs deixados para nós nas estradas e ravinas.

Como aquele.

Finalmente os especialistas em bombas explodiram o IED. Uma nuvem em forma de cogumelo subiu pelo ar, tão saturada de areia que parecia totalmente abarrotada.

Então juntaram as suas coisas e foram embora, e nós prosseguimos para o norte, avançando cada vez mais no deserto.

18.

Perto de Karis De Baba, formamos um quadrado com os nossos veículos, a que chamávamos de porto. No dia seguinte, no outro e mais outro, nos arriscamos em patrulhas pela cidade.

Mostrar presença, nos diziam.

Manter-se em movimento, nos diziam.

Manter o Talibã em dúvida, nos diziam. Mantê-los desorientados.

Mas, acima de tudo, a missão de base era dar apoio a uma ofensiva americana em curso. Havia o rugido constante de jatos americanos no céu e explosões num vilarejo próximo. Trabalhávamos muito alinhados aos americanos, envolvendo o Talibã em frequentes trocas de fogo.

Um ou dois dias após montarmos o nosso porto, estávamos numa área alta, observando os pastores à distância. A única coisa que a gente via num raio de quilômetros eram aqueles homens com os seus rebanhos. A cena parecia muito inocente. Mas os pastores estavam chegando perto demais dos americanos, causando-lhes nervosismo. Os americanos dispararam vários tiros de advertência. Inevitavelmente, atingiram um dos pastores. Ele estava numa moto. Da distância onde estávamos, não dava para saber se tinha sido acidental ou deliberado. Vimos o rebanho se dispersar, e então os americanos descerem e pegarem os pastores.

Assim que foram embora, fui até o campo, com alguns soldados fijianos, e peguei a motocicleta. Limpei, apoiei-a de lado. Cuidei dela. Depois que os americanos interrogaram, enfaixaram e liberaram o pastor, ele veio até nós.

Ficou atônito que tivéssemos recuperado a sua moto.

Ficou ainda mais atônito que a tivéssemos limpado.

E quase desmaiou quando a devolvemos a ele.

19.

No dia seguinte, ou talvez dois dias mais tarde, três jornalistas se juntaram ao nosso comboio. Recebi ordens de levá-los ao campo de batalha e dar um giro com eles — com o explícito entendimento de que o embargo às notícias ainda estava em vigor.

Eu estava num tanque Spartan, logo na frente do comboio, com os jornalistas ali dentro. Não paravam quietos e ficavam resmungando comigo. Queriam sair, tirar umas fotos, filmar umas cenas. Mas não era seguro. Os americanos ainda estavam limpando a área.

Eu estava na torre do tanque quando um jornalista deu um tapinha na minha perna e pediu mais uma vez permissão para sair.

Suspirei: *Ok. Mas cuidado com as minas. E fique perto.*

Todos desceram correndo do Spartan e começaram a montar a câmera.

Uns momentos depois, os caras adiante da gente foram atacados. Os disparos passaram chiando por cima de nós.

Os jornalistas gelaram, me olharam paralisados.

Não fiquem aí! Entrem de volta!

Para começo de conversa, eu nem queria que eles estivessem ali, mas acima de tudo não queria que lhes acontecesse nada sob a minha guarda. Não queria a vida de nenhum jornalista na minha lápide. Não conseguiria lidar com a ironia.

Foram horas ou dias depois que soubemos que os americanos tinham soltado um míssil Hellfire no vilarejo mais próximo? Foi grande o número de feridos. Trouxeram de lá um menino num carrinho de mão, subindo a colina, as pernas pendendo de lado. Estavam esfrangalhadas.

Dois homens vieram empurrando o carrinho diretamente até nós. Eu não sabia qual era a relação deles com o menino. Parentes? Amigos? Quando nos alcançaram, não tiveram como dizer. Nenhum dos dois falava inglês. Mas o menino estava num estado lastimável, e fiquei observando enquanto os nossos médicos prontamente começaram a atendê-lo.

Um intérprete tentava acalmar o menino, ao mesmo tempo também buscando saber dos acompanhantes o que havia acontecido.

Como isso aconteceu?

Americanos.

Eu estava me aproximando, mas fui detido por um sargento em seu sexto ano de serviço. *Não, chefe, você não vai querer ver isso. Nunca vai conseguir tirar da cabeça se vir.*

Recuei.

Uns minutos depois, um assobio e então um silvo. Uma explosão enorme atrás de nós.

Senti dentro do cérebro.

Olhei em volta. Todo mundo de bruços. Exceto eu e outros dois.

De onde veio isso?

Alguns dos nossos apontaram na distância. Estavam doidos para devolver o fogo e me pediram permissão.

Sim!

Mas os talibãs que dispararam já tinham sumido. Perdemos a nossa chance.

188

Esperamos até a adrenalina baixar e o zumbido nos ouvidos cessar. Levou um bom tempo. Lembro um dos nossos sussurrando sem parar: *Porra, essa foi por pouco.*

Passamos horas tentando juntar as peças e entender o que tinha acontecido. Alguns achavam que os americanos haviam ferido aquele menino; outros que o menino tinha sido um peão num clássico estratagema talibã. O troço do carrinho de mão tinha sido uma pequena encenação para nos manter no alto da colina, um diversionismo para nos imobilizar, assim o Talibã poderia estabelecer a nossa posição. O inimigo tinha manipulado aquele menino no carrinho e o usou como isca.

Por que o menino e os homens toparam?

Porque, se não topassem, seriam mortos.

Junto com todos os seus entes queridos.

20.

Podíamos avistar as luzes de Musa Qala ao longe. Fevereiro de 2008.

Nossos tanques estavam estacionados na formação de "porto", e comemos nosso jantar de sacos plásticos, conversando em voz baixa.

Depois da refeição, por volta da meia-noite, fui cumprir um turno de operador de rádio. Sentado na traseira de um Spartan, com a porta grande aberta, abaixei a escrivaninha e tomei notas do que ouvia no rádio. Minha única luz era uma lâmpada fraca no alto de uma gaiola de arame. As estrelas no céu do deserto eram mais brilhantes que a lâmpada, e pareciam mais próximas.

Eu estava alimentando o rádio com a bateria do Spartan, por isso de tempos em tempos ligava o motor do blindado para carregar a bateria. Eu não gostava de fazer barulho, com medo de atrair a atenção do Talibã, mas não tinha escolha.

Após algum tempo, arrumei as coisas no Spartan e me servi uma xícara de chocolate quente de uma garrafa térmica, mas aquilo não me aqueceu. Nada conseguiria. No deserto pode fazer muito frio. Eu estava vestido com o fardamento camuflado de combate, botas táticas de deserto, colete acolchoado verde, gorro de lã — e ainda assim estava tiritando de frio.

Ajustei o volume do rádio para tentar captar as vozes em meio aos ruídos e estalidos. Relatórios de missão sendo enviados. Informações sobre entregas do correio. Mensagens passando pela rede do grupo de batalha, nenhuma delas relacionada ao meu esquadrão.

Acho que era por volta de uma da manhã quando ouvi várias pessoas falando sobre Red Fox.

Zero Alfa, o oficial no comando, estava dizendo a alguém que Red Fox isto e Red Fox aquilo... Rabisquei algumas anotações, mas parei de escrever e olhei para as estrelas quando ouvi uma menção ao... Esquadrão C.

As vozes diziam que o tal Red Fox estava encrencado, sem dúvida.

Eu me dei conta de que Red Fox era uma pessoa. O sujeito tinha feito alguma coisa de errado?

Não.

Outros estavam planejando fazer alguma coisa de ruim com ele?

Sim.

A julgar pelo tom das vozes, Red Fox estava prestes a ser assassinado. Bebi um gole do chocolate quente, pisquei para o aparelho de rádio e soube com absoluta certeza que Red Fox era eu.

Agora as vozes estavam dizendo de forma ainda mais explícita que o disfarce de Red Fox havia sido descoberto, que ele estava exposto ao inimigo, que precisava ser extraído imediatamente.

Porra, eu disse. Porra, *porra*.

Num flash, minha mente voltou para Eton. Para a raposa que eu vislumbrara, chapado, da janela do banheiro. Então ela realmente tinha sido um mensageiro do futuro, afinal. *Um dia você vai estar sozinho, tarde da noite, na escuridão, sendo caçado como eu... Aí vai ver o que é bom.*

No dia seguinte saímos em patrulha e eu estava totalmente paranoico, preocupado de ter sido reconhecido. Com um lenço *shemagh* bem apertado no rosto, óculos de esqui de lentes escuras, eu estava alerta e atento ao meu redor, o dedo apertado no gatilho da minha metralhadora.

Ao anoitecer, as Forças Especiais me recolheram e me levaram de helicóptero pelo vale, de volta para a FOB Edimburgo. Aterrissamos na escuridão, e eu não conseguia enxergar nada. Entrei correndo na base, depois numa barraca de lona verde, onde estava ainda mais escuro.

Ouvi um rangido.

Uma luz suave se acendeu.

Diante de mim havia um homem, enroscando uma pequena lâmpada em um soquete pendurado no teto.

Coronel Ed.

Seu rosto comprido parecia ainda mais comprido do que na minha lembrança, ele estava vestindo um longo sobretudo verde, tipo uma coisa saída da Primeira Guerra Mundial. Ele me contou o que tinha acontecido. Uma revista australiana me dedurou, informou ao mundo que eu estava na linha de frente no Afeganistão. A revista era irrelevante, por isso a princípio ninguém notou o vazamento, mas então algum babaca escroto nos Estados Unidos pegou a história, postou em seu site imprestável, e aí a notícia entrou no radar de todos os sanguessugas. Agora estava em toda parte. O segredo mais mal guardado na Via Láctea era a presença do príncipe Harry na província de Helmand.

Então... você está fora.

O coronel Ed se desculpou. Ele sabia que não era nem o momento nem a maneira como eu queria terminar minha missão. Por outro lado, queria que eu soubesse que seus superiores o vinham pressionando havia semanas para me tirar, então tive sorte de minha participação não ter sido mais curta. Eu tinha enganado os poderes constituídos, me esquivei do Talibã e consegui cumprir um período de serviço de duração respeitável com um excelente histórico. Bravo, ele disse.

Eu estava a ponto de implorar para ficar, mas pude ver que não havia a menor chance. Minha presença poria em grave perigo todos ao meu redor. Incluindo o coronel Ed. Agora que o Talibã sabia que eu estava no país, e mais ou menos onde, viria para cima com força máxima para me matar. O Exército não queria que eu morresse, mas era a mesma história de um ano antes: o Exército estava muito mais interessado em que outras pessoas não morressem por minha causa.

Eu compartilhava daquele sentimento.

Apertei a mão do coronel Ed e saí da barraca. Peguei meus poucos pertences, disse algumas palavras rápidas à guisa de despedida, então pulei de volta a bordo do Chinook, que ainda estava com os motores ligados e queimando combustível.

Uma hora mais tarde eu estava de volta a Kandahar.

Tomei banho, fiz a barba, me preparei para embarcar em um avião de grande porte com destino à Inglaterra. Havia outros soldados zanzando de um lado para outro, também esperando para embarcar. O humor deles era muito diferente do meu. Todos estavam exultantes. Indo embora para casa.

Fitei o chão.

No fim das contas, todos começamos a perceber que o processo de embarque estava demorando muito.

Por que a demora?, perguntamos, impacientes.

Um membro da tripulação disse que estávamos esperando um último passageiro.

Quem?

O caixão de um soldado dinamarquês estava sendo posto no compartimento de carga.

Todos ficamos em silêncio.

Quando por fim embarcamos e o avião decolou, a cortina na parte da frente da aeronave se abriu por um breve instante. Pude ver três caras deitados em camas de hospital. Desafivelei meu cinto de segurança, percorri o corredor e encontrei três soldados britânicos em estado grave. Um deles, eu me lembro, tinha horríveis ferimentos decorrentes da explosão de uma bomba caseira. Outro estava embrulhado da cabeça aos pés em plástico. Apesar de estar inconsciente, segurava um tubo de ensaio contendo fragmentos de estilhaços removidos de seu pescoço.

Falei com o médico que cuidava deles, perguntei se os rapazes sobreviveriam. Ele não sabia. Mas me disse que, ainda que escapassem com vida, tinham um caminho muito difícil pela frente.

Senti raiva de mim mesmo por ter sido tão egoísta. Passei o restante do voo pensando nos muitos rapazes e moças que voltavam para casa em situação semelhante, e em todos os que não voltavam para casa. Pensei nas pessoas na Inglaterra que não sabiam porra nenhuma a respeito daquela guerra — por opção própria. Muitas se opunham, mas poucas sabiam de fato alguma coisa. Eu me perguntei por quê. De quem era o trabalho de contar às pessoas?

Ah, sim, pensei. Da imprensa.

21.

Aterrissei em 1º de março de 2008. A entrevista coletiva obrigatória era o obstáculo entre mim e uma refeição de verdade. Prendi a respiração, me dirigi até o repórter escolhido, respondi às perguntas. Ele usou a palavra "herói", o que eu não tolerei. *Os heróis são os caras no avião. Sem mencionar os que ainda estão nas bases de Délhi, Dwyer e Edimburgo.*

Saí da sala direto para encontrar Willy e papai. Acho que Willy me abraçou. Acho que beijei as bochechas de papai. Ele talvez tenha também... apertado meu ombro? Para qualquer um que observasse de longe a cena, teria parecido uma saudação e uma interação familiar normais, mas para nós era uma demonstração extravagante e sem precedentes de afeto físico.

Em seguida os dois me encararam com os olhos arregalados. Eu parecia exausto. Assombrado.

Você parece mais velho, disse papai.

Eu estou.

Entramos no Audi de papai e seguimos em direção a Highgrove. Ao longo do caminho, conversamos como se estivéssemos em uma biblioteca. Aos sussurros.

Como você está, Harold?

Ah, sei lá. Como você está?

Nada mal.

Como está a Kate?

Bem.

Perdi alguma coisa?

Não. O mesmo de sempre.

Abaixei o vidro da janela, observei a paisagem rural passar zunindo. Meus olhos não conseguiam absorver toda aquela cor, todo aquele verde. Respirei o ar puro e me perguntei o que era um sonho: os meses no Afeganistão ou essa viagem de carro? As armas de Dwyer, as cabras decapitadas, o menino no carrinho de mão — isso era a realidade? Ou a realidade eram os macios assentos de couro e a colônia do papai?

22.

Me deram um mês de folga. Passei a primeira parte com meus amigos. Eles souberam que eu estava em casa, me ligaram, me convidaram para tomar uma bebida.

Tá legal, mas só uma.

Um lugar chamado Cat and Custard Pot. Eu: sentado em um canto escuro, tomando um gim-tônica. Eles: rindo e conversando e fazendo todo tipo de planos para viagens e projetos e férias.

Todo mundo parecia falar aos berros. Sempre foram tão barulhentos?

Todos disseram que eu parecia quieto. Sim, eu disse, sim, acho que sim.

Mas por quê?

Nenhum motivo.

Eu só estava com vontade de ficar quieto.

Eu me sentia deslocado, um pouco distante. Às vezes meio que em pânico. Outras vezes, com raiva. *Vocês sabem o que está acontecendo do outro lado do mundo agora?*

Depois de um ou dois dias, liguei para Chels, pedi para vê-la. Implorei. Ela estava na Cidade do Cabo.

E me convidou para ir até lá.

Sim, pensei. É disso que eu preciso agora. Um ou dois dias com Chels e sua família.

Em seguida, ela e eu fugimos para Botsuana, nos encontramos com a turma. Começamos na casa de Teej e Mike. Abraços e beijos calorosos na porta; eles estavam morrendo de preocupação comigo. Aí me deram comida, e Mike não parava de me trazer drinques, e eu estava no lugar que eu mais amava, sob o céu que eu mais amava, tão feliz que em determinado momento achei que meus olhos estavam ficando marejados.

Um ou dois dias depois, Chels e eu fomos passear rio acima em uma casa flutuante alugada, a *Kubu Queen*. Preparávamos refeições simples, dormíamos no convés superior do barco, sob as estrelas. Fitando o Cinturão de Órion, a Ursa Menor, eu tentava relaxar, mas era difícil. A imprensa ficou sabendo da nossa viagem, os paparazzi estavam sempre de olho em nós toda vez que o barco se aproximava da margem.

Após mais ou menos uma semana voltamos a Maun para um jantar de despedida com Teej e Mike. Todos chegaram cedo, mas eu me sentei com Teej, contei a ela um pouco sobre a guerra. Só um pouco. Era a primeira vez que falava sobre isso desde que voltara para casa.

Willy e papai tinham perguntado. Mas não tinham perguntado do mesmo jeito que Teej.

Chelsy também não. Ela agia com cautela em relação a esse assunto porque ainda odiava o fato de eu ter ido? Ou por que sabia que seria difícil para mim falar a respeito? Eu não tinha certeza, e senti que ela não tinha certeza, que nenhum de nós tinha certeza de nada.

Teej e eu conversamos sobre isso também.

Ela gosta de mim, eu disse. *Acho que ela me ama. Mas não gosta da bagagem que vem comigo, não gosta de tudo que vem junto com a realeza, a imprensa e tal, e nada disso nunca irá desaparecer. Então, tem alguma esperança?*

À queima-roupa, Teej perguntou se eu conseguia me ver casado com Chels.

Tentei explicar. Eu adorava o espírito autêntico e livre de inquietações de Chels. Ela nunca se preocupava com o que as outras pessoas pensavam. Usava saias curtas e botas de cano alto, dançava como se não houvesse amanhã, bebia a mesma quantidade de tequila que eu, e eu amava todas essas suas características... mas para mim era impossível não me preocupar com o que a vovó poderia pensar sobre ela. Ou a opinião pública britânica. E a última coisa que eu queria era que Chels tivesse que mudar para se ajustar a essas expectativas.

Eu queria muito ser marido, pai... mas não tinha certeza. *É necessário ser certo tipo de pessoa para aguentar o escrutínio, Teej, e não sei se Chels dá conta de lidar com isso. Eu não sei se quero pedir a ela para lidar com isso.*

23.

A imprensa noticiou avidamente nossa volta à Grã-Bretanha, e todo dia publicava alguma informação sobre minhas escapadas para o apartamento de Chelsy perto do campus da Universidade de Leeds, onde ela morava com duas garotas, em quem eu confiava e que, mais importante, confiavam em mim, e sobre como eu entrava na surdina no apartamento, disfarçado com um moletom com capuz e boné, o que fazia as colegas dela caírem na gargalhada, e sobre como eu adorava fingir ser um estudante universitário, sair para comer pizza e beber em pubs, e que inclusive eu era assolado por dúvidas sobre se havia feito a escolha certa em não cursar a universidade — nada disso, nenhuma palavra disso, era verdade.

Fui duas vezes ao apartamento de Chels em Leeds.

Eu mal conhecia suas colegas de apartamento.

E nunca me arrependi da minha decisão de não cursar a universidade.

Mas a imprensa estava piorando. Agora os jornalistas disseminavam fantasias, fantasmas, enquanto fisicamente perseguiam e assediavam a mim e a todos no meu círculo íntimo. Chels me disse que vinha sendo seguida por paparazzi no caminho de ida e volta das aulas — e me pediu para fazer alguma coisa a respeito.

Prometi que tentaria. Eu disse a ela que lamentava muito.

Quando voltou para a Cidade do Cabo, Chels me ligou para contar que havia gente em sua cola em todos os lugares, e isso a estava deixando louca. Ela não fazia ideia de como sempre sabiam onde ela estava e para onde iria em seguida. Ela estava surtando. Conversei com Marko, que me aconselhou a pedir ao irmão de Chels para verificar a parte de baixo do carro.

Como era de esperar: dispositivo de rastreamento.

Marko e eu sabíamos o suficiente para instruir o irmão dela exatamente sobre o que e onde procurar, porque a mesma coisa já tinha acontecido com muitas outras pessoas ao meu redor.

Mais uma vez, Chels me disse que não tinha certeza se estava preparada para isso. Uma vida inteira sendo acossada?

O que eu poderia dizer?

Eu sentiria muito sua falta, mas entendia completamente seu desejo de liberdade.

Se eu pudesse escolher, também não gostaria de levar essa vida.

24.

Flack, era assim que a chamavam.

Ela era engraçada. E doce. E legal. Eu a conheci em um restaurante com alguns amigos, meses depois que Chels e eu terminamos.

Spike, esta é a Flack.

Oi. O que você faz, Flack?

Ela explicou que trabalhava na TV. Era apresentadora.

Desculpe, eu disse. *Não assisto muita TV.*

O fato de eu não a reconhecer não a surpreendeu nem um pouco, e gostei disso. Ela não tinha um ego inflado.

Mesmo após explicar quem era e o que fazia, eu ainda não sabia ao certo. *Qual é mesmo o seu nome completo?*

Caroline Flack.

Dias depois nos encontramos para jantar e jogar baralho. Noite de pôquer no apartamento de Marko, Bramham Gardens. Após mais ou menos uma hora, saí, disfarçado com um dos chapéus de caubói de Marko para falar com Billy, a Rocha. Ao sair do prédio, acendi um cigarro e olhei para a direita. Ali, atrás de um carro estacionado... dois pares de pés.

E duas cabeças balançando.

Quem quer que fosse, não me reconheceu no chapéu de Marko. Então consegui caminhar tranquilamente até Billy e me debruçar na janela de seu carro de polícia e sussurrar: *Bicho-papão à direita.*

O quê? Ah, não!

Billy, como é que eles sabem?

Não faço ideia.

Ninguém sabe que estou aqui. Eles estão me rastreando? Estão hackeando meu telefone? Ou o telefone da Flack?

Billy saiu correndo do carro, dobrou a esquina e surpreendeu os dois paparazzi. Berrou com eles. Mas eles gritaram de volta. Cheios de si. Cheios de coragem.

Nessa noite eles não conseguiram a almejada foto — uma pequena vitória. Mas logo depois me flagraram com Flack, e essas fotos desencadearam um frenesi. Em questão de poucas horas, uma multidão estava acampada do lado de fora da casa dos pais de Flack, das casas de todos os amigos dela e da casa de sua avó. Um jornal a descreveu como "meio tosca", porque já havia trabalhado em uma fábrica ou algo assim.

Meu Deus, pensei, somos realmente um país de esnobes insuportáveis?

Continuei a me encontrar com Flack de vez em quando, mas já não nos sentíamos livres. Fomos em frente, acho, porque gostávamos genuinamente da companhia um do outro e porque não queríamos admitir a derrota nas mãos daqueles filhos da puta. Mas o relacionamento estava estragado, irremediavelmente, e com o tempo concordamos que a dor e o assédio não valiam a pena.

Sobretudo para sua família.

Adeus, dissemos. Adeus e boa sorte.

25.

Fui com JLP ao Palácio de Kensington para um coquetel com o general Dannatt.

Ao batermos na porta do apartamento do general, eu me senti mais apreensivo do que quando parti para a guerra.

O general e sua esposa Pippa nos receberam calorosamente, parabenizando-me pelo serviço militar que prestei.

Eu sorri, mas depois franzi a testa. Sim, eles lamentavam que minha missão tivesse sido encurtada.

A imprensa... eles estragam tudo, não é?

Estragam, sim, sem dúvida.

O general me serviu gim-tônica. Nós nos sentamos em cadeiras numa área de estar; tomei um bom gole, senti o gim descer e deixei escapar que eu precisava voltar. Precisava completar uma missão inteira e adequada.

O general me encarou. *Oh. Entendi. Bem, se for o caso...*

Ele começou a pensar em voz alta, vasculhando diferentes opções, analisando todas as implicações políticas e ramificações de cada uma.

Que tal... você se tornar piloto de helicóptero?

Uau. Eu recostei na cadeira. Nunca tinha cogitado essa possibilidade. Talvez porque Willy e meu pai — e o vovô e o tio Andrew — fossem pilotos. Eu sempre quis trilhar meu próprio caminho, fazer minhas próprias coisas, mas o general Dannatt disse que esse seria o melhor jeito. O único jeito. Eu estaria mais seguro, por assim dizer, acima da batalha, entre as nuvens. Assim como todos os outros que servissem comigo. Mesmo que a imprensa descobrisse que eu tinha voltado para o Afeganistão, mesmo que fizessem alguma coisa estúpida de novo — mesmo *quando* fizessem alguma coisa estúpida de novo — e daí? O Talibã poderia até saber onde eu estava, mas boa sorte para conseguirem me rastrear no ar.

Quanto tempo até eu me qualificar como piloto, general?

Cerca de dois anos.

Balancei a cabeça. *Muito tempo, senhor.*

Ele encolheu os ombros. *Leva o tempo que leva. E por um bom motivo.* Havia uma grande quantidade de estudo envolvido, ele explicou.

Puta merda. A cada passo, a vida estava determinada a me arrastar de volta para uma sala de aula.

Eu o agradeci, disse que pensaria no assunto.

26.

Mas passei o verão de 2008 sem pensar nisso.

Não pensei muito em nada, além dos três soldados feridos que tinham embarcado comigo no avião na viagem de volta para casa. Eu queria que outras pessoas pensassem neles também, e falassem sobre eles. Pouquíssimas pessoas estavam pensando e falando sobre os soldados britânicos que regressavam do campo de batalha.

Eu usava cada minuto livre tentando descobrir uma maneira de mudar essa situação.

Enquanto isso, o Palácio me mantinha ocupado. Fui enviado para os Estados Unidos, minha primeira viagem oficial de trabalho para lá. (Eu já estivera no Colorado uma vez, fazendo rafting em corredeiras e passeando na Disney com mamãe.) JLP se envolveu na elaboração do itinerário e sabia exatamente o tipo de coisa que eu queria fazer. Eu queria visitar soldados feridos e depositar uma coroa de flores no local do World Trade Center. E queria conhecer as famílias dos que morreram em 11 de setembro de 2001. Ele providenciou tudo isso.

Com relação à viagem, eu me lembro de poucas outras coisas além desses momentos. Olho para trás e leio as histórias sobre o tumulto em todos os lugares aonde eu ia, as frívolas discussões sobre a minha mãe, em grande parte devido ao seu amor pelos Estados Unidos e suas históricas visitas ao país, mas minha maior lembrança é de me sentar para falar com soldados feridos, visitar túmulos de militares, conversar com famílias mergulhadas no luto.

Eu segurava as mãos dessas pessoas, assentia e dizia: *Eu sei*. Acho que um fazia o outro se sentir melhor. O luto se torna um fardo mais leve quando compartilhado.

Voltei à Grã-Bretanha convencido de que era necessário fazer mais por todos os afetados pela guerra ao terror. Eu me esforcei com afinco — me empenhei de verdade. Estava esgotado e não sabia disso, e muitas manhãs acordava me sentindo fraco de cansaço. Mas não via jeito de desacelerar, porque muitas pessoas estavam pedindo ajuda. Havia muita gente sofrendo.

Nessa época tomei conhecimento de uma nova organização britânica: a Help for Heroes. Adorei o que eles estavam fazendo, conscientizando as pessoas quanto à difícil situação dos soldados. Willy e eu estendemos a mão para eles. *Podemos fazer alguma coisa?*

Há uma coisa que vocês podem fazer, sim, disseram os fundadores da instituição, pais de um soldado britânico. *Vocês usariam a nossa pulseira?*

É claro! Nós a usamos numa partida de futebol, com Kate, e o efeito foi eletrizante. A demanda pela pulseira disparou feito um foguete, as doações começaram a chegar aos montes. Foi o início de um longo e significativo relacionamento. Mais ainda: foi um lembrete visceral do poder da nossa plataforma.

Ainda assim, eu fazia a maior parte do meu trabalho nos bastidores. Passei muitos dias no Hospital Selly Oak e no centro de reabilitação de Headley Court, conversando com soldados, ouvindo suas histórias, tentando proporcionar a eles um momento de paz ou uma risada. Eu nunca avisava a imprensa e me recusava a deixar o Palácio fazer isso. Não queria um repórter a menos de dois quilômetros desses encontros, que na superfície poderiam parecer triviais, mas na realidade eram extremamente íntimos.

Você também estava na província de Helmand?

Ah, sim.

Perderam algum companheiro lá?

Sim.

Há alguma coisa que eu possa fazer?

Você está fazendo, cara.

Fiquei ao lado dos leitos de homens e mulheres em condição terrível, e muitas vezes com as famílias dos pacientes. Havia um rapaz enfaixado da cabeça aos pés, em coma induzido. A mãe e o pai dele estavam lá e me disseram que registravam um diário sobre a recuperação do filho; eles me pediram que lesse. Li. Com a permissão deles, escrevi algo para o rapaz ler quando acordasse. Depois nós três nos abraçamos, e quando nos despedimos parecíamos uma família.

Por fim, fui a um centro de reabilitação física e me encontrei com um dos soldados que estavam no meu voo para casa. Ben. Ele me contou que uma bomba caseira havia arrancado seu braço esquerdo e sua perna direita. Era um dia de calor escaldante, ele disse. Estava correndo, ouviu uma explosão, depois teve a sensação de voar seis metros no ar.

Ele tinha a lembrança de *ver* a própria perna deixar seu corpo.

Disse-me isso com um sorriso abatido, mas corajoso.

Um dia antes da minha visita, Ben havia recebido sua nova perna protética. Olhei de relance para baixo. *Muito elegante, cara. Parece bem forte!* Veremos em breve, ele disse. Seu programa de reabilitação requeria que ele subisse e descesse uma parede de escalada nesse dia.

Fiquei por perto, observei.

Ele se acomodou na cadeirinha, agarrou uma corda, se pendurou, balançando parede acima. Chegando ao topo, soltou um empolgado grito de guerra, depois acenou, em seguida desceu.

Fiquei espantado. Nunca senti tanto orgulho — de ser britânico, de ser um soldado, de ser seu irmão de armas. Disse isso a Ben, e disse que queria pagar uma cerveja a ele por ter escalado até o topo daquela parede. Não, não, uma caixa de cerveja.

Ele riu. *Eu não recusaria, cara!*

Ele disse alguma coisa sobre querer correr uma maratona.

Respondi que se ele fizesse isso, quando o fizesse, me encontraria esperando-o na linha de chegada.

27.

No fim do verão, fui a Botsuana para me encontrar com Teej e Mike. Eles haviam produzido recentemente uma obra-prima, a série *Planeta Terra*, de David Attenborough, e alguns outros filmes da BBC, e agora estavam rodando um importante documentário sobre elefantes. Sob o estresse da seca e da invasão de seu hábitat, várias manadas estavam entrando na Namíbia em busca de comida, correndo direto para os braços dos caçadores ilegais — centenas deles, armados com fuzis AK-47. Teej e Mike esperavam que seu filme pudesse lançar luz sobre esse massacre em andamento.

Perguntei se poderia ajudar. Eles não hesitaram. *Claro, Spike.*

Na verdade, eles se ofereceram para me contratar como cinegrafista; eu seria creditado, mas não remunerado.

Desde o primeiro dia eles falaram sobre como eu parecia *diferente*. Não que antes eu não fosse afeito ao trabalho duro, mas claramente tinha aprendido no Exército a seguir ordens. Eles nunca precisavam me dizer nada duas vezes.

Durante as filmagens, em muitas ocasiões, quando estávamos percorrendo o mato na caminhonete, eu olhava ao redor e pensava: Que bizarro. A minha vida inteira eu desprezara fotógrafos e cinegrafistas, porque são pessoas que se especializam em roubar a liberdade dos outros, e agora estava trabalhando como cinegrafista, lutando para preservar a liberdade de majestosos animais. E me sentindo mais livre no processo.

O mais irônico: eu estava filmando veterinários enquanto implantavam dispositivos de rastreamento nos animais. (Os dispositivos ajudariam os pesquisadores a entender melhor os padrões de migração das manadas.) Até então eu não fazia associações muito felizes com dispositivos de rastreamento.

Um dia, filmamos um veterinário atirar um dardo tranquilizante em um enorme elefante-touro para depois acoplar uma coleira de rastreamento no pescoço do animal. Mas o dardo apenas lascou a pele rija do elefante, que conseguiu se recompor e fugiu.

Mike gritou: *Pegue a câmera, Spike! Corra!*

O elefante avançou rasgando os espessos arbustos da savana, ao longo de um caminho arenoso, embora em certos trechos nem houvesse trilha.

O veterinário e eu tentamos acompanhar as pegadas do bicho. Eu mal podia acreditar na velocidade do animal. Ele percorreu oito quilômetros antes de desacelerar e parar. Mantive uma distância segura e, quando o veterinário me alcançou, observei-o disparar outro dardo no elefante. Por fim, o grandalhão desabou.

Momentos depois, Mike chegou na estrondosa caminhonete. *Bom trabalho, Spike!*

Eu estava ofegante, com as mãos nos joelhos, empapado de suor.

Mike olhou para baixo, horrorizado. *Spike, cadê seus sapatos?*

Ah, sim. Eu os deixei na caminhonete. Não dava tempo de pegá-los.

Você correu oito quilômetros... pelo mato... descalço?

Eu ri. *Você me mandou correr. Como você disse, o Exército me ensinou a seguir ordens.*

28.

Bem na virada do Ano-Novo de 2009, um vídeo viralizou.

Eu, como cadete, três anos antes, sentado com outros cadetes.

No aeroporto. Chipre, talvez? Ou talvez esperando para embarcar rumo ao Chipre?

O vídeo fora filmado por mim. Matando o tempo antes do nosso voo, brincando, apontei a câmera para o grupo, fui fazendo um comentário sobre cada um dos rapazes, e quando cheguei ao meu colega cadete e bom amigo paquistanês Ahmed Raza Kahn, eu disse: *Ah, nosso amiguinho páqui...*

Eu não sabia que "páqui" era um insulto. Quando criança, ouvi muitas pessoas usarem essa palavra e nunca vi ninguém se constranger ou se sentir desconfortável, nunca suspeitei de que fosse um termo racista e pejorativo. Tampouco sabia o que era viés inconsciente. Eu tinha 21 anos, mergulhado em isolamento e privilégio, e se alguma vez havia parado para pensar a respeito dessa palavra, achava que era como dizer "aussie" para se referir aos australianos. Inofensiva.

Enviei a filmagem para um colega cadete, que estava preparando um vídeo de fim de ano. A partir daí o filme circulou, passou de computador em computador e acabou nas mãos de alguém que o vendeu para o tabloide *News of the World*.

Começaram a chover acaloradas críticas.

Eu não tinha aprendido nada, as pessoas disseram.

Não tinha amadurecido nem um pouco depois do desastre da fantasia de nazista, as pessoas disseram.

O príncipe Harry é pior que um idiota, disseram, muito pior que um baladeiro — ele é um racista.

O líder do Partido Conservador me denunciou. Um ministro do gabinete apareceu na TV para me açoitar. Na BBC, o tio de Ahmed me condenou.

Sentado em Highgrove, vendo essa enxurrada de furor, eu mal conseguia processar a coisa toda.

O escritório do meu pai emitiu um pedido de desculpas em meu nome. Eu queria emitir um também, mas os cortesãos desaconselharam.

Não é a melhor estratégia, senhor.

Para o inferno com a estratégia! Eu não dava a mínima para a estratégia. Eu me importava com as pessoas não pensarem que eu era racista. Eu me importava em *não ser* racista.

Acima de tudo, eu me importava com Ahmed. Entrei em contato diretamente com ele, pedi desculpas. Ele disse que sabia que eu não era racista. Que aquilo não era nada de mais.

Mas era. E o perdão dele, sua benevolência tranquila, só fez eu me sentir pior.

29.

Enquanto essa controvérsia continuava a se espalhar, embarquei para a base da RAF em Barkston Heath. Um momento estranho para começar meu treinamento como piloto, para começar qualquer tipo de treinamento. Meus poderes de concentração congenitamente fracos nunca estiveram tão fracos. Mas talvez, eu disse a mim mesmo, também fosse a melhor hora. Eu queria me esconder da humanidade, fugir do planeta e, como não havia foguete disponível, talvez um avião servisse.

Antes que eu pudesse embarcar em qualquer aeronave, no entanto, o Exército precisava ter certeza de que eu daria conta do recado. Durante várias semanas eles examinaram e cutucaram meu corpo, sondaram minha mente.

Livre de drogas, concluíram. Pareciam surpresos.

Além do mais, apesar dos vídeos virais indicarem o contrário, eu não era um completo imbecil.

Então... recebi permissão para seguir em frente.

Minha primeira aeronave seria um avião Firefly, eles disseram. Amarelo berrante, asa fixa, monomotor.

Uma máquina simples, de acordo com meu primeiro instrutor de voo, o primeiro-tenente Booley.

Entrei e pensei: Sério? Não me pareceu tão simples.

Eu me virei para analisar Booley. Ele também não era nada simples. Baixinho, robusto, durão, lutou no Iraque e nos Bálcãs. Considerando tudo o que viu e passou, deveria ser um valentão casca-grossa, mas a verdade era que aparentemente não sofrera nenhum efeito negativo de suas missões de combate. Pelo contrário, o homem era uma gentileza só.

Ele precisava ser. Com tanta coisa na minha cabeça, entrei em nossas sessões totalmente transtornado, distraído, e isso era visível. Fiquei esperando Booley perder a paciência, começar a gritar comigo, mas ele nunca fez isso. Na verdade, depois de uma das sessões ele me convidou para um passeio de moto pelo campo. *Vamos desanuviar a cabeça, tenente Wales.*

Funcionou. Como por encanto. E a moto, uma linda Triumph 675, foi um oportuno lembrete do que eu buscava nas aulas de voo. Velocidade e potência.

E liberdade.

E aí descobrimos que não estávamos livres coisa nenhuma: a imprensa nos seguia o caminho todo e nos flagrou na frente da casa de Booley.

Depois de um período de adaptação ao cockpit do Firefly para me familiarizar com o painel de controle, finalmente decolamos. Em um de nossos primeiros voos juntos, sem aviso prévio, Booley jogou a aeronave em estol. Senti a asa esquerda afundar, uma nauseante sensação de desordem, de entropia; em seguida, após vários segundos que pareceram décadas, ele recuperou a aeronave e nivelou as asas.

Eu o fuzilei com o olhar. *Mas que porra...?*

Isso foi uma tentativa de suicídio abortada?

Não, ele respondeu com toda a tranquilidade do mundo. Era a etapa seguinte da minha formação. Inúmeras coisas podem dar errado no ar, ele explicou, e precisava me mostrar o que fazer — mas também como fazer.

Fique. Calmo.

No voo seguinte, ele aprontou a mesma sandice. Mas dessa vez não recuperou a aeronave. Enquanto despencávamos, rodopiando em parafuso em direção ao solo, ele disse: *Está na hora.*

Do quê?

De VOCÊ... FAZER.

Ele olhou para os controles. Agarrei o manche, pressionei o pedal no máximo, endireitei a aeronave para a atitude de voo nivelado no que pareceu ser o último minuto.

Olhei para Booley, esperei pelos cumprimentos.

Nada. Quase nenhuma reação.

Com o tempo, Booley fez aquilo de novo repetidas vezes: desligava o motor, deixava o avião em queda livre. Quando o rangido do metal e o ruído branco do motor parado se tornavam ensurdecedores, ele se virava calmamente para a esquerda e dizia: *Está na hora.*

Na hora?

Você tem o controle.

Eu tenho o controle.

Depois que eu restaurava a potência do avião, depois que voltávamos em segurança para a base, nunca havia alarde. Nem muita conversa. No cockpit de Booley ninguém recebe medalhas simplesmente por fazer o trabalho que tem que fazer.

Por fim, numa manhã límpida, depois de um punhado de circuitos rotineiros sobrevoando o aeródromo, pousamos suavemente e Booley saltou do avião como se o Firefly estivesse pegando fogo.

Qual é o problema?

Está na hora, tenente Wales.

Na hora?

De você voar sozinho.

206

Oh. Tudo bem.

Decolei. (Depois de primeiro ter certeza de que meu paraquedas estava bem amarrado ao corpo.) Dei uma ou duas voltas ao redor da pista, falando comigo mesmo o tempo todo: *Potência total. Mantenha a roda na linha branca da pista. Puxe o manche para cima... devagar! Empine o nariz. Não entre em estol! Vire na subida. Nivele. Certo, agora você está na direção do vento. Verifique seus marcadores de solo.*

Verificações pré-aterrissagem.

Reduza a potência!

Comece a descer na curva.

Pronto, estabilize a aproximação agora.

Controle a inclinação, alinhe com o eixo da pista, alinhe.

Trajetória de voo de três graus, ponha o nariz nas teclas do piano.

Solicite autorização para aterrissagem.

Aponte a aeronave para onde você quer que ela pouse...

Fiz uma aterrissagem sem intercorrências e taxiei para fora da pista. Para uma pessoa comum, teria parecido o voo mais banal da história da aviação. Para mim, foi um dos momentos mais maravilhosos da minha vida.

Eu era um piloto agora? De jeito nenhum. Mas estava no caminho.

Saltei do avião, marchei até Booley. Meu Deus, eu queria cumprimentá-lo com um "toca aqui!", levá-lo para beber, mas isso estava fora de questão.

A única coisa que eu absolutamente não queria fazer era me despedir dele, mas isso precisava acontecer. Agora que eu tinha feito meu voo solo, precisava embarcar na fase seguinte do meu treinamento.

Como Booley gostava tanto de dizer, estava na hora.

30.

Embarquei rumo à base da RAF em Shawbury e descobri que os helicópteros eram muito mais complexos que os Fireflys.

Até mesmo as verificações pré-voo eram mais complicadas.

Olhei para a galáxia de controles e interruptores e pensei: *Como é que vou memorizar tudo isso?*

De alguma forma, memorizei. Aos poucos, sob o olhar atento de meus dois novos instrutores, o primeiro-tenente Lazel e o sargento Mitchell, aprendi todos eles.

Num piscar de olhos, estávamos decolando, os rotores fustigando as nuvens espumosas, uma das sensações físicas mais formidáveis que uma pessoa pode ter. A forma mais pura de voar, em muitos aspectos. A primeira vez que alçamos voo, direto na vertical, pensei: Eu nasci pra isso.

Mas *pilotar* o helicóptero, aprendi, não era a parte mais difícil. Pairar era. Seis longas lições foram dedicadas a essa tarefa, que no início parecia fácil mas logo passou a parecer impossível. Na verdade, quanto mais eu praticava fazer a aeronave pairar, mais impossível parecia.

O principal motivo era um fenômeno chamado "macacos voadores". Logo acima do solo, o helicóptero é vítima de uma diabólica confluência de fatores: fluxo de ar, corrente descendente, gravidade. Primeiro a aeronave balança, depois cambaleia, depois sacode e dá guinadas — como se macacos invisíveis estivessem pendurados em ambos os esquis do trem de pouso, dando violentos puxões. Para pousar o helicóptero você tem que se livrar desses macacos voadores, e a única maneira de fazer isso é... ignorando-os.

Fácil falar. De tempos em tempos os macacos voadores levavam a melhor sobre mim, e era um pequeno consolo saber que também levavam a melhor sobre todos os outros pilotos que estavam fazendo o treinamento comigo. Conversávamos entre nós sobre esses pequenos desgraçados, esses duendes invisíveis. Passamos a odiá-los, a temer a vergonha e a raiva decorrentes de sermos derrotados por eles mais uma vez. Nenhum de nós era capaz de descobrir como restaurar o equilíbrio da aeronave e aterrissar na área designada sem amassar a fuselagem. Ou escapar das derrapadas. Realizar um pouso tendo deixado na pista uma marca torta e comprida — essa era a máxima humilhação.

Chegado o dia dos nossos primeiros voos solo, parecíamos um bando de lunáticos. *Os macacos voadores, os macacos voadores*, era só isso o que se ouvia ao redor do bule e do pote de café. Quando chegou a minha vez, entrei no helicóptero, fiz uma oração, pedi autorização à torre. *Tudo liberado.* Dei a partida no motor, decolei, fiz várias voltas pelo campo, sem problemas, apesar dos ventos fortes.

Chegou a hora H.

Na área de manobra havia oito círculos. Eu tinha que pousar dentro de um. À esquerda do hangar, um prédio de tijolos alaranjados com enormes janelas de vidro, onde os outros pilotos e alunos aguardavam a vez. Eu sabia que eles estavam todos diante daquelas janelas, observando, enquanto eu sentia os macacos voadores se apoderarem do helicóptero, que balançava e chacoalhava. *Caiam fora!*, gritei. *Me deixem em paz!*

Lutei contra os controles e consegui pousar a aeronave dentro de um dos círculos.

Andando dentro do prédio alaranjado, estufei com orgulho o peito e ocupei meu lugar junto às janelas para observar os outros. Suado, mas sorridente.

Nesse dia, vários alunos de pilotagem tiveram que abortar seus pousos. Um foi obrigado a descer num trecho de grama próximo. Outro fez uma aterrissagem tão capenga e instável que caminhões de bombeiros e uma ambulância correram para o local.

Quando ele entrou no prédio alaranjado, pude ver em seus olhos que sentia o que eu também teria sentido se estivesse em seu lugar.

Parte dele desejava, sinceramente, ter morrido carbonizada na queda do helicóptero.

31.

Durante esse período eu morava em Shropshire, com Willy, que também estava treinando para se tornar piloto. Ele encontrou um chalé a dez minutos da base, na propriedade de alguém, e me convidou para ficar com ele. Ou talvez eu mesmo tenha me convidado?

O chalé era aconchegante, charmoso, no alto de uma estreita estradinha rural e atrás de algumas árvores de copas densas. Nossa geladeira vivia abarrotada de refeições embaladas a vácuo enviadas pelos chefs de papai. Frango cremoso e arroz, carne ao curry. Nos fundos da casa havia belos estábulos, o que explicava o cheiro de cavalo em todos os cômodos.

Nós dois gostávamos do esquema: era a primeira vez que morávamos juntos desde os tempos de Eton. Era divertido. E, melhor ainda, estávamos juntos para o momento decisivo e delicioso do triunfal desmoronamento do império midiático de Rupert Murdoch. Depois de meses de investigação, uma gangue de repórteres e editores do mais desprezível dos jornais de Murdoch estava finalmente sendo identificada, algemada e presa sob a acusação de assédio a políticos, celebridades — e à Família Real. A corrupção estava sendo revelada, enfim, e as punições viriam.

Entre os vilões que em breve seriam desmascarados estava o Polegar, aquele mesmo jornalista que muito tempo antes havia publicado uma absurda não história sobre a lesão do meu polegar em Eton. Meu dedo se curou muito bem, mas o Polegar nunca se emendou. Pelo contrário, sua postura ficou ainda pior. Ele subiu na hierarquia do mundo dos jornais, se tornou chefe, com uma equipe inteira de Polegares sob seu comando (comiam na mão dele?), muitos deles hackeando aleatoriamente os telefones das pessoas. Crimes escancarados, sobre os quais o Polegar alegava, de forma risível, nada saber.

Quem mais naufragou? Rehabber Kooks! A mesma editora repugnante que inventou a farsa de que eu tinha sido internado em uma clínica de reabilitação — ela foi "demitida". Dois dias depois, policiais a prenderam.

Ah, o alívio que sentimos ao saber disso. Por nós e pelo nosso país.

Destino semelhante estava para recair sobre os outros, todos conspiradores, perseguidores e mentirosos. Em breve perderiam seus empregos e suas fortunas, adquiridas por meios ilícitos e acumuladas durante uma das mais selvagens ondas de crimes da história britânica.[*]

Justiça.

Fiquei feliz da vida. Willy também. Além do mais, era glorioso enfim confirmar nossas suspeitas e fazer o desagravo do nosso círculo de amigos mais próximos, saber que não éramos paranoicos e doidos. As coisas estavam de fato erradas. Tínhamos sido traídos, como sempre suspeitáramos, mas não por guarda-costas ou nossos melhores amigos. Eram aquelas

---

[*] As acusações de que funcionários do *News of the World* estariam envolvidos em interceptação ilegal de telefones começaram a pipocar em 2006. Em 2007, a Justiça condenou à prisão o correspondente do jornal para assuntos da Realeza, Clive Goodman, e o investigador Glenn Mulcaire, por causa do grampo ilegal de telefones de membros Família Real. (N. E.)

cobras peçonhentas da Fleet Street mais uma vez. E a Polícia Metropolitana, que inexplicavelmente falhou em fazer seu trabalho, sempre se recusando a investigar e prender óbvios infratores da lei, também tinha culpa no cartório.

A pergunta era: por quê? Propina? Conluio? Medo?

Logo descobriríamos.

A opinião pública ficou horrorizada. Se os jornalistas podiam usar para o mal os imensos poderes que lhes eram conferidos, então a democracia estava em péssimas condições. Além do mais, se jornalistas tivessem permissão para escarafunchar e burlar as medidas de segurança necessárias para assegurar a integridade física de figuras notáveis e autoridades do governo, acabariam mostrando aos terroristas como fazer isso também. E aí seria um vale-tudo. Ninguém estaria a salvo.

Durante gerações, os britânicos diziam com uma risada irônica: Ah, bem, é claro que os nossos jornais são uma merda — mas o que se pode fazer? Agora, ninguém estava rindo. E havia um consenso: precisamos fazer alguma coisa.

Um dos jornais dominicais mais populares, o *News of the World*, de Murdoch, respirava por aparelhos. O semanário era o principal culpado no escândalo dos grampos telefônicos ilegais, e sua própria sobrevivência estava em risco. Os anunciantes falavam em fugir, os leitores, em boicotar. Seria possível? O bebezinho de Murdoch — um grotesco bebê de duas cabeças, uma aberração de circo de horrores — estava finalmente fadado à extinção?

Era o início de uma nova era?

Estranho. Embora as notícias tivessem deixado a mim e ao Willy de bom humor, não falávamos muito a respeito disso com todas as letras. Demos muitas risadas naquele chalé, passamos muitas horas felizes conversando sobre todo tipo de coisa, mas raramente em relação a esse assunto. Não sei se porque era doloroso demais. Ou talvez porque fosse uma questão ainda não resolvida. Talvez não quiséssemos dar chance para o azar, então não nos atrevíamos a estourar a rolha do champanhe enquanto não víssemos fotos de Rehabber Kooks e do Polegar dividindo uma cela da prisão.

Ou talvez houvesse entre nós dois alguma tensão sob a superfície, alguma coisa que eu não compreendia por completo. Enquanto dividíamos o chalé, concordamos em conceder uma rara entrevista conjunta, em um hangar de aviões na base de Shawbury, durante a qual Willy desfiou um interminável rosário de reclamações sobre meus hábitos. Harry é um desleixado, ele disse. Harry ronca.

Eu virei e o encarei. Ele estava de brincadeira?

Eu limpava a minha bagunça, e não roncava. Além do mais, nossos quartos eram separados por paredes espessas; portanto, mesmo que eu roncasse, ele não teria como ouvir. Os repórteres tiveram um ataque de risos, mas eu interrompi: *Mentiras! Mentiras!*

Isso só os fez gargalhar ainda mais. Willy também.

Eu ri também, porque muitas vezes brincávamos assim, mas agora, quando olho para trás, não posso deixar de me perguntar se não havia outra coisa em jogo. Eu estava treinando para chegar à linha de frente, o mesmo lugar ao qual Willy vinha se preparando havia anos para chegar, mas o Palácio arruinou os planos dele. O Reserva, é claro, a gente deixa correr de um lado para outro no campo de batalha feito uma galinha com a cabeça decepada, se é disso que ele gosta.

Mas o Herdeiro? Não.

Então, agora Willy estava treinando para ser piloto de helicóptero de busca e salvamento, e talvez, sem fazer alarde, se sentisse frustrado com isso. Se esse era o caso, seu ponto de vista estava equivocado. Willy estava fazendo um trabalho extraordinário e essencial, pensei, salvando vidas toda semana. Eu sentia orgulho dele e enorme respeito pela forma como se dedicava de todo o coração à sua preparação.

Ainda assim, eu deveria ter entendido o que ele sentia. Eu conhecia muito bem o desespero de ser retirado de uma luta para a qual você passou anos se preparando.

32.

De Shawbury fui para Middle Wallop, a escola de treinamento de pilotos da RAF. Agora eu sabia pilotar um helicóptero, o Exército admitia, mas o passo seguinte era aprender a pilotar um deles *taticamente*. Ao mesmo tempo, tinha de fazer outras coisas. Muitas outras coisas. Por exemplo, ler um mapa e localizar um alvo e disparar mísseis e falar nos aparelhos de rádio e fazer xixi dentro de um saco. Multitarefa nas alturas a 140 nós — não é para qualquer um. A bem da verdade, apenas uma em cada mil pessoas era capaz de fazer aquilo, e talvez eu não fosse uma delas. Para realizar esse truque mental Jedi, meu cérebro precisaria primeiro ser remodelado, minhas sinapses reconfiguradas; nessa colossal neurorreengenharia, meu Yoda seria Nigel.

Também conhecido como Nige.

A ele coube a tarefa nada invejável de se tornar meu quarto instrutor de voo, e sem dúvida o mais importante.

A aeronave na qual realizávamos nossas sessões era o Esquilo, o nome coloquial para o pequeno helicóptero monomotor de fabricação francesa em que a maioria dos aspirantes a pilotos britânicos treinava. Mas Nige estava menos focado no Esquilo real em que embarcávamos do que nos esquilos dentro da minha cabeça. Os esquilos que se agitam dentro da cabeça são os mais antigos inimigos da concentração humana, Nige me assegurou. Sem que eu percebesse, eles fixaram residência em minha consciência. Mais sorrateiros do que os macacos voadores, ele disse, e também muito mais perigosos.

A única maneira de se livrar dos esquilos de dentro da cabeça, Nige insistia, era a disciplina de ferro. Dominar um helicóptero é fácil, mas a cabeça exige mais tempo e mais paciência.

Tempo e paciência, pensei, impaciente. Eu não disponho nem de uma coisa nem de outra em abundância, Nige, então vamos pôr mãos à obra o mais rápido possível...

Também é necessário ter um tipo de amor-próprio, disse Nige, e isso se manifesta na forma de confiança. *Confiança, tenente Wales. Acredite em si mesmo... Isso é tudo.*

Eu via a verdade em suas palavras, mas não conseguia me imaginar pondo essa verdade em prática. O fato é que eu *não* acreditava em mim mesmo, não acreditava em muita coisa, muito menos em mim. Toda vez que cometia um erro, o que acontecia com frequência, eu era bastante duro com Harry. A sensação era de que minha mente paralisava feito um motor superaquecido, descia uma névoa vermelha e eu parava de pensar, deixava de funcionar.

213

Não, Nige dizia baixinho sempre que isso acontecia. *Não deixe que um erro destrua este voo, tenente Wales.*

Mas deixei um erro arruinar muitos voos.

Às vezes, meu autodesprezo transbordava para Nige. Depois de desferir um ataque contra mim mesmo, eu ia para cima dele. *Vá se foder, pilote você mesmo esta merda!*

Ele balançava a cabeça. *Tenente Wales, eu não vou tocar nos controles. Nós vamos pousar, você vai nos levar até o solo, e em seguida vamos conversar a respeito de tudo.*

Ele tinha uma determinação hercúlea. A julgar por sua aparência física, ninguém adivinharia. Altura mediana, compleição mediana, cabelos grisalhos penteados para o lado. Usava um macacão verde impecável, óculos de armação clara impecáveis. Ele era um civil da Marinha, um vovozinho bondoso que adorava velejar — um cara de primeira. Mas tinha o coração de um maldito ninja.

E naquele momento eu precisava de um ninja.

33.

Ao longo de vários meses, Nige, o Ninja, conseguiu me mostrar como pilotar um helicóptero e ao mesmo tempo fazer outras coisas, inúmeras outras coisas e, mais ainda, fazer tudo isso com algo que se assemelhava a amor-próprio. Com ele tive aulas de voo, mas penso nelas como lições de vida, e gradualmente as aulas boas foram sendo mais numerosas do que as ruins.

Boas ou ruins, no entanto, o fato é que cada sessão de noventa minutos no Dojo do Esquilo de Nige me deixava moído. Ao aterrissar eu pensava: *Preciso de um cochilo.*

Mas primeiro: a reunião de avaliação.

Era aí que Nige, o Ninja, realmente me fazia comer o pão que o diabo amassou, porque ele não dourava a pílula. Falava sem rodeios e, com toda tranquilidade do mundo, me machucava. Havia coisas que eu precisava ouvir, e ele não se importava em usar um tom de voz ameno para me dizer.

Eu ficava na defensiva.

Ele prosseguia.

Eu o encarava com olhares fulminantes do tipo "te odeio pra sempre".

Ele continuava.

Eu dizia: *Tá legal, tá legal, já entendi.*

Ele prosseguia.

Eu parava de ouvir.

Pobre Nige... Ele prosseguia.

Hoje percebo que Nige foi uma das pessoas mais verdadeiras que já conheci, e ele sabia um segredo sobre a verdade que muitas pessoas não estão dispostas a aceitar: ela *geralmente* é dolorosa. Nige queria que eu acreditasse em mim mesmo, mas essa crença nunca poderia ser baseada em falsas promessas ou falsos elogios. A estrada real para a mestria era pavimentada com fatos.

Não que Nige fosse categoricamente contra elogios. Um dia, quase de passagem, ele disse que eu parecia não ter nenhum... medo. *Se me permite dizer, tenente Wales, você não está muito preocupado com a morte.*

Isso é verdade.

Expliquei que desde os doze anos eu não sentia medo da morte.

Ele assentiu uma vez. Ele entendeu. Seguimos em frente.

34.

Nige finalmente me liberou, me libertou como um pássaro ferido que recobra a saúde; com a certificação dele, o Exército declarou que eu estava pronto para pilotar Apaches.

Só que não — era um truque. Eu não pilotaria Apaches. Eu me sentaria em uma sala de aula sem janelas para *ler* sobre os Apaches.

Pensei: Pode haver algo mais cruel? Eles me prometem um helicóptero e em vez disso me passam um monte de dever de casa?

O curso durou três meses, durante os quais quase enlouqueci. Toda noite eu me arrastava de volta para o meu quarto tipo cela junto ao refeitório dos oficiais e desabafava com algum amigo por telefone, ou então com meu guarda-costa. Cogitei abandonar o curso. Eu nunca quis pilotar Apaches, dizia a todos, petulante. Queria pilotar o Lince. Era mais simples de aprender, e eu voltaria mais rapidamente para a guerra. Mas meu comandante, o coronel David Meyer, rejeitou essa ideia. *Sem chance, Harry.*

Por quê, coronel?

Porque você teve experiência operacional de solo em reconhecimento, você é um excelente controlador aéreo avançado e é um piloto muito bom. Você vai pilotar Apaches.

Mas...

Eu sei disso pelo jeito que você voa, pelo jeito que você lê o chão, isso é o que você está destinado a fazer.

Destinado a fazer? O curso era uma tortura!

No entanto, eu era pontual todos os dias. Chegava com meus fichários repletos de informações sobre os motores do Apache, ouvia com atenção as aulas e pelejava como um louco para acompanhar. Tentei aproveitar tudo o que aprendi com meus instrutores de voo, de Booley a Nige, e lidava com a sala de aula como se fosse uma aeronave caindo. Meu trabalho era recuperar o controle.

Até que um dia... acabou. Eles disseram que eu finalmente teria permissão para sentar no assento do piloto de um Apache de verdade.

Para... taxiamento terrestre.

Vocês estão de brincadeira?

Quatro lições, eles disseram.

Quatro lições... de taxiamento?

No fim ficou claro que quatro aulas mal eram suficientes para absorver tudo o que havia para saber sobre taxiar no solo aquele pássaro enorme. Enquanto eu taxiava, tinha a sensação de que a aeronave estava sobre palafitas, assentada sobre um leito de geleia. Houve momentos em que realmente me perguntei se algum dia seria capaz de realizar as manobras, se toda a jornada chegaria ao fim ali mesmo, antes de começar.

Parte da minha dificuldade eu atribuía à disposição dos assentos na cabine da aeronave. No Firefly e no Esquilo o instrutor estava sempre ao meu lado. Ele poderia estender a mão, consertar meus erros imediatamente, ou então me mostrar o procedimento correto. Booley punha a mão nos controles, ou Nige mexia os pedais, e eu fazia o mesmo. Percebi que muita coisa que aprendi na vida veio desse tipo de imitação do exemplo de alguém. Mais do que a maioria das pessoas, eu precisava de um guia, um guru — um parceiro.

Mas no Apache o instrutor estava na frente ou atrás de mim — invisível. Eu estava completamente sozinho.

35.

A disposição dos assentos acabou se tornando um problema menor. Dia após dia, o Apache parecia menos estranho e, em certos dias, eu até me sentia bem.

Aprendi a ficar sozinho dentro da cabine, a pensar sozinho, a funcionar sozinho. Aprendi a me comunicar com aquela fera grande, veloz, terrível e linda, a falar sua língua, a ouvir quando ela falava. Aprendi a executar habilmente um conjunto de manobras com as mãos, enquanto fazia outras com os pés. Aprendi a apreciar o quanto aquela máquina era milagrosa: inimaginavelmente pesada, mas capaz de operar com a flexibilidade de um bailarino. O helicóptero tecnologicamente mais complexo do mundo, e também o mais ágil. Entendi por que apenas poucas pessoas no planeta sabia pilotar Apaches e por que custava milhões de dólares treinar cada uma dessas pessoas.

E então... chegou a hora de fazer tudo à noite.

Começamos com um exercício chamado "o saco", que era exatamente o que o nome indicava. Dentro da cabine do Apache com as janelas cobertas, o piloto tinha a sensação de estar dentro de um saco de papel pardo. Precisava obter todos os dados sobre as condições fora da aeronave por meio de instrumentos e medidores. Apavorante, inquietante — mas eficaz. O piloto era forçado a desenvolver uma espécie de segunda visão.

Depois levamos o Apache para o céu noturno de verdade, avançamos ao redor da base, aos poucos expandindo nosso raio de ação. Eu estava um pouco trêmulo na primeira vez em que sobrevoamos a planície de Salisbury, pairando por cima dos vales e bosques desolados onde penei e pelejei durante meus primeiros exercícios. Em seguida eu estava voando sobre áreas mais populosas. Depois: Londres. O Tâmisa cintilando no breu.

A roda-gigante London Eye piscando nas estrelas. As Casas do Parlamento, o Big Ben e os palácios. Fiquei curioso para saber se vovó estaria lá dentro e ainda acordada. Será que os corgis estavam se acomodando para dormir enquanto eu fazia giros graciosos sobre suas cabeças peludas?

A bandeira estava hasteada?

Na escuridão, eu me tornei totalmente proficiente com o monóculo, a parte mais surpreendente e emblemática da tecnologia do Apache. Um sensor no nariz do Apache transmitia imagens através de um cabo até a cabine, onde se conectava a outro cabo que alimentava o monóculo preso ao meu capacete, na frente do globo ocular direito. Pelo monóculo eu obtinha todas as minhas informações acerca do mundo exterior. Todos os meus sentidos estavam reduzidos a esse pequeno portal. No começo, meio que parecia escrever com o dedão do pé ou respirar pelo ouvido, mas depois se tornou uma segunda natureza. E por fim se tornou uma coisa mística.

Certa noite, sobrevoando Londres, de repente fiquei cego, e por meio segundo pensei que ia despencar no Tâmisa. Vi cores brilhantes, sobretudo verde-esmeralda, e depois de alguns instantes percebi: alguém em terra firme havia me acertado com uma caneta laser. Fiquei desorientado. E furioso. Mas disse a mim mesmo para me sentir grato pela experiência, pelo treinamento. E também fiquei perversamente agradecido pela lembrança perdida que isso despertou: Mohamed Al-Fayed dando a Willy e a mim canetas laser da Harrods, loja de departamentos da qual ele era dono. Ele era o pai do namorado da mamãe, então talvez estivesse tentando nos conquistar. Se essa era sua intenção, conseguiu. Achamos aqueles lasers geniais.

Nós os brandíamos de um lado para outro, feito sabres de luz.

36.

Já perto do fim do meu treinamento nos helicópteros Apache, no aeródromo de Wattisham, em Suffolk, tive mais um instrutor.

O trabalho dele era dar os toques finais.

No primeiro encontro, enquanto trocávamos um aperto de mãos, ele me olhou com um sorriso cúmplice, de quem sabe das coisas.

Retribuí o sorriso.

Ele continuou sorrindo.

Sorri de volta, mas comecei a ficar curioso: Qual era o motivo?

Achei que ele estava prestes a me fazer um elogio. Ou pedir um favor.

Em vez disso, ele perguntou se eu reconhecia sua voz.

Não.

Ele disse que fez parte da equipe que me extraiu.

Ah, em 2008?

Sim.

Conversamos brevemente pelo rádio naquela noite, eu lembrei.

Eu me lembro do quanto você estava chateado.

Sim.

Dava para ouvir na sua voz.

Sim. Fiquei arrasado.

Ele abriu um sorriso mais largo. *E agora, olha só pra você.*

37.

Em poucos dias eu completaria 25 anos, e parecia mais do que apenas mais um aniversário. Amigos me disseram que essa idade era o Divisor de Águas, o momento em que muitos rapazes e moças chegam a uma bifurcação em seu caminho pessoal. Aos 25 a pessoa dá um passo concreto para a frente... ou então começa a escorregar para trás. Eu estava pronto para seguir em frente. De muitas maneiras, sentia que durante anos andara marcando bobeira.

E recordei que isso era uma coisa de família, que a idade de 25 anos era um marco importante para muitos de nós. A vovó, para citar um exemplo. Aos 25 ela se tornou a 61ª monarca da história da Inglaterra.

Então decidi marcar esse meu importante aniversário com uma viagem. Botsuana, mais uma vez.

A turma toda estava lá; entre fatias de bolo e coquetéis, disseram que eu parecia diferente — de novo. Depois da minha primeira missão de combate, eu parecera mais velho, mais duro. Mas agora, diziam, eu parecia mais... pé no chão.

Estranho, pensei. De tanto ficar no céu por causa dos treinamentos de voo... eu me tornei mais pé no chão?

Ninguém me fez mais elogios ou deu mais demonstrações de carinho do que Teej e Mike. Certo dia, no entanto, já tarde da noite, Mike sentou comigo para uma conversa séria. À mesa da cozinha, falou longamente sobre minha relação com a África. Chegou a hora, ele disse, de essa relação mudar. Até então, da minha parte era só pegar, pegar, pegar — uma dinâmica bastante típica para os britânicos na África. Mas agora eu precisava retribuir. Durante anos ouvi Mike, Teej e outros lamentarem as crises que o lugar enfrentava. Mudanças climáticas. Caça ilegal. Secas. Incêndios. Eu era a única pessoa que eles conheciam com algum tipo de influência, que tinha uma espécie de megafone de ressonância global — a única pessoa que poderia realmente fazer alguma coisa.

O que eu posso fazer, Mike?

Jogue um pouco de luz.

38.

Nosso grupo se amontoou em chatas para subir o rio.

Acampamos por alguns dias, exploramos algumas ilhas remotas. Não havia vivalma por quilômetros e quilômetros ao redor.

Numa tarde, paramos em uma ilha chamada Kingfisher, preparamos coquetéis e assistimos ao pôr do sol. A chuva fazia a luz parecer rosada. Ouvimos música, tudo suave, irreal, e perdemos a noção do tempo. Na hora de ir embora, de volta para o rio, de repente nos deparamos com dois grandes problemas.

Escuridão.

E uma baita tempestade.

Dois problemas que ninguém quer encontrar no Okavango. E os dois ao mesmo tempo? Estávamos em apuros.

Aí veio a ventania.

No breu, no turbilhão, era impossível navegar pelo rio. A água se erguia, furiosa, e caía com força. Além disso, o piloto do nosso barco estava bêbado. Estávamos batendo nos bancos de areia.

Pensei: hoje pode ser o nosso fim neste rio.

Aos berros, anunciei que ia assumir o leme.

Eu me lembro dos relâmpagos brilhantes, dos estrondos sísmicos de trovões. Éramos doze em dois barcos, e ninguém dizia uma palavra. Até mesmo os que tinham mais experiência na África se sentiam tensos, embora tentássemos fingir que estávamos no controle — prova disso é que deixamos a música rolando em alto e bom som.

De repente o rio se estreitou. Em seguida, fez uma curva brusca. Estávamos desesperados para voltar, mas tínhamos que ter paciência. Obedecer ao rio. Ir para onde ele nos levasse.

Nesse exato instante, um imenso clarão. Tudo se iluminou como se fosse meio-dia por cerca de dois segundos, tempo suficiente para vermos, bem diante de nós, no meio do rio, uma manada de enormes elefantes.

No átimo de claridade intensa, troquei um olhar com um deles. Vi suas presas brancas como a neve se erguerem, vi cada ruga e fissura em sua pele escura e molhada, a dura linha da água acima de seus ombros. Vi suas gigantescas orelhas em forma de asas de anjo.

Alguém sussurrou: *Puta merda.*

Alguém desligou a música.

Ambos os pilotos desligaram os motores.

Em silêncio total, flutuamos no rio cheio, esperando o próximo relâmpago. Veio a descarga de luz, e lá estavam elas de novo, aquelas criaturas majestosas. Dessa vez, quando encarei o elefante mais próximo de mim, quando fitei profundamente seu globo ocular, quando ele cravou o olhar no meu, pensei no olho que tudo vê do Apache e pensei no diamante Koh--i-Noor, e pensei na lente de uma câmera, convexa e vítrea como o olho do elefante, exceto que toda lente de câmera sempre me deixava nervoso, ao passo que aquele olho me fez sentir seguro. O olho do elefante não estava me julgando, não estava tirando nada de mim — apenas *estava lá.* Quando muito, o olho estava ligeiramente... lacrimejante? Isso era possível?

Os elefantes são conhecidos por chorar. Eles realizam funerais para entes queridos e, quando encontram um elefante desconhecido morto no mato, param e prestam suas condolências. Nossos barcos estavam se intrometendo em alguma dessas cerimônias? Algum tipo de reunião? Ou talvez tivéssemos interrompido algum tipo de ensaio. Da Antiguidade vem a história do elefante que foi observado praticando secretamente complicados passos de dança que ele precisaria realizar em um desfile vindouro.

A tempestade estava recrudescendo. Tínhamos que ir embora. Religamos os motores dos barcos e partimos. Adeus, sussurramos para os elefantes. Entrei no meio da correnteza, acendi um cigarro, pedi à minha memória para guardar esse encontro, esse momento irreal em que a linha entre mim e o mundo externo ficou borrada ou desapareceu por completo.

Durante meio segundo, tudo se tornou uma coisa só. Tudo fez sentido.

Tente se lembrar, eu disse, da sensação de estar tão perto da verdade, da verdade verdadeira:

Que a vida não é de todo boa, mas também não é de todo má.

Tente se lembrar de como foi, finalmente, entender o que Mike estava tentando dizer.

Jogue um pouco de luz.

39.

Recebi minhas insígnias de aviador. Na condição de coronel em chefe do Corpo Aéreo do Exército, papai prendeu-as no meu peito.

Maio de 2010.

Dia feliz. Papai, usando sua boina azul, oficialmente me presenteou com a minha. Eu a vesti e prestamos continência um para o outro. Pareceu quase mais íntimo do que um abraço.

Camilla estava lá. E as irmãs da mamãe. E Chels. Eu e ela estávamos juntos de novo.

E logo depois terminamos.

Não tivemos escolha — mais uma vez. Ainda enfrentávamos os mesmos velhos problemas, nada havia sido resolvido. Além disso, Chels queria viajar, se divertir, ser jovem, mas eu estava novamente a caminho da guerra. Em breve seria despachado para uma missão. Se ficássemos juntos, teríamos sorte de nos ver algumas poucas vezes ao longo dos dois anos seguintes, e isso não era um relacionamento. Nenhum de nós ficou surpreso quando nos vimos no mesmo velho beco sem saída emocional.

Adeus, Chels.

Adeus, Hazza.

No dia em que ganhei minhas insígnias, acho que Chels ganhou suas asas.

Fomos a Botsuana uma última vez. Uma derradeira viagem rio acima, dissemos. Uma última visita a Teej e Mike.

Nós nos divertimos muito e, naturalmente, hesitamos quanto à nossa decisão. Vez ou outra eu ainda tentava articular diferentes maneiras de a gente conseguir fazer aquilo funcionar. Chels fingia que concordava. Estávamos delirando, de um jeito tão óbvio e deliberado que Teej sentiu a necessidade de intervir.

Acabou, crianças. Vocês estão adiando o inevitável. E enlouquecendo no processo.

Estávamos instalados numa barraca no jardim de sua casa. Ela sentou conosco na barraca e falou essas verdades difíceis de mãos dadas com ambos. Olhando-nos nos olhos, ela insistiu que nosso rompimento tinha de ser definitivo.

Não desperdicem o que existe de mais precioso. O tempo.

Ela estava certa, eu sabia. Como dizia o primeiro-tenente Booley: Está na hora.

Assim, me obriguei a tirar da cabeça esse relacionamento — na verdade, todos os relacionamentos. *Mantenha-se ocupado*, eu disse a mim mesmo no voo que me levou embora de Botsuana. *No pouco tempo que resta antes de você embarcar para o Afeganistão, mantenha-se ocupado.*

Para tanto, fui a Lesoto com Willy. Visitamos várias escolas construídas pela Sentebale. O príncipe Seeiso estava conosco; ele cofundou a instituição de caridade comigo em 2006, pouco depois de perder a mãe. (Que também havia lutado na guerra contra o HIV.) Ele nos levou para conhecer dezenas de crianças, cada uma delas com uma história dolorosa. A expectativa média de vida em Lesoto naquela época era de quarenta e poucos anos, enquanto na Grã-Bretanha era de 79 para os homens e 82 para as mulheres. Ser criança em Lesoto equivalia a ser de meia-idade em Manchester e, embora houvesse várias razões complexas para essa taxa, a principal era o HIV.

Um quarto de toda a população adulta de Lesoto era de soropositivos.

Depois de dois ou três dias nos despedimos do príncipe Seeiso e partimos para escolas mais remotas, isoladas. Longínquas. Como presente de despedida, o príncipe Seeiso nos deu pôneis selvagens, para montarmos em parte do caminho, e cobertores tribais para o frio, que usamos como capas.

Nossa primeira parada foi num vilarejo congelante nas nuvens: Semonkong. Cerca de 2 mil metros acima do nível do mar, ficava em meio a montanhas cobertas de neve. Baforadas de ar quente jorravam dos focinhos dos cavalos enquanto subíamos a duras penas, cada vez mais alto, mas quando a trilha ficou muito íngreme, mudamos para caminhonetes.

Ao chegar, seguimos direto para a escola. Lá nos disseram que meninos pastores vinham duas vezes por semana, comiam uma refeição quente, depois iam para a aula. Willy e eu sentamos na penumbra, ao lado de um lampião de parafina, assistindo a uma das aulas, e depois sentamos no chão com uma dúzia de meninos, alguns com apenas oito anos. Nós os ouvimos descrever sua jornada diária para chegar à escola. Era inacreditável: depois de doze horas cuidando do gado e das ovelhas, eles caminhavam a pé por duas horas, atravessando desfiladeiros nas montanhas, apenas para aprender matemática, ler e escrever, tamanha a fome de conhecimento. Enfrentavam pés doloridos, frio intenso — e coisas muito piores. Percorrendo as estradinhas, eram tão vulneráveis, tão expostos às intempéries que vários morreram atingidos por raios. Muitos eram atacados por cães desgarrados. Baixando a voz, contaram que muitos também haviam sofrido abusos sexuais de andarilhos, ladrões, nômades e outros meninos.

Senti vergonha ao pensar em todas as minhas reclamações sobre a escola. Sobre qualquer coisa.

Apesar dos sofrimentos, os meninos ainda eram meninos. A alegria deles era irrefreável. Eles se emocionaram com os presentes que lhes trouxemos — casacos quentes, gorros de lã. Vestiram as roupas, dançaram, cantaram. Nós nos juntamos a eles.

Um dos meninos ficou de lado. Tinha o rosto redondo, aberto, transparente. Havia obviamente um fardo terrível em seu coração. Achei que seria invasivo perguntar. Mas eu tinha mais um presente na minha bolsa, uma lanterna, que dei a ele.

Eu lhe disse que esperava que a lanterna iluminasse seu caminho, a cada dia, para a escola.

Ele sorriu.

Eu quis dizer a ele que seu sorriso iluminaria o meu caminho. Tentei.

Infelizmente, meu sesoto não era lá muito bom.

40.

Logo depois que voltamos para a Grã-Bretanha, o Palácio anunciou que Willy ia se casar.

Novembro de 2010.

Uma novidade para mim. Todo aquele tempo juntos em Lesoto e ele nunca mencionou nada.

Os jornais publicaram floreadas histórias sobre o momento em que percebi que Willy e Kate eram um par perfeito, o momento em que tomei consciência da profundidade de seu amor e, assim, decidi presentear Willy com o anel que herdei de mamãe, a lendária safira, um momento de ternura entre irmãos, um momento de sólida união entre nós três, e uma bobagem completa: nada disso jamais aconteceu. Eu nunca dei o tal anel para Willy, porque o anel não era meu. O anel já pertencia a ele. Willy pediu a joia logo depois que mamãe morreu, quando dividimos as coisas dela, e eu fiquei mais do que feliz em deixá-lo ficar com a safira.

Agora, enquanto Willy se concentrava nos preparativos do casamento, eu lhe desejei boa sorte e abruptamente me ensimesmei. Pensei muito sobre minha vida de solteiro. Sempre imaginei que me casaria antes do meu irmão, porque queria muito. Sempre supus que seria um jovem marido, um jovem pai, porque tinha tomado a decisão de não me tornar meu pai. Ele só veio a ser pai quando já era mais velho, e sempre senti que isso criava problemas, erguia barreiras entre nós. Na meia-idade, tornou-se mais sedentário, mais afeito a hábitos. Ele gostava de suas rotinas. Não era o tipo de pai disposto a passar intermináveis horas brincando de pega-pega ou jogando bola até muito depois do anoitecer. Um dia ele tinha sido assim. Corria atrás de nós por toda Sandringham, inventando brincadeiras

225

maravilhosas, como uma em que nos enrolava dentro de cobertores, feito cachorros-quentes, e ríamos a ponto de perder o fôlego, e aí ele puxava o cobertor e nos arremessava do outro lado do quarto. Acho que nunca mais na vida Willy e eu demos tantas gargalhadas. Porém, muito antes de estarmos prontos, ele parou de se envolver nesse tipo de atividade. Simplesmente não tinha o entusiasmo — a faísca.

Mas eu teria, sempre prometi a mim mesmo. Eu teria.

Agora eu tinha dúvidas e me perguntava: Será?

Foi o verdadeiro eu quem fez a promessa de se tornar um jovem pai? Ou o verdadeiro eu era essa pessoa lutando para encontrar a mulher certa, a parceira certa, enquanto ao mesmo tempo também se esforçava para descobrir quem era?

Por que essa coisa, que eu supostamente quero tanto, não está acontecendo?

E se nunca acontecer? Minha vida terá significado? Qual será meu propósito essencial?

A guerra, pensei. Quando tudo o mais fracassasse, como sempre acontecia, eu ainda teria a vida de soldado. (Se pelo menos definissem logo a data da minha convocação.)

E depois das guerras, pensei, sempre haverá o trabalho de caridade. Desde a viagem a Lesoto, eu me sentia mais entusiasmado do que nunca para dar continuidade às causas da mamãe. E estava determinado a assumir a causa de que Mike me incumbira na nossa conversa à mesa da cozinha em sua casa. Isso é o suficiente para uma vida plena, eu disse a mim mesmo.

Pareceu um acaso, portanto, uma síntese de todo o meu pensamento, quando ouvi um grupo de soldados feridos planejar uma viagem ao Polo Norte. Eles esperavam arrecadar milhões para a ONG Walking With the Wounded, e também se tornar os primeiros amputados a chegar ao polo sem apoio externo. E me convidaram para me juntar a eles.

Eu queria aceitar. Estava morrendo de vontade de dizer "sim". Apenas um problema: a viagem seria no início de abril, perigosamente perto da data anunciada do casamento de Willy. Eu teria que chegar lá e voltar sem imprevistos, ou correria o risco de perder a cerimônia.

Mas o Polo Norte não era um lugar ao qual você poderia ter certeza de chegar e partir sem enfrentar problemas. O Polo Norte era um lugar de infinitos percalços. Sempre havia variáveis, em geral relacionadas ao clima. Portanto, eu estava nervoso com a perspectiva, e o Palácio estava duplamente nervoso.

Pedi conselhos a JLP.

Ele sorriu. *É uma oportunidade única na vida.*

Sim, é.

Você tem que ir.

Mas primeiro, ele disse, havia outro lugar aonde eu precisava ir.

Em uma continuação direta das conversas que ele e eu iniciáramos cinco anos antes, depois do meu desastre nazista, ele organizou uma viagem a Berlim.

E então. Dezembro de 2010. Um dia de frio extremo. Toco com a ponta dos dedos os buracos de bala nos muros da cidade, as cicatrizes ainda recentes da insana promessa de Hitler de lutar até o último homem. Eu estava no antigo local do Muro de Berlim, onde ficavam também as câmaras de tortura da SS, e jurei ser capaz de ouvir no vento os ecos de gritos agonizantes. Conheci uma mulher que foi enviada para Auschwitz. Ela descreveu seu confinamento, os horrores que viu, ouviu, cheirou. Suas histórias eram, em igual medida, difíceis de ouvir e vitais. Mas não vou contá-las aqui. Não cabe a mim.

Havia muito eu entendera que a foto em que apareço vestindo um uniforme nazista tinha sido o resultado de várias falhas — falha de pensamento, falha de caráter. Mas foi também uma falha na minha educação. Não apenas a educação escolar, mas a autoeducação. Eu não sabia o suficiente sobre os nazistas, não tinha aprendido o suficiente, não tinha feito perguntas suficientes a professores, famílias e sobreviventes.

Eu tinha resolvido mudar isso.

Enquanto não mudasse isso, não poderia me tornar a pessoa que eu esperava ser.

41.

Meu avião pousou em um arquipélago chamado Svalbard. Março de 2011.

Ao desembarcar, virei lentamente o corpo, contemplando tudo. Branco, branco e mais branco. Até onde a vista alcançava, nada além de brancura nevada cor de marfim. Montanhas brancas, dunas de neve brancas, colinas brancas e, por entre elas, estradas brancas e estreitas, não muitas. A maioria dos 2 mil residentes locais tinha uma moto de neve em vez de carro. A paisagem era tão minimalista, tão escassa, que pensei: Talvez eu me mude para cá.

Talvez *este* seja o meu propósito.

Mas aí descobri a lei local que proíbe qualquer morador de sair da cidade *sem* uma arma, porque as colinas além eram patrulhadas por ursos-polares desesperadamente famintos, e pensei melhor: Talvez não.

Entramos em uma cidadezinha chamada Longyearbyen, a mais setentrional da Terra, a apenas 1300 quilômetros do ápice do planeta. Conheci meus companheiros de caminhada. O capitão Guy Disney, um cavalariano que perdeu a parte inferior da perna direita para uma granada lançada por foguete. O capitão Martin Hewitt, paraquedista cujo braço ficou paralisado depois que foi baleado. O soldado Jaco Van Gass, outro paraquedista, que perdeu grande parte da perna esquerda e metade do braço esquerdo também por causa de uma granada lançada por foguete. (Ele deu à ponta restante do braço um apelido engraçado, Nemo, o que sempre nos fazia rir.) O sargento Steve Young, galês que sofreu uma lesão na coluna vertebral devido à explosão de uma bomba caseira. Os médicos disseram que ele nunca mais andaria, e agora Steve estava prestes a rebocar um trenó de noventa quilos para o Polo Norte.

Um grupo inspirador. Eu lhes disse que estava honrado por me juntar a eles, honrado simplesmente por estar em sua companhia, apesar da temperatura de quarenta graus negativos. Na verdade, o tempo estava tão ruim que adiou nossa partida.

Ai, o casamento de Willy, pensei, com o rosto entre as mãos.

Passamos vários dias esperando, treinando, comendo pizza e batatas fritas no pub local. Fazíamos alguns exercícios para nos aclimatarmos às temperaturas inclementes. Vestidos com trajes de mergulho alaranjados,

228

pulávamos dentro do oceano Ártico. Chocante constatar que a água estava mais quente do que o ar brutalmente frio.

Mas essa demora serviu sobretudo para nos conhecermos, criarmos laços.

Quando o tempo finalmente melhorou, subimos a bordo de um Antonov e voamos até um acampamento improvisado no gelo, depois embarcamos em helicópteros e voamos para um local a 320 quilômetros do polo. Era cerca de uma da manhã quando pousamos, mas estava claro como o meio-dia no deserto. Lá em cima não havia escuridão: a escuridão havia sido banida. Despedimo-nos dos helicópteros e iniciamos a jornada a pé.

Especialistas em condições do Ártico pediram aos membros da equipe que evitassem transpirar, porque no Polo Norte qualquer umidade congela instantaneamente, o que causa todo tipo de problemas. Mas ninguém me disse isso. Eu tinha perdido essas sessões de treinamento com os especialistas. Então lá estava eu, depois do primeiro dia de caminhada, depois de arrastar trenós pesados, o suor jorrando, e, como esperado, minhas roupas estavam virando gelo sólido. O mais alarmante é que eu estava começando a notar os primeiros indícios de problemas em meus dedos e orelhas.

Os primeiros estágios de ulcerações pelo excesso de frio.

Não reclamei. Como eu poderia, naquele grupo? Tampouco tive vontade de reclamar. Apesar do desconforto, senti apenas gratidão por estar com esses heróis, por servir a uma causa tão nobre, por ver um lugar que pouquíssimas pessoas têm a chance de ver. Na verdade, no quarto dia, quando chegou a hora de ir embora, eu não queria. Além disso, ainda não havíamos chegado ao polo.

Infelizmente, eu não tinha escolha. Era partir naquele momento ou perder o casamento do meu irmão.

Entrei em um helicóptero com destino ao aeródromo de Barneo, de onde meu avião decolaria.

O piloto hesitou. Ele insistiu que eu precisava ver o Polo antes de voltarmos para casa. *Você não pode vir até aqui e não ver*, ele me disse. Então me levou até lá e descemos no meio de uma nevasca. Juntos, localizamos o lugar exato com um GPS.

De pé no topo do mundo.

Sozinho.

229

Segurando a bandeira do Reino Unido.

De volta ao helicóptero, partimos para Barneo. Mas naquele exato momento uma forte tempestade chegou assolando o topo da Terra, cancelando meu voo, cancelando todos os voos. Ventos de furacão fustigaram a área, tão intensos que racharam as pistas do aeródromo.

Seria necessário fazer reparos.

Enquanto esperava, me juntei a um grupo de engenheiros. Bebemos vodca, sentamos na sauna que eles improvisaram e depois mergulhamos no oceano gelado. Inúmeras vezes joguei a cabeça para trás, bebi mais uma deliciosa dose de vodca e disse a mim mesmo para não me estressar com a pista de decolagem, nem com a cerimônia de casamento, nem com qualquer outra coisa.

A tempestade passou, a pista foi reconstruída, ou transferida de lugar, não lembro. Meu avião desceu rugindo pelo gelo e me levou céu azul adentro. Acenei pela janela. Adeus, meus irmãos.

42.

Na véspera do casamento, Willy e eu jantamos na Clarence House com papai. Também estavam presentes James e Thomas — os padrinhos de Willy.

O público havia sido informado de que eu seria o padrinho, mas isso era uma mentira deslavada. O público esperava que eu fosse o padrinho e, portanto, o Palácio não teve escolha a não ser dizer que eu era. Na verdade, Willy não queria que eu fizesse um discurso de padrinho. Não achava seguro me entregar um microfone e me deixar em posição de sair do roteiro. Havia o risco de eu dizer alguma coisa totalmente inapropriada.

Errado ele não estava.

Além disso, a mentira servia para proteger James e Thomas, dois civis, dois inocentes. Se tivessem sido apontados como os padrinhos de Willy, a imprensa raivosa os teria perseguido, rastreado, hackeado, investigado, arruinado a vida de suas famílias. Ambos eram sujeitos tímidos, discretos. Não seriam capazes de lidar com esse massacre, e nem poderíamos esperar que fossem.

Willy me explicou tudo isso e eu nem sequer pestanejei. Entendi. Até rimos, imaginando as coisas impróprias que eu poderia dizer no meu discurso. Assim, o jantar pré-casamento foi agradável, alegre, apesar de Willy estar visivelmente sofrendo do nervosismo comum dos noivos. Thomas e James o forçaram a beber algumas doses de rum e Coca-Cola, o que pareceu acalmar seus nervos. Enquanto isso, entretive o grupo com histórias do Polo Norte. Papai mostrou muito interesse, e foi solidário com o desconforto de minhas orelhas e bochechas congeladas; tive de me esforçar para não compartilhar demais e acabar contando também sobre meu pênis igualmente sensível. Quando voltei para casa, fiquei horrorizado ao constatar que minhas regiões inferiores também estavam com lesões por congelamento e, embora as orelhas e as bochechas já estivessem sarando, meu pau não estava.

O problema se agravava a cada dia.

Não sei por que eu deveria hesitar em discutir meu pênis com papai, ou com qualquer um dos cavalheiros presentes. Meu pênis era uma questão de registro público e, verdade seja dita, objeto de certa curiosidade pública. A imprensa já havia escrito caudalosamente a respeito. Havia inúmeras histórias em livros e matérias em jornais (até mesmo no *New York Times*) sobre o fato de Willy e eu não sermos circuncidados. Mamãe havia proibido, diziam, e embora seja a mais pura verdade que a chance de sofrer uma lesão peniana por frio é muito maior se você não for circuncidado, todas as histórias eram falsas. Meu prepúcio foi cortado quando eu era bebê.

Depois do jantar, fomos para a sala de TV e assistimos ao noticiário. Repórteres estavam entrevistando pessoas acampadas do lado de fora da Clarence House, na esperança de conseguir um lugar na primeira fila do casamento. Fomos até a janela e olhamos para a multidão, milhares de pessoas em barracas e sacos de dormir, subindo e descendo a Mall, avenida que fica entre o Palácio de Buckingham e a Trafalgar Square. Muitas bebiam, cantavam. Algumas cozinhavam refeições em fogareiros portáteis. Outras zanzavam, cantavam, celebravam, como se *elas* fossem se casar pela manhã.

Animado pelo rum, Willy gritou: *A gente tem que ir até lá e ver de perto!*

Ele mandou uma mensagem de texto para sua equipe de segurança comunicando sua vontade.

A equipe de segurança respondeu: *Fortemente desaconselhável.*

Não, ele disparou em resposta. *É a coisa certa a fazer. Eu quero ir lá fora. Preciso ver as pessoas!*

Ele me pediu para ir junto. Implorou.

Eu podia ver em seus olhos que o rum estava realmente batendo forte. Ele precisava de um coadjuvante.

Um papel ao qual eu estava dolorosamente acostumado. Mas tudo bem.

Saímos, andamos à beira da multidão, apertando mãos. As pessoas desejaram tudo de bom para Willy, expressaram o quanto o amavam, amavam Kate. Elas nos ofereceram os mesmos sorrisos chorosos, os mesmos olhares de carinho e pena que vimos naquele dia em agosto de 1997. Não pude deixar de balançar a cabeça. Lá estávamos nós, na véspera do Grande Dia de Willy, um dos mais felizes de sua vida, e simplesmente não havia como evitar os ecos de seu Pior Dia. Nosso Pior Dia.

Olhei para ele várias vezes. Suas bochechas estavam vermelho-fogo, como se fosse ele quem padecia de lesões por congelamento. Talvez tenha sido por isso que nos despedimos da multidão, voltamos cedo. Ele estava meio bêbado.

Mas é que além disso estávamos emocional e fisicamente esgotados. Precisávamos de descanso.

Fiquei chocado, portanto, quando fui buscá-lo pela manhã e ele parecia não ter pregado o olho. Seu rosto estava encovado, os olhos vermelhos.

Você está bem?

Sim, sim, estou ótimo.

Mas não estava.

Ele vestia o reluzente uniforme vermelho da Guarda Irlandesa, não seu uniforme com sobrecasaca da Cavalaria da Guarda Real. Eu me perguntei se esse era o problema. Ele perguntou a vovó se poderia usar o traje de gala da Cavalaria da Guarda Real, mas ela recusou. Na qualidade de Príncipe Herdeiro, ele era obrigado a envergar o Cerimonial Número Um, ela decretou. Willy estava triste por ter tão pouco direito a escolher o que vestir em seu próprio casamento, por ter sua autonomia roubada nessa ocasião. Ele me disse várias vezes que se sentia frustrado.

Assegurei que ele estava muito elegante na Harpa da Irlanda, com a Coroa Imperial e o quepe com o lema do regimento: *Quis separabit? Quem há de nos separar?*

Ele não pareceu impressionado.

Por outro lado, eu não estava nem um pouco vistoso, nem me sentia confortável, no meu uniforme do regimento Blues and Royals, que o protocolo exigia que eu usasse. Nunca tinha usado antes e esperava não voltar a usá-lo novamente tão cedo. Tinha ombreiras e punhos enormes, e eu podia imaginar as pessoas dizendo: *Quem é esse idiota?* Eu me senti uma versão cafona de Johnny Bravo.

Subimos em um Bentley cor de ameixa. Nenhum de nós dois disse uma palavra enquanto esperávamos o motorista dar a partida.

Quando o carro finalmente se afastou, quebrei o silêncio: *Você está fedendo.*

As consequências do rum da noite anterior.

Brincando, abri uma janela, apertei o nariz — ofereci-lhe algumas balas.

Os cantos de sua boca se curvaram ligeiramente para cima.

Depois de dois minutos, o Bentley parou. Viagem curta, eu disse.

Espiei pela janela:

Abadia de Westminster.

Como sempre, meu estômago embrulhou. Pensei: nada como casar no mesmo lugar onde foi o funeral da sua mãe.

Olhei de relance para Willy. Ele estava pensando a mesma coisa?

Entramos, cambaleantes, ombro a ombro. Olhei novamente para seu uniforme, seu quepe. *Quem há de nos separar?* Éramos soldados, homens--feitos, mas caminhávamos com os mesmos passos hesitantes e pueris de quando, ainda meninos, acompanhamos o caixão de mamãe. *Por que os adultos fizeram isso conosco?* Entramos na igreja, atravessamos a nave e fomos para uma sala ao lado do altar — chamada Cripta. Tudo naquele edifício recendia a morte.

Não eram apenas as lembranças do funeral de mamãe. Mais de 3 mil corpos jaziam abaixo de nós, atrás de nós. Estavam enterrados sob os bancos, enfiados nas paredes. Heróis de guerra e poetas, cientistas e santos, a nata da Commonwealth. Isaac Newton, Charles Dickens, Chaucer, mais treze reis e dezoito rainhas, estavam todos sepultados ali.

Ainda era muito difícil pensar na mamãe no reino da Morte. Mamãe, que dançou com John Travolta, que brigou com Elton John, que deslumbrou os Reagan — ela poderia realmente estar no além-mundo, com os espíritos de Newton e Chaucer?

Entre esses pensamentos sobre a mamãe e a morte e meu pênis ferido por congelamento, eu corria o risco de ficar tão ansioso quanto o noivo. Então comecei a andar de um lado para outro, balançando os braços, ouvindo a multidão murmurar nos bancos. Os convidados já estavam sentados duas horas antes de chegarmos. *Com certeza muitos deles precisam fazer xixi*, eu disse a Willy, tentando aliviar a tensão.

Nenhuma reação. Ele levantou, começou a andar também.

Tentei de novo. *A aliança de casamento! Oh, não — onde está? Onde eu deixei o maldito anel?*

Em seguida eu a mostrei. *Ufa!*

Ele esboçou um sorriso frouxo, voltou a zanzar para lá e para cá.

Eu não conseguiria perder a aliança nem se quisesse. Uma bolsinha especial de canguru foi costurada dentro da minha túnica. Foi ideia minha, na verdade, de tanto que eu levava a sério o dever e a honra solenes de carregá-la.

Tirei a aliança de sua bolsinha, segurei-a contra a luz. Um fino aro de ouro galês, raspado de um pedaço doado à Família Real quase um século antes. Do mesmo naco de ouro havia sido feito um anel para a vovó quando ela se casou, e outro para a princesa Margaret, mas estava quase esgotado agora, ouvi dizer. Quando eu me casasse, se algum dia me casasse, talvez não tivesse sobrado ouro nenhum.

Não me lembro de ter saído da Cripta. Não me lembro de caminhar até o altar. Não tenho recordação nenhuma das leituras, nem de tirar a aliança, nem de entregá-la ao meu irmão. A cerimônia é basicamente um vazio em minha mente. Lembro-me dos hinos, e me lembro de Kate percorrendo a nave da abadia até o altar, linda, e me lembro de Willy refazendo com ela o caminho pela nave, e quando os dois desapareceram porta afora e entraram na carruagem que os levaria ao Palácio de Buckingham para a eterna parceria que se prometeram, eu me lembro de ter pensado: Adeus.

Eu adorava minha nova cunhada, sentia que ela era mais uma *irmã* do que uma cunhada, a irmã que nunca tive e sempre quis, e fiquei feliz por ela estar sempre ao lado de Willy. Ela era um bom partido para o meu irmão mais velho. Era visível que um fazia o outro feliz e, portanto, eu também estava feliz. Mas, no meu íntimo, não pude evitar a sensação de que se tratava de mais uma despedida sob aquele teto horrível. Outra separação. O irmão que eu escoltei para a Abadia de Westminster naquela manhã se foi — para sempre. Quem poderia negar? Ele nunca mais seria apenas Willy. Nunca mais cavalgaríamos juntos pelo interior de Lesoto com capas esvoaçando atrás de nós. Nunca mais dividiríamos um chalé com cheiro de cavalo enquanto aprendíamos a pilotar. *Quem há de nos separar?*

A vida.

Tive a mesma sensação quando papai se casou, o mesmo pressentimento, e não se tornou realidade? Na era Camilla, como tinha previsto, eu o via cada vez menos. Casamentos eram ocasiões alegres, claro, mas também eram funerais discretos, porque depois de dizer seus votos as pessoas tendiam a desaparecer.

Ocorreu-me então que a identidade é uma hierarquia. Somos em primeiro lugar uma coisa, e depois somos primordialmente outra, e em seguida outra, e assim por diante, até a morte — *em sucessão*. Cada nova identidade assume o trono do Eu, mas nos afasta de nosso eu original, talvez nosso eu central — a criança. Sim, evolução, amadurecimento, o caminho para a sabedoria, é tudo natural e saudável, mas na infância há uma pureza que se dilui a cada nova versão. Tal como aconteceu com aquele pedaço de ouro, ela vai minguando.

Pelo menos foi o pensamento que tive naquele dia. Meu irmão mais velho Willy seguiu em frente, galgou um nível mais alto, e depois disso seria primeiro marido, depois pai, avô e assim por diante. Seria uma nova pessoa, muitas novas pessoas, e nenhuma delas seria Willy. Ele seria o duque de Cambridge, título que a vovó escolheu para ele. Bom para ele, pensei. Ótimo para ele. Mas, de todo jeito, uma perda para mim.

Acho que minha reação também lembrou um pouco o que senti na primeira vez em que entrei em um Apache. Depois de estar acostumado a ter alguém ao meu lado, algum exemplo para imitar, me vi terrivelmente sozinho.

E eunuco, ainda por cima.

O que o universo estava querendo provar, tirando de mim o meu pênis no mesmo momento em que levou meu irmão?

Horas mais tarde, na recepção, fiz algumas observações rápidas. Não um discurso, apenas uma breve introdução de dois minutos para os verdadeiros padrinhos, Thomas e James. Willy me disse várias vezes que eu deveria agir como um "*compère*".

Tive que procurar o significado da palavra.

A imprensa relatou com profusão de detalhes meus preparativos para essa introdução: noticiou que eu telefonei para Chels e testei com ela algumas das minhas falas, e que no fim das contas cedi quando ela me pediu para não fazer referência às "pernas matadoras de Kate". Tudo isso era um monte de merda. Nunca telefonei para Chels para falar sobre minhas observações; eu e ela não mantínhamos contato regular, razão pela qual Willy me consultou antes de convidá-la para o casamento. Ele não queria que nenhum de nós se sentisse desconfortável.

A verdade é que testei algumas falas com JLP, mas basicamente improvisei. Contei algumas piadas sobre nossa infância, uma história boba sobre o tempo em que Willy jogava polo aquático, e depois li alguns trechos hilários extraídos de cartas de apoio enviadas pelo público em geral. Um sujeito norte-americano escreveu para dizer que queria fazer alguma coisa especial para a nova duquesa de Cambridge, então decidiu que arranjaria uma tonelada de arminho, tradicional pele da realeza. Esse ianque superentusiasmado explicou que pretendia capturar mil arminhos para confeccionar a peça de roupa que ele tinha em mente (meu Deus, era uma barraca?), mas infelizmente só conseguiu a duras penas... dois.

Ano difícil para os arminhos, eu disse.

Ainda assim, acrescentei, o ianque improvisou, fez o melhor que pôde com o material de que dispunha, como os ianques fazem, e confeccionou a peça que eu agora levantava bem alto.

A plateia do salão soltou um suspiro coletivo.

Era uma tanga.

Macia, felpuda, alguns fios de seda presos a uma bolsa de arminho em formato de V, pouco maior do que a bolsa com a aliança dentro da minha túnica.

Depois do suspiro coletivo veio uma onda de risadas calorosas e gratificantes.

Quando as gargalhadas arrefeceram, encerrei em tom sério. Mamãe: *Como ela adoraria estar aqui. Como ela teria amado Kate, e como teria adorado ver esse amor que vocês encontraram juntos.*

Enquanto proferia essas palavras, não levantei os olhos. Não queria correr o risco de fazer contato visual com papai ou Camilla — e sobretudo com Willy. Eu não chorava desde o funeral de mamãe, e não queria quebrar essa série invicta agora.

Também não queria ver o rosto de ninguém além do da mamãe. Na minha mente eu a vi radiante como nunca no grande dia de Willy, dando uma boa risada com a história do arminho morto.

43.

Ao chegar ao topo do mundo, os quatro soldados feridos abriram uma garrafa de champanhe e beberam à saúde da vovó. Tiveram a gentileza de me telefonar e me deixar ouvir sua alegria.

Eles estabeleceram um recorde mundial, arrecadaram um caminhão de dinheiro para a entidade de veteranos feridos em combate e alcançaram o maldito Polo Norte. Que façanha. Eu os parabenizei, disse que sentia falta deles, que gostaria de ter estado lá.

Uma mentirinha. Meu pênis oscilava entre extremamente sensível e traumatizado no limite. O último lugar onde queria estar era o Congeladostão.

Andei testando alguns remédios caseiros, incluindo um recomendado por uma amiga. Ela me falou para aplicar um creme Elizabeth Arden.

Minha mãe usava isso nos lábios. Você quer que eu esfregue no meu pau?

Funciona, Harry. Confie em mim.

Encontrei um pote e, no minuto em que o abri, o cheiro me transportou no tempo. Foi como se minha mãe estivesse bem ali no quarto.

Então peguei um pouquinho e apliquei... lá embaixo.

A palavra "esquisito" não faz jus à sensação.

Eu precisava ver um médico o mais rápido possível. Mas não podia pedir ao Palácio que encontrasse um para mim. Algum cortesão ficaria sabendo do meu problema e vazaria para a imprensa, e quando eu desse por mim, meu pau estaria em todas as manchetes. Também não podia simplesmente telefonar por conta própria para um médico aleatório. Em circunstâncias normais isso já seria impossível, mas agora era duplamente impensado. *Alô, aqui é o príncipe Harry. Escute, parece que estou tendo um ligeiro incômodo nas minhas partes íntimas, e eu estava pensando se poderia dar uma passada no seu consultório e...*

Pedi a outro amigo que encontrasse, com toda a discrição, um dermatologista especializado em certos apêndices... e certos personagens. Tarefa absurdamente difícil.

Mas o amigo voltou e disse que seu pai conhecia exatamente o cara que eu procurava. Ele me deu um nome e endereço e eu pulei em um carro com meus guarda-costas. Rumamos às pressas até um prédio genérico na Harley Street, região que concentrava uma porção de consultórios. Um dos guarda-costas me esgueirou por uma porta dos fundos, consultório adentro. Vi o médico, sentado atrás de uma grande escrivaninha de madeira, fazendo anotações, provavelmente sobre o paciente anterior. Sem erguer os olhos de suas notas, ele disse: *Sim, sim, pode entrar.*

Entrei e o observei escrever pelo que pareceu um tempo excessivamente longo. O pobre sujeito que veio antes de mim, pensei, devia estar em graves apuros.

Ainda sem levantar os olhos, o médico ordenou que eu fosse para trás da cortina e tirasse as roupas, ele me examinaria em um segundo.

Segui as instruções, me despi, pulei em uma mesa de exame. Cinco minutos se passaram.

Por fim, a cortina se abriu e apareceu o médico.

Ele olhou para mim, piscou uma vez e disse: *Ah, sei. É você.*

Sim. Achei que o senhor tivesse sido avisado, mas tenho a impressão de que não foi.

Certo. Então, você está aqui. Ceeerto. Tudo bem. É você. Hum. Qual é mesmo o problema?

Mostrei a ele meu pau, suavizado pelo creme Elizabeth Arden.

Ele não conseguiu ver nada de errado.

Não há o que ver, expliquei. Era um flagelo invisível. Por alguma razão, meu caso particular de lesão por congelamento se manifestou como uma *sensação tremendamente intensificada...*

Como foi que isso aconteceu? Ele quis saber.

Polo Norte, respondi. Fui ao Polo Norte, e agora o meu Polo Sul está com defeito.

Estava estampado em seu rosto: uma curiosidade cada vez maior.

Descrevi as disfunções em cascata. Tudo é difícil, doutor. Sentar. Andar. Sexo estava fora de questão, acrescentei. Pior, meu pau constantemente dava a sensação de estar *fazendo* sexo. Ou pronto para isso. Eu estava meio que enlouquecendo. Cometi o erro de pesquisar a lesão no Google e li histórias de horror sobre *penectomia parcial*, expressão que você nunca vai querer encontrar ao pesquisar seus sintomas no Google.

O médico me garantiu que era improvável que eu precisasse desse tipo de cirurgia.

Improvável?

Ele disse que tentaria descartar outras coisas. E me pediu para subir na mesa; fez um exame completo, o que foi mais do que invasivo. Fez de tudo, não deixou pedra sobre pedra, por assim dizer.

A cura mais provável, ele anunciou por fim, seria o tempo.

Como assim? Tempo?

O tempo cura, ele disse.

Sério, doutor? Não tem sido a minha experiência.

44.

Foi duro ver Chels no casamento de Willy. Ainda havia muitos sentimentos ali, sentimentos que eu havia sufocado, sentimentos dos quais nem suspeitava. Também senti certas coisas ao ver a fila de homens famintos atrás dela, cercando-a, incomodando-a para dançar.

O ciúme tomou conta de mim, e disse isso a ela, o que fez eu me sentir ainda pior. E um pouco patético.

Eu precisava seguir em frente, conhecer alguém novo. Como o médico previu, o tempo consertaria meu pau. Quando faria sua mágica no meu coração?

Os amigos tentavam ajudar. Mencionavam nomes, arranjavam encontros.

Nada disso nunca deu certo. Portanto, eu mal estava prestando atenção quando mencionaram outro nome no verão de 2011. Eles me falaram um pouco sobre ela — brilhante, linda, legal — e fizeram menção a seu status de relacionamento. Ela tinha acabado de ficar solteira, eles disseram. *E não vai ficar solteira por muito tempo, Spike!*

Ela está livre, cara. Você é livre.

Sou?

E vocês dois combinam à beça! Sem dúvida vão se dar superbem.

Revirei os olhos. Quando é que esse tipo de previsão se concretiza?

Mas então, maravilha das maravilhas, aconteceu. Deu match. Sentados num bar, batemos papo e rimos, enquanto os amigos que estavam conosco se dissolveram, junto com as paredes e as bebidas e o barman. Sugeri que todo o grupo voltasse comigo a Clarence House para uma saideira.

Ficamos sentados conversando, ouvindo música. Grupinho animado. Grupinho alegre. Quando a festa acabou, depois que todo mundo foi embora, dei uma carona para Florence. Esse era o nome dela. Florence. Embora todos a chamassem de Flea.

Ela disse que morava em Notting Hill. Rua tranquila. Quando paramos na frente de seu prédio, ela me convidou para uma xícara de chá. Claro, aceitei.

Pedi ao meu guarda-costa para dar voltas no quarteirão algumas centenas de vezes.

Foi nessa noite ou em outra que Flea me contou sobre seu ancestral distante? Na verdade, provavelmente não foi em nenhuma das duas. Um amigo é que me contou mais tarde, eu acho. De qualquer forma, o antepassado dela comandou a Carga da Brigada Ligeira, a desastrosa investida britânica contra canhões russos na Guerra da Crimeia. Incompetente, possivelmente tresloucada, a manobra causou a morte de uma centena de homens. Um capítulo vergonhoso, o oposto da Batalha de Rorke's Drift, e agora eu estava rezando pela mesma cartilha, avançando estupidamente a todo vapor. Enquanto bebericava aquela primeira xícara de Earl Grey, eu me perguntei: Será que ela poderia ser a pessoa que eu procuro?

A conexão era muito forte.

Mas eu também estava enlouquecido. E podia ver que ela sabia disso, porque lia o que estava escancarado na expressão do meu rosto. Eu só esperava que ela achasse encantador.

Aparentemente achou. As semanas que se seguiram foram idílicas. Nos víamos com frequência, ríamos muito, e ninguém sabia.

A esperança me dominou.

Aí a imprensa descobriu, e caiu a cortina do nosso idílio.

Flea me telefonou aos prantos. *Havia oito paparazzi na porta do seu prédio. Eles a perseguiram por metade de Londres.*

Ela acabara de se ver descrita por um jornal como "uma modelo de lingerie". Com base em uma sessão de fotos feita anos e anos antes! A vida dela resumida a uma foto, ela disse. Era tão redutor, tão degradante.

Sim, concordei baixinho. *Eu sei como é.*

Eles estavam cavando, investigando, ligando para todas as pessoas que ela conhecia. Já estavam atrás de sua família. Estavam dando a ela o tratamento completo que deram a Caroline Flack, enquanto ainda perseguiam a própria Caroline.

Flea não parava de repetir: *Eu não consigo fazer isso.*

Ela disse que estava sob vigilância 24 horas por dia. Como algum tipo de criminoso. Ouvi sirenes ao fundo.

Ela estava chateada e quase soluçava de choro, e eu senti vontade de chorar, mas é claro que não chorei.

Ela disse uma última vez: *Não consigo mais fazer isso, Harry.*

Deixei o telefone no viva-voz. Eu estava no segundo andar da Clarence House, de pé junto à janela, rodeado por belos móveis. Uma linda sala. Lâmpadas baixas, o tapete aos meus pés era uma obra de arte. Pressionei meu rosto contra o vidro frio e lustroso da janela e pedi a Flea para me ver uma última vez, pelo menos para conversar.

Soldados passaram marchando pela casa. Troca da guarda.

Não.

Ela foi firme.

Semanas mais tarde, recebi um telefonema de um dos amigos que haviam armado nosso encontro no bar. *Ficou sabendo? Flea voltou com o antigo namorado!*

Ah, é?

Não era para ser, eu acho.

Certo.

O amigo me disse que ouviu falar que foi a mãe de Flea quem disse à filha para acabar com tudo, que a avisou que a imprensa destruiria sua vida. *Eles vão perseguir você até os portões do inferno*, a mãe avisou.

Sim, respondi ao amigo. *As mães sabem mesmo das coisas.*

45.

Parei de dormir.

Simplesmente parei. Eu estava tão decepcionado, tão profundamente abatido, que ficava acordado noite após noite, andando de um lado para outro, matutando. Desejando ter uma TV.

Mas agora eu vivia numa base militar, em um quarto parecido com uma cela.

Aí, depois de uma noite inteira de sono zero, eu tentava pilotar um Apache.

Eu não era um bom piloto. Não era um bom ser humano.

Receita para um desastre.

Tentei remédios herbais. Ajudaram um pouco, eu conseguia dormir por uma ou duas horas, mas me deixavam com morte cerebral na maioria das manhãs.

Então o Exército me informou que eu poria o pé na estrada — viagens para uma série de manobras e exercícios.

Talvez seja a solução, pensei. Para me tirar da letargia.

Ou pode ser a gota d'água.

Primeiro me mandaram para os Estados Unidos. Sudoeste do país. Passei mais ou menos uma semana pairando sobre um lugar inóspito chamado Gila Bend, onde as condições eram consideradas semelhantes às do Afeganistão. Tornei-me mais fluido com o Apache, mais letal com seus mísseis. Mais à vontade com a poeira. Explodi um bocado de cactos. Gostaria de poder dizer que não foi divertido.

Em seguida, fui para a Cornualha. Um lugar desolado chamado Bodmin Moor.

Janeiro de 2012.

Do calor incandescente ao frio congelante. Os pântanos são sempre frios em janeiro, mas cheguei no mesmo momento em que o lugar foi atingido por uma violenta tempestade de inverno.

Dividi um alojamento com outros vinte soldados. Passamos os primeiros dias tentando nos aclimatar. Acordávamos às cinco da manhã, fazíamos o sangue fluir com uma corrida e vômito, depois nos amontoávamos nas salas de aula para aprender sobre os mais recentes métodos que maus elementos tinham inventado para sequestrar pessoas. Muitos desses métodos seriam usados contra nós nos dias seguintes, enquanto tentávamos cumprir uma longa marcha pelo pântano gélido. O exercício era chamado de Fuga e Evasão, e era um dos últimos obstáculos para as equipes de tripulantes e pilotos antes de partir em missão de combate.

Caminhões nos levaram a um local isolado, onde recebemos algumas lições de campo, aprendemos algumas técnicas de sobrevivência. Capturamos uma galinha, matamos, depenamos, comemos. Depois começou a chover. Ficamos instantaneamente encharcados. Nossos superiores pareciam estar se divertindo.

Eles me pegaram e me botaram, com outros dois colegas, dentro de um caminhão, e nos levaram para um lugar ainda mais remoto.

Saiam.

Apertamos os olhos para ver o terreno, o céu. *Sério? Aqui?*

Começou a cair uma chuva mais fria e mais pesada. Aos berros, os instrutores mandaram a gente imaginar que nosso helicóptero acabara de fazer um pouso forçado atrás das linhas inimigas, e nossa única esperança de sobrevivência era ir a pé de uma extremidade da charneca à outra, uma distância de dezesseis quilômetros. Tínhamos recebido uma metanarrativa, da qual agora fomos lembrados: éramos um exército cristão, lutando contra uma milícia simpática aos muçulmanos.

Nossa missão: fugir do inimigo, escapar do terreno proibido.

Mandem ver.

O caminhão se afastou, rugindo.

Ensopados, enregelados, olhamos em volta, nos entreolhamos. *Bem, que merda.*

Tínhamos um mapa e uma bússola, e cada um de nós carregava um saco de dormir, parecido com uma meia impermeável comprida.

Qual caminho?

Por ali?

Tá legal.

Bodmin era um ermo supostamente desabitado, mas aqui e ali víamos casas de fazenda ao longe. Janelas iluminadas, espirais de fumaça saindo das chaminés de tijolos. Sentimos o ardente desejo de bater em alguma porta. Nos bons e velhos tempos, as pessoas ajudavam os soldados em exercício, mas agora as coisas eram diferentes. Os moradores tinham sido repreendidos muitas vezes pelo Exército e sabiam que não deviam abrir a porta para estranhos com sacos de dormir.

Um dos homens do trio era meu amigo, Phil. Eu gostava de Phil, mas comecei a sentir algo parecido com um amor sem limites pelo outro soldado, porque ele nos contou que já havia visitado Bodmin Moor para fazer trilhas no verão e sabia onde estávamos. E mais: sabia como nos tirar dali.

Ele foi na frente, nós dois seguindo atrás, feito crianças, na escuridão até o dia seguinte.

Ao amanhecer, encontramos um bosque de abetos. A temperatura despencou, o aguaceiro ficou ainda mais forte. Desistimos da ideia de deitar em nossos solitários sacos de dormir e nos enrodilhamos juntos — de conchinha, na verdade —, todos tentando se enfiar no meio, onde era mais quente. Como eu conhecia Phil, ficar de conchinha com ele me pareceu menos esquisito e, ao mesmo tempo, muito mais. Mas o mesmo valia em relação a ficar de conchinha com o terceiro homem. *Desculpe, essa é sua mão?* Depois de algumas horas de uma coisa vagamente parecida com sono, nos separamos e nos pusemos de novo na longa marcha.

O exercício exigia que parássemos em vários postos de controle. Em cada um, tínhamos que completar determinada tarefa. Conseguimos chegar a todos os postos e realizar todas as tarefas; no último, uma espécie de refúgio, fomos informados de que o exercício havia terminado.

Na calada da noite. Tudo escuro como breu. O estafe de supervisão apareceu e anunciou: *Muito bem, caras! Vocês conseguiram.*

Quase desmaiei de pé.

Fomos postos em um caminhão, e nos disseram que voltaríamos para a base. De repente, apareceu um grupo de homens com jaquetas camufladas e balaclavas pretas. Meu primeiro pensamento foi Lorde Mountbatten sendo emboscado pelo IRA — não sei por quê. Circunstâncias totalmente diferentes, mas talvez alguma memória residual de terrorismo entranhada no meu DNA.

Houve explosões, tiros, caras invadindo o caminhão e ordenando, aos berros, que olhássemos para o chão. Cobriram nossos olhos com óculos de esqui de lentes escuras, amarraram nossas mãos e nos arrastaram para fora.

Fomos empurrados para o que parecia um sistema de bunkers subterrâneos. Piso molhado, paredes úmidas. Eco. Fomos levados de cômodo em cômodo. Ora arrancavam os sacos que cobriam nossa cabeça, ora colocavam de novo. Em alguns dos cômodos fomos bem tratados; em outros, maltratados como lixo. Uma gangorra de emoções. Num minuto nos ofereciam um copo d'água, no minuto seguinte nos punham de joelhos e nos diziam para manter as mãos acima da cabeça. Por trinta minutos. Uma hora. Uma posição de estresse depois da outra.

Completamos 72 horas sem dormir.

Muita coisa que fizeram conosco era ilegal pelas regras das Convenções de Genebra, e essa era a questão.

Em dado momento vendaram meus olhos e me transferiram para outro cômodo, onde pude sentir que não estava sozinho. Tive a sensação de que era Phil lá comigo, mas talvez fosse o outro cara. Ou um cara de uma das outras equipes. Não ousei perguntar.

Agora dava para ouvir vozes fracas em algum lugar acima ou abaixo, no interior do prédio. Depois um barulho estranho, como de água corrente.

Eles estavam tentando nos confundir, nos desorientar.

Eu estava morrendo de frio. Nunca tinha sentido tanto frio. Muito pior do que o Polo Norte. Com o frio veio a dormência, a sonolência. Voltei a ficar alerta quando nossos captores irromperam de súbito pela porta, aberta com violência. Arrancaram nossas vendas. Eu tinha razão, Phil estava lá. O outro cara também. Recebemos ordens de tirar a roupa. Eles apontaram para nosso corpo, nosso pau flácido. Continuaram falando sobre o quanto eram pequenos. Tive vontade de dizer: vocês não sabem nem a metade da complicada situação desse meu apêndice.

Eles nos interrogaram. Não lhes demos nenhuma informação.

Em seguida nos levaram para cômodos separados, nos interrogaram um pouco mais.

Recebi ordens de me ajoelhar. Dois homens entraram, gritaram comigo. Depois saíram.

Tocava uma música atonal. Um violino sendo arranhado por alguma criança zangada de dois anos.

O que é isso?

Uma voz respondeu: *Silêncio!*

Eu me convenci de que a música não era uma gravação, mas estava sendo tocada por uma criança de verdade, talvez também mantida em cativeiro. O que diabos aquele menino estava fazendo com o violino? E mais — o que eles estavam fazendo com o menino?

Os homens voltaram. Agora trouxeram Phil. Tinham vasculhado as redes sociais dele, estudaram sua vida e começaram a dizer coisas sobre sua família, sua namorada, o que o deixou apavorado. Era surpreendente a quantidade de coisas que sabiam. Como era possível que pessoas que ele não conhecia soubessem tanto?

Abri um sorriso: bem-vindo ao clube, amigo.

Eu não estava levando a coisa a sério o suficiente. Um dos homens me agarrou, me empurrou contra uma parede. Ele usava uma balaclava preta. Com o antebraço, pressionou meu pescoço. Esmagou meus ombros contra o cimento. Ordenou que eu ficasse a um metro da parede, braços acima da cabeça, todos os dez dedos encostados na parede.

Posição de estresse.

Dois minutos.

Dez minutos.

Meus ombros começaram a se contrair.

Eu não conseguia respirar.

Entrou uma mulher, seu rosto estava coberto por um *shemagh*. Ela começou a repetir sem parar uma coisa que eu não entendia, não conseguia acompanhar.

Então me dei conta. Mamãe. Ela estava falando da minha mãe.

Sua mãe estava grávida quando morreu, né? Do seu irmãozinho. Um bebê muçulmano!

Fiz força para virar a cabeça, a fim de olhar para a mulher. Eu não disse nada, mas com meus olhos gritei com ela: *Você está fazendo isto para o meu benefício — ou o seu? Este é o exercício? Ou você só está a fim de sentir uma emoção barata?*

Ela saiu. Um dos captores cuspiu na minha cara.

Ouvimos o som de tiros.

E um helicóptero.

Fomos arrastados para um cômodo diferente, e alguém anunciou: *Tá legal, é isso. Fim do exercício!*

Seguiu-se uma reunião de avaliação, durante a qual um dos instrutores ofereceu um pedido de desculpas meia-boca sobre as coisas referentes à minha mãe.

Difícil encontrar alguma coisa a seu respeito que você ficaria chocado que soubéssemos.

Não respondi.

Achamos que você precisava ser testado.

Não respondi.

Mas isso foi um pouco longe demais.

Beleza.

Mais tarde, soube que dois outros soldados participantes do exercício haviam enlouquecido.

46.

Eu mal tinha me recuperado de Bodmin Moor quando recebi a convocação da vovó. Ela queria que eu fosse para o Caribe. Uma viagem de duas semanas para celebrar seus sessenta anos no trono, minha primeira turnê real oficial representando-a.

Era estranho ser afastado assim tão de repente das minhas funções no Exército, em um estalar de dedos, sobretudo tão perto da data da minha missão.

Mas então percebi que não era nada estranho.

Afinal de contas, ela era minha comandante.

Março de 2012. Voei para Belize. No trajeto de carro do aeroporto até o local do meu primeiro evento, passei por estradas repletas de pessoas, todas acenando com cartazes e bandeiras. Na minha primeira parada, e em todas as seguintes, fiz brindes com bebidas alcoólicas caseiras à vovó e a meus anfitriões, e tomei parte em muitas rodadas de uma dança local chamada punta.

Também experimentei pela primeira vez a sopa de pé de vaca, que dava um coice mais potente do que o álcool caseiro.

Numa das paradas eu disse à multidão: *Unu come, mek we goo paati*, que na língua kriol significa: *Vamos lá, vamos festejar!* A multidão foi à loucura.

As pessoas aplaudiam e gritavam meu nome, mas muitas gritavam o nome da minha mãe. Em outra parada, uma senhora me abraçou e exclamou: *O bebê de Diana!* E desmaiou.

Visitei uma cidade perdida chamada Xunantunich. Séculos atrás, uma próspera metrópole maia, um guia me disse. Subi um templo de pedra, El Castillo, primorosamente esculpido com hieróglifos, frisos, rostos. No topo, alguém disse que era o ponto mais alto de toda a nação. A vista era deslumbrante, mas não pude deixar de olhar para os meus pés. Abaixo de mim estavam os ossos de um incontável número de membros mortos da realeza maia. Uma Abadia de Westminster maia.

Nas Bahamas fui recebido por ministros, músicos, jornalistas, atletas, padres. Participei de cultos religiosos, festivais de rua, um jantar de Estado, bebi e brindei muitas vezes. Fui para Harbour Island em uma lancha que quebrou e começou a afundar. Assim que pulamos na água, chegou o barco da imprensa. Eu queria dizer "não, obrigado, nunca", mas era me juntar a eles ou ir a nado.

Conheci India Hicks, afilhada de papai, uma das damas de honra de mamãe. Ela me levou para passear ao longo da praia de Harbour Island. A areia era cor-de-rosa brilhante. Areia cor-de-rosa? Aquilo me deu a sensação de estar chapado. Não foi de todo desagradável. Ela me contou por que a areia era rosa, uma explicação científica, que eu não entendi.

Em algum momento visitei um estádio abarrotado de crianças. Elas viviam em extrema pobreza, enfrentavam agruras diárias e, no entanto, me saudaram com aplausos alegres e risos radiantes. Brincamos, dançamos, lutamos um pouco de boxe. Sempre amei crianças, mas senti uma conexão ainda mais forte com esse grupo porque acabara de me tornar padrinho — do filho de Marko, Jasper. Uma profunda honra. E um importante sinal, eu pensava, e assim esperava, da minha evolução como homem.

No final da visita, as crianças das Bahamas se reuniram ao meu redor e me ofereceram um presente. Uma gigantesca coroa de prata e uma enorme capa vermelha.

Uma delas disse: *Para Sua Majestade.*

Vou entregar a ela.

Na saída do estádio, abracei muitas das crianças; a bordo do avião, a caminho da parada seguinte, cheio de orgulho, pus na cabeça a coroa delas. Era do tamanho de uma cesta de Páscoa, e minha equipe se dissolveu em um ataque de riso histérico.

Ficou parecendo um perfeito idiota, senhor.

Pode ser. Mas vou usá-la na nossa próxima parada.

Oh, senhor, não, senhor, por favor!

Ainda não sei como me demoveram da ideia.

Fui para a Jamaica, fiz amizade com o primeiro-ministro, disputei uma corrida com Usain Bolt. (Ganhei, mas trapaceei.) Dancei com uma mulher ao som de "One Love", de Bob Marley.

Let's get together to fight this holy Armagiddyon (one love)*

A cada parada, parecia, eu plantava uma árvore, ou várias. Uma tradição da realeza — embora eu tenha adicionado um toque pessoal. Normalmente, nessas cerimônias de plantio de árvores, quando a gente chega a árvore já está no solo e você apenas joga um pouco de terra cerimonial dentro do buraco. Eu insistia em plantá-las eu mesmo, cobrindo as raízes, regando com um pouco de água. As pessoas pareciam chocadas com essa quebra de protocolo. E tratavam como uma atitude radical.

Eu lhes dizia: *Quero apenas ter certeza de que a árvore vai viver.*

47.

Quando voltei para casa, os elogios foram entusiásticos. Representei bem a Coroa, de acordo com os cortesãos. Contei à vovó como havia sido o tour.

Maravilhoso. Muito bem, ela disse.

Eu queria comemorar, achei que merecia comemorar. Além disso, como a guerra estava muito próxima, a hora para comemorar era agora, ou talvez nunca.

* Em tradução livre: "Vamos seguir juntos para lutar contra esse sagrado Armagedom (um só amor)". (N. E.)

Festas, baladas, pubs, naquela primavera eu saí muito e tentei não me importar com o fato de que, aonde quer que eu fosse, sempre havia dois paparazzi presentes. Dois paparazzi de aparência lamentável, extremamente horríveis: Tweedle Debi e Tweedle Loide.

Durante grande parte da minha vida adulta lidei com paparazzi à minha espera do lado de fora de lugares públicos. Às vezes uma multidão deles, outras vezes um punhado. Os rostos sempre variavam, e muitas vezes eu nem sequer conseguia vê-los. Mas, agora, o tempo todo eu via essas duas caras, sempre claramente visíveis. Quando havia uma multidão, os dois estavam bem no meio. Quando não havia mais ninguém, estavam os dois lá sozinhos.

Mas não eram apenas lugares públicos. Eu caminhava por uma rua lateral, que apenas segundos antes tinha decidido percorrer a pé, e eles saltavam de dentro de uma cabine telefônica ou saíam de debaixo de um carro estacionado. Eu deixava o apartamento de um amigo, convicto de que ninguém sabia da minha presença lá, e eles apareciam do nada na frente do prédio, no meio da rua.

Além de estarem em todos os lugares, os dois eram implacáveis, muito mais agressivos que os outros paparazzi. Bloqueavam meu caminho, me perseguiam até minha viatura. Eles me impediam de entrar no carro, depois corriam no nosso encalço.

Quem eram eles? Como conseguiam fazer aquilo? Eu não achava que tivessem qualquer tipo de sexto sentido ou percepção extrassensorial. Pelo contrário, minha impressão era de que, somando os dois, não chegaria a formar um córtex frontal completo. Então, de que truque oculto estavam lançando mão? Tirando proveito de um rastreador invisível? Algum informante dentro da polícia?

Eles viviam atrás de Willy também. Naquele ano, meu irmão e eu conversamos muito sobre eles; falávamos sobre sua aparência perturbadora, sua crueldade e idiotice complementares, sua estratégia de não brincar em serviço e ir até as últimas consequências. Mas discutimos principalmente sua onipresença.

Como é que eles sabem? Como é que eles sempre sabem?

Willy não fazia ideia, mas estava determinado a descobrir.

Billy, a Rocha, também estava resoluto. Em várias ocasiões ele foi falar com a dupla Tweedle Debi e Tweedle Loide, interrogou-os, encarou-os nos olhos. E conseguiu formar um julgamento sobre os dois. Ele relatou que o mais velho, Debi, era gorducho, com cabelo preto cortado rente e um sorriso que fazia gelar o sangue. Loide, por outro lado, jamais sorria e raramente abria a boca para falar. Parecia ser uma espécie de aprendiz. De modo geral, se limitava a olhar fixamente.

Qual era a jogada deles? Billy não sabia.

Seguir-me por toda parte, me atormentar, enriquecer às minhas custas, isso não era suficiente para eles. Também faziam questão de esfregar na minha cara. Corriam ao meu lado, me provocavam, enquanto pressionavam os botões de suas câmeras, tirando duzentas fotos em dez segundos. Muitos paparazzi desejavam uma reação, uma briga, mas o que Tweedle Debi e Tweedle Loide pareciam querer era uma luta até a morte. Cego, eu fantasiava esmurrá-los. Mas aí respirava fundo e lembrava a mim mesmo: Não faça isso. É exatamente o que eles querem. Assim eles podem processar você e ficar famosos.

Porque, no fim, cheguei à conclusão de que *esta* era a jogada deles. Era disto que se tratava: dois caras anônimos, achando que ser famoso devia ser uma coisa fabulosa, tentando se tornar famosos atacando e arruinando a vida de alguém famoso.

Por que eles queriam ser conhecidos? Isso eu nunca entendi. Porque a fama é a liberdade suprema? Que piada. Alguns tipos de fama talvez proporcionem liberdade extra, eu imagino, mas a fama da realeza era um cativeiro pomposo.

A dupla Tweedle não conseguia entender isso. Eram crianças, incapazes de compreender qualquer sutileza. Na cosmologia simplória deles as coisas funcionavam nos seguintes termos: você é da realeza. Então, esse é o preço que você paga por morar em um castelo.

Às vezes eu tinha curiosidade de saber como seria se eu pudesse apenas conversar com Tweedle Debi e Tweedle Loide, com calma, explicar que eu não morava em um castelo, a minha avó morava em um castelo, e que na verdade eles levavam um estilo de vida muito mais abastado que o meu. Billy fez um mergulho profundo nas finanças dos dois caras, por isso eu sabia. Ambos os Tweedle tinham várias casas e diversos carros de luxo, adquiridos com os rendimentos das fotografias que tiravam de mim e de minha família. (E também tinham contas bancárias em paraísos fiscais, como seus patrocinadores, os barões da mídia que os financiavam, sobretudo Murdoch e o impossivelmente dickensiano Jonathan Harmsworth, quarto visconde de Rothermere.)

Foi nessa época que comecei a pensar que Murdoch era maligno. Não, apague isso. Comecei a *saber* que ele era maligno. Por experiência própria. Depois de ser acossado por capangas de alguém nas ruas de uma movimentada cidade moderna, você perde todas as dúvidas sobre a posição que o sujeito ocupa no Grande Continuum Moral. Durante toda a minha vida eu tinha ouvido piadas sobre a ligação entre o mau comportamento dos membros da realeza e seus séculos de endogamia, mas foi então que entendi: a falta de diversidade genética não era nada comparada à violência psicológica que a imprensa pratica. Casar com seu primo é muito menos arriscado do que se tornar uma fonte de lucro para a Murdoch S.A.

É claro que eu não concordava com a postura política de Murdoch, que estava à direita dos posicionamentos do Talibã. E não gostava do mal que ele fazia todos os dias à Verdade, sua desenfreada profanação de fatos objetivos. Com efeito, não conseguia pensar em um único ser humano nos 300 mil anos de história da espécie que tivesse causado mais danos ao nosso senso coletivo de realidade. Mas em 2012 o que realmente me enojou e me assustou foi o tamanho do círculo cada vez maior de lacaios de Murdoch: homens jovens, falidos e desesperados, dispostos a fazer o que fosse necessário para merecer um de seus sorrisos de Grinch.

E no centro desse círculo... estavam esses dois patéticos babacas, os Tweedle.

Houve muitos confrontos horripilantes com Tweedle Debi e Tweedle Loide, mas um se destaca. Festa de casamento de um amigo. Jardim murado, totalmente isolado. Eu estava conversando com vários convidados, ouvindo o canto dos pássaros, o farfalhar das folhas sopradas pelo vento. Em meio a esses sons suaves, no entanto, percebi um ligeiro... *clique*.

Eu me virei. Lá, na sebe. Um olho. E uma lente vítrea.

Em seguida: aquela cara rechonchuda.

Depois: aquele ritual demoníaco.

Tweedle Debi.

48.

O bom de Tweedle Debi e Tweedle Loide foi que eles me prepararam para a guerra. Eles me encheram de uma fúria asfixiante, sempre uma boa precursora para a batalha. Também me fizeram querer estar em qualquer lugar, menos na Inglaterra. *Cadê a porcaria da convocação?*

Por favor, mandem minha convocação.

E então, é claro, como geralmente acontece...

Eu estava em um festival de música e minha prima me cutucou no ombro. *Harry, esta é a minha amiga Cressida.*

Ah. Sim. Oi.

O cenário não era auspicioso. Muita gente, nenhuma privacidade. Além disso, eu ainda estava de coração partido e praticamente em coma depois de dois meses sem dormir. Por outro lado, a paisagem era linda, a música era boa, o clima estava ótimo.

Havia faíscas.

Poucos dias depois, saímos para jantar. Ela me contou da vida, da família, dos sonhos. Queria ser atriz. Tinha uma voz macia e era tímida, atuação era a última profissão que eu imaginaria para ela, e foi isso o que eu disse. Mas ela confessou que a fazia se sentir viva. Livre. Do jeito como ela falava, parecia ser como voar.

Semanas mais tarde, ao fim de outro encontro, dei carona a ela. *Eu vou ficar perto da King's Road.* Paramos na frente de uma casa ampla em uma rua bem cuidada.

Você mora aqui? Essa é a sua casa?

Não.

Ela explicou que estava hospedada na casa da tia por alguns dias.

Eu a acompanhei até a porta. Ela não me convidou para entrar. Eu não esperava que convidasse, não queria que convidasse. Vai devagar, pensei. Aproximei-me para dar um beijo, mas errei a mira. Conseguia acertar um cacto a cinco quilômetros de distância com um míssil Hellfire, mas não era capaz de achar os lábios dela. Ela virou, tentei outra vez na volta, e conseguimos roçar os lábios. A falta de jeito foi tanta que doeu.

Na manhã seguinte, liguei para a minha prima. Desanimado, contei que o encontro tinha corrido bem, mas o final tinha deixado a desejar. Ela não discordou. Já tinha falado com Cressida. Suspirou. *Foi desastrado.*

Mas então veio a boa notícia. Cressida estava disposta a tentar de novo. Fomos jantar outra vez alguns dias depois.

Por ironia do destino, a garota com quem ela dividia um apartamento estava namorando um amigo meu de longa data, o Charlie. Irmão do meu finado amigo Henners.

Brinquei: *É óbvio que isso era para ser. Nós quatro vamos nos divertir à beça.*

Mas não era totalmente brincadeira.

Tentamos outro beijo. Não foi tão desastrado.

Eu tinha esperanças.

Para o nosso próximo encontro, ela e a amiga chamaram a mim e ao Charlie para jantar na casa delas. Bebidas, risadas. Antes que eu me desse conta do que estava acontecendo, já tínhamos nos tornado um casal.

Infelizmente, no entanto, eu só podia ver Cress nos fins de semana. Estava mais ocupado do que nunca, em meio aos últimos preparativos para a missão. E então recebi minha convocação oficial, a data da minha partida, e o relógio começou a tiquetaquear bem alto. Pela segunda vez na vida, eu precisava dizer a uma garota que tinha acabado de conhecer que em breve iria para a guerra.

Eu espero, ela declarou. *Mas não vou esperar para sempre,* acrescentou em seguida. *Vai saber o que pode acontecer, Haz.*

Sim. Vai saber.

É mais fácil dizer a mim mesma, e aos outros, que nós não estamos juntos.

É. Imagino que seja mais fácil.

Mas quando você voltar...

Quando. Ela disse *quando.* Não *se.*

Fiquei contente.

Algumas pessoas diziam *se.*

49.

Meus amigos chegaram para mim e me lembraram do Plano.

O Plano?

Você sabe, Spike. O Plano?

Ah, sim. O Plano.

Já tínhamos falado daquilo meses antes. Mas agora eu não tinha certeza. Eles faziam pressão. *Você vai à guerra. Vai ficar cara a cara com a morte.*

Sim, valeu por lembrar.

Você tem o dever de viver. Agora. Aproveitar o dia.

Aproveitar o...?

Carpe diem.

Ok... o quê?

Carpe diem. *Aproveitar o dia.*

Ah, então são duas formas de dizer a mesma coisa...

Vegas, Spike! Lembra? O Plano?

Sim, sim, o Plano, mas... me parece arriscado.

Aproveitar o...!

Dia. Entendi.

Eu tinha tido uma experiência, pouco antes, que me levara a pensar que eles não estavam completamente enganados, que *carpe diem* não eram palavras vazias. Ao jogar polo no Brasil naquela primavera, para angariar fundos para Sentebale, eu tinha visto um jogador sofrer uma queda dura do cavalo. Quando menino, tinha visto meu pai sofrer aquela mesma queda, o cavalo desmoronando, o chão ao mesmo tempo batendo nele e o engolindo. Eu me lembro de ter pensado: por que o papai está roncando? E então alguém berrou: *Ele engoliu a língua!* Um jogador que pensou rápido saltou do cavalo e salvou a vida dele. Relembrando esse momento, inconscientemente, agi da mesma forma: saltei do cavalo, corri até o cara e puxei sua língua para fora.

O homem tossiu, voltou a respirar.

Tenho quase certeza de que fez um cheque vultuoso para Sentebale naquela tarde.

Mas igualmente valiosa foi a lição. *Carpe* seus *diems* enquanto é tempo.

Portanto, disse aos meus amigos: *Ok. Vegas. Vamos lá.*

Um ano antes, após os treinamentos em Gila Bend, eu e meus amigos alugáramos Harleys, fomos de moto de Phoenix a Vegas, e a imprensa nem ficara sabendo. Então agora, depois de um fim de semana de despedida de Cressida, fui para Nevada para repetir a experiência.

Nos hospedamos até no mesmo hotel, e todos dividimos as despesas da mesma suíte.

Ela tinha dois andares, interligados por uma escada suntuosa de mármore branco, por onde parecia que Elvis e Wayne Newton desceriam de braços dados. Mas ninguém precisava usar a escada porque a suíte também tinha elevador. E mesa de bilhar.

A melhor parte era a sala de estar: seis janelões com vista para a Strip e, de frente para os janelões, um sofá baixo em L de onde se podia olhar a rua, ou as montanhas ao longe, ou a TV de plasma acoplada à parede. Quanta opulência. Já entrei em alguns palácios na vida, mas aquela suíte é que era suntuosa.

Na primeira noite, ou na segunda — tudo é um borrão neon —, um pediu comida, outro pediu coquetéis, e todos sentamos e tivemos uma conversa barulhenta para nos inteirarmos da vida uns dos outros. O que tinha acontecido com todo mundo desde a nossa última viagem a Las Vegas?

Então, tenente Gales, ansioso para voltar pra guerra?

Eu estou, estou mesmo.

Todo mundo ficou espantado.

Jantamos em uma churrascaria e comemos feito reis. Contrafilé, três tipos de massa, um ótimo vinho tinto. Depois fomos a um cassino, jogamos vinte e um e roleta, perdemos. Cansado, pedi licença e voltei para a suíte.

Sim, pensei, suspirando, ao me enfiar debaixo das cobertas, sou esse cara que vai para a cama cedo e pede para as pessoas não fazerem barulho demais.

Na manhã seguinte, pedimos o café da manhã e bloody marys. Fomos todos para a piscina. Era temporada de festas na piscina em Vegas, então uma enorme agitação estava acontecendo. Compramos cinquenta bolas de praia e as distribuímos para quebrar o gelo.

Éramos nerds a esse ponto. E carentes.

Ou melhor, meus amigos eram. Eu não queria fazer novas amizades. Tinha namorada e queria continuar tendo. Mandei várias mensagens para ela da piscina, para tranquilizá-la.

Mas as pessoas não paravam de me dar bebidas. E quando o sol se pôs atrás das montanhas, eu estava péssimo e cheio de... ideias.

Precisava de alguma coisa para marcar aquela viagem, resolvi. Alguma coisa que simbolizasse minha sensação de liberdade, minha sensação de *carpe diem*.

Por exemplo... uma tatuagem?

É! É isso aí!

Quem sabe no ombro?

Não, visível demais.

Na lombar?

Não, é muito... sugestivo.

Talvez no pé?

É. Na sola do pé! Onde a pele já tinha descascado. Camadas e mais camadas de simbolismo!

Pois bem, como seria a tatuagem?

Pensei muito. O que é importante para mim? O que é sagrado?

É claro — Botsuana.

Eu tinha visto um estúdio de tatuagem naquele mesmo quarteirão. Torci para que tivessem um bom atlas, com um mapa nítido de Botsuana.

Fui atrás de Billy, a Rocha, para avisar aonde iríamos. Ele sorriu.

Mas de jeito nenhum.

Meus amigos o apoiaram. *Você não vai fazer isso.*

Na verdade, eles juraram que me impediriam fisicamente. Eu não faria tatuagem nenhuma, eles afirmaram, não com eles de olho em mim, muito menos uma tatuagem de Botsuana no pé. Prometeram me segurar, me nocautear, fazer qualquer coisa.

Tatuagem é permanente, Spike! É para sempre!

Os argumentos e as ameaças deles são uma das últimas lembranças claras que tenho daquela noite.

Desisti. A tatuagem poderia ficar para o dia seguinte.

Acabou que fomos em bando a uma boate, onde me encolhi num canto, em um banquinho de couro, e fiquei olhando uma procissão de mulheres indo e vindo, batendo papo com os meus amigos. Falei com uma ou duas e as incentivei a se concentrarem nos meus amigos. Mas de modo geral fiquei olhando para o nada e pensando no fato de ter sido obrigado a renunciar à tatuagem dos meus sonhos.

Por volta das duas da madrugada, voltamos à nossa suíte. Meus amigos convidaram quatro ou cinco mulheres que trabalhavam no hotel para nos acompanhar, além de duas mulheres que tinham conhecido nas mesas de vinte e um. Alguém foi logo sugerindo que jogássemos bilhar, e a ideia pareceu divertida. Arrumei as bolas e comecei a jogar bola 8 com meus guarda-costas.

Então percebi que as meninas do vinte e um nos rodeavam. Tinham um ar suspeito. Mas quando perguntaram se podiam jogar, não quis ser rude. Todo mundo se revezava e ninguém era muito bom.

Sugeri que tornássemos o jogo mais arriscado. Que tal um jogo de bilhar com strip?

Aplausos entusiasmados.

Dez minutos depois, eu era o maior perdedor, reduzido às minhas cuecas. Em seguida, perdi até elas. Achava que era só uma brincadeira inofensiva, boba. Até o dia seguinte. Parado em frente ao hotel, sob o sol ofuscante do deserto, virei e vi um dos meus amigos olhando para o telefone, boquiaberto. Ele me disse: *Spike, uma daquelas garotas do vinte e um tirou fotos às escondidas... e as vendeu.*

Spike... você está em tudo quanto é canto, amigo.

O que estava em tudo quanto era canto, especificamente, era a minha bunda. Estava nu aos olhos do mundo... aproveitando meu *diem*.

Billy, a Rocha, agora olhando fixo para o celular, repetia: *Isso não é nada bom, H.*

Ele sabia que seria uma complicação para mim. Mas também sabia que não seria nada divertido para ele e os outros guarda-costas. Poderiam perder o emprego por conta da situação.

Eu me recriminei: Como pude deixar aquilo acontecer? Como pude ser tão burro? Por que confiava nas pessoas? Tinha acreditado que estranhos teriam boa vontade, que aquelas garotas suspeitas teriam um *mínimo* de decência, e agora pagaria o preço para sempre. As fotos não desapareceriam nunca mais. Eram permanentes. Fariam uma tatuagem de Botsuana no pé parecer uma mancha em tinta nanquim.

Às vezes eu tinha dificuldade de respirar direito por causa do sentimento de culpa e vergonha. Enquanto isso, os jornais ingleses já tinham começado a me esfolar vivo. *A Volta do Harry Festeiro. O Príncipe Lerdo volta ao trono.*

Pensei em Cress lendo as matérias. Pensei nos meus superiores no Exército.

Quem me daria o pé na bunda primeiro?

Enquanto esperava para descobrir, fugi para a Escócia, me encontrei com a minha família em Balmoral. Era agosto e todo mundo estava lá. Sim, pensei, sim, a única coisa que falta nesse pesadelo kafkiano é Balmoral, com todas as lembranças complicadas que o lugar me traz e o aniversário iminente da morte da mamãe daqui a alguns dias.

Pouco depois da minha chegada, encontrei meu pai em Birkhall, ali perto. Para minha surpresa e alívio, ele foi delicado. Estava até meio perplexo. Sentia por mim, disse, já tinha estado no meu lugar, apesar de nunca ter ficado nu nas capas de jornais. Não era verdade. Quando eu tinha uns oito anos, um jornal alemão havia publicado fotos dele nu, tiradas com uma teleobjetiva quando ele estava de férias na França.

Mas tanto ele como eu tínhamos nos esquecido dessas fotos.

Ele sem dúvida tinha *se sentido* nu aos olhos do mundo inúmeras vezes, e esse era outro ponto que tínhamos em comum. Sentamos à janela e passamos muito tempo conversando sobre aquela nossa existência esquisita enquanto observávamos os esquilos vermelhos de Birkhall saltitarem pelo gramado.

Carpe diem, esquilos.

50.

Meus superiores no Exército, assim como papai, ficaram desconcertados. Não ligavam se eu jogava bilhar na privacidade do meu quarto de hotel, nu ou vestido. Meu status continuava o mesmo, declararam. Estava tudo pronto.

Meus companheiros de armas também me apoiaram. Homens e mulheres de farda, do mundo inteiro, posaram nus, ou quase nus, cobrindo os genitais com capacetes, armas, quepes, e postaram as fotos na internet em solidariedade ao príncipe Harry.

Quanto a Cress: após ouvir minha explicação minuciosa e envergonhada, ela chegou à mesma conclusão. Eu tinha sido bobo, não devasso.

Pedi desculpas por constrangê-la.

O melhor de tudo foi que nenhum dos meus guarda-costas foi demitido nem sequer punido — principalmente porque guardei segredo quanto ao fato de que estavam comigo naquele momento.

Mas sempre antenados ao sentimento popular, os jornais britânicos continuaram a me criticar e espumar como se eu tivesse cometido um crime capital.

Era uma boa hora para cair fora.

Setembro de 2012. O mesmo voo eterno, mas dessa vez eu não era um passageiro clandestino. Dessa vez não tinha compartimento oculto, não tinha cama secreta. Dessa vez pude sentar ao lado dos outros soldados, me sentir parte da equipe.

Quando aterrissamos em Camp Bastion, no entanto, me dei conta de que eu não era um dos caras. Alguns estavam tensos, a gola mais justa, o pomo de adão maior. Eu me lembrava dessa sensação, mas me sentia como se estivesse chegando em casa. Depois de mais de quatro anos, e apesar de tudo, eu finalmente estava de volta. Como capitão. (Eu havia sido promovido desde a minha primeira missão.)

Agora minhas acomodações eram melhores. Na verdade, em comparação com minha missão anterior, eram dignas de Vegas. Pilotos eram tratados como — a palavra era inevitável, todo mundo a usava — reis. Camas macias, quartos limpos. Além do mais, os quartos eram quartos de verdade, não trincheiras ou barracas. Tinham até ar-condicionado.

Ganhamos uma semana para nos ambientarmos em Bastion e nos recuperarmos do jet lag. Os outros moradores de Bastion colaboravam, ficavam contentes em nos mostrar como as coisas funcionavam.

Capitão Gales, é aqui que ficam as latrinas!

Capitão Gales, é aqui que você consegue pizza quente!

Meio que parecia uma temporada de férias, até que, na véspera do meu aniversário de 28 anos, eu estava sentado no meu quarto, organizando meus pertences, e as sirenes dispararam. Abri a porta, dei uma espiada. Todas as outras portas do corredor se abriram, outras cabeças se espicharam para fora.

Meus dois guarda-costas vieram correndo. (Ao contrário do que aconteceu na minha missão anterior, dessa vez eu tinha guarda-costas, principalmente porque havia acomodações decentes para eles, e porque podiam se misturar: eu estava vivendo com milhares de pessoas.) Um disse: *Estamos sob ataque!*

Ouvimos explosões ao longe, perto do hangar dos aviões. Comecei a correr para o meu Apache, mas meus guarda-costas me impediram.

Perigoso demais.

Ouvimos os berros lá fora. *Se preparem! SE PREPAREM!*

Todos vestimos coletes à prova de balas e ficamos na porta aguardando instruções. Enquanto verificava meu colete e meu capacete pela segunda vez, um dos guarda-costas não parava de falar: *Eu sabia que isso ia acontecer, eu sabia, eu falei pra todo mundo, mas ninguém quis me dar ouvidos. Cala a boca, eles me disseram, mas eu falei, eu falei, o Harry vai se machucar! Vai se foder, eles me disseram, e agora aqui estamos.*

Ele era escocês, tinha um sotaque carregado, e soava feito Sean Connery, o que era cativante em situações normais, mas agora parecia que o Sean Connery estava sofrendo um ataque de pânico. Interrompi sua longa história de Cassandra menosprezada e disse pra ele ficar quieto.

Eu me sentia nu. Estava com a minha nove milímetros, mas minha SA80A estava guardada. Tinha meus guarda-costas, mas precisava do meu Apache. Era o único lugar onde me sentiria seguro — e útil. Precisava abrir fogo contra nossos atacantes, fossem eles quem fossem.

Mais explosões, explosões mais barulhentas. As janelas tremeram. Vimos chamas. E ouvimos sirenes. Helicópteros Cobra americanos passavam fazendo barulho e o prédio inteiro estremeceu. Os Cobras disparavam. Um rugido incrível encheu o ambiente. Todos sentimos medo e adrenalina. Mas nós, pilotos de Apache, éramos os mais agitados, ávidos por nossas cabines de comando.

Alguém me lembrou que Bastion tinha mais ou menos o tamanho de Reading. Como chegaríamos aos nossos helicópteros sem um mapa, debaixo de fogo?

Foi então que ouvimos o sinal de fim de perigo.

As sirenes pararam. O ruído dos rotores sumiu.

Bastion estava seguro outra vez.

Mas a que preço, soubemos então. Dois soldados americanos tinham sido mortos. Dezessete soldados britânicos e americanos estavam feridos.

Ao longo desse e do dia seguinte, fomos entendendo o que tinha acontecido. Combatentes talibãs tinham conseguido uniformes americanos, feito um buraco na cerca e entrado.

Fizeram um buraco na cerca?

É.

Por quê?

Em suma, eu.

Estavam procurando o príncipe Harry, eles disseram.

Os talibãs chegaram a soltar uma declaração: o príncipe Harry é nosso alvo. E a data do ataque também tinha sido escolhida a dedo.

Tinham se programado, eles proclamavam, para que coincidisse com o meu aniversário.

Não sabia se acreditava.

Não queria acreditar.

Mas uma coisa era indiscutível. Os talibãs haviam descoberto minha presença na base, e os mínimos detalhes do meu serviço, por meio da cobertura ininterrupta que a imprensa britânica fizera daquela semana.

51.

Depois do ataque, houve um papo de me retirarem do campo de batalha. De novo.

Eu não aguentava nem pensar nessa ideia. Era horrível demais para cogitar.

Para tirar minha cabeça dessa possibilidade, mergulhei no trabalho, entrei no ritmo da missão.

Meu cronograma, graças a Deus, era bastante rigoroso: dois dias de operações planejadas, três dias de Altíssima Prontidão. Em outras palavras, ficar sentado numa barraca esperando que me chamassem.

A barranca da Altíssima Prontidão tinha o visual e o ar de um quarto estudantil de universidade. O coleguismo, o tédio — a bagunça. Havia alguns sofás de couro rasgado, uma bandeira grande do Reino Unido na parede, petiscos espalhados por todos os lados. Passávamos o tempo jogando Fifa, tomando galões de café, folheando revistas masculinas. (*Loaded* era bem popular.) Mas então o alarme disparava e meus dias de estudante, junto com todas as outras épocas da minha vida, pareciam ficar a milhões de quilômetros de distância.

Um dos caras disse que éramos bombeiros de luxo. Não estava errado. Nunca dormíamos um sono pesado, nunca relaxávamos totalmente, estávamos sempre de prontidão. Podíamos estar tomando uma xícara de chá, um sorvete, estar chorando por uma menina, batendo papo sobre futebol, mas nossos sentidos estavam sempre aguçados e nossos músculos sempre tensos, à espera do alarme.

O alarme era um telefone. Vermelho, simples, sem botões, sem teclado, só a base e o fone. A campainha era antiga, tipicamente britânica. *Triiim.* O som era vagamente familiar: no começo, não conseguia situá-lo. Por fim, entendi. Era exatamente como o do telefone da vovó em Sandringham, na mesa grande, na enorme sala de estar onde atendia telefonemas entre uma partida e outra de bridge.

Havia sempre quatro pessoas dentro da barraca de Altíssima Prontidão. Duas tripulações de dois homens, um piloto e um atirador. Eu era o atirador e meu piloto era Dave — alto, esguio, com o corpo de um maratonista de longa distância, o que ele era mesmo. Tinha cabelo preto curtinho e um bronzeado épico de deserto.

Também tinha um senso de humor muitíssimo enigmático. Eu me perguntava várias vezes por dia: Dave está falando sério? Está sendo sarcástico? Nunca sabia dizer. Vou levar um tempo para entender esse cara, eu pensava. Mas nunca entendi.

Ao ouvir o aparelho vermelho tocar, três de nós largavam tudo e corriam em direção ao Apache enquanto o quarto atendia ao telefone e recebia os detalhes da operação de uma voz que vinha do outro lado da linha. Era uma medevac? (Evacuação médica.) Uma TIC? (Tropas em Contato.) Caso fosse a última, a que distância estavam as tropas, em quanto tempo conseguiríamos chegar até elas?

Já dentro do Apache, acionávamos o ar-condicionado, vestíamos os equipamentos e o colete à prova de balas. Eu ligava um dos quatro rádios, ouvia mais detalhes sobre a missão, botava as coordenadas de GPS no computador de bordo. Na primeira vez em que a pessoa liga o Apache, ela leva uma hora para fazer todas as conferências pré-voo, se não mais. Depois de algumas semanas em Bastion, Dave e eu chegamos a seis minutos. E ainda parecia uma eternidade.

Estávamos sempre pesados. Com combustível até o talo, com uma série inteira de mísseis, além de cartuchos de trinta milímetros que transformariam um prédio de cimento em um queijo suíço — dava para sentir todas essas *coisas* nos puxando para baixo, nos prendendo à Terra. Na minha primeiríssima missão, uma TIC, me *ressenti* daquela sensação, o contraste entre a nossa urgência e a gravidade da Terra.

Eu me lembro de passar rente aos muros de sacos de areia de Bastion, sem estremecer, sem pensar duas vezes. Tínhamos um trabalho a fazer, vidas a salvar. Então, segundos depois, uma luz de alerta na cabine de comando começou a piscar. PROBLEMA MOTOR.

Ou seja: Terra. Agora.

Que merda. Teríamos que pousar em território talibã. Comecei a pensar em Bodmin Moor.

Então pensei... e se a gente ignorar o aviso?

Não, Dave já estava voltando a Bastion.

Ele era o piloto mais experiente. Já tinha feito três missões, sabia tudo sobre aqueles avisos. Alguns poderiam ser ignorados — eles piscavam o tempo todo e a pessoa puxava os fusíveis para que calassem a boca —, mas não aquele.

Eu me senti enganado. Queria ir, ir, ir. Estava disposto a correr o risco de cair, de ser levado como prisioneiro — qualquer coisa. Não cabe a nós questionar, como o bisavô de Flea tinha dito, ou Tennyson. Tanto faz. A questão era: tínhamos que tentar outra vez.

52.

Nunca me conformei com a rapidez do Apache.

Em geral, sobrevoávamos o alvo na velocidade civilizada de setenta nós. Mas não raro, correndo até a área do alvo, acelerávamos a aeronave, a fazíamos chegar aos 145. E como nossa altitude era baixa, parecíamos estar três vezes mais rápidos. Que privilégio, eu pensava, sentir a crueza dessa potência, e colocá-la para funcionar para nós.

Voar muito baixo era um procedimento-padrão. Era mais difícil que os combatentes talibãs vissem nossa aproximação. Infelizmente, facilitava que as crianças locais jogassem pedras em nós. O que elas sempre faziam. Crianças atirando pedras eram praticamente a única coisa que os talibãs tinham em termos de poderio antiaéreo, afora os poucos mísseis russos terra-ar.

O problema não era escapar dos talibãs, mas encontrá-los. Nos quatro anos desde meu último serviço, tinham aprimorado bastante suas fugas. Os seres humanos já são adaptáveis, mas na guerra são mais ainda. Os talibãs haviam calculado exatamente quantos minutos tinham do primeiro contato com as nossas tropas até a cavalaria surgir no horizonte, e seus relógios internos eram muito bem calibrados: atiravam no máximo de caras que era possível e saíam correndo.

Também tinham melhorado na hora de se esconder. Não tinham dificuldade nenhuma de desaparecer em um povoado, de se misturar à população civil ou evaporar em sua rede de túneis. Eles não fugiam — era uma coisa muito mais difusa, mais mística.

Não desistíamos fácil das buscas. Pairávamos, circulávamos, íamos e voltávamos, às vezes por duas horas. (O combustível do Apache durava duas horas.) Vez ou outra, depois dessas duas horas, ainda não estávamos dispostos a desistir. Então reabastecíamos.

Um dia reabastecemos três vezes, passando um total de oito horas no ar.

Quando enfim voltamos à base, a situação estava calamitosa: eu tinha acabado com todos os sacos para xixi.

53.

Fui o primeiro no meu esquadrão a puxar o gatilho em combate.

Eu me lembro dessa noite tão bem quanto qualquer outra da minha vida. Estávamos na barraca de Altíssima Prontidão, o telefone vermelho tocou, todos corremos para a aeronave. Dave e eu fizemos as verificações pré-voo às pressas, colhi os detalhes da missão: um dos postos de controle mais próximos de Bastion estava sob o fogo de armas leves. Precisávamos chegar lá o mais rápido possível e descobrir de onde vinham os tiros. Decolamos, passamos rente ao muro, entramos na vertical, subimos 460 metros. Instantes depois vi o alvo com meu binóculo de visão noturna. *Ali!*

Oito pontos ativos a oito quilômetros de distância. Manchas térmicas — que deixavam o local onde tinha sido o contato.

Dave disse: *Só podem ser eles!*

É, não tem nenhuma tropa amiga patrulhando aqui! Ainda mais a esta hora.

Vamos garantir. Confirmar que não tem nenhuma patrulha além do muro. Liguei para o J-TAC. Confirmado: não havia patrulha.

Sobrevoamos os oito pontos. Eles se dividiram logo em dois grupos de quatro. Com um espaçamento regular, aos poucos percorriam uma trilha. Aquela era nossa tática de patrulha — estariam nos imitando?

Depois montaram em ciclomotores, alguns em pares, outros individualmente. Avisei ao Controle que enxergávamos todos os oito alvos, pedi autorização, permissão para disparar. A permissão era necessária antes da ação, sempre, a não ser em caso de legítima defesa ou de risco iminente.

Debaixo do meu assento havia um canhão de trinta milímetros, além de dois Hellfires, cinquenta quilos de mísseis dirigidos que poderiam ser munidos de diferentes tipos de ogivas, uma das quais era excelente para eliminar alvos de grande interesse. Além dos Hellfires tínhamos alguns foguetes não guiados ar-solo, que no nosso Apache eram do tipo flechette. Para disparar o flechette era preciso inclinar o helicóptero em um ângulo preciso; só então os projéteis saíam voando feito uma nuvem de dardos. Era isso o que os flechettes eram, na verdade, uma explosão letal de oitenta dardos de treze centímetros de tungstênio. Eu me lembrei de ter ouvido em Garmsir que nossas tropas tiveram que catar os pedaços dos talibãs das árvores depois do impacto direto de um flechette.

Dave e eu estávamos prontos para disparar aqueles flechettes. Mas ainda não tínhamos recebido permissão.

Esperamos. E esperamos mais um pouco. E vimos os talibãs correrem em direções diferentes.

Eu disse a Dave: *Se eu descobrir que um desses caras feriu ou matou um dos nossos depois de deixarmos eles escaparem...*

Acompanhamos duas motos, seguimos ambas por uma estrada sinuosa. Elas se separaram.

Escolhemos uma, fomos atrás dela.

Por fim, o Controle nos deu um retorno.

As pessoas que vocês estão seguindo... qual é o status delas?

Balancei a cabeça e pensei: *A maioria escapou porque vocês demoraram demais.*

Eu disse: *Eles se dividiram e estamos só com uma moto.*

Permissão para disparar.

Dave falou para usarmos o Hellfire. Usá-lo me deixava nervoso, no entanto; preferi usar o canhão de trinta milímetros.

Foi um erro. Acertei a moto. Um homem foi abatido, supostamente morto, mas o outro saltou e correu para dentro de um prédio.

Demos voltas, chamamos as tropas terrestres.

Você tinha razão, eu disse a Dave. *Devia ter usado o Hellfire.*

Não esquenta, ele disse. *Foi sua primeira vez.*

Muito depois de voltarmos à base. Já tinha entrado em combate, já tinha matado, mas esse havia sido meu contato mais direto com o inimigo — em toda a minha vida. As outras lutas me pareciam mais impessoais. Essa tinha sido olhos no alvo, dedo no gatilho, abrir fogo.

Fiquei pensando em como me sentia.

Traumatizado?

Não.

Triste?

Não.

Surpreso?

Não. Preparado em todos os sentidos. Cumprindo minha função.

Eu me perguntei se estaria calejado, talvez dessensibilizado. Me perguntei se minha falta de reação não estaria ligada a uma ambivalência de longa data acerca da morte.

Achava que não.

Era mesmo uma questão matemática simples. Aquelas eram pessoas ruins fazendo coisas ruins com os nossos homens. Fazendo coisas ruins ao mundo. Se aquele cara que eu tinha acabado de eliminar do campo de batalha ainda não tivesse matado soldados britânicos, em breve mataria.

Eliminá-lo era salvar vidas britânicas, poupar famílias britânicas. Eliminá-lo significava menos jovens homens e mulheres enfaixados que nem múmias e despachados para casa em leitos hospitalares, como os garotos do meu avião quatro anos antes, ou os homens e mulheres feridos que eu tinha visitado em Selly Oak e em outros hospitais, ou a equipe valente com quem eu tinha marchado até o Polo Norte.

Portanto, minha principal reflexão naquele dia, minha única reflexão, foi de que eu gostaria que o Controle tivesse nos respondido antes, tivesse nos dado permissão para abrir fogo antes, para acertarmos os outros sete.

E no entanto, e no entanto. Muito depois, falando do assunto com um amigo, ele me perguntou: *Contou para a sua sensação o fato de que os assassinos estavam de moto? O veículo preferido dos paparazzi mundo afora?* Eu poderia dizer sinceramente que, enquanto perseguia um bando de motos, nem uma partícula sequer de mim pensava nos bandos de motos que tinham perseguido uma Mercedes em um túnel de Paris?

Ou nos bandos de motos que já tinham me perseguido milhares de vezes?

Eu não soube dizer.

54.

Um dos nossos drones vinha observando o treinamento dos combatentes talibãs.

Ao contrário do que normalmente se supunha, o Talibã tinha bons equipamentos. Não à altura dos nossos, mas bons, eficazes — quando usados da forma correta. Então volta e meia precisavam atualizar seus soldados. Faziam cursos frequentes no deserto, com os instrutores demonstrando como usar os mais novos apetrechos vindos da Rússia e do Irã. Era o que a aula captada pelos drones parecia ser. Uma aula de tiro.

O telefone vermelho tocou. Largamos as canecas de café e os controles do PlayStation. Corremos para os Apaches, voamos rumo ao norte a uma boa velocidade, a oito metros de altitude.

A noite começava a cair. Os controladores nos mandaram guardar distância a cerca de oito quilômetros.

No lusco-fusco, mal víamos o alvo. Apenas sombras se movimentando. Bicicletas encostadas em uma parede.

Aguardem, nos disseram.

Demos voltas e mais voltas.

Aguardem.

Respirações ofegantes.

Veio o sinal: A aula de tiro acabou. Pronto. Vai, vai, vai.

O instrutor, alvo mais valioso, estava de moto, com um dos alunos na garupa. Rugimos na direção deles, registramos seu deslocamento a quarenta quilômetros por hora, com um deles segurando uma metralhadora PKM com o cano ainda quente. Fiquei com o polegar em cima do cursor, de olho na tela, e esperei. *Aí!* Puxei um gatilho para apontar o laser e outro para disparar o míssil.

O controle que eu tinha disparado era extremamente parecido com o controle de PlayStation que eu estava usando pouco antes.

O míssil passou pertinho do pneu da moto. Foi um tiro exemplar. Exatamente onde tinham me ensinado a mirar. Um pouco acima e poderia atirá-lo em cima da cabeça dele. Um pouco abaixo e só acertaria a terra e a areia.

No alvo.

Em seguida usei a trinta milímetros.

Onde antes estava a moto havia agora uma nuvem de fumaça e chamas.

Muito bem, disse Dave.

Voltamos ao acampamento, avaliamos o vídeo.

Tiro perfeito.

Jogamos mais PlayStation.

Fomos dormir cedo.

55.

É difícil ser preciso usando Hellfires. Apaches voam a uma velocidade tão gigantesca que fica complicado ter uma mira firme. Complicado para algumas pessoas, pelo menos. Eu desenvolvi uma precisão infinitesimal, como se estivesse jogando dardos em um pub.

Meus alvos também se movimentavam com rapidez. A moto mais veloz que acertei estava a cinquenta quilômetros por hora. O motorista, um comandante talibã que vinha pedindo que abrissem fogo contra nossas tropas o dia inteiro, estava acocorado sobre o guidão, olhando para trás enquanto o perseguíamos. De propósito, corria no meio de povoados, usando civis para se proteger. Velhos e crianças eram apenas acessórios para ele.

Nossas janelas de oportunidade eram aqueles períodos de um minuto em que ele estava entre um povoado e outro.

Eu me lembro de Dave bradar: *Você tem duzentos metros até a área proibida.*

Ou seja, duzentos metros até o comandante talibã se esconder atrás de outra criança.

Ouvi Dave de novo: *Tem árvores à esquerda, parede à direita. Câmbio.*

Dave posicionou o helicóptero, desceu a 600 pés. *É agora...*

Disparei. O Hellfire explodiu a moto, que voou pelos ares de um bosque. Dave sobrevoou as árvores, e em meio às plumas de fumaça vimos uma bola de fogo. E a moto. Mas não um cadáver.

Eu estava pronto para usar a trinta milímetros, varrer a área, mas não via nada o que acertar.

Demos voltas e mais voltas. Estava ficando nervoso. *Ele escapou, amigo? Aí está ele!*

A quinze metros da moto: corpo no chão.

Confirmado.

Fomos embora.

56.

Três vezes fomos chamados ao mesmo lugar abandonado: uma série de bunkers que davam para uma rodovia movimentada. Tínhamos informações de que os combatentes talibãs viviam se reunindo ali. Chegavam em três carros, calhambeques, portando lança-granadas e metralhadoras, se posicionavam e esperavam os caminhões surgirem na estrada.

Os controladores já os tinham visto explodirem pelo menos um comboio.

Às vezes havia meia dúzia de homens, às vezes trinta. Talibã, claro como o dia.

Mas voamos até lá três vezes para travar combate e nas três não obtivemos permissão para disparar. Nunca soubemos o porquê.

Dessa vez havíamos decidido que as coisas seriam diferentes.

Chegamos lá rápido, vimos um caminhão na estrada, vimos os homens mirando. Coisas ruins estavam prestes a acontecer. O caminhão está condenado, dissemos, a não ser que a gente faça alguma coisa.

Pedimos permissão para travar combate.

Permissão negada.

Pedimos de novo. *Controle Terrestre, pedimos permissão para combater alvo hostil...!*

Fiquem de prontidão...

Bum. Um enorme lampejo e uma explosão na estrada.

Berramos nosso pedido de permissão.

Fiquem de prontidão... aguardando permissão do comando terrestre.

Entramos aos gritos, vimos o caminhão estraçalhado, vimos os homens entrarem nos calhambeques e subirem nas motos. Seguimos duas motos. Imploramos permissão para disparar. Agora pedíamos um tipo diferente de permissão: não para interromper um ato, mas para lidar com um ato que tínhamos acabado de testemunhar.

Esse tipo de permissão era chamado de 429 Alpha.

Temos Quatro Dois Nove Alpha para combate?

Fiquem de prontidão...

Continuamos no encalço das duas motos por entre diversos povoados enquanto nos engalfinhávamos com a burocracia da guerra, a relutância do alto-comando de nos deixar fazer o que tínhamos sido treinados para fazer. Talvez nessa lida com a burocracia não fôssemos diferentes dos soldados de todas as guerras. Queríamos lutar: não entendíamos as questões maiores, a geopolítica subjacente. O quadro geral. Alguns comandantes diziam, em público e em particular, que receavam que cada talibã morto gerasse mais três, portanto eram extremamente cautelosos. Às vezes a nossa impressão era de que os comandantes tinham razão: *estávamos* criando mais talibãs.

Mas devia existir uma resposta melhor do que ficar ali ao lado enquanto inocentes eram massacrados.

Cinco minutos viraram dez, que viraram vinte.

Nunca obtivemos permissão.

57.

Todas as mortes ficavam gravadas em vídeo.

O Apache via tudo. A câmera no nariz gravava tudo. Então, depois de cada missão, havia uma análise minuciosa do vídeo.

Ao voltarmos a Bastion, íamos à sala de vídeo e enfiávamos a fita no aparelho, que projetava a caçada em TVs de plasma acopladas à parede. Um comandante do esquadrão espremia a cara nas telas, examinando, murmurando — franzindo o nariz. Não estava só procurando erros, esse camarada: estava ávido por eles. Queria nos pegar no erro.

Nós o xingávamos de coisas horríveis quando ele não estava por perto. Por um triz não o xingamos cara a cara. *Escuta, você está do lado de quem?*

Mas era isso o que ele queria. Tentava nos provocar, nos induzir a dizer o indizível.

Por quê?

Inveja, concluímos.

O fato de nunca ter puxado o gatilho em combate o corroía por dentro. Nunca tinha atacado o inimigo.

Por isso nos atacava.

Apesar de se esforçar muito, ele jamais descobriu qualquer irregularidade nas nossas mortes. Participei de seis missões que terminaram na eliminação de vidas, e todas foram consideradas justificáveis por um sujeito que queria nos crucificar. Eu tinha a mesma opinião.

O que tornava a atitude do comandante do esquadrão tão execrável era o seguinte: ele explorava um medo legítimo e genuíno. Um medo que todos tínhamos. O Afeganistão tinha sido uma guerra de erros, uma guerra com enormes efeitos colaterais — milhares de inocentes mortos e mutilados, e isso sempre nos assombrava. Portanto, meu objetivo desde o dia em que cheguei era jamais ir para a cama duvidando de que tinha agido da forma certa, de que tinha acertado um talibã e somente um talibã, não os civis que estavam ao redor. Queria voltar à Grã-Bretanha com meus braços e pernas, mas mais que isso, queria voltar para casa com a consciência limpa. O que significava estar atento ao que fazia, ao motivo para fazê-lo, o tempo todo.

A maioria dos soldados não sabe dizer exatamente quantas mortes têm nas costas. Em combate, não raro existem muitos disparos indiscriminados. Mas na era do Apache e dos laptops, tudo o que fiz no decorrer de duas missões de combate ficou gravado e carimbado com data e hora. Eu sempre soube dizer exatamente quantos combatentes inimigos tinha matado. E sempre achei essencial nunca me esquivar desse número. Dentre as várias coisas que aprendi no Exército, a responsabilidade está quase no topo da lista.

Então, meu número: 25. Não é um número que me dê satisfação. Mas tampouco é um número que me cause vergonha. Naturalmente preferiria não ter esse número no meu currículo militar, na minha cabeça, mas seguindo essa mesma linha de pensamento, eu preferiria viver em um mundo em que não existisse Talibã, um mundo sem guerra. Nem um praticante ocasional do pensamento mágico como eu, no entanto, pode alterar certas realidades.

Em meio ao nevoeiro e ao calor do combate, não via esses 25 como pessoas. Não dá para matar pessoas se as enxergarmos como pessoas. Não dá para ferir pessoas se as enxergarmos como pessoas. Eram peças de xadrez retiradas do tabuleiro. Maus eliminados antes que pudessem matar os Bons. Tinha sido treinado para transformá-los em "outros", e bem treinado. Em certa medida, reconhecia que esse distanciamento aprendido era problemático. Mas também o via como uma parte inevitável do serviço militar.

Outra realidade que não se podia mudar.

Não estou querendo dizer que eu era um autômato. Nunca me esqueci de quando estava na sala de TV de Eton, a que tinha portas azuis, e vi as Torres Gêmeas derreterem enquanto as pessoas saltavam dos telhados e das janelas. Nunca me esqueci dos pais, cônjuges e filhos que conheci em Nova York, agarrados às fotos das mães e pais que tinham sido esmagados, reduzidos a pó ou queimados vivos. O Onze de Setembro foi infame, indelével, e todos os responsáveis, junto com seus simpatizantes e apoiadores, seus aliados e sucessores, não eram apenas nossos inimigos, mas inimigos da humanidade. Combatê-los era vingar um dos crimes mais atrozes da história mundial, e evitar que se repetisse.

Quando meu serviço militar estava chegando ao fim, na época do Natal de 2012, eu tinha minhas questões e dúvidas em relação à guerra, mas nenhuma delas era moral. Ainda acreditava na Missão, e os únicos disparos nos quais pensava eram aqueles que não tinha feito. Por exemplo, na noite em que nos chamaram para ajudar alguns gurcas. Estavam encurralados por um covil de combatentes talibãs, e quando chegamos houve uma pane nos sistemas de comunicação, o que nos impediu de ajudá-los. Isso ainda me assombra: ouvir meus irmãos gurcas chamando pelo rádio, me lembrar de todos os gurcas que conheci e amei, ser impedido de fazer o que quer que fosse.

Enquanto fechava as malas e me despedia, fui sincero comigo mesmo: reconheci meus vários arrependimentos. Mas eram arrependimentos saudáveis. Eu me lamentava pelas coisas que *não* tinha feito, pelos britânicos e americanos que não tinha conseguido ajudar.

Lamentava que a tarefa não estivesse encerrada.

Acima de tudo, lamentava que fosse minha hora de ir embora.

58.

Enchi minha Bergen de roupas empoeiradas, além de duas lembranças: um tapete comprado em um bazar e um cartucho de trinta milímetros do Apache.

Primeira semana de 2013.

Antes de embarcar no avião com os outros soldados, fui à barraca e sentei na única cadeira vaga.

A entrevista final obrigatória.

O repórter escolhido me perguntou o que eu tinha feito no Afeganistão. Eu respondi.

Ele perguntou se eu tinha disparado contra o inimigo.

O quê? Sim.

Ele inclinou a cabeça para trás. Estava surpreso.

O que ele achava que fazíamos ali? Tentar vender assinaturas de revistas?

Ele perguntou se eu tinha matado alguém.

Sim...

De novo, surpreso.

Tentei explicar: *É uma guerra, cara, entende?*

A conversa se desviou para a questão da imprensa. Eu disse ao repórter que achava a imprensa britânica uma porcaria, sobretudo no que dizia respeito ao meu irmão e à minha cunhada, que tinham acabado de anunciar que estavam grávidos, e consequentemente estavam sitiados.

Eles merecem ter o bebê em paz, eu disse.

Admiti que meu pai tinha suplicado que eu parasse de pensar na imprensa, de ler os jornais. Confessei que sentia culpa sempre que lia, pois assim me sentia cúmplice. *Todo mundo tem culpa de comprar os jornais. Mas espero que ninguém acredite no que eles publicam.*

Mas é claro que acreditavam. As pessoas acreditavam mesmo, e esse era o grande problema. A população britânica, uma das mais letradas do mundo, também era uma das mais crédulas. Ainda que não acreditassem em todas as palavras, havia sempre aquele resquício de espanto. *Hum, onde há fumaça há fogo...* Mesmo que a mentira fosse refutada, desmascarada, sem deixar nem um pingo de dúvida, aquele resquício de credulidade inicial permanecia.

Principalmente se a mentira era negativa. De todos os vieses humanos, o "viés negativo" é o mais indelével. Fica gravado em nosso cérebro. Privilegiar o negativo, priorizar o negativo — foi assim que nossos ancestrais sobreviveram. É com isso que os malditos jornais contam, eu tive vontade de dizer.

Mas não disse. Não era essa a discussão. Não existia discussão nenhuma. O repórter estava louco para seguir em frente, perguntar sobre Las Vegas.

Harry Rebelde, né? Harry Festeiro.

Me despedir do Afeganistão me causava um misto de sentimentos, mas não via a hora de me despedir daquele cara.

Primeiro fui com meu esquadrão para o Chipre, para o que o Exército chamava de "descompressão". Eu não tinha passado por nenhuma descompressão obrigatória depois do meu serviço anterior, portanto estava animado, mas não tanto quanto meus guarda-costas. *Até que enfim! A gente vai poder tomar uma cerveja gelada!*

Todo mundo ganhou exatamente duas latas. Só duas. Como não gostava de cerveja, dei as minhas a um soldado que parecia precisar delas mais do que eu. Ele reagiu como se tivesse ganhado um Rolex.

Fomos levados a uma apresentação de comédia. A presença era praticamente obrigatória. O organizador tinha boas intenções: um pouco de leveza depois de uma temporada no inferno. E, para falar a verdade, alguns de nós deram risadas. Mas a maioria não. Estávamos abalados e não sabíamos que estávamos abalados. Tínhamos lembranças a processar, chagas mentais a curar, questões existenciais a resolver. (Nos disseram que um padre estava à disposição caso precisássemos conversar, mas lembro que ninguém chegou perto dele.) Portanto, ficamos sentados durante a apresentação assim como ficávamos sentados na barraca de Altíssima Prontidão. Num estado de animação suspensa. À espera.

Eu me senti mal pelos comediantes. Que trabalho difícil.

Antes de irmos embora do Chipre alguém me disse que eu estava em todos os jornais.

Ah é?

A entrevista.

Que merda. Tinha esquecido completamente.

Tudo indicava que eu tinha causado uma baita comoção ao admitir ter matado gente. Em uma guerra.

Fui criticado em tudo quanto era lugar por ser... um assassino?

E por tratar o assunto com displicência.

Eu tinha mencionado, de passagem, que os controles do Apache eram similares aos controles de video games. Portanto:

Harry compara matar a jogar video game!

Larguei o jornal no lixo. Onde estava o padre?

59.

Mandei uma mensagem para Cress, avisei que já estava em casa.

Ela respondeu, disse que estava aliviada, o que me deixou aliviado.

Eu não sabia o que esperar.

Queria vê-la. Ainda assim não fizemos planos. Não naquela primeira conversa. Havia uma distância, uma frieza.

Você está diferente, Harry.

Bom. Não me sinto diferente.

Não queria que ela pensasse que eu estava diferente.

Uma semana mais tarde, uns amigos fizeram um jantar. Seja bem-vindo, Spike! Na casa do meu amigo Arthur. Cress apareceu com a minha prima Eugenie — também conhecida como Euge. Dei um abraço nas duas, vi a expressão chocada no rosto delas.

Elas disseram que eu parecia outra pessoa.

Mais forte? Maior? Mais velho?

Sim, sim, tudo isso. Mas também era alguma outra coisa que não conseguiam identificar.

Independentemente do que fosse, era amedrontador ou desagradável para Cressida.

Concordamos, portanto, que aquilo não era um reencontro. Não poderia ser. Não se pode reencontrar alguém que não conhecemos. Se quiséssemos continuar nos vendo — e eu queria muito —, teríamos que recomeçar.

Olá, meu nome é Cress.

Oi, eu sou o Haz. Prazer.

60.

Eu me levantava da cama todos os dias, ia à base, fazia meu trabalho, não curtia nem um pouco. Me parecia sem sentido.

E entediante. Eu morria de tédio.

Além do mais, pela primeira vez em muitos anos eu não tinha um objetivo. Uma meta.

O que vem a seguir? Me perguntava isso toda noite.

Implorava aos meus comandantes que me mandassem de volta.

De volta para onde?

Para a guerra.

Ah, eles diziam, *rá-rá, não*.

Em março de 2013, soube que o Palácio queria que eu embarcasse em outra turnê real. Minha primeira desde o Caribe. Dessa vez: Estados Unidos.

Ficava contente em acabar com a monotonia. Por outro lado, a ideia de voltar à cena do crime me preocupava. Imaginei dias e mais dias de perguntas sobre Las Vegas.

Não, os cortesãos do Palácio me garantiram. Impossível. O tempo e a guerra haviam eclipsado Vegas. Tratava-se de uma turnê estritamente de boa vontade, para promover a reabilitação de soldados britânicos e americanos feridos. *Ninguém vai mencionar Vegas, senhor*. Corta para maio de 2013, para a minha visita à devastação causada pelo Furacão Sandy, junto com o governador de Nova Jersey Chris Christie. O governador me presenteou com um casaco térmico, que a imprensa interpretou como... *uma forma de garantir que eu ficasse de roupa*. Na verdade, Christie também deu essa interpretação ao gesto. Um repórter perguntou o que ele achava da minha temporada em Vegas, e Christie jurou que se eu passasse o dia inteiro com ele, "ninguém acabaria pelado". A fala arrancou muitas risadas porque Christie era famoso pela corpulência.

Antes de Jersey, fui a Washington DC, onde me encontrei com o presidente Barack Obama e a primeira-dama Michelle Obama, visitei o Cemitério Nacional de Arlington, pus uma coroa de flores no túmulo do soldado desconhecido. Já tinha depositado dezenas de coroas de flores na vida, mas o ritual era diferente nos Estados Unidos. Não se punha a coroa no túmulo com as próprias mãos: um soldado de luvas brancas a depositava e então eu tinha que pôr a mão nela só por um instante. Esse passo a mais, essa parceria com outro soldado vivo, me comoveu. Ao deixar a mão sobre a coroa por mais um segundo, fiquei com as pernas bambas, a cabeça inundada de imagens de todos os homens e mulheres com quem havia servido. Pensei em mortes, feridas, luto, da província de Helmand ao Furacão Sandy passando pelo túnel da Pont de l'Alma, e me perguntei como os outros seguiam em frente enquanto eu sentia tanta dúvida e confusão — e algo mais.

O quê?, eu me perguntava.

Tristeza?

Torpor?

Não sabia dar nome. E sem conseguir dar nome, sentia uma espécie de vertigem.

O que estava acontecendo comigo?

A turnê americana durou apenas cinco dias — um verdadeiro turbilhão. Tantas paisagens, rostos e momentos memoráveis. Mas a caminho de casa eu só pensava em uma parte.

Uma parada no Colorado. Uma coisa chamada Warrior Games. Uma espécie de Olimpíada para soldados feridos, com a participação de duzentos homens e mulheres, e todos me inspiravam.

Eu assisti a eles com muita atenção, vi que estavam se divertindo como nunca, vi que davam tudo de si nas competições, e lhes perguntei… como?

Esporte, eles responderam. É a via mais direta rumo à cura.

Em sua maioria, eram atletas inatos, e me diziam que os jogos lhes ofereciam uma oportunidade rara de redescobrir e extravasar seus talentos físicos, apesar das lesões. Talvez apenas por um instante, por um dia, mas isso bastava. Mais que bastava. Quando alguém fazia a ferida desaparecer por um tempo, a ferida já não estava mais no controle — era a pessoa que estava.

Sim, pensei. Entendi.

Portanto, no voo de volta, eu não parava de pensar nesses jogos e me perguntar se não poderíamos fazer alguma coisa parecida na Grã-Bretanha. Uma versão desses Warrior Games, mas talvez com mais soldados, mais visibilidade, mais benefícios para os participantes. Fiz anotações em uma folha de papel e quando o avião aterrissou a ideia básica já estava esboçada.

Jogos Paralímpicos para soldados do mundo inteiro! No Parque Olímpico de Londres! Onde as Olimpíadas de Londres tinham acabado de acontecer!

Com todo o apoio e cooperação do Palácio. Quem sabe?

Era um pedido grandioso. Mas sentia que tinha granjeado algum capital político. Apesar de Las Vegas, apesar de pelo menos uma matéria que me pintava como um criminoso de guerra, apesar do meu histórico cheio de altos e baixos como o príncipe rebelde, os britânicos pareciam ter uma visão usualmente positiva do Reserva. Tinha-se a sensação de que eu estava atingindo meu potencial. Além do mais, a maioria dos britânicos tinha uma imagem positiva da comunidade militar de modo geral, apesar da impopularidade da guerra. É claro que apoiariam uma iniciativa para ajudar os soldados e suas famílias.

O primeiro passo seria convencer o Royal Foundation Board, que supervisionava meus projetos de caridade e os de Willy e Kate. Como a fundação era *nossa*, disse a mim mesmo: sem problemas.

Além de tudo, o calendário estava a meu favor. Era o começo do verão de 2013. Willy e Kate, a semanas de terem o primeiro filho, passariam um tempo inativos. A fundação, portanto, não tinha nenhum projeto em desenvolvimento. Seus cerca de 7 milhões de libras estavam parados, ociosos. E se esses Warrior Games internacionais dessem certo, elevariam o perfil da fundação, o que estimularia doadores e multiplicaria o dinheiro nas contas da fundação. Teria mais do que o necessário para quando Willy e Kate voltassem à carga. Então eu estava cheio de confiança nos dias anteriores à minha apresentação.

Mas quando o dia chegou, não estava tanto. Tinha me dado conta do quanto precisava daquilo, pelos soldados e por suas famílias, e para ser muito franco: por mim. E esse súbito ataque de nervos me impediu de estar na minha melhor forma. Porém, fui em frente e o conselho disse sim.

Feliz da vida, contatei Willy, esperando que ele também ficasse feliz.

Ele ficou irritadíssimo. Queria que eu tivesse falado com ele primeiro.

Supus que outras pessoas tivessem falado, eu lhe disse.

Ele reclamou que eu usaria todos os fundos da Royal Foundation.

Que absurdo, soltei. Tinham me dito que bastava meio milhão de libras para pôr os jogos de pé, uma fração dos fundos da fundação. O restante viria de doadores.

O que é que estava acontecendo?, fiquei me perguntando.

Então entendi: Meu Deus, é rivalidade de irmãos.

Tampei os olhos com a mão. Ainda não tínhamos deixado aquilo para trás? Aquela coisa toda de Herdeiro contra Reserva? Já não estava meio tarde para aquela velha dinâmica da infância?

Mas ainda que não estivesse, ainda que Willy insistisse em competir, em transformar nossa irmandade em uma Olimpíada particular, ele já não tinha aberto uma dianteira insuperável? Estava casado, com um bebê a caminho, enquanto eu comia quentinhas em cima da pia.

Da pia do papai! Eu ainda morava com o papai!

Jogo encerrado, cara. Você ganhou.

61.

Eu esperava mágica. Achava que essa missão desafiadora, enobrecedora, de criar um Warrior Games internacional me levaria a uma nova fase da minha vida pós-guerra. Não funcionou assim. Pelo contrário. A cada dia que passava, eu me sentia mais apático. Mais desanimado. Mais perdido.

No final do verão de 2013, estava em apuros, alternando entre surtos debilitantes de letargia e ataques de pânico tenebrosos.

Minha vida oficial era estar em público, me postar diante das pessoas, fazer discursos e palestras, dar entrevistas, e agora me via quase incapaz de cumprir essas funções básicas. Horas antes de um discurso ou uma aparição pública, ficava encharcado de suor. Depois, durante o evento, era incapaz de pensar, minha cabeça zumbindo de medo e fantasiando fugas.

Sempre escapava por um triz do ímpeto de fugir. Mas conseguia imaginar o dia em que não conseguiria, em que sairia correndo do palco ou do salão. Aliás, o dia parecia estar perto, e eu já imaginava as manchetes retumbantes, que sempre triplicavam minha ansiedade.

O pânico geralmente começava quando eu vestia o terno de manhã. Estranho — esse era o meu gatilho: O Terno. Enquanto abotoava a camisa, sentia minha pressão arterial subir. Ao dar o nó na gravata, sentia a garganta fechar. Quando estava vestindo o paletó, amarrando os sapatos, o suor já escorria pelo meu rosto e por minhas costas.

Sempre fui muito sensível ao calor. Que nem o papai. Nós dois fazíamos piadas sobre isso. Não fomos feitos para este mundo, dizíamos. Malditos homens da neve. A sala de jantar de Sandringham, por exemplo, era nossa versão do Inferno de Dante. A temperatura de Sandringham era amena, mas a sala de jantar era subtropical. Papai e eu sempre esperávamos que a vovó olhasse para o outro lado e um dos dois levantava de supetão, corria até a janela e abria uma frestinha. *Ah, que maravilha de ar gelado.* Mas os corgis sempre nos traíam. O ar frio os fazia choramingar, e vovó perguntava: *Tem uma corrente de ar?* E então um funcionário fechava a janela na mesma hora. (Aquele baque alto, inevitável por conta da antiguidade das janelas, parecia a porta de uma cela se fechando.) Mas agora, sempre que estava para fazer uma aparição pública, fosse qual fosse o lugar, me sentia na sala de jantar de Sandringham. Durante um discurso, fiquei tão encalorado que tive certeza de que todo mundo estava percebendo e discutindo o assunto. Durante uma recepção, procurei loucamente alguém que estivesse sentindo aquela mesma insolação. Precisava de uma confirmação de que não era só eu.

Mas era.

Como é comum acontecer com o medo, o meu entrou em metástase. Em pouco tempo já não acontecia só em apresentações públicas, mas em todos os lugares públicos. Todas as aglomerações. Passei a temer estar perto de outros seres humanos.

Mais do que tudo, temia câmeras. Nunca tinha gostado de câmeras, é claro, mas agora as achava insuportáveis. O clique característico do obturador se abrindo e se fechando... me deixava desnorteado o dia inteiro.

Eu não tinha alternativa: passei a ficar em casa. Dia após dia, noite após noite, ficava sentado de cueca comendo delivery, assistindo à série *24*. Ou *Friends*. Acho que devo ter visto todos os episódios de *Friends* em 2013.

Concluí que eu era um Chandler.

Meus amigos *de verdade* comentavam de passagem que eu não estava normal. Como se eu estivesse gripado. Às vezes eu pensava: talvez eu não esteja normal *mesmo*. Talvez fosse isso o que estava acontecendo. Talvez seja uma metamorfose. Talvez uma nova pessoa estivesse emergindo, e eu tivesse que ser essa nova pessoa, essa pessoa assustada, pelo resto da minha vida.

Ou talvez essa pessoa sempre tivesse sido eu e só agora isso estivesse se tornando evidente? Talvez minha psique, assim como a água, tivesse chegado a um nível de estabilidade.

Revirei o Google à procura de explicações. Pus meus sintomas em vários mecanismos de busca em sites de medicina. Ficava tentando me diagnosticar, dar nome ao que havia de errado comigo... quando a resposta estava bem debaixo do meu nariz. Eu tinha conhecido tantos soldados, tantos jovens homens e mulheres que sofriam de estresse pós-traumático, e tinha escutado tantas histórias sobre as dificuldades em sair de casa, o incômodo de estar perto de outras pessoas, o tormento de entrar em um espaço público — em especial se fosse barulhento. Já tinha ouvido os relatos de que escolhiam a dedo a hora de ir a uma loja ou um pub, de que faziam questão de chegar minutos antes do horário de fechamento para evitar a multidão e o barulho. Eu me solidarizava profundamente com eles e, no entanto, jamais tinha ligado os pontos. Nunca tinha me passado pela cabeça que eu também estava sofrendo de estresse pós--traumático. Apesar de todo o meu trabalho com soldados feridos, todo o meu empenho em prol deles, toda a minha batalha para criar um campeonato que evidenciasse sua situação, nunca tinha me ocorrido que eu era um soldado ferido.

E minha guerra não tinha começado no Afeganistão.

Tinha começado em agosto de 1997.

62.

Uma noite, telefonei para o meu amigo Thomas, irmão do meu querido amigo Henners. Thomas, tão engraçado e espirituoso. Thomas, com sua risada contagiante.

Thomas, uma lembrança viva de dias melhores.

Eu estava em Clarence House, sentado no chão da sala de TV. Devia estar vendo *Friends*.

Ei, Boose, está fazendo o quê?

Ele riu. Ninguém mais o chamava de Boose.

Harr-eese! Olá!

Eu sorri. Ninguém mais me chamava de Harr-eese.

Ele disse que estava saindo de um jantar de negócios. Estava feliz de ter com quem conversar a caminho de casa.

Sua voz, tão parecida com a do irmão, foi um conforto instantâneo. Me deixou feliz, embora Thomas não estivesse feliz. Também enfrentava dificuldades, declarou. Estava passando por um divórcio, outras complicações.

A conversa se voltou inexoravelmente para a complicação original, a fonte de todas as complicações, Henners. Thomas morria de saudades do irmão. Eu também, eu disse. *Cara, eu também.*

Ele me agradeceu por ter discursado em um evento para angariar fundos para a obra de caridade de Henners.

Eu não perderia por nada. É para isso que servem os amigos.

Pensei no evento. E no ataque de pânico antes do evento.

Então relembramos o passado de forma aleatória. Thomas e Henners, Willy e eu, manhãs de sábado, fazer nada com a mamãe, ver TV — concursos de arroto.

Ela era que nem um garoto adolescente!

Ela era, cara.

Ir com a mamãe ver Andrew Lloyd Webber.

Eu e Henners mostrando a bunda para as câmeras de segurança de Ludgrove.

Nós dois caímos na gargalhada.

Ele lembrou que Henners e eu éramos tão grudados que as pessoas nos apelidaram de Jack e Russell. Talvez porque Willy e eu tivéssemos cachorros da raça Jack Russell? Ah, eu me perguntava onde Henners estaria. Estaria com a mamãe? Estaria com os mortos do Afeganistão? Gan-Gan estaria junto? Fui arrancado dessa linha de pensamento pelo som de Thomas gritando.

Boose, cara, você está bem?

Vozes bravas, tumulto, briga. Pus o telefone no viva-voz, atravessei o corredor às pressas, subi a escada, irrompi na sala da polícia. Gritei que meu amigo estava em perigo. Nos debruçamos sobre o telefone, escutamos, mas a linha já tinha caído.

Era óbvio: Thomas estava sofrendo um assalto. Por sorte, tinha acabado de mencionar o nome do restaurante onde havia jantado. Ficava em Battersea. Além disso, eu sabia onde ele morava. Olhamos o mapa: havia só um trajeto lógico entre um ponto e outro. Alguns guarda-costas correram comigo até lá e encontramos Thomas na calçada. Perto da Albert Bridge. Esmurrado, abalado. Nós o levamos à delegacia mais próxima, onde ele fez um boletim de ocorrência. Depois o levamos para casa.

Durante o percurso, ele não parava de me agradecer por ter ido socorrê-lo.

Dei um abraço apertado nele. *É para isso que servem os amigos.*

63.

Me deram uma mesa no aeródromo do Exército, o Aeródromo de Wattisham, o que eu detestei. Nunca quis uma mesa. Achava insuportável ficar sentado diante de uma mesa. Meu pai adorava a mesa dele, parecia preso a ela, apaixonado por ela, rodeado de livros e malas postais. Eu nunca fui assim.

Também me deram uma nova tarefa. Refinar meus conhecimentos sobre o Apache. Talvez para me tornar instrutor. *Aquela* era uma tarefa que *poderia* ser divertida. Ensinar os outros a voar.

Mas não era. Não sentia que era minha vocação.

De novo apresentei a ideia de voltar à guerra. De novo a resposta foi uma negativa ríspida. Mesmo se o Exército estivesse disposto a me mandar para lá, o Afeganistão estava esfriando.

Mas a Líbia estava esquentando. *Que tal?*

Não, o Exército disse — de todas as formas que conheciam, oficial e extraoficialmente, negaram meus pedidos.

Todo mundo estava de saco cheio do Harry na zona de guerra.

Ao fim de um dia típico de trabalho, eu saía de Wattisham e voltava dirigindo ao Palácio de Kensington. Já não estava mais morando com papai e Camilla: tinham me concedido um espaço, um apartamento no "térreo inferior" do Palácio de Kensington, como corretores o chamavam, um eufemismo risível para "a meio caminho do subsolo".

O apartamento tinha três janelões, mas como filtravam bem a luz, a diferença entre alvorada, crepúsculo e o meio do dia era na melhor das hipóteses simbólica. Às vezes o sr. R, que morava logo acima, tornava a questão irrelevante. Ele gostava de estacionar seu enorme Discovery prateado ao lado das janelas, bloqueando a luz completamente.

Escrevi um bilhete para ele, perguntando educadamente se não poderia parar o carro um pouco mais adiante. Ele retrucou me mandando parar de encher o saco. Depois foi à minha avó e pediu que ela me dissesse a mesma coisa.

Ela nunca tocou no assunto comigo, mas o fato de o sr. R se sentir seguro o bastante, respaldado o bastante para me denunciar à monarca me mostrou minha verdadeira posição na hierarquia. Ele era um dos camaristas da vovó.

Eu devia lutar, disse a mim mesmo. Devia confrontar o sujeito cara a cara. Mas pensei — não. O apartamento combinava com o meu estado de espírito. A escuridão ao meio-dia combinava com o meu estado de espírito.

Além do mais, era a primeira vez que eu morava sozinho, em outro lugar que não a casa do meu pai. Portanto, no cômputo geral, eu não tinha do que reclamar.

Um dia, convidei um amigo. Ele disse que o apartamento parecia uma toca de texugo. Ou talvez eu tenha dito isso a ele. De qualquer forma, era verdade, e não me importei.

Estávamos batendo papo, meu amigo e eu, bebendo, quando de repente uma folha de papel desceu em frente à minha janela. Então a folha começou a tremular. Meu amigo levantou, foi à janela e disse: *Spike... mas que...?* O que caía da folha de papel era uma cascata do que parecia ser... confete marrom?

Não.

Glitter?

Não.

Meu amigo disse: *Spike, isso não é cabelo?*

Era. A sra. R estava aparando o cabelo de um dos filhos, sacudindo a folha de papel onde tinha juntado as mechas. O verdadeiro problema, no entanto, era que minhas três janelas estavam abertas e a brisa soprava naquele dia. Rajadas de cabelo entraram no apartamento. Meu amigo e eu tossimos, rimos, tiramos fios da língua.

O que não foi parar no apartamento aterrissou feito chuva de verão no jardim compartilhado, que justamente naquela época estava cheio de brotos de hortelã e alecrim.

Passei dias redigindo na minha cabeça um bilhete ríspido dirigido à sra. R. Nunca o enviei. Sabia que estava sendo injusto: ela não sabia que estava enchendo minha casa de cabelo. Tampouco sabia da verdadeira origem de minha antipatia por ela. Era culpada de um crime veicular ainda mais grave do que o marido. A sra. R sempre estacionava o carro dela na vaga que era da minha mãe.

Ainda a vejo parando naquele lugar, exatamente onde a BMW verde da minha mãe ficava. Era errado da minha parte, eu sabia que era errado, mas em certa medida eu condenava a sra. R por isso.

64.

Virei tio. Willy e Kate tinham dado as boas-vindas ao primeiro filho, George, e ele era lindo. Mal podia esperar para lhe ensinar sobre rúgbi e Rorke's Drift, sobre aviação e críquete de corredor — e talvez lhe dar algumas dicas de como sobreviver a uma vida no aquário.

Os repórteres, entretanto, viram naquela ocasião tão alegre uma oportunidade de me perguntar... se eu estava infeliz.

O quê?

O bebê tinha me empurrado para baixo na linha de sucessão, fazendo de mim o quarto em vez do terceiro que poderia ascender ao trono. Então os repórteres diziam: que azar, hein?

Você deve estar de brincadeira.

Deve haver algum receio.

Seria impossível eu estar mais feliz do que estou.

Era uma meia verdade.

Estava contentíssimo por Willy e Kate, e estava indiferente à minha posição na linha de sucessão.

Mas apesar de ambas as coisas, eu estava longe de estar feliz.

65.

Angola. Viajei para esse país devastado pela guerra em uma visita oficial e fui especificamente a lugares onde o dia a dia havia sido envenenado por minas terrestres, inclusive uma cidade que acreditavam ser o lugar mais cheio de minas da África inteira.

Agosto de 2013.

Usei o mesmo equipamento protetor que minha mãe usara quando fez sua histórica viagem a Angola. Cheguei a trabalhar com a mesma obra de caridade que a havia convidado: Halo Trust. Fiquei muito frustrado quando soube, pelos executivos da instituição e pelos trabalhadores em campo, que a tarefa que ela tinha divulgado — aliás, toda a cruzada global que minha mãe tinha ajudado a lançar — estava estagnada. Falta de recursos, falta de força de vontade.

Essa era a causa pela qual minha mãe era mais apaixonada no fim. (Ela tinha visitado a Bósnia três semanas antes de ir a Paris, em agosto de 1997.) Muitos ainda se lembravam dela andando sozinha por um campo minado, detonando uma mina usando um controle remoto, anunciando com valentia: "Uma já foi, faltam 17 milhões". Sua visão de um mundo livre de minas terrestres parecia factível naquela época. Agora o mundo retrocedia.

Assumir a causa dela, detonar uma mina terrestre, fez com que eu me sentisse mais perto dela, e me deu força, esperança. Por um breve instante. Mas de modo geral eu sentia que todos os dias caminhava por um campo minado psicológico e emocional. Nunca sabia quando a próxima explosão de pânico aconteceria.

Ao voltar à Grã-Bretanha, mergulhei de novo na pesquisa. Estava louco para achar uma causa, um tratamento. Cheguei a falar com papai, fiz confidências a ele. *Pai, eu estou tendo ataques de pânico e ansiedade.* Ele me mandou a um médico, um gesto bondoso da parte dele, mas o médico era um clínico geral sem conhecimento ou ideias novas. Queria me receitar remédios.

Eu não queria tomar remédios.

Não sem antes tentar outros tratamentos, inclusive homeopáticos. Na minha pesquisa, me deparei com muita gente recomendando magnésio, que diziam ter um efeito calmante. Era verdade, tinha mesmo. Mas em grandes quantidades também tinha efeitos colaterais desagradáveis — intestino solto —, o que descobri da pior forma, no casamento de um amigo.

Um dia, durante o jantar em Highgrove, papai e eu conversamos bastante sobre o que eu andava enfrentando. Contei detalhes, história atrás de história. Já no final do jantar, ele olhou para o prato e disse em tom suave: *Acho que a culpa é minha. Eu devia ter providenciado a ajuda de que você precisava anos atrás.*

Eu garanti que a culpa não era dele. Mas apreciava o pedido de desculpas.

Conforme o outono se aproximava, minha ansiedade ia se intensificando, eu acho, por conta do meu aniversário, o último antes de eu entrar na casa dos trinta. O restinho da minha juventude, eu pensava. Era assaltado por todas as dúvidas e medos tradicionais, me fazia as mesmas perguntas que as pessoas se fazem à medida que envelhecem. Quem sou eu? Para onde vou? Normal, eu disse a mim mesmo, mas a imprensa ecoava num nível anormal meus questionamentos.

Príncipe Harry... Por que ele não se casa?

Eles desencavavam todas as relações que eu já tinha tido, todas as meninas com as quais tinham me visto, jogavam tudo no liquidificador, chamavam "especialistas", isto é, charlatões, para tentar entender o caso. Livros a meu respeito iam fundo na minha vida amorosa, esmiuçavam todos os fiascos românticos e os quase acertos. Lembro um que detalhava meu flerte com Cameron Diaz. Harry não se imaginava ao lado dela, o autor dizia. Realmente não me imaginava, já que nunca tínhamos nos conhecido. Nunca estive a cinquenta metros da srta. Diaz, mais uma prova de que se você gosta de ler uma bobajada sem fim, biografias da realeza foram feitas para você.

Por trás de toda essa preocupação excessiva a meu respeito havia uma coisa mais substanciosa do que "fofocas". Havia o sustentáculo da monarquia, *baseada* no matrimônio. As maiores controvérsias em relação a reis e rainhas, que se estendem ao longo de séculos, geralmente têm a ver com quem se casaram, e com quem não se casaram, e os filhos gerados por essas uniões. Não se é um membro estabelecido da Família Real, ou um verdadeiro ser humano, até o casamento. Não é nenhuma coincidência que a vovó, chefe de Estado de dezesseis países, começasse todos os seus discursos com "Meu marido e eu...". Quando Willy e Kate casaram, se tornaram duque e duquesa de Cambridge, mas acima de tudo se tornaram uma Casa, e com isso ganharam o direito a mais funcionários, mais carros, uma casa maior, um gabinete mais majestoso, recursos extras, papéis de carta timbrados. Eu não ligava para essas regalias, mas ligava para o respeito. Como solteiro inveterado, era um estranho, uma não pessoa na minha própria família. Se queria que isso mudasse, teria que me amarrar. Era simples.

Tudo isso transformou meu aniversário de 29 anos em um marco complicado, e em certos dias uma dor de cabeça complicada.

Eu estremecia ao pensar em como me sentiria no aniversário seguinte, de trinta anos. Meia-idade de fato. Para não falar da herança que viria junto. Ao completar trinta anos, eu receberia uma boa quantia que mamãe tinha me deixado. Me repreendia por ficar melancólico por isso: a maioria das pessoas faria de tudo para herdar dinheiro. Para mim, no entanto, esse era outro lembrete de sua ausência, outro sinal do vazio que ela tinha deixado, que libras e euros jamais preencheriam.

O melhor, eu resolvi, era me afastar dos aniversários, me afastar de tudo. Decidi celebrar o aniversário da minha chegada à Terra indo até o fim dela. Já tinha ido ao Polo Norte. Agora iria ao Polo Sul.

Faria outra expedição junto com a Walking With the Wounded.

Me alertaram que o Polo Sul era ainda mais frio do que o Polo Norte. Eu ri. Como seria possível? Eu já tinha congelado meu pênis, camarada — essa não era a própria definição da pior coisa possível?

Além do mais, dessa vez eu saberia tomar as precauções certas — roupas íntimas confortáveis, mais enchimento etc. Melhor ainda, um grande amigo contratou uma costureira para me fazer uma almofada de pinto sob medida. Ajustada, com bom sustento, era feita de fleece bem macio e...

Já falei demais.

66.

Em meio aos preparativos para o ataque ao Polo, sentei com meu novo secretário particular, Ed Lane Fox, a quem chamávamos de Elf.

Novembro de 2013.

Outrora capitão da Cavalaria Real, Elf era elegante, inteligente, polido. Volta e meia diziam que ele era parecido com o Willy, mas a similaridade tinha mais a ver com o cabelo do que com a personalidade. Ele me lembrava menos o meu irmão e mais um cão de corrida. Como um galgo, ele jamais parava. Seria capaz de ir até o fim do mundo atrás de um coelho. Em outras palavras, era totalmente dedicado à Causa, fosse ela qual fosse em determinado momento.

Seu maior dom, contudo, talvez fosse o de enxergar o cerne das questões, avaliar e simplificar as situações e os problemas, o que o tornava o homem perfeito para me ajudar a pôr em prática a ideia ambiciosa dos Warrior Games internacionais.

Agora que já tinha parte do dinheiro na mão, Elf aconselhou, o próximo passo era achar alguém com talento extraordinário para organização e relações sociais e políticas para assumir uma função daquele tamanho. Ele conhecia o homem certo.

Sir Keith Mills.

É claro, eu disse. O Sir Keith havia organizado as Olimpíadas de 2012, em Londres, que tinham sido um sucesso.

Aliás, daria para imaginar outra pessoa?

Vamos convidar Sir Keith para tomar um chá no Palácio de Kensington.

67.

Eu seria capaz de construir uma maquete daquela sala de estar. Duas janelonas, um sofazinho vermelho, o candelabro iluminando suavemente um quadro a óleo de um cavalo. Eu já tinha feito inúmeras reuniões ali. Mas quando entrei na sala naquele dia, tive a sensação de que seria o cenário de um dos encontros mais fundamentais da minha vida, e todos os detalhes ficaram gravados em mim.

Tentei permanecer calmo ao indicar uma poltrona a Sir Keith e perguntar como ele tomava o chá.

Depois de alguns minutos de bate-papo, apresentei minha ideia.

Sir Keith me escutou respeitosamente, com olhos de lince, mas quando terminei ele soltou alguns hummms e aaahs.

Tudo lhe parecia incrível, ele declarou, mas estava praticamente aposentado. Tentando diminuir o número de projetos, entende? Queria otimizar a vida, concentrar-se em suas paixões, sobretudo no iatismo. Copa América e assim por diante.

A bem da verdade, suas férias estavam marcadas para começar no dia seguinte.

Como convencer um homem que está a horas de tirar férias a arregaçar as mangas e assumir um projeto irrealizável?

Não tem jeito, eu pensei.

Mas a questão toda dos jogos era: Jamais desistir.

Então insisti. Pedi a ele uma vez, duas vezes, e contei dos soldados que tinha conhecido, as histórias deles, e também um pouco da minha. Foi um dos primeiros relatos aprofundados que fiz sobre minha época na guerra.

Aos poucos, vi que minha veemência, meu entusiasmo, iam solapando as defesas de Sir Keith.

Testa enrugada, ele disse: Bom... *Quem já embarcou nesse projeto?*

Olhei para Elf. Elf me olhou.

Essa é a beleza da coisa, Sir Keith. O senhor é o primeiro... entende?

Ele riu. *Que esperto.*

Não, não, é sério. O senhor pode reunir a banda toda de novo, se quiser. Contratar quem o senhor desejar.

Apesar da tentativa de persuasão evidente e óbvia, havia muita verdade no que eu estava dizendo. Ainda não tínhamos conseguido convencer ninguém a colaborar com a gente, portanto tínhamos carta branca. Ele poderia organizar a equipe como bem entendesse, chamar todas as pessoas que o tinham ajudado a fazer uma Olimpíada tão bem-sucedida.

Ele assentiu. *Para quando você está pensando em organizar isso?*

Setembro.

Como é que é?

Setembro.

Ou seja, daqui a dez meses?

Isso.

De jeito nenhum.

Tem que ser.

Eu queria que os jogos coincidissem com as celebrações do centenário da Primeira Guerra Mundial. Sentia que esse vínculo era vital.

Ele suspirou, prometeu pensar.

Eu sabia o que isso significava.

68.

Algumas semanas mais tarde, peguei um voo rumo à Antártida, pousei numa estação de pesquisa chamada Novolazarevskaya, um vilarejo minúsculo formado por barracas e casas portáteis. Os poucos resistentes que moravam lá eram anfitriões fabulosos. Eles me abrigaram, me alimentaram — as sopas eram inacreditáveis. Eu me empanturrava.

Talvez porque fizesse 35 graus abaixo de zero?

Quer mais canja escaldante, Harry?

Quero, sim, por favor.

A equipe e eu passamos uma ou duas semanas nos enchendo de carboidratos, nos preparando. E, é claro, enchendo a cara de vodca. Por fim, numa manhã, com os olhos ainda embaçados... partimos. Embarcamos em um avião, voamos até o banco de gelo, paramos para reabastecer. O avião aterrissou em um campo de brancura maciça, plana, como se eu estivesse em um sonho. Para onde quer que se olhasse, não havia nada além de um punhado de barris gigantes de combustível. Taxiamos perto deles e eu desci enquanto os pilotos enchiam o tanque. O silêncio era divino — não havia nenhum passarinho, nenhum carro, nenhuma árvore —, mas isso era apenas parte do vazio maior, absoluto. Não havia cheiros, vento, curvas fechadas ou peculiaridades que me distraíssem daquela vista infinita de beleza descomunal. Eu me afastei para ficar um tempo sozinho. Nunca tinha estado num lugar tão pacato quanto aquele. Louco de alegria, plantei uma bananeira. Meses e mais meses de ansiedade se dissiparam... por alguns minutos.

Voltamos para o avião, voamos até o ponto inicial da caminhada. Quando enfim começamos a andar, lembrei: ih, é, meu dedo está quebrado.

E faz pouco tempo, aliás. Foi num fim de semana com meus amigos em Norfolk. Bebemos e fumamos e farreamos até o amanhecer, e então, quando estávamos tentando rearrumar um dos ambientes que tínhamos reorganizado, deixei uma poltrona pesada com rodinhas de metal cair no meu pé.

Uma lesão boba. Mas debilitante. Eu mal conseguia andar. Não tinha importância, eu estava decidido a não decepcionar a equipe.

Sabe-se lá como, consegui acompanhar o ritmo dos meus companheiros de caminhada, nove horas por dia, arrastando um trenó que pesava uns noventa quilos. Era difícil para todo mundo ganhar tração na neve, mas para mim o grande desafio eram os trechos escorregadios, ondulados, esculpidos pelo vento. Sastrugi, era esse o nome desses trechos em norueguês. Caminhar pelo sastrugi de dedo quebrado? Talvez pudesse ser um dos esportes do Warrior Games, pensei. Mas sempre que eu ficava tentado a reclamar — do meu dedo, da minha fadiga, de qualquer coisa —, bastava olhar para os meus companheiros. Estava logo atrás de um soldado escocês chamado Duncan, que não tinha pernas. Quem vinha atrás de mim era um soldado americano chamado Ivan, que era cego. Portanto, nenhum lamento viria da minha boca, jurei a mim mesmo.

Além disso, um guia polar experiente tinha me aconselhado, antes de eu partir da Grã-Bretanha, a usar essa expedição para "limpar o HD". Foi isso que ele disse. *Usar* o ato repetitivo, ele disse, *usar* o frio cortante, *usar* o vazio, a brancura singular daquela paisagem, para estreitar o foco até a mente entrar em transe. Vai se transformar em uma meditação.

Segui o conselho ao pé da letra. Eu me intimei a ficar presente. *Ser* a neve, *ser* o frio, *ser* cada passo, e deu certo. Entrei num transe encantador, e mesmo quando meus pensamentos eram sombrios, conseguia encará-los e vê-los ir embora. Às vezes acontecia de eu ver meus pensamentos puxarem outros pensamentos e de repente toda a linha de pensamentos fazia sentido. Por exemplo, lembrei-me de todas as outras caminhadas desafiadoras da minha vida — o Polo Norte, os treinamentos do Exército, seguir o caixão da mamãe até a cova —, e embora as lembranças fossem dolorosas, também proporcionavam continuidade, estrutura, uma espécie de espinha dorsal narrativa de que eu nunca havia suspeitado. A vida era uma longa caminhada. Fazia sentido. Foi maravilhoso. Era tudo interdependente e interconectado...

Então vieram as tonturas.

Por incrível que pareça, o Polo Sul fica acima do nível do mar, a mais ou menos 3 mil metros de altitude, e portanto o mal das montanhas é um risco genuíno. Um dos participantes já tinha sido afastado da expedição; agora eu entendia o porquê. A sensação começou devagarinho e eu a ignorei. Então ela me derrubou. A cabeça girando, seguida por uma enxaqueca arrasadora, a pressão aumentando nos dois lobos do meu cérebro. Não queria parar, mas a decisão não cabia a mim. Meu corpo disse: obrigado, a gente desembarca aqui. Os joelhos cederam. O torso cedeu na sequência.

Caí na neve feito um monte de pedras.

Paramédicos armaram uma barraca, me deitaram reto, me deram uma injeção contra enxaqueca. Na bunda, acho. Esteroides, eu os ouvi dizer. Quando recobrei a consciência, me senti quase restabelecido. Alcancei o grupo, procurei um jeito de voltar ao transe.

Ser o frio, *ser* a neve...

Ao nos aproximarmos do Polo, estávamos todos sincronizados, todos exultantes. Nós o víamos ali, *logo ali*, por entre nossos cílios cobertos de gelo. Começamos a correr em direção a ele.

Parem!

Os guias nos disseram que era hora de montar acampamento.

Montar acampamento? Mas que...? A linha de chegada está logo ali.

Vocês não têm autorização para acampar no Polo! Então a gente vai ter que acampar aqui esta noite e ir até o Polo de manhã.

Acampados à sombra do Polo, nenhum de nós conseguia dormir, estávamos empolgados demais. Então fizemos uma festa. Bebemos um pouco, fizemos bagunça. Nossas risadas ressoaram no lado de baixo do mundo.

Por fim, ao raiar do dia, em 13 de dezembro de 2013, partimos, tomamos o Polo de assalto. No ponto exato, ou perto dele, havia um enorme círculo com as bandeiras que representavam os doze signatários do tratado da Antártida. Ficamos parados diante das bandeiras, exaustos, aliviados, desorientados. *Por que é que tem uma bandeira do Reino Unido em cima do caixão?* Então nos abraçamos. Algumas matérias que saíram na imprensa diziam que um dos soldados tinha tirado a perna e que a usamos como caneca para tomar champanhe, o que parece fazer sentido, mas não lembro. Foram tantas as vezes em que usei pernas protéticas para beber na vida que não tenho como jurar que essa foi uma delas.

Depois das bandeiras havia um prédio imenso, um dos mais feios que já vi. Uma caixa sem janelas, construída pelos americanos do centro de pesquisas. O arquiteto que tinha criado aquela monstruosidade, pensei, devia ter puro ódio da humanidade, do planeta, do Polo. Partiu meu coração ver uma coisa tão horripilante dominar uma paisagem tão imaculada. No entanto, assim como todo mundo, corri para dentro do prédio feio para me aquecer, fazer xixi, tomar um chocolate quente.

Havia uma cafeteria enorme e estávamos todos mortos de fome. Desculpem, nos disseram, mas a cafeteria está fechada. *Querem um copo de água?*

Água? Ah. Quero.

Cada um recebeu um copo.

Depois um suvenir. Um tubo de ensaio.

Com uma rolha minúscula.

Na lateral, havia um rótulo impresso: O AR MAIS LIMPO DO MUNDO.

69.

Fui direto do Polo Sul para Sandringham.

Natal em família.

O hotel da vovó estava cheio naquele ano, repleto de parentes, por isso ganhei um quartinho apertado em um corredor estreito dos fundos, cercado pelos escritórios dos funcionários do Palácio. Eu nunca tinha ficado ali. Praticamente não tinha colocado o pé ali. (Nada de anormal: todas as residências da vovó são imensas — levaria uma vida inteira para ver todos os cantinhos.) Eu gostava da ideia de ver e explorar um território desconhecido — era um explorador polar de longa data, afinal! —, mas também me sentia meio menosprezado. Meio malvisto. Relegado aos cafundós.

Tentei me convencer a aproveitar, usar aquele tempo para proteger a serenidade que tinha alcançado no Polo. Meu HD estava limpo.

Infelizmente, naquela época minha família estava infectada por um vírus bastante assustador.

Tinha muito a ver com a Circular da Corte, o registro oficial dos "compromissos oficiais" de cada membro da Família Real no ano anterior. Um documento sinistro. No fim do ano, quando todos os números eram computados, a imprensa faria comparações.

Ah, esse aqui trabalha mais do que aquele lá.

Ah, esse aqui é preguiçoso pra caramba.

A Circular da Corte era um documento antigo, mas ultimamente havia se transformado em um pelotão de fuzilamento. Não *criou* a competitividade que existe na minha família, mas a intensificou, transformou-a numa arma. Embora ninguém fizesse menções diretas à Circular da Corte, ou falasse esse nome, isso só criava ainda mais tensão nas entrelinhas, e ela aumentava à medida que o último dia do ano se aproximava. Alguns membros da família ficaram *obcecados*, lutando fervorosamente para ter o número mais alto de compromissos oficiais registrados na Circular de cada ano, acontecesse o que acontecesse, e conseguiam isso basicamente incluindo coisas que não eram, a rigor, compromissos, registrando interações públicas que eram meras trivialidades, coisas que Willy e eu jamais sonharíamos em incluir. E era basicamente por isso que a Circular da Corte era uma piada. Era autodeclarado, era tudo subjetivo. Nove visitas particulares a veteranos, ajudando-os com a saúde mental? Não valia ponto nenhum. Pegar um helicóptero para ir cortar a fita de uma hípica? Vitória!

Mas a principal razão por que a Circular da Corte era uma piada, uma fraude, era que nenhum de nós decidia do nada o quanto trabalhar. Era a vovó ou meu pai que decidiam, por meio de quanto apoio (dinheiro) alocavam para o nosso trabalho. O dinheiro determinava tudo. No meu caso e de Willy, o papai era o único a decidir. Era só ele quem controlava nossos fundos; só podíamos fazer o que fazíamos com os recursos e o orçamento que ele nos dava. Sermos fustigados publicamente pelo quanto o papai nos deixava trabalhar me parecia uma enorme injustiça. Um jogo de cartas marcadas.

Talvez o estresse em torno dessas coisas todas tivesse surgido do estresse geral da própria monarquia. A família sentia as vibrações de uma mudança global, ouvia os berros dos críticos que diziam que a monarquia era obsoleta, que custava caro. A família aguentava e até *aproveitava* a bobajada da Circular da Corte pela mesma razão que aceitava os estragos e depredações da imprensa — medo. Medo do público. Medo do futuro. Medo do dia em que a nação dissesse: ok, vamos acabar com isso. Então, na véspera do Natal de 2013, eu estava bastante satisfeito com o corredor dos fundos, meu quartinho, olhando as fotos do Polo Sul no meu iPad.

Olhando para o meu tubinho de ensaio.

O AR MAIS LIMPO DO MUNDO.

Arranquei a rolha, tomei de um só gole.

Ah.

70.

Eu me mudei da toca de texugo para o Nottingham Cottage, também conhecido como Nott Cott. Willy e Kate estavam morando lá antes, mas tinham cansado da casa. Depois de se mudarem para a antiga casa da princesa Margaret, bem em frente, eles me entregaram as chaves.

Foi ótimo sair da toca. Mas melhor ainda seria morar de frente para Willy e Kate. Já me imaginava aparecendo por lá o tempo todo.

Olha! É o tio Harry!

Oiê! Pensei em dar uma passadinha aqui.

Com uma garrafa de vinho e o braço cheio de presentes para as crianças. Caindo no chão e brincando de lutinha com George.

Fica para o jantar, Harold?

Com prazer!

Mas não foi assim.

Eles estavam a poucos passos de mim, bastava cruzar um pátio de pedras. Era tão perto que eu via a babá deles passar o tempo inteiro com o carrinho e ouvia as reformas cuidadosas que faziam. Imaginava que me chamariam a qualquer instante. Qualquer dia desses.

Mas entrava dia e saía dia e nada acontecia.

Entendi, pensei. Eles estão ocupados! Formando uma família!

Ou então... não querem que eu fique de vela?

Quem sabe se eu me casar as coisas não mudam?

Eles dois já tinham mencionado, enfaticamente, várias vezes, o quanto gostavam de Cressida.

71.

Março de 2014. Um show na Arena Wembley. Ao subir ao palco, sofri meu típico ataque de pânico. Fui até o centro, cerrei os punhos, vomitei meu discurso. Havia 14 mil rostos jovens diante de mim, reunidos para o We Day. Talvez eu ficasse menos nervoso se me concentrasse mais neles, mas eu só conseguia me concentrar em mim, pensar na última vez em que tinha discursado sob aquele teto.

O décimo aniversário da morte de mamãe.

Eu também tinha ficado nervoso. Mas não tanto.

Saí correndo. Apagando o sorriso do rosto, cambaleando até o meu lugar para sentar ao lado de Cress.

Ela me viu e empalideceu. *Você está se sentindo mal?*

Não, estou bem.

Mas ela sabia.

Assistimos aos outros oradores. Isto é, ela assistiu e eu tentei recuperar o fôlego.

No dia seguinte, nossa foto estava em todos os jornais e espalhada na internet. Alguém tinha dado a dica aos correspondentes da realeza sobre onde estávamos sentados, e por fim fomos expostos. Depois de quase dois anos namorando às escondidas, revelaram que éramos um casal.

Que esquisito, dissemos, que isso seja uma notícia tão relevante. Já tínhamos sido fotografados juntos, esquiando em Verbier. Mas essas fotos causaram um impacto diferente, talvez porque fosse a primeira vez que ela me acompanhava a um compromisso real.

Como resultado, nos tornamos menos clandestinos, e isso era uma vantagem. Alguns dias depois fomos a Twickenham, vimos o jogo da Inglaterra contra o País de Gales, fomos fotografados e nem nos demos ao trabalho de conversar sobre isso. Na sequência, viajamos para uma estação de esqui com amigos, no Cazaquistão, fomos fotografados de novo e nem percebemos. Estávamos distraídos demais. Esquiar era uma coisa tão sagrada para nós, tão simbólica, sobretudo depois da nossa viagem anterior, para uma estação de esqui na Suíça, quando ela milagrosamente fez com que eu me abrisse.

Aconteceu tarde da noite, depois de um longo dia nas pistas, e depois de termos nos divertido no pós-esqui. Tínhamos voltado para o chalé da minha prima, onde estávamos hospedados, e Cress estava lavando o rosto, escovando os dentes, enquanto eu estava sentado na beirada da banheira. Não falávamos de nada especial, pelo que me recordo, mas de repente ela perguntou da minha mãe.

Peculiar. Uma namorada perguntando da minha mãe. Mas também a forma como perguntou. O tom dela era a mistura certa de curiosidade e compaixão. O jeito como reagiu à minha resposta também foi certeiro. Surpresa, preocupada, sem julgamento.

Talvez outros fatores também estivessem em jogo. A alquimia do cansaço físico e da hospitalidade suíça. O ar fresco e o álcool. Talvez fosse a neve caindo suave do outro lado da janela, ou o ápice de dezessete anos de sofrimento reprimido. Talvez fosse a maturidade. Fosse qual fosse a razão ou as razões, respondi a ela, sem rodeios, e em seguida caí no choro.

Lembro de pensar: ih, eu estou chorando.

E de dizer a ela: *Essa é a primeira vez que eu...*

Cressida se aproximou de mim: *Como assim... a primeira vez?*

Essa é a primeira vez que consigo chorar por causa da minha mãe desde o enterro.

Enxugando os olhos, agradeci a ela. Cress era a primeira pessoa a me ajudar a cruzar essa barreira, a me ajudar a libertar as lágrimas. Foi catártico, aprofundou nosso elo e acrescentou um elemento que era raro nas minhas relações passadas: uma gratidão imensa. Me sentia em dívida com Cress, e foi por isso que, quando voltamos do Cazaquistão, me senti tão infeliz, porque em algum momento daquela viagem tinha me dado conta de que não combinávamos.

Eu simplesmente soube. Cress, acho, também sabia disso. Havia um afeto gigantesco, uma lealdade profunda e constante — mas não um amor perene. Ela sempre foi clara quanto à sua falta de desejo de aguentar a pressão de ser membro da realeza, e eu nunca tive certeza de que queria que ela fizesse isso, e esse fato inalterável, embora já estivesse à espreita fazia algum tempo, se tornou inegável naquelas pistas de esqui do Cazaquistão.

De repente ficou claro. *Isso não vai dar certo.*

Que estranho, pensei. Sempre que a gente vai esquiar... uma revelação.

No dia seguinte à nossa viagem de volta do Cazaquistão, liguei para um amigo que também era próximo de Cress. Contei a ele dos meus sentimentos e pedi conselhos. Sem titubear, ele disse que se era para fazer aquilo, que fosse depressa. Então fui ver Cress na mesma hora.

Ela estava na casa de uma amiga. O quarto dela era no térreo, as janelas davam para a rua. Ouvia os carros e as pessoas passando quando sentei na cama e lhe disse o que estava pensando.

Ela assentiu. Nada daquilo parecia surpreendê-la. As mesmas coisas também passavam por sua cabeça.

Eu aprendi tanto com você, Cress.

Ela assentiu. Olhou para o chão, as lágrimas escorrendo pelas bochechas.

Que droga, eu pensei.

Ela me ajudou a chorar. E agora eu a levava às lágrimas.

72.

Guy, um amigo meu, estava para casar.

Eu não estava no clima para uma festa de casamento. Mas era o Guy. Um cara incrível. Um amigo de longa data meu e do Willy. Eu o amava. E tinha uma dívida com ele. A imprensa tinha arrastado o nome dele na lama mais de uma vez por minha causa.

O casamento seria nos Estados Unidos, no Sul Profundo.

Minha chegada desencadeou uma torrente de falatório sobre... o que mais seria?

Las Vegas.

Pensei: Depois de tanto tempo? É sério? Minha bunda é tão inesquecível assim?

Que seja, disse a mim mesmo. Que falem de Las Vegas, eu vou me concentrar no Grande Dia do Guy.

A caminho da despedida de solteiro de Guy, parei com um grupo em Miami. Comemos pratos fabulosos, visitamos algumas boates, dançamos até muito depois da meia-noite. Brindamos a Guy. No dia seguinte, pegamos o avião rumo ao Tennessee. Lembro-me, apesar da agenda movimentada do casamento, de ter achado um tempinho para passear por Graceland, a casa de Elvis Presley. (Na verdade, ele tinha comprado a casa para a mãe.)

Todo mundo repetia sem parar: Ora, ora, era aqui que o rei vivia.

Quem?

O rei. Elvis Presley.

Ah. O rei. Entendi.

As pessoas chamavam a casa de castelo, de mansão, de palácio, mas ela me lembrava a toca de texugo. Escura, claustrofóbica. Eu circulava dizendo: O rei morava aqui, é? Sério?

Parei em um quartinho com móveis espalhafatosos e tapete felpudo e pensei: O designer de interiores do rei deve ter tomado ácido.

Em homenagem a Elvis, todos os padrinhos e madrinhas do casamento usaram sapatos de camurça azul. Na recepção, esses sapatos não pararam quietos, rapazes e moças britânicos dançando, bêbados, e cantando alegremente sem afinação ou ritmo. Foi empolgante, ridículo, e Guy parecia mais feliz do que nunca.

Ele sempre tinha feito o papel de coadjuvante, mas não naquele dia. Ele e a noiva foram as estrelas do espetáculo, o centro das atenções, e meu velho amigo aproveitava com toda a razão. Fiquei muito feliz de vê-lo feliz, embora vez ou outra, quando os casais se afastavam, quando os amantes iam para os cantos ou dançavam ao som de Beyoncé e Adele, eu fosse para o bar e pensasse: Quando é que a minha vez vai chegar? A pessoa que talvez mais quisesse isso, casar, ter uma família, e nunca vai acontecer. Não sem um quê de petulância, eu pensava: O universo não é justo.

73.

Mas o universo estava só se aquecendo. Logo depois que voltei à Grã-Bretanha, a vilã principal do escândalo de hackeamento de celulares, Rehabber Kooks, foi absolvida pela justiça.

Junho de 2014.

Os indícios eram fortes, todo mundo dizia.

Não eram fortes o bastante, declararam os jurados. Acreditaram no que Rehabber Kooks disse no banco de testemunhas, embora ela forçasse a credulidade alheia. Não, ela abusava da credulidade alheia. Tratava a credulidade da mesma forma que já tinha tratado um adolescente ruivo da realeza.

Assim como seu marido. Havia um vídeo mostrando o sujeito jogando fora sacos pretos cheios de computadores e pen-drives e outros objetos pessoais, inclusive a coleção de pornografia que ele tinha, na caçamba de uma garagem, horas antes de a polícia revistar o local. Mas ele jurava que era apenas uma coincidência boba, entããão... Nada de adulteração de provas nesse caso, afirmou o sistema jurídico. Sigam em frente. Adiante. Eu nunca acreditava no que lia, mas agora eu de fato não conseguia acreditar no que lia. Deixariam a mulher escapar? E não havia furor nenhum da parte da população em geral? Será que as pessoas não entendiam que a questão não era só de privacidade, de segurança pública — não era só da Família Real? Aliás, o caso do hackeamento do celular veio à tona por causa da pobre coitada da Milly Dowler, uma adolescente raptada e assassinada. Os minions de Rehabber Kooks invadiram o telefone de Milly depois que ela foi dada como desaparecida — tinham violado os pais da menina em seu momento mais sofrido e lhes dado falsas esperanças *de que a filha deles poderia estar viva, porque as mensagens dela tinham sido ouvidas*. Os pais nem desconfiavam de que era a equipe de Rehabber ouvindo todas elas. Se esses jornalistas foram baixos a ponto de ir atrás dos Dowler no pior momento da vida deles, e podiam escapar impunes, alguém estaria a salvo?

As pessoas não ligavam?

Não. Elas não ligavam.

Minha fé no sistema sofreu um duro golpe quando aquela mulher saiu ilesa. Eu precisava de um descanso, uma renovação da fé. Então fui aonde sempre ia.

O Okavango.

Passar alguns dias me recompondo com Teej e Mike.

Ajudou bastante.

Mas quando voltei à Grã-Bretanha, me entrincheirei no Nott Cott.

74.

Eu não saía muito de casa. Um jantar ou outro. Muito de vez em quando uma festinha na casa de alguém.

Às vezes eu entrava e saía às escondidas de uma boate.

Mas não valia a pena. Quando eu saía, a cena era sempre igual. Paparazzi aqui, paparazzi lá, paparazzi em todo lugar. Era o Feitiço do Tempo.

O prazer duvidoso de uma noitada nunca valia o sofrimento.

Mas então eu pensava: Como é que vou conhecer alguém se eu não saio de casa?

Então eu tentava mais uma vez.

E: Feitiço do Tempo.

Uma noite, saindo de uma boate, vi dois homens dobrarem a esquina correndo. Vinham na minha direção e um deles estava com a mão no quadril.

Alguém berrou: *Arma!*

Pensei: Bem, pessoal, foi bom enquanto durou.

Billy, a Rocha, saltou, a arma na mão, e quase atirou nos dois homens.

Mas eram apenas Tweedle Debi e Tweedle Loide. Não estavam armados, e não sei o que um deles ia pegar do quadril. Mas Billy o segurou e gritou na cara dele: *Quantas vezes a gente vai ter que repetir? Alguém ainda vai morrer numa dessas, porra.*

Eles não se importavam. Não davam a mínima.

75.

A Torre de Londres. Com Willy e Kate. Agosto de 2014.

A razão para a nossa visita era uma instalação artística. Sobre um fosso seco havia dezenas de milhares de papoulas de cerâmica vermelha. Basicamente, a ideia era que 888 246 papoulas como aquelas fossem espalhadas ali, uma para cada soldado da Comunidade Britânica morto na Grande Guerra. O centésimo aniversário do início da guerra era comemorado em toda a Europa.

Além da beleza extraordinária, a instalação era um jeito diferente de visualizar a carnificina da guerra — de visualizar a morte em si, na verdade. Fiquei chocado. Tantas vidas. Tantas famílias.

Para piorar, essa visita à Torre aconteceu três semanas antes do aniversário da morte da mamãe, e eu sempre fiz uma associação entre ela e a Grande Guerra, pois o aniversário dela, 1º de julho, que também era o começo da Batalha do Somme, tinha sido o dia mais sanguinolento da guerra, o dia mais sangrento da história do Exército britânico.

Nos campos de Flandres as papoulas florescem...

Todas essas coisas convergiam no meu coração e na minha cabeça em frente à Torre quando alguém deu um passo adiante, me entregou uma papoula e disse para depositá-la no fosso. (Os artistas que criaram a instalação queriam que cada papoula fosse posta na instalação por uma pessoa viva; milhares de voluntários já haviam colaborado até então.) Willy e Kate também receberam papoulas para pôr onde quisessem.

Depois que terminamos, nós três nos afastamos, perdidos em pensamentos.

Creio que foi só nesse momento que o condestável da Torre apareceu, nos cumprimentou, nos falou das papoulas, de como haviam se tornado o símbolo britânico da guerra. Era a única coisa que florescia naqueles campos de batalha encharcados de sangue, explicou o condestável, que era ninguém mais ninguém menos que... o general Dannatt.

O homem que tinha me mandado de volta para a guerra.

Realmente, tudo convergia.

Ele perguntou se não gostaríamos de fazer um breve passeio pela Torre.

É claro, respondemos.

Subimos e descemos os degraus pronunciados da Torre, espiamos seus cantinhos escuros, e logo nos deparamos com uma vidraça grossa.

Atrás dela havia joias deslumbrantes, inclusive... a Coroa.

Puta merda. A Coroa.

A que tinha sido posta na cabeça da vovó na coroação de 1953.

Por um instante pensei que era a mesma coroa posta sobre o caixão de Gan-Gan ao percorrer as ruas. Parecia a mesma, mas alguém destacou as várias diferenças entre elas.

Ah, sim. Então essa era a coroa da vovó, e só dela, e me lembrei dela me contando do peso inacreditável daquele objeto na primeira vez em que o pôs na cabeça.

Parecia pesada. Também parecia mágica. Quanto mais olhávamos, mais luminosa ela ficava — seria possível? E a luz parecia vir de dentro. As joias contribuíam, mas a coroa parecia ter uma fonte interna de energia, uma coisa que ia além da soma das partes, a tira repleta de pedras preciosas, a flor-de-lis dourada, os arcos que se cruzam e a cruz reluzente. E, claro, a base de arminho. Era impossível não pensar que um fantasma, encontrado de madrugada, na Torre, teria um brilho semelhante. Eu movimentava os olhos devagar, apreciando, de cima a baixo. A coroa era uma maravilha, uma obra de arte transcendental e evocativa, assim como as papoulas, mas naquele momento eu só conseguia pensar que era trágico que ficasse trancada naquela Torre.

Mais um prisioneiro.

Que desperdício, eu disse a Willy e Kate, e eles, segundo me lembro, não falaram nada.

Talvez estivessem olhando a faixa de arminho, se lembrando dos meus comentários no casamento.

Talvez não.

76.

Passadas algumas semanas, depois de mais de um ano de conversas e planejamento, ideias e preocupações, 7 mil fãs se amontoaram no Parque Olímpico Rainha Elizabeth para a cerimônia de abertura. Os Jogos Invictus nasciam.

Ficara decidido que International Warrior Games era um trava-língua, um nome complicado. Um inteligente membro da Marinha do Reino Unido então bolou essa alternativa bem melhor.

Assim que ele o sugeriu, todos exclamamos: Mas é claro! Por causa do poema do William Ernest Henley!

Todos os britânicos conhecem esse poema. Muitos sabem o primeiro verso de cor.

Do fundo desta noite que me envolve...

E que criança não se deparou nem uma vez sequer com esses últimos versos, tão sonoros?

Sou o dono do meu destino,
Sou o capitão da minha alma.

Minutos antes do meu discurso na cerimônia de abertura, eu estava na coxia, segurando fichas nas mãos, visivelmente trêmulas. Diante de mim, o pódio parecia um patíbulo. Relia minhas fichas sem parar, enquanto nove aviões dos Red Arrows, o grupo de acrobacias aéreas da Força Aérea Real, cruzavam o céu, deixando rastros de fumaça vermelha, branca e azul. Em seguida, Idris Elba leu "Invictus", talvez melhor do que ninguém, e depois Michelle Obama, via satélite, disse algumas palavras eloquentes sobre o significado dos jogos. Por fim, ela me apresentou.

Foi uma longa caminhada. Por um labirinto de tapetes vermelhos. Minhas bochechas ficaram tão vermelhas quanto os tapetes. Meu sorriso estava congelado, a reação de lutar-ou-fugir a todo vapor. Me censurei baixinho por ser desse jeito. Os jogos eram uma celebração de homens e mulheres que tinham perdido partes do corpo, que levavam o corpo além do limite, e eu estava enlouquecendo por causa de um discursinho de nada.

Mas a culpa não era minha. Àquela altura, a ansiedade controlava meu corpo, minha vida. E esse discurso, que eu acreditava ser muito importante para muitas pessoas, só agravava meu estado.

Além do mais, o produtor me disse, antes de eu entrar no palco, que o tempo estava curto. *Ah, que ótimo, mais uma coisa para eu pensar. Muito obrigado.*

Quando cheguei à tribuna, que eu mesmo tinha cuidadosamente decidido onde ficaria, me repreendi, pois dali tinha uma visão perfeita de todos os competidores. Todos aqueles rostos confiantes, saudáveis, esperançosos — contando comigo. Me forcei a desviar o olhar, a olhar para o nada. Apressado, extremamente atento ao relógio, choraminguei: *Para alguns dos participantes, este vai ser o ponto de partida rumo à elite esportiva. Mas para outros vai marcar o fim de um capítulo de suas recuperações e o começo de um capítulo novo.*

Fui achar meu lugar, bem na frente, ao lado do papai, que pôs a mão no meu ombro. *Muito bem, menino querido.* Ele estava sendo gentil. Sabia que eu tinha apressado o discurso. Dessa vez estava contente de não ter que ouvir dele a verdade nua e crua.

No que diz respeito aos números, o Invictus foi um sucesso. Dois milhões de pessoas assistiram pela TV, milhares encheram estádios em cada um dos eventos. Um dos destaques, para mim, foi a final de rúgbi para cadeirantes, a Grã-Bretanha jogando contra os Estados Unidos, com milhares de fãs torcendo pela vitória da Grã-Bretanha na Copper Box Arena.

Aonde quer que eu fosse naquela semana, as pessoas me abordavam, me davam apertos de mão, me contavam suas histórias. Filhos, pais, avós, sempre com lágrimas nos olhos, me diziam que os jogos tinham restaurado uma coisa que imaginavam que jamais seria recuperada: a alma verdadeira de um filho, uma filha, um irmão, uma irmã, uma mãe, um pai. Uma mulher cutucou meu ombro e falou que eu havia trazido o sorriso de seu marido de volta.

Ah, aquele sorriso, ela disse. *Eu não o via desde que ele se feriu.*

Eu sabia que o Invictus faria algum bem ao mundo, eu sempre *soube*, mas fui pego desprevenido por essa onda de apreço e gratidão. E alegria.

Então vieram os e-mails. Milhares, um mais comovente que o outro.

Faz cinco anos que fraturei a coluna, mas depois de ver tantos homens e mulheres corajosos, levantei do sofá e estou pronto para recomeçar.

Sofro de depressão desde que voltei do Afeganistão, mas essa demonstração de coragem e resiliência humana me fez perceber...

Na cerimônia de encerramento, momentos depois de eu apresentar Dave Grohl e os Foo Fighters, um homem e uma mulher se aproximaram de mim, a filhinha entre os dois. A menina usava um moletom com capuz rosa e protetores de orelha laranja. Ela olhou para mim: *Obrigada por fazer meu papai... ser meu papai outra vez.*

Ele tinha ganhado uma medalha de ouro.

Só tinha um problema, ela declarou. Ela não conseguia ver os Foo Fighters.

Ah, assim não dá!

Eu a pus nos ombros e nós quatro assistimos, dançamos, cantamos e celebramos juntos o fato de estarmos vivos.

Era meu aniversário de trinta anos.

77.

Pouco depois dos jogos informei ao Palácio que deixaria o Exército. Elf elaborou junto comigo o anúncio público: era difícil escolher as palavras certas para explicar a decisão à população, talvez porque eu estivesse com dificuldade de explicá-la a mim mesmo. Pensando agora, entendo que era uma decisão difícil de pôr em palavras porque já não era uma decisão. Era hora.

Mas hora de quê, exatamente, além de deixar o Exército? Dali em diante eu seria o que nunca tinha sido: um membro da família real em tempo integral.

Como eu faria isso?

E era isso o que desejava ser?

Numa vida inteira de crises existenciais, essa foi uma chateação. Quem você é quando não pode mais ser o que sempre foi, a coisa que foi treinado para ser?

Então um dia tive um vislumbre da resposta.

Era uma terça-feira fresca, eu andava perto da Torre de Londres. Estava no meio da rua e de repente ele veio, pisando firme — o jovem Ben, o soldado com quem eu tinha voltado do Afeganistão em 2008, o soldado que eu tinha visitado e aplaudido quando escalava um paredão com sua nova perna protética. Seis anos depois daquele voo, como prometido, ele corria uma maratona. Não a maratona de Londres, que por si só já seria um milagre. Ele corria *sua própria maratona*, por um caminho que tinha inventado sozinho, num trajeto que desenhava uma papoula no mapa do centro de Londres.

Eram impressionantes cinquenta quilômetros, e ele tinha feito o circuito inteiro para arrecadar fundos e conscientizar as pessoas — e acelerar batimentos cardíacos.

Estou chocado, ele disse ao me encontrar ali.

Você está chocado?, indaguei. *Então somos dois.*

Vê-lo ali, ainda um soldado, apesar de já não ser mais um soldado — essa era a resposta ao quebra-cabeça com o qual eu vinha lutando havia tempos.

Pergunta: como deixar de ser soldado se ser soldado foi a única coisa que você já foi ou quis ser?

Resposta: Impossível.

Mesmo quando se deixa de ser soldado, não se deixa de ser soldado. Nunca.

78.

Uma missa pela Guerra do Afeganistão na Catedral de St. Paul, e depois uma recepção no Guildhall, com a Corporação de Londres como anfitriã, e em seguida o lançamento da Caminhada da Grã-Bretanha da Walking With the Wounded, e então uma visita ao time de rúgbi da Inglaterra, e depois vê-los treinar para uma partida contra a França, e depois acompanhar os jogadores até Twickenham e torcer para eles, e depois ir a um memorial em homenagem ao atleta olímpico Richard Meade, o cavaleiro mais bem-sucedido da história britânica, e em seguida uma viagem à Turquia com o papai para irmos às cerimônias em comemoração ao centésimo aniversário de Galípoli, e depois um encontro com descendentes de homens que travaram essa batalha épica, e então de volta a Londres para entregar medalhas aos participantes da Maratona de Londres.

Esse foi meu começo de 2015.

Só os pontos altos.

Os jornais estavam inundados de matérias dizendo que Willy era preguiçoso, e a imprensa tinha passado a chamá-lo de "Wills Avesso ao Trabalho", o que era uma obscenidade, uma enorme injustiça, porque ele estava ocupado tendo filhos e formando uma família. (Kate estava grávida outra vez.) Além do mais, ele ainda estava endividado com papai, que controlava as finanças. Fazia tudo o que papai queria que ele fizesse, o que às vezes não era muito, pois papai e Camilla não queriam que Willy e Kate ganhassem tanta visibilidade. Papai e Camilla não gostavam que Willy e Kate desviassem a atenção deles e das causas que apoiavam. Tinham repreendido Willy abertamente quanto a isso inúmeras vezes.

Um bom exemplo: o assessor de imprensa do papai criticou a equipe de Willy quando marcaram uma visita de Kate a um clube de tênis no mesmo dia em que papai tinha um compromisso. Depois de ouvir que era tarde demais para que a visita fosse desmarcada, o assessor do papai avisou: *Então tratem de não fazer nenhuma foto em que a duquesa esteja com uma raquete na mão!*

Uma foto tão triunfal, tão cativante, sem dúvida tiraria papai e Camilla das primeiras páginas. E isso, afinal, seria intolerável.

Willy me contou que ele e Kate se sentiam sem saída, e injustamente perseguidos, pela imprensa e pelo papai e pela Camilla, portanto senti certa necessidade de carregar o estandarte por nós três em 2015. Mas, por egoísmo, tampouco queria que a imprensa fosse atrás de mim. Ser chamado de preguiçoso? Eu estremecia. Não queria que essa palavra jamais fosse vinculada ao meu nome. A imprensa tinha passado boa parte da minha vida me chamando de burro, e rebelde, e racista, mas se tivessem a audácia de me chamar de preguiçoso... Eu não tinha como garantir que não iria à Fleet Street e arrancaria as pessoas de suas mesas.

Só fui entender meses mais tarde que a imprensa tinha outros motivos para mirar em Willy. Primeiro, ele havia incomodado todo mundo ao parar de fazer o jogo dos jornalistas, recusando-se a lhes dar acesso irrestrito à sua família. Tinha se negado diversas vezes a exibir Kate como se fosse um cavalo de corrida premiado, e assim ele fora longe demais.

Depois ele tinha cometido a temeridade de proferir um discurso vagamente contrário ao Brexit, o que de fato os tirou do sério. Brexit era o sustento deles. Como ele ousava sugerir que era uma bobagem.

79.

Fui à Austrália para uma rodada de exercícios militares e lá recebi a notícia: Willy e Kate tinham tido uma segunda criança. Charlotte. Eu era tio pela segunda vez, e estava muito feliz.

Mas, como era de esperar, durante uma entrevista naquele dia ou no seguinte, um jornalista me questionou sobre isso como se eu tivesse recebido o diagnóstico de uma doença terminal.

Não, cara. Estou feliz da vida.

Mas o senhor desceu ainda mais na linha de sucessão.

Eu não teria como estar mais feliz do que estou pelo Willy e pela Kate.

O jornalista pressionou: Quinto na linha — hum. Não é mais nem o Reserva do Reserva.

Pensei: Em primeiro lugar, é ótimo estar mais longe do centro do vulcão. Segundo, que tipo de monstro pensaria em si mesmo e em seu lugar na linha de sucessão num momento como esse, em vez de receber de braços abertos uma nova vida?

Eu já tinha ouvido um cortesão dizer que quando se é o quinto ou sexto na linha, você está "a apenas uma queda de avião do trono". Eu nem imagino o que é viver desse jeito.

O jornalista insistiu. O nascimento não me fazia questionar minhas escolhas?

Escolhas?

Já não é hora de aquietar o facho?

Bom, humm...

As pessoas estão começando a comparar o senhor com a Bridget Jones.

Pensei: Estão mesmo? Com a Bridget Jones?

O jornalista esperou.

Vai acontecer, garanti a ele, ou ela, não me lembro do rosto, só das perguntas disparatadas. *Quando o gentil senhor pretende contrair matrimônio?* Vai acontecer quando acontecer, eu disse, do jeito como respondemos a uma tia enxerida.

O jornalista sem rosto me fitou com um abjeto... dó.

Mas vai mesmo?

80.

As pessoas costumavam especular que eu me agarrava à vida de solteiro por ser tão glamorosa. Muitas noites pensei: imagine se me vissem agora.

Então eu voltava a dobrar minha roupa de baixo e a assistir ao episódio do casamento de Monica e Chandler.

Além de lavar minha roupa (que normalmente punha para secar sobre o aquecedor), eu cuidava das tarefas domésticas, cozinhava, fazia as compras. Havia um supermercado perto do palácio que eu utilizava, casualmente, pelo menos uma vez por semana.

Claro que tinha de planejar cada ida tão cuidadosamente quanto uma patrulha por Musa Qala. Chegava em horários diferentes, de forma aleatória, para despistar a imprensa. Usava um disfarce: boné de beisebol, casacão folgado. Passava pelas prateleiras na velocidade da luz, apanhando meus filés de salmão e iogurtes da minha marca preferida. (Tinha um mapa do local na cabeça.) Além de algumas maçãs verdes e bananas. E, é claro, sacos de batatinhas.

Então disparava para o caixa.

Assim como eu aprimorara meus checklists pré-voo no Apache, agora tinha conseguido baixar o tempo de compras para dez minutos. Mas certa noite entrei no mercado, comecei a andar de um lado para outro entre as prateleiras e tudo... *mudara de lugar.*

Corri até um funcionário: *O que aconteceu?*

Como?

Cadê tudo?

Cadê o...?

Por que mudaram tudo de lugar?

Sério?

É, sério.

Pra manter os fregueses por mais tempo aqui dentro. Assim compram mais coisas.

Fiquei estupefato. Podem fazer isso? Não é ilegal?

Em pânico, voltei a ir e vir pelos corredores, abastecendo o carrinho da melhor forma que podia, sempre de olho no relógio, depois voei para o caixa. Essa sempre era a parte mais complicada, porque o tempo no caixa não tinha como ser diminuído: tudo dependia dos outros. Além do mais, o balcão do caixa ficava bem ao lado dos novos suportes com todos os tabloides e revistas britânicos, e metade das primeiras páginas e capas exibia fotos da minha família. Ou de minha mãe. Ou de mim.

Mais de uma vez observei clientes lendo a meu respeito, escutei-os conversar sobre mim. Em 2015 era frequente ouvi-los debater se eu me casaria ou não algum dia. Se iria ou não ser feliz. Se poderia ser gay. Eu sempre ficava tentado a dar um tapinha em algum ombro... *E aí?*

Certa noite, em meu disfarce, observando algumas pessoas discutirem minhas escolhas de vida, algumas vozes se elevaram no início da fila. Um casal idoso, esculachando a mulher do caixa. Desagradável no começo, intolerável a seguir.

Aproximei-me, mostrei o rosto, limpei a garganta: *Com licença. Não sei direito o que está acontecendo aqui, mas acho que não deveriam falar com ela desse jeito.*

A mulher do caixa estava à beira das lágrimas. O casal abusivo virou e me reconheceu. Não demonstraram a menor surpresa, no entanto. Apenas ficaram ofendidos de alguém censurá-los pelos seus insultos.

Quando foram embora e chegou minha vez de pagar, a mulher tentou me agradecer conforme guardava meus abacates. Não fizera mais do que minha obrigação. Desejei-lhe força, catei minhas coisas e corri como o Besouro Verde.

Comprar roupa era tão menos complicado.

Em geral eu nem pensava em roupas. Fundamentalmente não acreditava em moda e não conseguia compreender por que alguém deveria acreditar. Era comum ser ridicularizado nas redes sociais por minhas roupas que não combinavam, meus sapatos surrados. O jornalista punha uma foto minha e indagava por que minhas calças eram tão longas, minhas camisas tão amarrotadas. (Nem sonhavam que eu as secava no aquecedor.)

Não muito principesco, diziam.

Deixa comigo, eu pensava.

Meu pai tentava. Presenteou-me com um par absolutamente divino de sapatos escoceses de couro preto. Obras de arte. Pesados como bolas de boliche. Usei-os até ficarem com buracos nas solas, e quando fui ridicularizado por usar sapatos furados finalmente os concertei.

Recebia todo ano de papai uma verba oficial para roupas, mas era estritamente para roupas formais. Ternos e gravatas, trajes cerimoniais. Para o dia a dia tinha de ir à loja de departamentos T.K. Maxx. Gostava particularmente de uma promoção anual deles, quando liquidavam peças da Gap ou J. Crew, roupas recém-saídas de estação ou com um pequeno defeito. Se você não marcasse bobeira e chegasse lá no primeiro dia da promoção, conseguia comprar as mesmas roupas pelas quais os outros estavam pagando os olhos da cara nas lojas de luxo! Com duzentas libras você podia ficar parecendo um catálogo de moda.

Nesse caso eu também tinha um sistema. Chegar à loja quinze minutos antes de fechar. Pegar uma cesta de compras. Correr ao piso superior. Percorrer sistematicamente um cabideiro atrás do outro.

Se encontrasse alguma coisa promissora, punha-a diante do peito ou das pernas, parado diante de um espelho. Nunca perdia tempo com cor ou estilo, e certamente não passava nem perto do provador. Se parecia bonito, confortável, enfiava na cesta. Se ficava em dúvida, perguntava a Billy, a Rocha. Ele adorava fazer um bico como meu estilista.

Na hora de fechar saíamos correndo com duas sacolas de compras gigantes, nos sentindo exultantes. Agora os jornais não iriam me chamar de desleixado. Pelo menos por um tempo.

Melhor ainda, eu não teria de pensar em roupas outra vez por mais seis meses.

81.

Tirando a ocasional ida às compras, parei de sair em 2015.

Parei completamente.

Nada de jantares com amigos. Nada de festas. Nada de clubes. Nada de nada.

Toda noite depois do trabalho eu ia direto para casa, comia na pia da cozinha, em seguida cuidava da papelada, *Friends* em volume baixo ao fundo.

O chef de papai às vezes abastecia minha geladeira com tortas de frango e de carne. Eu ficava grato por não ter de me aventurar no supermercado com tanta frequência... Embora as tortas às vezes me fizessem lembrar dos gurcas e seu guisado de bode, principalmente por serem tão pouco condimentadas. Sentia saudade dos gurcas, sentia saudade do Exército. Sentia saudade da guerra.

Depois do jantar fumava um baseado, tentando tomar cuidado para a fumaça não ir parar no jardim do meu vizinho, o duque de Kent.

Então ia para a cama cedo.

Uma vida solitária. Uma vida estranha. Eu me sentia solitário, mas solitário era melhor do que a sensação de pânico. Estava apenas começando a descobrir alguns remédios saudáveis para meu pânico, mas até sentir mais segurança com eles, até sentir que pisava em um terreno mais firme, me apoiava nesse remédio decididamente nada saudável.

Reclusão.

Estava com agorafobia.

O que era praticamente impossível, considerando meu papel público.

Depois de um discurso, que não teve como ser evitado ou cancelado, e durante o qual eu quase desmaiara, Willy foi me procurar nos bastidores. Rindo.

Harold! Olha só pra você! Você está encharcado.

Não pude compreender sua reação. Logo ele. Presenciara meu primeiro ataque de pânico. Com Kate. Estávamos a caminho de um jogo de polo em Gloucestershire, na Range Rover deles. Eu no banco de trás e Willy me espiando pelo retrovisor. Viu que eu estava suando, vermelho. Tudo bem com você, Harold? Não, não estava. Foi uma viagem de várias horas e de tantos em tantos quilômetros sentia vontade de pedir que parasse para eu descer do carro e tentar respirar direito.

Ele sabia que alguma coisa se passava, alguma coisa ruim. Willy havia me dito nesse dia ou pouco depois que eu precisava de ajuda. E agora caçoava de mim? Não conseguia imaginar como podia ser tão insensível.

Mas a culpa também era minha. Tanto ele quanto eu deveríamos ter nos dado conta, deveríamos ter admitido a realidade da minha condição psicológica, pois havíamos acabado de debater o lançamento de uma campanha pública de conscientização sobre saúde mental.

82.

Eu estava na área leste de Londres, no Mildmay Mission Hospital, para celebrar seu 150º aniversário e a recente reforma. Minha mãe fizera uma famosa visita ao lugar certa vez. Ela segurou a mão de um homem que era HIV positivo, e com isso mudou o mundo. Mostrou que a aids não era lepra, não era uma maldição. Mostrou que a doença não impedia que a pessoa fosse tratada com amor ou dignidade. Lembrou ao mundo que respeito e compaixão não são dádivas, são o mínimo que devemos uns aos outros.

Fiquei sabendo que sua famosa visita na verdade fora uma de muitas. Uma funcionária do Mildmay veio falar comigo, contou-me que mamãe entrava e saía furtivamente do hospital o tempo todo. Sem fanfarra, sem fotos. Ela simplesmente aparecia, fazia algumas pessoas se sentirem melhor, então voltava rápido para casa.

Outra mulher me contou que era paciente durante uma dessas visitas. Nascida com o vírus, ela se lembrava de ter sentado no colo de mamãe. Tinha apenas dois anos na época, mas lembrava.

Dei um abraço nela. Na sua mãe. Foi mesmo.

Meu rosto ficou vermelho. Invejei-a terrivelmente.

Não me diga?

Dei sim, dei sim, ai, foi tão bom. Ela tinha um abraço forte!

É, eu lembro.

Mas não lembrava.

Por mais que tentasse, mal conseguia me lembrar de coisa alguma.

83.

Visitei Botsuana, passei alguns dias com Teej e Mike. Ansiava pela companhia deles, sentia uma necessidade física de sair perambulando com Mike, de ficar mais uma vez com a cabeça no colo de Teej, conversando e me sentindo em segurança.

Me sentindo em casa.

O finalzinho de 2015.

Fiz deles meus confidentes, contei-lhes de minha luta contra a ansiedade. Estávamos junto à fogueira, onde sempre era mais fácil falar sobre essas coisas. Contei que recentemente encontrara algumas coisas que pareciam funcionar.

Então... havia esperança.

Por exemplo, terapia. Eu seguira a sugestão de Willy, e embora não tivesse encontrado um terapeuta de que gostasse, apenas conversar com alguns abrira minha mente para as possibilidades.

Além disso, um terapeuta afirmou por alto que eu claramente sofria de transtorno de estresse pós-traumático, e isso soou familiar. Acho que me pôs na direção certa.

Outra coisa que pareceu funcionar foi a meditação. Sossegava minha mente acelerada, trazia certa dose de calma. Rezar não fazia meu estilo, a Natureza continuava sendo minha divindade, mas nos piores momentos eu fechava os olhos e ficava imóvel. Às vezes também pedia ajuda, embora nunca tivesse certeza sobre para quem estava pedindo.

De vez em quando sentia a presença de uma resposta.

Os psicodélicos também me ajudaram um pouco. Eu os experimentara ao longo dos anos, recreativamente, mas agora começara a usá-los de forma terapêutica, medicinal. Eles não me permitiam apenas escapar da realidade por algum tempo, me permitiam redefinir a realidade. Sob a influência dessas substâncias eu era capaz de me livrar de rígidas ideias preconcebidas, ver que havia outro mundo além dos meus sentidos fortemente filtrados, um mundo igualmente real e duplamente belo — um mundo sem névoas vermelhas, sem motivo para névoas vermelhas. Havia somente a verdade.

Depois que os psicodélicos perdiam o efeito, minha lembrança daquele mundo permanecia: *Isto aqui não é tudo que há.* Todos os grandes videntes e filósofos dizem que nossa vida cotidiana é uma ilusão. Sempre senti a verdade disso. Mas como era reconfortante, depois de mastigar um cogumelo ou ingerir ayahuasca, viver a experiência em primeira mão.

O único remédio que se revelou mais eficaz, porém, foi o trabalho. Ajudar o próximo, fazer algum bem ao mundo, olhar para fora e não para dentro. Esse era o caminho. África e Invictus, essas foram por muito tempo as causas mais caras ao meu coração. Mas agora eu queria mergulhar de cabeça. Ao longo do ano anterior conversara com pilotos de helicóptero, cirurgiões veterinários, guardas de parques nacionais, e todos me diziam que havia uma guerra em curso, uma guerra para salvar o planeta. Você disse guerra?

Onde me alisto?

Um pequeno problema: Willy. A África era uma causa *dele*, afirmou. E ele tinha o direito de dizer, ou achava que tinha, porque era o Herdeiro. Vetar *minhas* causas sempre esteve em seu poder, e ele tinha toda a intenção de exercer, até mesmo ostentar, esse poder de veto.

Tivemos algumas brigas feias por conta disso, contei a Teej e Mike. Um dia, quase fomos às vias de fato na frente de amigos de infância, os filhos de Emilie e Hugh. Um deles perguntou: *Por que vocês dois não podem trabalhar na África?*

Willy ficou apoplético, avançou de repente sobre quem ousou fazer essa sugestão. *Porque rinocerontes, elefantes, essas coisas são minhas!*

Era muito óbvio. Para ele tinha menos importância encontrar seu propósito ou sua paixão do que vencer sua eterna competição contra mim.

Ao longo de várias outras discussões acaloradas, descobri que Willy, quando eu viajara ao Polo Norte, ficara ressentido. Sentira-se esnobado por não ter sido convidado. Ao mesmo tempo também afirmava, com elegância, que abrira o caminho para mim, que me permitira ir; na verdade, que deixara totalmente para mim o trabalho com os soldados feridos. *Deixei os veteranos pra você, por que não pode deixar os elefantes e rinocerontes africanos pra mim?*

Queixei-me com Teej e Mike de que finalmente encontrara meu caminho, finalmente achara uma coisa capaz de preencher o vazio deixado no meu coração pela vida militar, uma coisa ainda mais sustentável, na verdade — e Willy era um obstáculo.

Eles ficaram chocados. Continue brigando, disseram. *Tem espaço para os dois na África. Há necessidade dos dois.*

Assim, com seu encorajamento, embarquei numa viagem de quatro meses para testemunhar as realidades locais, para me educar sobre a guerra do marfim. Botsuana. Namíbia. Tanzânia. África do Sul. Visitei o Parque

Nacional Kruger, uma vasta extensão de terra seca e estéril do tamanho de Israel. Na guerra contra os caçadores ilegais, Kruger era a absoluta linha de frente. Suas populações de rinocerontes, tanto negros como brancos, estavam despencando devido aos exércitos de caçadores incentivados por sindicatos do crime chineses e vietnamitas. Um chifre de rinoceronte rendia enormes somas, então, para cada caçador preso, havia outros cinco prontos para tomar seu lugar.

O rinoceronte-negro era mais raro, portanto mais valioso. Bem como mais perigoso. Vivia no mato cerrado e entrar atrás dele podia ser fatal. Os animais não sabiam que você estava ali para ajudar. Eu fora atacado algumas vezes, e tive sorte de escapar sem virar picadinho. (Dica: Sempre saber a localização do galho de árvore mais próximo, porque você talvez tenha de trepar nele.) Alguns amigos meus não tiveram a mesma sorte.

O rinoceronte-branco era mais dócil, e mais numeroso, mas talvez não continuasse assim por muito tempo, devido a essa docilidade. Além disso, vivia em pasto aberto. Mais fácil de ver, mais fácil de matar.

Participei de incontáveis patrulhas contra a caça ilegal. Chegamos atrasados em várias ocasiões em Kruger. Devo ter visto umas cinquenta carcaças de rinoceronte crivadas de balas.

Os caçadores em outras partes da África do Sul, fiquei sabendo, nem sempre atiravam nos rinocerontes. Balas custavam dinheiro e os tiros sempre denunciavam sua posição. Assim acertavam o animal com um dardo tranquilizante, depois extraíam o chifre quando ele estava dormindo. O rinoceronte acordava com a face mutilada e cambaleava mata adentro para morrer.

Ajudei numa longa cirurgia, em uma fêmea de rinoceronte chamada Hope, consertando sua face, cuidando das membranas expostas dentro do buraco onde ficava seu chifre. Tanto eu quanto a equipe cirúrgica ficamos traumatizados. Estávamos todos nos perguntando se era a coisa certa a fazer pela pobre fêmea. Estava sofrendo tanto.

Mas simplesmente não tivemos coragem de deixá-la morrer.

84.

Sobrevoamos Kruger em um helicóptero certa manhã, descrevendo amplos círculos concêntricos, à procura de sinais reveladores. De repente, avistei o sinal mais revelador que existe.

Ali, falei.

Abutres.

Descemos rapidamente.

Revoadas de abutres alçaram voo quando tocamos o solo.

Descemos, vimos pegadas frenéticas na poeira, cartuchos de bala cintilando ao sol. Sangue por toda parte. Seguimos as pegadas mata adentro e encontramos uma enorme fêmea de rinoceronte-branco, uma cratera aberta no lugar onde seu chifre fora cortado. Havia ferimentos por todo seu dorso. Quinze buracos, pelo que contei.

Seu bebê de seis meses jazia a seu lado, morto.

Deduzimos o que acontecera. Os caçadores haviam atirado na mãe. Ela e o bebê saíram correndo. Os caçadores os seguiram até esse local. A mãe ainda fora capaz de defender ou proteger seu bebê, então os homens a trucidaram com machados, derrubando-a. Com ela ainda viva, perdendo sangue, arrancaram seu chifre.

Fiquei sem fala. No céu azul e quente o sol ardia sobre a terra.

Meu guarda-costas perguntou ao guarda do parque: Quem eles mataram primeiro, o bebê ou a mãe?

Difícil dizer.

Perguntei: *Acha que os caçadores estão por perto? Será que a gente consegue encontrar?*

Impossível.

Mesmo que estivessem na área — agulha, palheiro.

85.

Cruzando o norte da Namíbia à procura de rinocerontes, conheci um simpático médico que rastreava leões do deserto. Eram duramente perseguidos nessa parte da Namíbia, porque viviam entrando nas fazendas. O médico alvejava alguns com dardos tranquilizantes para estudar sua saúde e seus movimentos. Ele pegou nosso número, disse que ligaria se encontrasse um.

Nessa noite acampamos junto a um riacho seco. Todos os demais estavam em barracas, nos veículos, mas desenrolei minha esteira próximo ao fogo e me cobri com uma manta fina.

Todo mundo em minha equipe achou que fosse uma piada. *A área é cheia de leões, chefe.*

Disse-lhes que ficaria bem. *Fiz isso 1 milhão de vezes.*

Por volta da meia-noite o rádio soou. O médico. Estava a quatro quilômetros dali e acabara de pôr dois leões para dormir.

Pulamos na Land Cruiser, disparamos pela trilha. Os soldados namíbios designados para nós pelo governo insistiram em ir junto. Assim como a polícia local da região. Estava escuro como breu, mas encontramos o médico com facilidade. Parado diante de dois imensos leões. Ambos deitados de barriga, a cabeça repousando pesadamente nas patas gigantes. Ele apontou a lanterna. Pudemos ver o peito das criaturas subindo e descendo. A respiração tranquila.

Ajoelhei junto à fêmea, toquei sua pele, observei seus olhos cor de âmbar semicerrados. Não sei explicar por que e nem tenho como justificar isso... mas tive a sensação de que a conhecia.

Quando me levantei, um dos soldados namíbios passou por mim, agachou ao lado do outro leão. Um grande macho. O soldado ergueu sua AK-47, pediu a um dos colegas para tirar uma foto. Como se o tivesse matado.

Fiz menção de dizer alguma coisa, mas Billy, a Rocha, foi mais rápido. Aos palavrões, mandou o soldado se afastar dos leões.

O soldado saiu de perto, cabisbaixo.

Então virei para dizer alguma coisa ao médico. Vi um clarão. Voltei a virar, para descobrir de onde viera, qual soldado estaria apontando a câmera do celular, e escutei os homens exclamarem alguma coisa.

Olhei para trás: a leoa estava de pé diante de mim. Acordada.

Avançou cambaleando.

Tudo bem, disse o médico. *Tudo bem.*

Voltou a cair, junto a meus pés.

Boa noite, doce princesa.

Virei para a esquerda, para a direita. Não havia ninguém por perto. Os soldados correram de volta para seus veículos. O soldado da AK-47 fechava o vidro. Até Billy, a Rocha, recuara meio passo.

Desculpe por isso, disse o médico.

Sem problema.

Regressamos ao acampamento. Todos se enfiaram em suas barracas, em seus veículos, menos eu.

Voltei à minha esteira junto ao fogo.

Só pode estar de brincadeira, disseram todos. *Esqueceu dos leões? A gente acabou de ter uma prova de que tem leões por aqui, chefe.*

Pff. Podem acreditar, aquela leoa não vai machucar ninguém.

Na verdade, provavelmente está nos protegendo.

86.

De volta aos Estados Unidos. Com dois bons amigos. Janeiro de 2016.

Meu amigo Thomas estava namorando uma mulher que morava em Los Angeles, então nossa primeira parada foi na casa dela. Ela deu uma festa de recepção, convidou um pequeno grupo. Todo mundo na mesma sintonia em relação ao álcool — em outras palavras, dedicados a consumir um monte em pouco tempo.

No que divergíamos era de qual tipo.

Como típico britânico, pedi um gim-tônica.

De jeito nenhum, disseram os americanos, rindo. *Você está nos States agora, colega, toma uma bebida de verdade. Toma uma tequila.*

Eu conhecia tequila. Só que mais de tomar em algum clube. Mais para uma bebida de fim de noite. O que me ofereciam agora era beber tequila de verdade, como manda o figurino, e passaram a me ensinar todas as muitas maneiras de fazê-lo. Copos e taças contendo tequila de todas as formas. Pura. Com gelo. Margarita. Com um pouco de soda e limão.

Bebi tudo, sorvi cada gota, e comecei a me sentir bem pra caralho.

Pensei: Gostei desses americanos. Adorei.

Uma hora estranha para ser pró-americano. A maior parte do mundo não era. Certamente não a Grã-Bretanha. Muitos britânicos desprezavam a guerra americana no Afeganistão e se ressentiam de terem sido arrastados para ela. Entre alguns o sentimento antiamericano era muito inflamado. Lembrava minha infância, quando as pessoas me advertiam o tempo todo sobre os americanos. Estridentes demais, ricos demais, felizes demais. Confiantes demais, diretos demais, honestos demais.

Que nada, sempre pensei. Os ianques não se perdiam em circunlóquios, não enchiam o ar com educadas bufadas e pigarros antes de ir ao ponto. O que tinham na cabeça, punham para fora, como um espirro, e embora isso pudesse ser problemático às vezes, em geral eu achava preferível à alternativa:

Ninguém dizer o que realmente sente.

Ninguém querer escutar como você se sente.

Essa era minha vida aos doze anos. Era ainda mais aos 31.

Nesse dia flutuei em uma névoa rósea de vapores de tequila. Não, flutuei está errado. Eu *pilotei* a névoa rósea e, depois de aterrissar — uma aterrissagem normal, aliás —, acordei sem a menor ressaca. Milagre.

No dia seguinte, ou no dia depois desse, nos mudamos por algum motivo. Fomos da casa da namorada de Thomas para a casa de Courteney Cox, amiga da namorada de Thomas, e havia mais espaço. Além disso, ela estava viajando a trabalho, e não se importava que ficássemos em sua casa.

Eu é que não achei nada ruim. Como um fanático por *Friends*, a ideia de ficar na casa de Monica era irresistível. E engraçada. Mas daí... Courteney apareceu. Fiquei bem confuso. O trabalho fora cancelado? Achei que não me cabia perguntar. Além do mais: *Isso quer dizer que a gente precisa ir embora?*

Ela sorriu. *Claro que não, Harry. Tem espaço de sobra.*

Ótimo. Mas eu continuava confuso porque... ela era a Monica. E eu era o Chandler. Fiquei pensando se em algum momento teria coragem de lhe contar. Haveria tequila suficiente na Califórnia para me encorajar a tanto?

Pouco depois que chegou, Courteney convidou mais gente. Outra festa começou. Entre os recém-chegados havia um sujeito que me pareceu familiar.

Ator, meu amigo disse.

É, eu sei que é um ator. Como é o nome dele?

Meu amigo não sabia.

Fui até lá e conversei com o ator. Era um tipo amigável e gostei dele na mesma hora. Continuava sem conseguir me lembrar de onde vira seu rosto, e seu nome não me vinha à cabeça, mas a voz era ainda mais irritantemente familiar.

Sussurrei para meu amigo: *De onde eu conheço esse cara?*

Meu amigo riu. *Batman.*

Como é?

Batman.

Eu estava na minha terceira ou quarta tequila, então tive dificuldade de compreender e processar essa pequena informação extraordinária.

Porra, é mesmo! O filme LEGO Batman. Virei novamente para o ator e perguntei: *Sério?*

Sério o quê?

Você é Ele?

Se eu sou...?

Batman.

Ele sorriu. *Sim.*

Que coisa de se poder dizer!

Pedi: *Faz?*

Faz o quê?

A voz.

Ele fechou os olhos. Queria responder não, mas não queria ser grosso. Ou então percebeu que eu não iria parar. Fixando-me com seus frios olhos azuis, limpou a garganta e mandou ver em um batmês perfeitamente grave: *Olá, Harry.*

Ah, adorei. *De novo!*

Ele fez de novo. Gostei ainda mais.

Demos uma gargalhada.

Então, talvez para se livrar de nós, conduziu a mim e a meu amigo à geladeira, de onde tirou um refrigerante. Enquanto a porta permanecia aberta, vimos um saco imenso de chocolate amargo com cogumelo.

Alguém atrás de mim disse que eram para quem quisesse. *Sirvam-se, meninos.*

Meu amigo e eu agarramos um punhado, enfiamos na boca, regando a goles de tequila.

Ficamos esperando Batman se servir também. Mas ele não fez isso. Não curtia, ou qualquer coisa assim. E essa agora?, dissemos. Esse cara acaba de mandar nós dois sozinhos para a porra da Batcaverna!

Saímos ao ar livre, sentamos junto à lareira de jardim e esperamos.

Lembro-me de a certa altura me levantar e voltar a entrar, para usar o banheiro.

Foi difícil me orientar pela casa, com sua mobília angular moderna e claras superfícies de vidro. Além disso, havia poucas luzes acesas. Mas depois de algum tempo consegui encontrar um banheiro.

Que banheiro bonito, pensei, fechando a porta.

Examinei o lugar.

Sabonetes lindos. Toalhas brancas limpas. Vigas expostas no teto.

Luz ambiente.

Os ianques sabem das coisas.

Junto ao vaso havia uma lata de lixo prateada, com um pedal na base para abrir a tampa. Olhei para ela. Ela olhou para mim.

O que você tá olhando?

Então ela virou... uma cabeça.

Acionei o pedal e a cabeça abriu a boca. Um sorriso enorme.

Ri, virei, mijei.

Agora o vaso também virava uma cabeça. A abertura era a bocarra escancarada, as dobradiças do assento seus penetrantes olhos prateados.

Falei: *Aaah.*

Terminei, dei descarga, fechei sua boca.

Virei para o lixo prateado, pisei no pedal, joguei ali dentro o maço de cigarros vazio que tinha no bolso.

Olha o aviãozinho...

Aaah. Obrigado, parceiro.

De nada, parceiro.

Saí do banheiro rindo e fui na mesma hora contar para o meu amigo.

Qual a graça?

Disse que ele precisava ir imediatamente àquele banheiro, que seria uma experiência inesquecível.

Que experiência?

326

Não consigo descrever. Precisa ver por si mesmo. Nem conhecer o Batman se compara.

Ele vestia uma jaqueta acolchoada longa com gola felpuda, igual à que eu usara nos polos Norte e Sul. Foi ao banheiro vestindo essa jaqueta.

Entrei para pegar outra tequila.

Minutos depois meu amigo apareceu ao meu lado. Seu rosto estava branco como um lençol.

O que aconteceu?

Não quero falar sobre isso.

Fala.

Minha jaqueta... virou um dragão.

Um dragão? No banheiro?

E tentou me comer.

Minha nossa.

Você me mandou pro covil do dragão.

Droga. Desculpa, parceiro.

Minha deliciosa aventura fora seu inferno.

Que infelicidade. Que interessante.

Eu o conduzi delicadamente ao jardim, disse que ficaria tudo bem.

87.

No dia seguinte, fomos a outra festa. Longe da praia, mas o ar mesmo assim cheirava a maresia.

Mais tequila, mais nomes jogados na minha cara.

E mais cogumelos.

Todo mundo começou a participar de uma espécie de jogo, charadas de algum tipo — acho? Alguém me passou um baseado. Muito amável. Dei um tapa, observei o azul cremoso e esmaecido do céu californiano. Alguém cutucou meu ombro, disse que queriam que eu conhecesse Christina Aguilera. Ah, oi, Christina. Ela pareceu um pouco masculina. Não, pelo jeito eu não escutara direito, não era Christina Aguilera, era o coautor de uma de suas canções.

"Genie in a Bottle."
Eu sabia a letra? Ele me disse a letra?

I'm a genie in a bottle
*You gotta rub me the right way**

Enfim, ele faturou uma bolada com essa letra, e agora vivia em grande estilo.

Feliz por você, parceiro.

Afastei-me, saí caminhando pelo jardim e tenho um apagão na memória por algum tempo. Acho que me lembro de uma festa em outra casa... nesse dia? No dia seguinte?

Finalmente, de algum modo, estávamos de volta à casa da Monica. Quer dizer, Courteney. Era noite. Desci uma escada que dava na praia e molhei os pés no mar, observando o vaivém das ondas com sua espuma de renda pelo que pareceram séculos. Meus olhos iam e vinham da água para o céu.

Então olhei diretamente para a lua.

Estava falando comigo.

Como a lata de lixo e o vaso.

O que estava dizendo?

Que o ano que viria seria bom.

Bom como?

Uma coisa grande.

Sério?

Grande.

Não o de sempre?

Não, uma coisa especial.

Sério, Lua?

Juro.

Não mente pra mim, por favor.

Eu estava quase com a idade de papai quando se casara, e ele fora considerado um caso trágico de florescimento tardio. Aos 32 anos, fora

---

* Em tradução livre: "Sou um gênio em uma garrafa/ Você tem que esfregar do jeito certo". (N. E.)

ridicularizado por sua incapacidade ou relutância em encontrar uma companheira.

Meu 32º aniversário estava logo ali.

Alguma coisa tem de mudar. Por favor?

Pode deixar.

Abri a boca para o céu, para a lua.

Para o futuro.

Aaaah.

Parte III

Capitã da minha alma

1.

Eu matava o tempo em Nott Cott navegando no Instagram. Vi um vídeo no meu feed: minha amiga Violet. E uma jovem.

Elas brincavam com um novo aplicativo que punha filtros bobinhos nas fotos. Violet e a mulher exibiam orelhas, focinho e uma longa língua vermelha de cachorro para fora.

Mesmo com os desenhos de cachorro por cima, endireitei o corpo e sentei.

Aquela mulher com Violet... meu Deus.

Assisti ao vídeo diversas vezes, depois me forcei a deixar o celular de lado.

Então tornei a pegar o celular, assisti ao vídeo outra vez.

Eu viajara literalmente pelos quatro cantos do mundo. Percorrera os continentes. Conhecera centenas de milhares de pessoas, cruzara o caminho de uma amostra ridiculamente imensa dos 7 bilhões de habitantes do planeta. Por 32 anos, observara uma esteira rolante de rostos passar diante de mim e apenas um punhado havia feito com que eu olhasse duas vezes. Essa mulher parou a esteira. Essa mulher mandou a esteira pelos ares.

Nunca vira uma mulher tão linda.

Por que a beleza parece um soco no estômago? Teria a ver com nosso anseio humano natural por ordem? Não é isso que dizem os cientistas?

E os artistas? Que a beleza é simetria e portanto representa um alívio do caos? Certamente minha vida até aquele ponto tinha sido caótica. Não posso negar que ansiava por ordem, não posso negar que procurava um pouco de beleza. Acabara de voltar de uma viagem com papai, Willy e Kate à França, onde celebráramos o aniversário da Batalha do Somme, honráramos os mortos britânicos e eu lera um poema comovente, "Before Action". Foi publicado por um soldado dois dias antes de morrer em ação. Terminava assim: *Ajude-me a morrer, ó Senhor.*

Lendo em voz alta, percebi que não queria morrer. Queria viver.

Uma revelação razoavelmente surpreendente para mim naquele momento.

Mas a beleza dessa mulher, e minha reação a ela, não se baseava apenas na simetria. Pairava a seu redor uma energia, um bom humor e uma alegria incontidos. Havia alguma coisa no modo como sorria, no modo como interagia com Violet, no modo como fitava a câmera. Confiante. Livre. Ela acreditava que a vida era uma grande aventura, eu podia perceber isso. Que privilégio seria, pensei, juntar-me a ela nessa jornada.

Seu rosto me transmitiu tudo isso. Seu rosto luminoso, angelical. Eu nunca havia formado uma opinião a respeito desta questão candente: Existe apenas uma pessoa neste mundo para cada um de nós? Mas naquele momento senti que podia haver um único *rosto* para mim.

Aquele.

Mandei uma mensagem para Violet. *Quem... é... essa... mulher?*

Ela respondeu na mesma hora. *Ah, seis caras já me perguntaram isso.*

Droga, pensei.

Quem é, Violet?

É uma atriz. Trabalha num seriado chamado Suits.

Uma série dramática sobre advogados; a mulher fazia uma jovem assistente jurídica.

Americana?

É.

O que ela está fazendo em Londres?

Veio ver o tênis.

O que está fazendo na Ralph Lauren?

Violet trabalhava na Ralph Lauren.

Experimentando umas roupas. Posso apresentar vocês, se quiser.

Hum, quero. Por favor?

Violet perguntou se tudo bem passar para ela, a americana, meu contato no Instagram.

Claro.

Era uma sexta-feira, 1º de julho. Eu sairia de Londres na manhã seguinte, com destino à residência de Sir Keith Mills. Tomaria parte numa regata a bordo do iate de Sir Keith, em torno da ilha de Wight. No momento em que enfiava minhas últimas coisas na bolsa, olhei meu celular de relance.

Uma mensagem no Instagram.

Dela.

A americana.

Olá!

Afirmou que pegara meu contato com Violet. Elogiou minha página de Instagram. Lindas fotos.

Obrigado.

Eram na maior parte fotografias da África. Eu sabia que ela estivera lá, porque também tinha dado uma olhada no Instagram dela, vira fotos suas com gorilas em Ruanda.

Ela disse que também realizara trabalho humanitário por lá. Com crianças. Falamos sobre a África, fotografia, viagens.

Acabamos trocando números de telefone e passamos às mensagens de texto, avançando noite adentro. De manhã fui de Nott Cott até o carro sem dar pausa nas mensagens. Continuamos a trocar mensagens durante todo o meu longo trajeto até a residência de Sir Keith, depois quando atravessei o saguão de Sir Keith — *Como vai, Sir Keith?* —, subindo as escadas e então em seu quarto de hóspedes, onde tranquei a porta e me enfurnei, trocando mensagens. Fiquei sentado na cama digitando como um adolescente até chegar a hora do jantar com Sir Keith e sua família. Então, depois da sobremesa, voltei rapidamente ao meu quarto e retomei as mensagens.

Não conseguia digitar rápido o bastante. Sentia câimbras nos polegares. Havia tanto a dizer, tínhamos tanto em comum, embora viéssemos de mundos diferentes. Ela era americana, eu britânico. Ela era culta, eu decididamente não. Ela era livre como um pássaro, eu vivia em uma gaiola dourada. E contudo nenhuma dessas diferenças pareceu ser um empecilho, nem mesmo importante. Pelo contrário, pareciam orgânicas, estimulantes. As contradições davam uma sensação de:

Ei... Conheço você.

Mas também de: Preciso conhecer você.

Ei, conheço você faz um tempão.

Mas também: Estava à sua procura faz um tempão.

Ei, graças a Deus que você chegou.

Mas também: Por que demorou tanto?

A vista do quarto de hóspedes de Sir Keith dava para um estuário. Muitas vezes, digitando uma mensagem, eu caminhava até a janela e olhava. A paisagem me fazia pensar no Okavango. Me fazia pensar também no destino, e no acaso. Essa convergência entre o rio e o mar, a terra e o céu reforçava uma vaga sensação de grandes coisas se conjugando.

Ocorreu-me como era esquisito, como era surreal, como era bizarro que essa maratona de conversa tivesse começado em 1º de julho de 2016.

Aniversário de 55 anos da minha mãe.

Tarde da noite, aguardando sua mensagem seguinte, digitei o nome da americana no Google. Centenas de fotos, uma mais deslumbrante que a outra. Pensei se também estaria dando uma espiada em mim. Torci que não estivesse.

Antes de apagar a luz, perguntei quanto tempo ficaria em Londres. Droga — ela iria embora logo. Tinha de voltar para as filmagens da sua série, no Canadá.

Perguntei se a gente podia se encontrar antes de ela ir.

Fiquei encarando o celular, aguardando sua resposta, encarando a elipse que flutuava eternamente.

...

Então: *Claro!*

Então, bom. Onde?

Sugeri minha casa.

Sua casa? No primeiro encontro! Acho que não.

Não quis dizer com essa intenção.

Ela não se dava conta de que ser da realeza significava ser radioativo, que eu não podia simplesmente sair para um encontro em um café ou pub.

Relutante em lhe dar uma explicação completa, tentei explicar obliquamente sobre o risco de ser visto. Não fiz um bom trabalho.

Ela sugeriu uma alternativa. Soho House, na Dean Street, 76. Era seu quartel-general sempre que vinha a Londres. Ela reservaria uma mesa para nós em um salão tranquilo.

Não haveria outras pessoas por perto.

A mesa estaria no seu nome.

Meghan Markle.

2.

Depois de trocar mensagens por metade da noite, até a alta madrugada, resmunguei com o alarme tocando de manhã. Hora de zarpar a bordo do veleiro de Sir Keith. Mas também me senti grato. Uma regata era a única maneira de me fazer esquecer o celular.

E eu precisava deixá-lo de lado, só por algum tempo, pôr a cabeça no lugar.

Respirar fundo.

O barco de Sir Keith se chamava *Invictus*. Homenagem aos jogos, abençoado seja o homem. Nesse dia havia onze tripulantes, incluindo um ou dois atletas que de fato competiram nos jogos. A regata de cinco horas nos conduziu em torno das Needles e às garras da intempérie. O vendaval foi tão feroz que muitos outros barcos abandonaram a competição.

Eu velejara antes, muitas vezes — me lembrei de um feriado dourado, com Henners, tentando emborcar nosso pequeno barco Laser —, mas nunca assim, em mar aberto, em condições tão revoltas. As ondas assomavam sobre nós. Nunca sentira medo da morte antes, e agora me pegava pensando: Por favor, não deixe que eu me afogue antes do meu grande encontro. Daí fui dominado por outro medo. O medo de não ter banheiro a bordo. Segurei o máximo de tempo que fui capaz de aguentar, até não haver outra escolha. Pendurei-me na lateral do barco, enfiando o corpo no mar agitado... e nem assim consegui mijar, graças sobretudo ao medo de palco. A tripulação inteira olhando.

Enfim voltei ao meu posto, constrangedoramente pendurado nos cabos, e urinei na calça.

Uau, pensei, se Meghan Markle pudesse me ver agora.

Nosso barco foi o vencedor em nossa classe, ficou em segundo no geral. Viva, falei, mal parando para comemorar com Sir Keith e a tripulação. Minha única preocupação era pular naquela água, limpar a urina da calça, depois voltar correndo a Londres, onde a maior corrida de todas, a corrida suprema, estava prestes a começar.

3.

O trânsito era pavoroso. Domingo à noite, as pessoas voltando de um fim de semana no interior. Além disso, eu teria de cruzar Piccadilly Circus, um pesadelo em seus melhores momentos. Congestionamentos, obras, acidentes, engarrafamento, topei com todo obstáculo concebível. Repetidas vezes, meus guarda-costas e eu parávamos completamente e ficávamos ali. Cinco minutos. Dez.

Eu grunhia, suava, gritava mentalmente com a massa de carros imóveis. *Vamos! Logo!*

Finalmente, não foi mais possível evitar. Digitei: *Vou chegar um pouco atrasado, desculpe.*

Ela já chegara.

Justifiquei: *Trânsito horrível.*

A resposta dela: *Ok.*

Disse a mim mesmo: Acho que ela não vai me esperar.

Disse aos meus guarda-costas: *Ela não vai esperar.*

Avançando a passo de tartaruga para o restaurante, mandei outra mensagem: *Andando, mas ainda devagar.*

Não dá pra você descer?

Como poderia explicar? Não, não dava. Eu não conseguiria sair correndo pelas ruas de Londres. Seria como uma lhama correndo na rua. Causaria uma cena, seria um pesadelo para a segurança; sem falar na imprensa que podia atrair. Se eu fosse avistado caminhando apressadamente para a Soho House, seria o fim de qualquer privacidade que pudéssemos brevemente desfrutar.

Além disso, havia três guarda-costas comigo. Não podia de repente lhes pedir que participassem de uma prova de quatrocentos metros com barreiras.

Só que mensagens de texto não eram o modo apropriado de transmitir isso. Então simplesmente... não respondi. O que sem dúvida a irritou.

Finalmente cheguei. Vermelho, esbaforido, suando, meia hora atrasado, corri para o restaurante, entrei no salão reservado, e encontrei-a sentada na área de espera em um pequeno sofá de veludo, diante de uma mesinha de centro.

Ela ergueu o rosto, sorriu.

Pedi desculpas. Profusamente. Imaginei que pouca gente deixara aquela mulher esperando.

Sentei a seu lado, voltei a me desculpar.

Ela disse que eu estava perdoado.

Ela bebia cerveja, algum tipo de IPA. Pedi uma Peroni. Não estava com vontade de tomar cerveja, mas pareceu mais fácil.

Silêncio. Absorvemos tudo aquilo.

Ela usava um suéter preto, jeans, saltos altos. Eu não entendia nada de roupa, mas sabia que era chique. Mas também sabia que ela conseguiria fazer qualquer coisa parecer chique. Até um saco de dormir. A principal coisa que notei foi o abismo entre a internet e a realidade. Eu vira tantas imagens suas em ensaios de moda e sets de TV, tudo maquiado e brilhante, mas ali estava ela, em carne e osso, sem filtros nem fru-frus... e ainda mais linda. De doer o coração. Eu tentava processar isso, me esforçando para entender o que estava acontecendo com minha circulação sanguínea e meu sistema nervoso, e consequentemente meu cérebro não conseguia lidar com novos dados. Conversas, amenidades, o inglês da Rainha, tudo se tornou desafiador.

Ela quebrou o silêncio. Falou sobre Londres. Estava sempre aqui, disse. Às vezes simplesmente deixava sua bagagem na Soho House por várias semanas. Eles guardavam para ela sem questionar. O pessoal ali era como uma família.

Pensei: Está sempre em Londres? Como nunca vi você? Não importava que 9 milhões de pessoas vivessem em Londres, ou que eu raramente saísse de casa, senti que se estivesse aqui, eu deveria ter sabido. Deveria ter sido informado!

Qual o motivo de vir pra cá com tanta frequência?

Amigos. Negócios.

Oh? Negócios?

Atuar era seu trabalho principal, disse, era conhecida por isso, mas tinha várias carreiras. Escrevia sobre estilo de vida, viagens, era porta-voz de uma empresa, ativista, modelo. Estivera no mundo todo, vivera em vários países, trabalhara para a embaixada americana na Argentina — seu currículo me deu vertigem.

Tudo parte do plano, afirmou.

Plano?

Ajudar as pessoas, fazer o bem, ser livre.

A garçonete retornou. Disse seu nome. Mischa. Sotaque do Leste Europeu, sorriso tímido, muitas tatuagens. Perguntamos sobre elas; Mischa ficou mais do que contente em explicar. Ela nos proporcionou um muito necessário amortecimento, uma pisada no freio, uma pausa para respirar, e acho que sabia que estava fazendo esse papel, e o fez com gosto. Adorei-a por isso.

Mischa se afastou e a conversa começou a fluir de verdade. O constrangimento inicial sumira, retomamos o tom amigável de nossas trocas de mensagens. Ambos havíamos passado por primeiros encontros em que não havia nada sobre o que falar, e agora sentíamos essa emoção especial de quando há coisas demais sobre o que falar, quando não há tempo suficiente para dizer tudo que precisa ser dito.

Mas, falando em tempo... o nosso chegou ao fim. Ela recolheu suas coisas.

Lamento, preciso ir.

Já? Tão cedo?

Tenho um jantar marcado.

Se não tivesse me atrasado, teríamos tido mais tempo. Praguejei contra mim mesmo, levantei.

Um breve abraço de despedida.

Afirmei que deixasse a conta comigo e ela respondeu que nesse caso se encarregaria de encomendar flores de agradecimento para Violet.

Peônias, ela disse.

Dei risada. *Certo. Até.*

Até mais.

Puf, e ela se foi.

Comparada a ela, Cinderela era a rainha das longas despedidas.

4.

Eu havia combinado de me encontrar com meu amigo em seguida. Então liguei, avisei que estava a caminho e meia hora depois apareci em sua casa numa travessa da King's Road.

Ele bateu os olhos em mim e disse: *O que aconteceu?*

Não queria contar. Fiquei pensando: Não conta. Não conta. Não conta. Contei.

Falei tudo sobre o encontro, então supliquei: *Droga, cara, o que vou fazer?*

Daí veio a tequila. Daí veio a maconha. Daí a gente bebeu e fumou e assistiu... *Divertida Mente.*

Uma animação... sobre emoções. Perfeito. Minha mente não estava nada divertida.

Daí fiquei pacificamente amortecido. *Fumo bom, parceiro.*

Meu celular tocou. *Ai, merda.* Mostrei o celular para meu amigo. *É ela.*

Quem?

ELA.

Não estava ligando, simplesmente. Era uma videochamada.

Alô?

Alô.

Está fazendo alguma coisa?

Ãhn, só estou aqui na casa de um amigo.

Que som é esse no fundo?

Oh, ãhn...

Vocês estão assistindo desenho animado?

Não. Quer dizer, é. Mais ou menos. É... Divertida Mente?

Me afastei para um canto tranquilo do apartamento. Ela estava de volta a seu hotel. Havia lavado o rosto. Falei: *Meu Deus, adoro suas sardas.*

Ela respirou fundo. Toda vez que era fotografada, disse, maquiavam suas sardas.

Que absurdo. São lindas.

Ela se desculpou por ter precisado sair correndo. Não queria que eu pensasse que não tinha gostado do nosso encontro.

Perguntei quando a gente poderia se ver outra vez. *Quinta?*

Vou embora na quinta.

Oh. Amanhã?

Pausa.

Ok.

Quatro de julho.

Marcamos um novo encontro. Outra vez em Soho House.

5.

Ela passou esse dia inteiro em Wimbledon, torcendo por sua amiga Serena Williams, no camarote de Serena. Me mandou uma mensagem quando voltava correndo ao hotel, depois outra quando se trocava, em seguida outra quando corria para a Soho House.

Dessa vez eu já estava lá — aguardando. Sorrindo. Orgulhoso de mim mesmo.

Ela entrou usando um lindo vestido de verão azul com listras brancas. Estava radiante.

Levantei e falei: *Trouxe um presente.*

Uma caixa cor-de-rosa. Estendi para ela.

Ela balançou a caixa. *O que é?*

Não, não, não balança! Nós dois rimos.

Ela abriu a caixa. Cupcakes. Cupcakes vermelhos, brancos e azuis, para ser exato. Em homenagem ao Dia da Independência. Comentei qualquer coisa sobre os britânicos terem uma visão bem diferente da visão ianque sobre o Dia da Independência, mas, ah, bom.

Ela disse que pareciam maravilhosos.

Nossa garçonete do Encontro Um apareceu. Mischa. Parecia genuinamente feliz em nos ver, em descobrir que havia um Encontro Dois. Ela percebeu o que estava acontecendo, entendeu que seria uma testemunha ocular, que faria parte eternamente de nossa mitologia pessoal. Depois de nos servir bebidas se afastou e não voltou por um longo tempo.

Quando reapareceu, estávamos entregues a um beijo.

Não era nosso primeiro.

Segurando meu colarinho, Meghan me puxava em sua direção, mantendo-me perto dela. Quando viu Mischa se aproximar, me largou imediatamente e todos nós demos risada.

Desculpe.

Sem problema. Querem mais bebida?

Outra vez a conversa fluiu, crepitou. Os hambúrgueres vieram e voltaram, intocados. Senti uma sensação esmagadora de Abertura, Prelúdio, Tímpanos, Ato I. E, no entanto, também uma sensação de encerramento. Uma fase da minha vida — a primeira metade? — se aproximava do fim.

Conforme a noite ia terminando tivemos uma conversa muito franca. Não havia como contornar.

Ela pôs a mão no rosto e disse: *O que a gente vai fazer?*

A gente precisa tentar fazer isso dar certo.

Como assim? Eu moro no Canadá. Vou voltar amanhã!

A gente se encontra. Uma visita longa. No verão.

Já tenho planos para o verão.

Eu também.

Certamente encontraríamos uma brecha em algum momento do verão.

Ela balançou a cabeça. Iria fazer o circuito de *Comer Rezar Amar.*

Comer o quê, você disse?

O livro?

Ah. Desculpe. Livros não são meu forte.

Me senti intimidado. Ela era totalmente o contrário de mim. Gostava de ler. Era culta.

Não tem importância, disse ela, rindo. O problema era que viajaria com três amigas para a Espanha e depois com duas amigas para a Itália e em seguida...

Olhou sua agenda. Olhei a minha.

Ela ergueu os olhos, sorriu.

O que foi? Fala.

Na verdade tem uma pequena janela...

Recentemente, explicou, uma colega de trabalho a aconselhara a não planejar demais seu verão de comer, rezar e amar. Deixe uma semana livre, disse a pessoa, deixe espaço para a magia, assim ela andava dizendo não a todo tipo de coisa, reservando uma semana, recusando até um passeio dos sonhos de bicicleta pelos campos de lavanda do sul da França...

Olhei minha agenda e falei: *Também tenho uma semana livre.*

Será que é a mesma semana?

Quem sabe?

Será possível?

Não seria a coisa mais doida?

Era a mesma semana.

Sugeri que a passássemos em Botsuana. Pus o máximo empenho em lhe vender a ideia. O berço da humanidade. O lugar mais esparsamente povoado do planeta. O verdadeiro jardim do Éden, com 40% da terra entregue à Natureza.

Além do mais, a nação com a maior quantidade de elefantes da Terra.

Acima de tudo, era o lugar onde eu me encontrava, onde sempre me reencontrava, onde sempre me sentia perto da — magia? Se o que ela procurava era magia, devia vir comigo, vivenciar isso comigo. Acampar sob as estrelas, no meio de lugar nenhum, que é na verdade Qualquer Lugar.

Ela ficou encarando o vazio.

Sei que é doido, falei. *Mas tudo isso é obviamente doido.*

6.

Não podíamos viajar juntos no mesmo avião. Para começar, eu já estaria na África. Estaria no Malauí, ocupado com um trabalho de conservação em parques africanos.

Mas não contei a ela sobre o outro motivo: Não podíamos correr o risco de sermos vistos juntos, de a imprensa descobrir a nosso respeito. Ainda não.

Assim, ela terminou seu negócio de *Comer Rezar Amar*, depois viajou de Londres para Johanesburgo, depois para Maun, onde eu pedira a Teej que a encontrasse. (Claro que eu queria fazer isso pessoalmente, mas seria impossível sem causar uma cena.) Após uma odisseia de onze horas, incluindo uma escala de três horas em Johanesburgo, e um quente percurso de carro até a casa, Meghan tinha todo o direito de estar mal-humorada. Mas não. Com os olhos brilhando, ansiosa, estava pronta para tudo.

E parecia... a imagem da perfeição. Usando jeans rasgados, botas surradas de caminhada, um chapéu-panamá amarrotado que eu vira em sua página no Instagram.

Quando fui abrir o portão da casa de Teej e Mike, cheguei com um sanduíche de salada de frango embrulhado em filme plástico para ela. *Achei que podia estar com fome.* De repente desejei ter flores, um presente, alguma coisa além do parco sanduíche. Trocamos um abraço, e foi esquisito, não só por causa do sanduíche, mas do inevitável suspense. Havíamos conversado e feito videochamadas muitas vezes desde o primeiro encontro, mas isso tudo era novo e diferente. E um pouco estranho.

Estávamos ambos pensando a mesma coisa. *Será que a magia pode ser traduzida? Para outro continente?*

E se não puder?

Perguntei sobre o voo. Ela riu por causa da tripulação da Air Botswana. Eram grandes fãs de *Suits*, pediram para tirar uma foto com ela.

Uhu, falei, pensando: Droga. Se um membro da tripulação postasse essa foto, o sigilo iria por água abaixo.

Subimos numa caminhonete de três lugares, Mike ao volante, meus guarda-costas em outro carro, e partimos. Bem na direção do sol. Depois de uma hora de estradas asfaltadas, tínhamos quatro horas de estradas de terra pela frente. Para fazer o tempo passar mais rápido eu apontava todas as flores, plantas, aves. *Aquilo é um francolim. Aquilo é um calau. A mesma coisa que um Zazu, de O Rei Leão. Aquilo é um rolieiro-de-peito-lilás, e parece estar fazendo o ritual de acasalamento.*

Depois de um período respeitoso de tempo, segurei sua mão.

Em seguida, quando a estrada ficou menos esburacada, arrisquei um beijo.

Exatamente como nos lembrávamos.

Meus guarda-costas, cinquenta metros atrás de nós, fingiram não ver.

Conforme mergulhávamos na savana, conforme nos aproximávamos do Okavango, a fauna começou a mudar.

Ali! Olha!

Ai, meu Deus. São... girafas!

E ali, olha!

Uma família de javalis.

Avistamos uma manada de elefantes. Machos, fêmeas, bebês. *Ei, olá.* Tomamos uma estradinha usada no controle de incêndios e as aves estavam em polvorosa, provocando um calafrio na minha espinha. *Leões na área.*

Não brinca, ela disse.

Alguma coisa me fez olhar para trás. Lá estava, uma cauda serpenteando. Berrei a Mike que parasse. Ele freou bruscamente, engatou a ré. Ali — bem na nossa frente, um dos grandes. Um papai. E lá, quatro filhotes, relaxando à sombra de um arbusto. Com suas mamães.

Nós os admiramos por algum tempo e então seguimos em frente.

Pouco antes do crepúsculo chegamos a um pequeno acampamento satélite que Teej e Mike haviam montado. Carreguei nossas bagagens para uma barraca erguida junto a uma imensa árvore-de-salsicha. Estávamos no limiar de uma grande selva, diante de um barranco suave que dava no rio, e mais além: uma planície inundada pulsando com vida.

Meghan — que agora eu chamava de Meg, ou às vezes simplesmente M — parecia em choque. As cores vivas. O ar fresco, puro. Tinha experiência em viajar, mas nunca vira algo como aquilo. Era o mundo antes de o mundo ser feito.

Ela abriu sua mala de viagem — precisava pegar alguma coisa. Lá vem, pensei. O espelho, o secador de cabelo, o estojo de maquiagem, o edredom fofo, uma dúzia de pares de sapatos. Eu estava vergonhosamente preso a estereótipos: toda atriz americana era uma diva. Para minha grata surpresa, não havia nada nessa mala além das necessidades básicas. Shorts, jeans rasgados e lanches. E um tapetinho de ioga.

Sentamos em cadeiras de lona, observamos o sol se pôr e a lua nascer. Preparei alguns coquetéis à moda da savana. Uísque com água do rio. Teej ofereceu a Meg um pouco de vinho e a ensinou a cortar a ponta de uma garrafa de plástico para fazer uma taça. Contamos histórias, demos muitas risadas, depois Teej e Mike prepararam um delicioso jantar para nós.

Comemos em volta do fogo, olhando as estrelas.

Na hora de dormir, guiei Meg no escuro até a barraca.

Onde está a lanterna?, perguntou.

Torch, você quer dizer?*

Nós dois achamos graça.

A barraca era muito pequena e muito espartana. Se ela esperava por uma viagem glamorosa, a essa altura estava completamente livre de fantasias. Deitamos dentro da barraca, de costas, sentindo o momento, compreendendo o momento.

Havia dois sacos de dormir separados, resultado de muita preocupação e inúmeras conversas com Teej. Não queria parecer presunçoso.

Aproximamos os dois, deitamos ombro contra ombro. Olhamos para o teto, escutando, conversando, observando as sombras da lua flutuarem pelo náilon.

Então, um ruído de mastigação.

Meg sentou imediatamente. *O que foi isso?*

Elefante, falei.

Apenas um, pelo que dava para perceber. Perto da barraca. Comendo pacificamente os arbustos à nossa volta.

Ele não vai machucar a gente.

Não?

Pouco depois, a barraca foi sacudida por um rugido alto.

Leões.

Não tem perigo?

Não. Não se preocupe.

Ela deitou, pousou a cabeça em meu peito.

Pode confiar em mim, falei. *Eu protejo você.*

---

* Como os ingleses chamam "lanterna". (N. E.)

7.

Acordei pouco antes do dia nascer, abri o zíper da barraca em silêncio e saí de fininho. Observei um bando de gansos pigmeus voando rio acima, impalas e antílopes bebendo sua água matinal à beira do rio.

A cantoria das aves era inacreditável.

À medida que o sol surgia dei graças pelo dia, depois me dirigi ao acampamento principal para uma fatia de torrada. Quando voltei, encontrei Meg se alongando no tapetinho de ioga junto à margem do rio.

Postura do guerreiro. Cachorro invertido. Postura da criança.

Quando terminou, anunciei: *O café está servido.*

Comemos sob uma acácia, e ela perguntou animada quais eram os planos. *Preparei umas surpresas.*

A começar pelo passeio matinal. Subimos na velha caminhonete sem portas de Mike, partimos através da savana. O sol no rosto, o vento nos cabelos, atravessamos riachos, sacolejamos por colinas, espantamos leões ocultos no capim alto. *Obrigado por todo aquele barulho ontem à noite, rapazes!* Topamos com um grande bando de girafas se alimentando da copa das árvores, seus cílios como ancinhos. Acenaram bom dia para nós.

Nem todos eram tão amigáveis. Perambulando por um vasto bebedouro, avistamos uma nuvem de poeira mais adiante. Um rabugento javali nos confrontou. Quando percebeu que não arredaríamos pé, se afastou.

Hipopótamos bufavam belicosamente. Sinalizamos para todo mundo recuar para a caminhonete.

Interrompemos um bando de cães selvagens tentando tomar um búfalo morto de duas leoas. Não estava dando certo. Deixamos que se entendessem.

O capim dourado oscilava ao vento. *A estação seca,* falei para Meg. O ar estava calmo, limpo, dava alegria de respirar. Servimos o piquenique que eu prepara, regando os comes com cidra Savannah. Depois fomos nadar num estuário do rio, mantendo distância dos crocodilos. *Fique longe da água turva.*

Contei-lhe que aquela era a água mais limpa e pura do mundo, porque era filtrada por todos aqueles papiros. Mais doce até do que a água na antiga banheira de Balmoral, mas... melhor não pensar em Balmoral.

O aniversário seria em apenas poucas semanas.

Ao crepúsculo deitamos sobre o capô do veículo, observando o céu. Quando os morcegos saíram, fomos ao encontro de Teej e Mike. Escutamos música, rimos, conversamos, cantamos, jantamos mais uma vez em torno da fogueira. Meg nos contou um pouco sobre sua vida, sobre ter sido criada em Los Angeles, sobre as dificuldades de se tornar atriz, sobre as apressadas trocas de roupa entre um teste e outro dentro de sua lata-velha em que nem as portas funcionavam. Tinha de entrar pelo porta-malas. Falou sobre seu portfólio de empresária cada vez maior, seu site sobre estilo de vida, que tinha dezenas de milhares de leitores. Em seu tempo livre fazia trabalho filantrópico — questões femininas deixavam-na particularmente inflamada.

Fiquei fascinado, absorvendo cada palavra, enquanto ao fundo escutava um tênue rufar de tambores: *Ela é perfeita, ela é perfeita, ela é perfeita.*

Chels e Cress costumavam se referir à minha existência de o médico e o monstro. Spike feliz em Botsuana, príncipe Harry tenso em Londres. Eu nunca conseguira sintetizar ambos, e isso as incomodava, me incomodava, mas com essa mulher, pensei, eu conseguiria, eu poderia ser Spike Feliz o tempo todo.

Exceto que ela não me chamava de Spike. A essa altura passara a me tratar por Haz.

Cada momento dessa semana foi uma revelação e uma bênção. E contudo cada instante também nos arrastava para mais perto do minuto angustiante da despedida. Não havia alternativa: Meg precisava voltar ao Canadá e eu tinha de viajar à capital, Gaborone, para me encontrar com o presidente de Botsuana e discutir questões de conservação, depois do que embarcaria em uma viagem com amigos, planejada havia meses.

Gostaria de cancelar, afirmei a Meg, mas meus amigos nunca me perdoariam.

Nos despedimos; Meg começou a chorar.

Quando vejo você outra vez?

Em breve.

Não breve o bastante.

Não. Nem perto disso.

Teej passou o braço por seus ombros e prometeu tomar conta dela com carinho até a hora de seu voo, em algumas horas.

Então um último beijo. E o adeus.

Mike e eu subimos em seu jipe branco e fomos para o aeroporto de Maun, onde entramos em seu pequeno avião a hélice e, embora partisse meu coração, decolamos.

8.

Éramos onze. Marko, claro. Adi, claro. Dois Mikes. Brent. Bidders. David. Jakie. Skippy. Viv. A gangue toda. Me encontrei com eles em Maun. Carregamos três chatas prateadas e partimos. Dias e dias flutuando, navegando, pescando, dançando. Toda noite nos transformávamos em um bando um tanto ruidoso e desbocado. Pela manhã preparávamos bacon com ovos na fogueira, mergulhávamos na água fria. Bebemos coquetéis da savana e cerveja africana, ingerimos certas substâncias controladas.

Quando o tempo ficou quente para valer, decidimos nos aventurar no jet ski. Tive a presença de espírito de tirar o iPhone do bolso antes e guardar no console do jet ski. Parabenizei-me por ser tão prudente. Então Adi subiu na traseira, seguido de Jakie, numa disposição muito anárquica.

A prudência terminou por aí.

Disse a Jakie para descer. *Três é demais.* Ele não quis nem saber.

O que eu podia fazer?

Lá fomos nós.

Disparamos de um lado para outro, rindo, desviando dos hipopótamos. Passamos velozmente por um banco de areia com um crocodilo de três metros dormindo ao sol. Quando fiz uma curva com o jet ski para a esquerda vi o crocodilo abrir os olhos e deslizar para a água.

Momentos depois, o chapéu de Adi voou.

Volta, volta, disse ele.

Dei meia-volta, nada fácil com três a bordo. Emparelhei com o chapéu e Adi se curvou para agarrá-lo. Então Jakie também se curvou para ajudar. Todos nós caímos no rio.

Senti meus óculos escuros escorregando do rosto, vi quando caíram na água. Mergulhei para pegá-los. No instante em que voltei à tona, me lembrei do crocodilo.

Pude perceber que Adi e Jakie pensaram a mesma coisa. Então olhei para o jet ski. Flutuando de lado. Merda.

Meu celular!

Com todas as minhas fotos! Todos os meus contatos!

MEG!

O jet ski acabou encalhando no banco de areia. Nós o endireitamos e tirei meu iPhone do console. Encharcado. Arruinado. Todas as fotos que Meg e eu havíamos tirado!

Sem mencionar nossas mensagens!

Eu sabia que essa viagem de rapazes seria da pesada, então como precaução enviara fotos para Meg e outros amigos antes de sair. De todo modo, o resto certamente se perdera.

Além do mais, como iria entrar em contato com ela?

Adi disse para eu não me preocupar, era só pôr o aparelho no arroz, um método comprovado para secar.

Horas mais tarde, mal chegando ao acampamento, foi exatamente o que fizemos. Mergulhamos o celular em um balde grande cheio de arroz branco cru.

Fiquei olhando, dominado por grandes dúvidas. *Quanto tempo demora?*

Uns dois dias.

Não dá. Preciso de uma solução já.

Mike e eu elaboramos um plano. Eu poderia escrever uma carta a Meg, que ele levaria consigo a Maun. Teej podia então fotografar a carta e enviar pelo celular para Meg. (Teej também tinha seu número: eu lhe passara quando fora buscar Meg no aeroporto da primeira vez.)

Agora só faltava escrever a tal da carta.

O primeiro desafio era encontrar uma caneta no meio daquele bando de inúteis.

Alguém tem uma caneta?

Uma o quê?

Uma caneta.

Tenho uma caneta de epinefrina, serve?

Não! Uma caneta esferográfica. Meu reino por uma caneta!

Oh. Uma caneta. Uau.

Não sei como, encontrei uma. O desafio seguinte era achar um lugar para escrever.

Fui me acomodar sob uma árvore.

Refleti. Fitei o vazio. Escrevi:

Ei, Linda. Confesso que você me pegou — não consigo parar de pensar em você, de sentir saudades suas, MUITAS. Meu celular foi parar no rio. Cara triste... Fora isso, me divertindo à beça. Queria que você estivesse aqui.

Na manhã seguinte, Mike partiu, a carta na mão.

Dias depois, encerrando a parte da viagem que fizemos de barco, voltamos a Maun. Encontramos com Teej, que imediatamente disse: *Calma, já estou com a resposta.*

Então não fora um sonho. Meg era real. Tudo aquilo era real.

Entre outras coisas, Meg dizia na mensagem que não via a hora de nos falarmos.

Em êxtase, passei à segunda parte da viagem com os rapazes, na floresta de Moremi. Dessa vez, levei um telefone via satélite. Enquanto todo mundo terminava de jantar, encontrei uma clareira e trepei na árvore mais alta, imaginando que o sinal devesse ser melhor.

Liguei para Meg. Ela atendeu.

Antes que eu pudesse abrir a boca, ela falou: *Eu não devia dizer isso, mas estou com saudade de você!*

Eu também não devia dizer isso, mas também estou com saudade de você!

E depois simplesmente rimos e escutamos nossa respiração.

9.

Senti uma enorme pressão, no dia seguinte, ao sentar para escrever a próxima carta. Um caso paralisante de bloqueio criativo. Simplesmente não conseguia encontrar as palavras para expressar minha empolgação, meu contentamento, meu anseio. Minhas esperanças.

Na falta de inspiração poética, imaginei, a melhor coisa a fazer seria deixar a carta bem bonitinha.

Ai de mim, estava num lugar muito pouco propício para o artesanato. A viagem de rapazes estava prestes a passar agora à fase três — uma caçada de oito horas pelos confins do cu do mundo.

O que fazer?

Quando a caminhonete freou, desci e saí andando pela savana.

Spike, aonde você vai?

Não respondi.

O que deu nele?

Ali não era um lugar aconselhável para caminhar. No coração do território dos leões. Mas eu estava determinado a encontrar... alguma coisa.

Eu avançava tropegamente, tropeçava, não via nada exceto o capim marrom infinito. *Parece até que a gente veio parar na porra do Outback!*

Adi me ensinara a procurar flores no deserto. Nos arbustos espinhentos, ele sempre dizia, procure nos galhos mais altos. Foi o que fiz. E de fato: bingo! Trepei no arbusto, colhi as flores, guardei numa sacola que pendurei no ombro.

Mais adiante em nosso trajeto passamos por uma floresta de mopani, onde avistei dois lírios-impala rosa brilhantes.

Eu os colhi também.

Em pouco tempo tinha um pequeno ramalhete.

Agora chegávamos a uma parte da floresta queimada por incêndios recentes. Em meio à paisagem calcinada, encontrei um interessante pedaço de casca de pau-chumbo. Peguei-o, enfiei na minha sacola.

Voltamos ao acampamento ao pôr do sol. Escrevi a segunda carta, chamusquei as bordas do papel, cerquei-a com as flores e a pus dentro da casca tostada, então bati uma foto usando o celular de Adi. Enviei para Meg e contei os segundos até receber uma resposta. Ela se despediu com "Sua garota".

Graças à improvisação e à determinação consegui de algum modo, durante toda essa viagem de rapazes, permanecer constantemente em contato. Quando por fim regressei à Grã-Bretanha, tive a sensação de que realizara uma façanha. Não permitira que celulares encharcados, amigos bêbados, falta de sinal nem uma dúzia de outros obstáculos atrapalhassem o início desse lindo...

Como chamar essa coisa?

Sentado em Nott Cott, a bagagem à minha volta, encarei a parede e me questionei. O que é isso? Que palavra usar?

Seria...

Minha Cara-Metade?

Eu teria encontrado a mulher da minha vida?

Finalmente?

Sempre repeti para mim mesmo que era preciso haver regras firmes sobre relacionamentos, ao menos no que diz respeito à realeza, e a principal delas era que você estava absolutamente proibido de tomar a grande decisão antes de sair com alguém durante pelo menos três anos. De que outra forma poderia conhecê-la? De que outra forma *ela* poderia te conhecer — e conhecer sua vida na realeza? De que outra forma os dois poderiam ter certeza de que era isso que queriam, que era uma coisa que ambos podiam suportar juntos?

Não era para todo mundo.

Mas Meg parecia a brilhante exceção à regra. A todas as regras. Soube quem ela era no instante em que a conheci, e ela soube quem eu era. Meu verdadeiro eu. Pode parecer precipitado, pensei, pode parecer ilógico, mas é verdade: Pela primeira vez, de fato, senti que vivia minha verdadeira vida.

10.

Uma profusão de mensagens de texto e videochamadas. Embora estivéssemos a milhares de quilômetros de distância, nunca ficamos de fato separados. Eu acordava com uma mensagem dela. Respondia. Então: tec, tec, tec. Então, depois do almoço: videochamada. Então, durante a tarde: tec, tec, tec. Então, à noite, mais uma maratona de videochamada.

E mesmo assim não bastava. Estávamos desesperados para voltar a nos ver. Marcamos os últimos dias de agosto, dali a cerca de dez dias, para nosso próximo encontro.

Concordamos que seria melhor se ela viesse a Londres.

No grande dia, assim que chegou, ela me ligou quando se dirigia a seu quarto na Soho House.

Estou aqui. Vem me ver!

Não posso, estou no carro...

Fazendo o quê?

Um negócio pela minha mãe.

Sua mãe? Onde?

Althorp.

Onde é Althorp?

É onde meu tio Charles mora.

Falei que explicaria mais tarde. Ainda não havíamos conversado sobre… tudo isso.

Eu tinha certeza de que ela não havia pesquisado sobre mim na internet, porque vivia fazendo perguntas. Parecia não saber quase nada — era tão bom. Mostrava que não se impressionava com a realeza, que no meu entender era o primeiro passo para sobreviver a ela. Além disso, como não dera um mergulho profundo em tudo que já fora escrito, nas coisas de conhecimento público, sua cabeça não estava cheia de desinformação.

Depois que Willy e eu depositamos flores no túmulo de mamãe, voltamos juntos a Londres. Liguei para Meg, avisei que estava a caminho. Tentei fazer uma voz casual, não queria me entregar para Willy.

Tem uma entrada secreta no hotel, ela disse. *Depois um elevador de carga.*

A amiga dela, Vanessa, que trabalhava para a Soho House, iria ao meu encontro e me mostraria o caminho.

Tudo funcionou segundo o plano. Depois de encontrar a amiga e percorrermos uma espécie de labirinto pelas entranhas da Soho House, finalmente cheguei à porta de Meg.

Bati e aguardei, com a respiração suspensa.

A porta se abriu.

Aquele sorriso.

O cabelo cobria parcialmente os olhos. Ela estendeu os braços para mim. Me puxou para dentro e agradeceu a amiga num único gesto fluido, então bateu a porta rapidamente antes que alguém visse.

Pensei em dizer para pendurarmos a plaquinha de NÃO PERTURBE na porta.

Mas acho que não deu tempo.

11.

Pela manhã, precisávamos de sustância. Liguei para o serviço de quarto. Quando bateram na porta, procurei desesperadamente um lugar para me esconder.

Não havia onde. Nenhum cubículo ou armário, nenhum closet.

Então fiquei deitado na cama e puxei o edredom sobre a cabeça. Meg sussurrou que eu fosse para o banheiro, mas preferi meu esconderijo.

Ai de mim, o café da manhã não foi servido por um garçom anônimo qualquer. Foi trazido por um gerente assistente que adorava Meg, e que ela adorava, assim ele queria conversar. Ele não notou que havia dois desjejuns sobre a bandeja. Não notou o calombo em forma de príncipe sob o edredom. Começou a falar sem parar, inteirando-a das novidades mais recentes, enquanto eu, em minha caverna de cobertor, fui ficando sem ar.

Dei graças por toda a prática adquirida no porta-malas da viatura de Billy.

Quando o sujeito finalmente se foi, sentei na cama, arfando.

Então nós dois ficamos sem fôlego de tanto dar risada.

Decidimos jantar em minha casa naquela noite, convidar alguns amigos. Poderíamos cozinhar qualquer coisa. Divertido, dissemos, mas significava que primeiro seria preciso fazer compras. Não havia nada na minha geladeira além de uvas e empadões de carne.

A gente pode ir no Waitrose, falei.

Claro que não pretendíamos realmente ir *juntos* ao Waitrose fazer compras: causaria um tumulto. De modo que bolamos um plano para fazer compras *simultaneamente*, em paralelo, e disfarçados, fingindo que não nos conhecíamos.

Meg chegou três minutos antes de mim. Estava com uma camisa de flanela, um casacão largo e um gorro alto, mas mesmo assim fiquei surpreso que ninguém a reconhecesse. Um monte de britânicos assistia a *Suits*, com certeza, mas ninguém a encarava. Eu a identificaria no meio de uma multidão com milhares de pessoas.

Além disso, ninguém sequer prestou atenção no seu carrinho, que ela usava para carregar as malas e duas sacolas grandes da Soho House contendo roupões felpudos que comprara para nós ao sair.

Igualmente anônimo, apanhei uma cesta, caminhei despreocupadamente pelos corredores. Quando estava na seção de frutas e legumes ela passou andando por mim. Na verdade, estava mais para rebolando. Muito provocante. Cruzamos o olhar brevemente, apenas por um instante, depois logo o desviamos.

Meg recortara uma receita de salmão assado da *Food & Wine* e preparara uma lista que dividiu em duas. Ficara encarregada de encontrar uma bandeja para assar, enquanto eu fora incumbido de achar papel-manteiga.

Mandei uma mensagem: *Que P é papel-manteiga?*

Ela me orientou até o alvo.

Acima da sua cabeça.

Virei. Ela estava a pouca distância, espiando de trás de uma gôndola. Rimos.

Voltei a olhar para a prateleira.

Isso?

Não, do lado.

Não parávamos com as risadinhas.

Quando terminamos nossa lista, paguei no caixa, depois escrevi para Meg combinando um ponto de encontro. *Descendo a rampa do estacionamento, debaixo da loja, uma van com vidros escuros.* Momentos depois, nossas compras guardadas no porta-malas, Billy, a Rocha, ao volante, caímos fora do supermercado, rumo a Nott Cott. Observei a cidade passando rápido, todas as casas e pessoas, e pensei: *Não vejo a hora de vocês todos a conhecerem.*

12.

Eu estava empolgado em receber Meg em minha casa, mas também envergonhado: Nott Cott não era nenhum palácio. Nott Cott ficava adjacente a um palácio — era o melhor que se podia dizer a seu respeito. Observei-a chegar pelo caminho da entrada, passar pela cerca branca de madeira. Para meu alívio, não deu o menor sinal de choque, o menor indício de decepção.

Até entrar. Então comentou qualquer coisa sobre uma república.

Olhei em torno. Não estava muito longe da verdade.

A bandeira inglesa num canto. (A que eu agitara no Polo Norte.) O velho rifle no suporte da TV. (Um presente de Omã, depois de uma visita oficial.) O console de Xbox.

Só um lugar para guardar minhas tralhas, expliquei, tirando alguns papéis e roupas da frente. *Não fico muito por aqui.*

Além disso, era construído para pessoas menores, humanos de uma era passada, quando o alimento era menos abundante. Assim os cômodos eram minúsculos e tinham o pé-direito de uma casa de bonecas. Mostrei-lhe rapidamente a casa, não levando mais que trinta segundos. *Olha a cabeça!*

Eu nunca notara até aquele momento como a mobília era deprimente. Sofá marrom, um pufe gigante mais marrom ainda. Meg parou diante do pufe.

Eu sei. Eu sei.

Os convidados para o jantar eram minha prima Euge, seu namorado Jack, e Charlie, meu amigo. O salmão ficou perfeito e todos cumprimentaram Meg por seus talentos culinários. Também devoraram suas histórias. Queriam saber tudo sobre *Suits*. E suas viagens. Fiquei agradecido pelo interesse deles, pelo afeto.

O vinho estava tão bom quanto a companhia, e havia quantidade de sobra, e depois do jantar fomos para a sala, pusemos música para tocar, vestimos uns chapéus ridículos, dançamos. Tenho uma vaga lembrança, e um vídeo granulado no meu celular, de Charlie e eu rolando no chão e Meg sentada perto, dando risada.

Então passamos à tequila.

Lembro de Euge abraçando Meg como se fossem irmãs. Lembro de Charlie fazendo um sinal de positivo para mim. Lembro de pensar: se conhecer o restante da família for desse jeito, estamos numa boa. Mas então notei que Meg não parecia bem. Ela se queixou de uma indisposição no estômago e estava terrivelmente pálida.

Pensei: Oh-oh, temos um peso leve.

Ela foi deitar. Depois de uma saideira, eu e meus convidados nos despedimos e dei uma arrumada na casa. Fui para a cama lá pela meia-noite e apaguei, mas acordei às duas da manhã com ela no banheiro, passando mal, muito mal, não o simples revertério que eu imaginara. Era alguma outra coisa.

Intoxicação alimentar.

Ela revelou que almoçara lula em um restaurante.

Frutos do mar britânicos! Mistério resolvido.

Do chão, ela disse suavemente: *Por favor, não me diga que vai ficar segurando meu cabelo pra trás enquanto eu vomito.*

Vou. Isso mesmo.

Esfreguei suas costas e depois a pus na cama. Fraca, beirando as lágrimas, ela disse que imaginara um fim bem diferente para nosso Encontro Quatro.

Para com isso, falei. Cuidar um do outro? Essa é a ideia.

Isso é amor, pensei, embora tenha conseguido guardar as palavras para mim.

13.

Pouco antes de Meg voltar ao Canadá, fomos aos jardins Frogmore para um passeio.

Era no caminho para o aeroporto.

Um dos meus lugares favoritos, afirmei. Ela também gostava. Adorava particularmente os cisnes, sobretudo um que era muito rabugento. (Nós o chamávamos de Steve.) Quase todo cisne é rabugento, falei. Majestosos mas ranzinzas. Sempre me perguntei por quê, uma vez que todo cisne britânico era propriedade de Sua Majestade, e quaisquer maus-tratos, portanto, eram uma infração penal.

Falamos sobre Euge e Jack, que ela adorara. Conversamos sobre o trabalho de Meg. Conversamos sobre o meu. Mas conversamos acima de tudo sobre nosso relacionamento, um assunto tão imenso que parecia inexaurível. Continuamos a conversar ao entrar no carro para ir para o aeroporto, e continuamos a conversar no estacionamento, onde a deixei discretamente. Concordamos que se falávamos sério em tentar ir mais longe, tentar de verdade, precisávamos de um plano sério. Ou seja, entre outras coisas, prometer que nunca deixaríamos passar mais de duas semanas sem nos ver.

Nós dois vivêramos relacionamentos à distância, e sempre foram difíceis, e parte do motivo fora a falta de um planejamento sério. Empenho.

359

Era preciso lutar contra a distância, derrotar a distância. Ou seja, viajar. Viajar para caramba.

Ai de mim, minhas movimentações chamavam mais atenção, mais imprensa. Os governos tinham de ser alertados quando eu cruzava fronteiras internacionais, as polícias locais tinham de ser notificadas. Todos os meus guarda-costas precisavam ser reescalonados. O pior portanto recairia sobre Meg. No começo, caberia a ela perder tempo em aviões, ir e vir através do oceano — enquanto ainda trabalhava em período integral em *Suits*. Muitos dias o carro ia buscá-la às 4h15 da manhã para levá-la ao set.

Não era justo sobrar tudo para Meg, mas ela queria fazer isso, me disse. Não havia escolha, afirmou. A alternativa era não nos vermos, e isso, disse, não era factível. Ou suportável.

Pela centésima vez desde 1º de julho, fiquei de coração partido.

Então voltamos a nos despedir.

Até daqui a duas semanas.

Duas semanas. Meu Deus. É.

14.

Pouco depois desse dia, Willy e Kate me convidaram para jantar.

Eles sabiam que havia alguma coisa acontecendo comigo e queriam descobrir o que era.

Eu não tinha certeza se estava preparado para dividir isso. Não tinha certeza se queria que alguém soubesse, por ora. Mas enquanto estávamos sentados na sala de TV, as duas crianças em suas camas, o momento pareceu apropriado.

Mencionei casualmente que havia... uma nova mulher em minha vida.

Ambos se inclinaram para a frente. *Quem é?*

Eu conto, mas por favor, eu imploro, vocês precisam guardar segredo.

Certo, Harold, certo, claro — quem é?

Uma atriz.

Oh?

Uma americana.

Oh.

Trabalha numa série chamada Suits.

O queixo deles caiu. Viraram um para o outro.

Depois Willy virou para mim e disse: *Você está de brincadeira!*

Por quê?

Sem essa.

Como assim?

Impossível!

Eu não estava entendendo nada, até que Willy e Kate explicaram que eram fãs de *Suits* — de carteirinha.

Essa é boa, pensei, rindo. E eu me preocupando com as coisas erradas. Esse tempo todo achara que Willy e Kate poderiam rejeitar Meg na família, mas a grande preocupação agora era que a importunassem por um autógrafo.

Fui bombardeado com perguntas. Contei em parte como nos conhecêramos, contei sobre Botsuana, contei sobre Waitrose, contei que estava apaixonado, mas de um modo geral tudo que falei foi pesadamente editado. Não queria me abrir totalmente para eles.

Também afirmei que não via a hora de que a conhecessem, que estava ansioso de passarmos muito tempo junto com eles, e confessei, pela enésima vez, que era um antigo sonho meu — participar da vida deles em condições iguais. Sermos um quarteto. Eu afirmara isso para Willy inúmeras vezes, e ele sempre respondera: *Pode ser que não role, Harold! E você precisa aceitar isso.* Bem, agora eu sentia que iria se concretizar e lhe disse — mas mesmo assim ele me falou para ir devagar.

Afinal ela é uma atriz americana, Harold. Tudo pode acontecer.

Balancei a cabeça, um pouco magoado. Depois dei um abraço nele e em Kate e saí.

15.

Meg voltou a Londres uma semana mais tarde.

Outubro de 2016.

Almoçamos com Marko e sua família, e a apresentei a alguns outros amigos próximos. Tudo perfeito. Todo mundo gostou dela.

Encorajado, senti que chegara a hora de apresentá-la a minha família. Ela concordou.

Primeira parada, Royal Lodge. Para conhecer Fergie, porque Meg já conhecia a filha de Fergie, Euge, e Jack, assim esse pareceu um pequeno passo lógico. Mas quando nos aproximávamos de Royal Lodge, recebi um aviso pelo celular.

Vovó estava lá.

Dando uma passada.

Voltando da igreja para o castelo.

Meg disse: *Legal. Adoro avós.*

Perguntei se sabia fazer uma reverência. Ela afirmou achar que sim. Mas também não sabia dizer se eu estava falando sério.

Você está prestes a conhecer a Rainha.

Eu sei, mas é sua avó.

Mas é a Rainha.

Passamos pela entrada, seguimos pela estradinha de cascalho e estacionamos perto da imensa sebe verde.

Fergie saiu, um pouco agitada, e disse: *Sabe fazer uma reverência?*

Meg balançou a cabeça.

Fergie demonstrou. Meg a imitou.

Não havia tempo para um tutorial mais avançado. Não podíamos deixar vovó esperando.

Conforme caminhávamos em direção à porta, Fergie e eu nos inclinávamos para Meg, sussurrando rápidos lembretes. *Quando for apresentada à Rainha, é Vossa Majestade. Depois disso é simplesmente Senhora. Não esquece. Rima com amora.*

Mas, faça o que fizer, jamais a interrompa, dissemos ambos, interrompendo um ao outro.

Entramos na imensa sala de estar e lá estava ela. Vovó. A monarca. A Rainha Elizabeth II. De pé no meio da sala. Virou-se ligeiramente. Meg foi direto até ela e se curvou profundamente numa reverência impecável.

Vossa Majestade. É um prazer conhecê-la.

Euge e Jack estavam perto da vovó e pareceram quase fingir não conhecer Meg. Ambos muito quietos, muito respeitosos. Todos deram um rápido beijinho na bochecha de Meg, mas foi pura realeza. Puramente britânico.

Havia um sujeito ao lado da vovó e pensei: Avião não identificado à frente. Meg olhou para mim, esperando uma dica sobre sua identidade, mas fui incapaz de ajudar — nunca o vira antes. Euge sussurrou em meu ouvido que era um amigo de Fergie. Ah, tudo bem. Olhei diretamente para ele: *Genial. Parabéns por estar presente num dos momentos mais importantes da minha vida.*

Vovó estava em roupas de igreja: um vestido muito colorido e um chapéu combinando. Não lembro a cor, gostaria de lembrar, mas era uma cor viva. Elegante. Pude perceber Meg se arrependendo de seu jeans com suéter preto.

Também lamentei minha calça surrada. Não fora planejado, quis dizer a vovó, mas ela estava ocupada perguntando a Meg sobre sua visita.

Ótima, dissemos. *Maravilhosa.*

Perguntamos sobre a missa na igreja.

Adorável.

Foi tudo muito agradável. Vovó até chegou a perguntar a Meg o que ela achava de Donald Trump. (Isso foi pouco antes da eleição de novembro de 2016, parecia que o mundo inteiro estava pensando e falando sobre o candidato republicano.) Meg achava a política um jogo de cartas marcadas, assim mudou de assunto e falou sobre o Canadá.

Vovó franziu o rosto. *Pensei que fosse americana.*

Sou, mas faz sete anos que moro no Canadá por causa do trabalho.

Vovó pareceu apreciar. Commonwealth. Ótimo, muito bem.

Depois de vinte minutos, vovó anunciou que estava de saída. Meu tio Andrew, sentado a seu lado, segurando sua bolsa, começou a acompanhá-la. Euge também foi junto. Antes de chegarem à porta, vovó virou para se despedir de Jack e do amigo de Fergie.

Ela olhou diretamente para Meg, acenou e sorriu afetuosamente. *Até logo.*

Até logo. Foi um prazer conhecê-la, senhora, Meg disse, enquanto fazia uma nova reverência.

Todos se dirigiram à sala depois que ela entrou no carro e se foi. A atmosfera toda mudou. Euge e Jack voltaram ao normal e alguém sugeriu bebidas.

Sim, por favor.

Todo mundo elogiou a reverência de Meg. Muito bom! Curvou-se muito bem!

Depois de um momento, Meg me perguntou alguma coisa sobre o assistente da Rainha.

Perguntei do que ela estava falando.

O homem segurando a bolsa dela. O homem que a acompanhou ao sair.

Aquele não era o assistente dela.

Quem era?

Seu segundo filho. Andrew.

Definitivamente não pesquisara sobre nós.

16.

A seguir vinha Willy. Eu sabia que ele me mataria se eu deixasse passar mais um minuto. Assim Meg e eu aparecemos para uma visita certa tarde, algumas horas antes de ele e eu viajarmos para uma caçada. Caminhando na direção do apartamento 1A, sob o imenso arco, através do pátio, me senti ainda mais nervoso do que antes do encontro com vovó.

Indaguei-me por quê.

Nenhuma resposta me veio à mente.

Subimos a escada cinza de pedra, tocamos a campainha.

Ninguém respondeu.

Depois de uma espera a porta se abriu e lá estava meu irmão mais velho, trajado um pouco formalmente para a ocasião. Calça e camisa finas, o colarinho aberto. Apresentei Meg, que se inclinou e o abraçou, deixando-o completamente desconcertado.

Ele se encolheu.

Willy não costumava abraçar estranhos. Já Meg abraçava quase qualquer estranho. O momento foi um clássico choque de culturas, como no caso de lanterna-*torch*, uma coisa que me pareceu ao mesmo tempo engraçada e encantadora. Mais tarde, porém, olhando em retrospecto, me perguntei se fora mais do que isso. Será que Willy esperava uma reverência de Meg? Esse teria sido o protocolo ao se encontrar com um membro da Família Real pela primeira vez, mas ela não sabia e eu não a informei disso. Quando ela conhecera minha avó, eu deixara claro — essa é a Rainha. Mas ao conhecer meu irmão, era apenas Willy, que adorava *Suits*.

Fosse como fosse, Willy superou. Dirigiu algumas palavras afetuosas a Meg assim que ela passou pela porta e adentrou o piso xadrez de seu saguão. Então fomos interrompidos por seu spaniel, Lupo, latindo para nós como se fôssemos assaltantes. Willy acalmou Lupo.

Cadê a Kate?

Saiu com as crianças.

Ah, que pena. Fica pra próxima vez.

Então chegou a hora de nos despedirmos. Willy precisava terminar de fazer as malas e nós precisávamos partir. Meg me beijou e me desejou um bom fim de semana de caça, e foi embora para passar a primeira noite sozinha em Nott Cott.

Nos dias que se seguiram não consegui parar de falar sobre ela. Agora que fora apresentada a vovó, apresentada a Willy, agora que não era mais um segredo dentro da família, eu tinha muita coisa a dizer. Meu irmão escutava, atento, sempre sorrindo levemente. Não tem coisa mais maçante do que escutar um apaixonado falando sem parar, eu sei, mas eu não conseguia evitar.

Devo dizer a seu favor que ele não me provocou, não me disse para calar a boca. Pelo contrário, disse o que eu esperava que dissesse, até mesmo precisava que dissesse.

Feliz por você, Harold.

17.

Semanas mais tarde, Meg e eu atravessamos o portão e os luxuriantes jardins de Clarence House, que a deixaram boquiaberta.

Devia ver na primavera. Papai que projetou.

Acrescentei: *Em homenagem à Gan-Gan, sabe. Ela morou aqui antes dele.*

Eu mencionara Gan-Gan para Meg. Também mencionara que havia morado ali em Clarence House dos dezenove aos 28 anos. Depois que me mudei, Camilla transformou meu quarto em seu closet pessoal. Tentei não ligar. Mas, principalmente quando vi pela primeira vez, liguei.

Paramos na porta da frente. Cinco em ponto. Não teria sido admissível chegar atrasado.

Meg estava linda e a elogiei. Usava um vestido preto e branco descendo até os tornozelos, com motivos florais, e quando levei a mão a suas costas percebi como o material era delicado. Seu cabelo estava solto, porque sugeri que o usasse dessa forma. *Papai aprecia mulheres com o cabelo solto.* Vovó também. Ela muitas vezes comentava sobre "as lindas madeixas de Kate".

Meg se maquiara apenas levemente, também por minha sugestão. Papai não aprovava mulheres que carregavam demais na maquiagem.

A porta se abriu e fomos recebidos pelo mordomo gurca de papai. E por Leslie, governanta de longa data da casa, que também trabalhara para Gan-Gan. Eles nos conduziram pelo comprido corredor, passando pelas grandes pinturas e espelhos de moldura dourada, pelo carpete escarlate com a passadeira escarlate, pelas grandes cristaleiras com as porcelanas reluzentes e as requintadas relíquias de família, subimos a escada rangente, que dobrava à direita depois de três degraus, seguia por mais doze degraus, depois dobrava à direita outra vez. Ali, finalmente, no patamar acima de nós, papai aguardava.

Com Camilla a seu lado.

Meg e eu havíamos ensaiado esse momento diversas vezes. *Para papai, uma reverência. Dizer Vossa Alteza Real, ou senhor. Talvez um beijo em cada bochecha se ele se curvar, caso contrário, um aperto de mão. Para Camilla, nada de reverência. Não é necessário. Um beijinho ou aperto de mão basta.*

Sem mesura? Tem certeza?

Eu não achava que seria apropriado.

Dirigimo-nos todos a uma grande sala de estar. No caminho, papai perguntou a Meg se era verdade, como ouvira falar, que ela era a estrela de uma novela americana! Ela sorriu. Eu sorri. Quis desesperadamente dizer: *Novela? Não, essa é nossa família, papai.*

Meg contou que trabalhava em um drama que passava à noite na TV a cabo. Sobre advogados. Chamado *Suits*.

Que maravilha, afirmou papai. *Esplêndido.*

Chegamos a uma mesa redonda com uma toalha branca. Ao lado havia um carrinho com o chá: bolo de mel, biscoitos de aveia, sanduíches, panquecas quentinhas, bolachas com patê cremoso, manjericão picado — os tira-gostos favoritos de papai. Tudo cirurgicamente disposto. Papai sentou de costas para a janela aberta, o mais longe possível do fogo estalante. Camilla sentou diante dele, de costas para o fogo. Meg e eu no meio, de frente um para o outro, entre os dois.

Devorei uma panqueca com Marmite, pasta de extrato de levedura; Meg comeu dois sanduíches de salmão defumado. Estávamos morrendo de fome. O nervosismo ao longo do dia fora tanto que nem havíamos comido.

Papai lhe ofereceu alguns biscoitos de aveia. Ela adorou.

Camilla perguntou como Meg gostava de seu chá, forte ou fraco, e Meg se desculpou por não saber. *Para mim, chá era chá.* Isso provocou uma animada discussão sobre chá, vinho e outras libações, e britanismos versus americanismos, e depois passamos ao tema mais amplo das Coisas de que Todos Gostávamos, o que levou diretamente aos cachorros. Meg falou sobre seus dois "bebês peludos", Bogart e Guy, ambos resgatados. A história de Guy era particularmente triste. Meg o encontrara à espera de ser sacrificado em um abrigo em Kentucky, depois de ter sido abandonado na floresta, sem comida nem água. Em Kentucky, explicou ela, sacrificavam beagles mais rápido do que em qualquer outro estado, e quando ela viu Guy no site do abrigo ficou apaixonada.

Percebi o rosto de Camilla se anuviar. Ela patrocinava o Lar de Cães & Gatos Battersea, então esse tipo de história sempre mexia muito com ela. Com papai também. Ele não podia pensar em ver um animal sofrer. Aquilo sem dúvida o lembrou da época de seu adorado cão, Pooh, que se perdeu na charneca onde caçavam tetrazes na Escócia — provavelmente enfiado em alguma toca de coelho —, para nunca mais ser visto.

A conversa fluiu fácil, os quatro falando ao mesmo tempo, mas a seguir papai e Meg começaram a conversar entre si e virei para Camilla, que parecia mais ansiosa em tentar escutar do que em conversar com seu enteado, só que, ai dela, estava presa a mim.

Logo houve uma troca de duplas. Que coisa mais estranha, pensei, estarmos observando instintivamente o mesmo protocolo que teríamos observado em um jantar oficial com vovó.

Finalmente a conversa se ampliou outra vez para incluir todo mundo. Conversamos sobre atuação e artes em geral. Que dificuldade devia ser para conseguir se firmar nessa profissão, disse papai. Tinha um monte de perguntas a fazer sobre a carreira de Meg e pareceu impressionado com o modo como ela as respondeu. Sua confiança, sua inteligência, pensei, pegaram-no de surpresa.

E então o tempo acabou. Papai e Camilla tinham outro compromisso. Vida da realeza. Puro compromisso, horário para tudo etc.

Lembrei que precisava explicar tudo isso para Meg mais tarde.

Levantamos todos. Meg se inclinou. Estremeci, porque, assim como Willy, papai também não era muito chegado a abraços. Felizmente, ela escolheu o leve beijo na bochecha padrão britânico, que ele pareceu até apreciar.

Saí com Meg de Clarence House, atravessando os jardins luxuriosos, fragrantes, me sentindo exultante.

Bom, então é isso, pensei. Bem-vinda à família.

18.

Fui a Toronto. Fim de outubro, 2016. Meg estava empolgada em me mostrar *sua* vida, *seus* cachorros — *sua* casinha, que adorava. E eu ansioso em ver tudo isso, saber cada pequeno detalhe sobre ela. (Embora tivesse viajado discretamente para o Canadá em outra oportunidade, brevemente, essa seria minha primeira visita de verdade.) Levamos os cachorros para passear em grandes desfiladeiros abertos e parques. Exploramos os cantinhos pouco movimentados do seu bairro. Toronto podia não ser Londres, mas também não era Botsuana. Toda cautela é pouco, dizíamos. Nada de sair da bolha. Continuemos com os disfarces.

Falando em disfarce. Convidamos Euge e Jack a se juntarem a nós para o Halloween. E o melhor amigo de Meg, Markus. A Soho House de Toronto estava dando uma tremenda festa e o tema era "Apocalipse". Para ir fantasiado de acordo.

Murmurei para Meg que nunca dera muita sorte com festas à fantasia temáticas, mas faria outra tentativa. Para ajudar com meu traje, recorri a um amigo, o ator Tom Hardy, antes de sair de casa. Eu ligara para ele e perguntara se podia pegar emprestado seu figurino de *Mad Max*.

O negócio todo?

Isso, por favor, parceiro! O conjunto completo.

Ele me entregara tudo antes de eu partir da Grã-Bretanha, e agora o experimentava no banheiro apertado. Quando saí, ela gargalhou.

Era engraçado. E um pouco assustador. Mas o principal foi isto: fiquei irreconhecível.

Meg, por sua vez, usava um short preto rasgado, camiseta camuflada justa, meias arrastão. Se isso é o Apocalipse, pensei, que venha o fim do mundo.

A festa foi barulhenta, escura, ébria — ideal. Um monte de gente olhava duas vezes conforme Meg passava pelos ambientes, mas mal reparavam em seu distópico acompanhante. Desejei poder usar esse disfarce todos os dias. Desejei voltar a usá-lo no dia seguinte e visitá-la no set de *Suits*.

Mas por outro lado, talvez não. Eu cometera a burrada de pesquisar e ver algumas de suas cenas de amor na internet. Assistira a ela e um ator dando o maior amasso numa espécie de escritório ou sala de conferência... Eu teria de passar por uma terapia de eletrochoque para tirar essas imagens da cabeça. Não precisava ver uma coisa dessas ao vivo. De todo modo, era irrelevante: o dia seguinte era um domingo, ela não trabalharia.

E então tudo perdeu a relevância, tudo foi alterado para sempre, porque no dia seguinte a notícia do nosso relacionamento veio a público.

Bom, dissemos, fitando com ansiedade nossos celulares, ia acontecer mais cedo ou mais tarde.

Na verdade, a gente sabia que provavelmente aconteceria naquele dia. Fôramos avisados, antes de sair para a festa do Apocalipse, que esse apocalipse pessoal talvez fosse ocorrer. Mais uma prova de que o universo tinha um senso de humor doentio.

Meg, está preparada para o que a gente vai enfrentar?

Mais ou menos. E você?

Estou.

Estávamos sentados em seu sofá, momentos antes de eu partir para o aeroporto.

Está com medo?

Estou. Não. Talvez.

A gente vai ser caçado. Não tenha a menor dúvida disso.

Vou fazer de conta que a gente está na savana.

Ela me lembrou do que eu dissera em Botsuana, quando os leões rugiam. *Confia em mim. Eu protejo você.*

Ela acreditara em mim na época, disse. Acreditava em mim agora.

No momento em que o avião tocava a pista de Heathrow, a notícia... esfriara?

Não havia nada confirmado, e não havia fotos, então não havia lenha para jogar na fogueira.

Um alívio momentâneo? Talvez, pensei, tudo fique bem.

Nah. Era só a calmaria antes da tormenta infernal.

19.

Naquelas horas e dias iniciais de novembro de 2016 atingíamos um novo fundo do poço a cada minuto. Fiquei chocado, e me censurei por ficar chocado. E por ser pego desprevenido. Eu me preparara para a loucura de costume, as difamações de sempre, mas não previra esse nível de mentiras desenfreadas.

Acima de tudo, não me preparara para o racismo. Tanto o racismo disfarçado quanto o racismo escancarado, vulgar, direto.

O *Daily Mail* assumiu a frente. A manchete: *A namorada de Harry é (quase) saída direto do gueto de Compton.* Embaixo: *Casa da mãe crivada de balas é revelada — será que ele vai aparecer para o chá?*

Outro tabloide entrou na refrega com esta pérola: *Harry vai se casar com a realeza gangsta?*

Fiquei pasmo. Meu sangue ferveu. Eu estava furioso, mas mais do que isso: envergonhado. Minha Pátria Mãe? Fazendo isso? Com ela? Conosco? Sério?

Como se sua manchete não fosse suficientemente vergonhosa, o *Mail* informava a seguir que em Compton aconteceram 47 crimes só na última semana. Quarenta e sete, imagine só. Não fazia diferença que Meg nunca tenha vivido em Compton, nem sequer perto. Ela morava a uma hora e meia de lá, tão longe de Compton quanto o Palácio de Buckingham do Castelo de Windsor. Mas esqueça isso: mesmo que *vivesse* em Compton, anos atrás ou atualmente, e daí? O que importa quantos crimes eram cometidos em Compton, ou onde quer que fosse, contanto que não fosse Meg que os cometesse?

Um ou dois dias mais tarde o *Mail* voltou à carga, dessa vez com um artigo escrito pela irmã do ex-prefeito de Londres Boris Johnson, prevendo que Meg faria... alguma coisa... geneticamente... à Família Real. "Se houver frutos de sua suposta união com o príncipe Harry, os Windsor terão engrossado seu fino e aguado sangue azul e a palidez e cabelos ruivos dos Spencer com algum rico e exótico DNA."

Irmã Johnson opinou ainda que a mãe de Meg provinha do "lado errado dos trilhos", e como prova irrefutável citava os dreadlocks de Doria. Essa imundície estava sendo propalada a 3 milhões de britânicos, sobre Doria, a adorável Doria, nascida em Cleveland, Ohio, formada na Fairfax High School, em uma parte quintessencialmente de classe média em Los Angeles.

O *Telegraph* foi à guerra com um artigo levemente menos revoltante, mas também delirante, em que o autor examinava de todos os ângulos a questão premente de determinar se eu estava ou não legalmente apto a me casar com uma (pasmem!) divorciada.

Meu Deus, já estão esmiuçando seu passado e procurando seu primeiro casamento.

Não fazia diferença que meu pai, um divorciado, estivesse casado atualmente com uma divorciada, nem que minha tia, a princesa Anne, fosse uma divorciada que se casara de novo — a lista não parava por aí. Divórcio em 2016 era considerado pela imprensa britânica um assunto candente.

A seguir o *Sun* vasculhou as redes sociais de Meg, descobriu uma foto antiga dela com uma amiga e um jogador de hóquei profissional e criou uma elaborada lorota sobre um caso tórrido entre Meg e o jogador de hóquei. Perguntei sobre aquilo a Meg.

Não, ele estava saindo com a minha amiga. Eu os apresentei.

Então pedi ao advogado do Palácio para entrar em contato com o jornal e dizer que a matéria era categoricamente falsa, e difamatória, e para removê-la de imediato.

A resposta do jornal foi dar de ombros e mostrar o dedo do meio.

Vocês estão sendo irresponsáveis, o advogado disse aos editores dos jornais.

Uaaaaaah, bocejaram os editores.

Já constatáramos que os jornais haviam posto detetives particulares atrás de Meg, e de todo mundo em seu círculo, em sua vida, até mesmo de pessoas com quem ela não tinha mais contato algum, então sabíamos que eram experts em seu passado e seus namorados. Eram os Meg-ologistas, sabiam mais sobre Meg do que qualquer outra pessoa no mundo a não ser Meg, e desse modo sabiam que cada palavra que haviam escrito sobre ela e o jogador de hóquei era puro lixo. Mas continuaram a reagir às repetidas advertências do advogado do Palácio com a mesma atitude insatisfatória, o que equivalia a uma provocação desdenhosa:

Não. Estamos. Nem. Aí.

Me reuni com o advogado, tentando encontrar um modo de proteger Meg desse e de todos os outros ataques. Eu passava a maior parte do dia, do momento em que abria os olhos até bem depois da meia-noite, tentando fazer aquilo parar.

Vamos entrar com um processo contra eles, vivia repetindo ao advogado. Ele vivia explicando que era exatamente o que os jornais queriam. Estavam loucos para eu processá-los, porque se eu entrasse na justiça seria uma confirmação do relacionamento, e daí realmente se esbaldariam.

Fiquei exasperado de raiva. E culpa. Eu contaminara Meg, e sua mãe, com minha doença infecciosa, também conhecida como minha vida. Jurara mantê-la em segurança e já a jogara no meio desse perigo.

Quando não estava com o advogado, estava com o sujeito da comunicação do Palácio de Kensington, Jason. Ele era muito inteligente, mas um pouco indiferente demais à crise atual para o meu gosto. Insistia comigo que não fizesse nada. *Só vai servir pra alimentar a fera. O silêncio é a melhor opção.*

Mas o silêncio não era uma opção. De todas as opções, o silêncio era a menos desejável, a menos defensável. Não podíamos simplesmente permitir que a imprensa continuasse fazendo aquilo com Meg.

Mesmo depois que o convenci de que precisávamos fazer alguma coisa, dizer alguma coisa, qualquer coisa, o Palácio respondeu que não. Os cortesãos nos proibiram terminantemente. Não havia nada a ser feito, disseram. E portanto *nada* seria feito.

Aceitei aquilo como definitivo. Até ler um artigo no *Huffington Post*. A jornalista afirmava que a reação branda dos britânicos a essa explosão de racismo seria de esperar, uma vez que eram os herdeiros de colonizadores racistas. Mas verdadeiramente "imperdoável", acrescentou, era meu silêncio. O meu.

Mostrei o artigo a Jason, disse que precisávamos de uma correção de curso imediatamente. Chega de conversa, chega de discussão. Precisávamos publicar um pronunciamento.

Um dia depois tínhamos um rascunho. Forte, preciso, irritado, honesto. Não achei que seria o fim, mas talvez o começo do fim.

Reli uma última vez e pedi a Jason para iniciar a contraofensiva.

20.

Algumas horas antes de sair a declaração, Meg estava vindo me ver. Foi até o aeroporto internacional de Pearson em Toronto, perseguida por paparazzi, e atravessou cuidadosamente as multidões de passageiros, sentindo-se nervosa e exposta. A sala de espera estava lotada, e um funcionário da Air Canada ficou com pena dela e a escondeu em uma sala lateral. Até lhe levou um prato de comida.

Quando ela aterrissou em Heathrow, a minha declaração já estava por toda parte. E nada mudou. O massacre continuou.

Na verdade, a minha declaração gerou todo um novo massacre — agora por parte da minha família. Papai e Willy ficaram furiosos. Me deram bronca. Disseram que a minha declaração passava uma imagem negativa deles. Mas por quê?

Porque nunca tinham feito uma declaração defendendo as namoradas ou esposas *deles* quando *elas* sofreram assédio.

Assim, essa visita não foi como as anteriores. Foi o exato contrário. Em vez de passearmos pelos jardins de Frogmore, de sentarmos na cozinha de casa falando e sonhando com o nosso futuro, ou de simplesmente nos conhecermos melhor, ficamos estressados, falando com advogados, procurando formas de combater essa loucura.

Como regra, Meg não estava olhando a internet. Queria se proteger, manter longe aquela toxicidade. Decisão inteligente. Mas não sustentável se fôssemos travar uma batalha pela sua reputação e segurança física. Eu precisava saber exatamente o que era fato, o que era invenção, e isso significava lhe perguntar a cada duas ou três horas sobre alguma outra coisa que tivesse aparecido on-line.

Isso é verdade? E isso aqui? Há algum pingo de verdade nisso?

Muitas vezes ela se punha a chorar. *Por que eles dizem isso, Haz? Não entendo. Eles podem simplesmente inventar coisas?*

Podem. E inventam, Meg.

Mesmo assim, apesar do estresse sempre maior, da pressão terrível, conseguimos proteger o nosso vínculo essencial, nunca batendo boca naqueles dias. Quando a visita estava chegando ao fim, estávamos firmes, felizes, e Meg falou que queria me fazer um almoço especial de despedida.

Como sempre, eu não tinha nada na geladeira. Mas ali perto havia um Whole Foods. Expliquei onde ficava, qual era o caminho mais seguro, passando a guarda do Palácio vire à direita, na direção dos jardins do Palácio de Kensington, siga pela avenida Kensington, tem uma barreira policial, vá pela direita e logo vai ver o Whole Foods. *É enorme, não tem como não ver.*

Eu tinha um compromisso, mas logo voltaria.

Boné, jaqueta, cabeça baixa, portão lateral. Vai ser tranquilo, não se preocupe.

Duas horas depois, quando voltei para casa, encontrei Meg inconsolável. Soluçando. Tremendo.

O que foi? O que aconteceu?

Ela mal conseguia falar.

Tinha se vestido como eu recomendara, e ficou percorrendo alegre e anônima as gôndolas do supermercado. Mas, quando estava na escada rolante, um homem se aproximou. *Desculpe, sabe onde fica a saída?*

Ah, sim, acho que é logo ali à esquerda.

Ei! Você está naquele programa — Suits, não é? Minha esposa adora você.

Ah, que legal! Obrigada. Como você se chama?

Jeff.

Prazer, Jeff. Diga a ela que agradeço a audiência.

Claro. Posso tirar uma foto... para a minha mãe, sabe?

Achei que você tinha dito que era a sua mulher.

Ah, sim. Isso.

Desculpe, hoje estou só fazendo compras.

O rosto dele mudou. *Bom, mesmo que eu não tire uma foto COM você... isso não me impede de tirar fotos DE você.*

Ele sacou o celular e seguiu Meg até o balcão de frios, clicando enquanto ela olhava o peru. F... o peru, ela pensou e foi depressa para o caixa. Ele foi atrás.

Meg entrou na fila. Na sua frente havia montes de revistas e jornais e em todos eles, sob as manchetes mais grosseiras e chocantes... estava ela. Os outros clientes também perceberam. Olharam as revistas, olharam Meg, e então também sacaram os seus celulares, como zumbis.

Meg viu dois caixas trocarem um sorriso medonho. Depois de pagar as compras, ela saiu e deu de cara com um grupo de quatro paparazzi. Abaixou a cabeça e subiu depressa pela avenida Kensington. Estava quase chegando quando uma carruagem a cavalo saiu a galope dos jardins do Palácio de Kensington. Algum tipo de desfile: o portão do Palácio estava bloqueado. Ela teve de voltar à avenida, onde os paparazzi farejaram a sua presença e a perseguiram até o portão principal, gritando o seu nome.

Quando finalmente entrou no Nott Cott, ela telefonou para as amigas mais próximas, que perguntaram: *Ele vale a pena a esse ponto, Meg? Alguém vale a pena a esse ponto?*

Abracei-a, falei que lamentava. Lamentava muito.

Ficamos ali abraçados, até que aos poucos percebi uns cheiros deliciosíssimos.

Olhei em volta. *Peraí... depois de tudo isso... ainda assim você fez o almoço?*

Eu queria te alimentar antes de ir embora.

21.

Três semanas depois, eu estava fazendo exame de HIV numa clínica de pronto atendimento em Barbados.

Com Rihanna.

Vida de realeza.

Era porque o Dia Mundial de Combate à aids estava se aproximando, e de última hora pedi a Rihanna que fosse comigo para ajudar a promover a conscientização no Caribe. Para o meu espanto, ela topou.

Novembro de 2016.

Dia importante, causa fundamental, mas minha cabeça estava longe. Estava preocupado com Meg. Ela estava no Canadá, mas não queria ir para casa porque o local estava cercado. E não podia ir para a casa da mãe em Los Angeles, porque também estava cercada. Estava sozinha, sem rumo, e logo seria o Dia de Ação de Graças. Então entrei com contato com alguns amigos que tinham uma casa desocupada em Los Angeles, que a ofereceram generosamente a ela. Problema resolvido, por ora. Mesmo assim, eu estava preocupado, com profunda antipatia pela imprensa, e agora estava cercado pela... imprensa.

Os mesmos repórteres da realeza...

Olhando todos eles, pensei: *Cúmplices*.

Então a agulha entrou no meu dedo. Vi o sangue saindo e me lembrei de todo mundo, amigos e desconhecidos, colegas soldados, jornalistas, romancistas, colegas de escola, que sempre se referiam a mim e à minha família como sangue azul. Eu me perguntava de onde viria essa expressão designando a aristocracia, a realeza. Alguém falou que o nosso sangue era azul porque era mais frio do que o das outras pessoas, mas decerto não devia ser isso. A minha família sempre dizia que era azul porque éramos especiais, mas decerto também não devia ser isso. Observando a enfermeira que punha o meu sangue num tubo de ensaio, pensei: Vermelho, como o de todo mundo.

Virei para Rihanna e ficamos conversando enquanto eu esperava o resultado. Negativo.

Agora a minha única vontade era sair correndo, encontrar algum lugar com wi-fi e ver como estava Meg. Mas não foi possível. Eu estava com a agenda lotada de encontros e visitas — uma agenda real que não deixava muito espaço livre. E então tive de voltar com toda pressa para o navio enferrujado da marinha mercante que ia me levar pelo Caribe.

Quando cheguei ao navio, tarde da noite, o sinal do wi-fi a bordo era fraquíssimo. Só dava para digitar mensagens, e só se eu ficasse de pé no assento da cabine, encostando o celular na escotilha. A conexão só deu tempo para eu ficar sabendo que ela estava a salvo na casa do meu amigo. E, melhor ainda, que seus pais tinham conseguido se esgueirar e passar o Dia de Ação de Graças com ela. Mas o pai tinha levado uma pilha de tabloides e queria, inexplicavelmente, conversar sobre o assunto. A coisa não foi muito bem e ele acabou indo embora cedo.

Enquanto ela me contava a história, o sinal do wi-fi sumiu.

O navio mercante seguiu roncando para o seu próximo destino.

Larguei o celular e fiquei olhando o mar escuro pela escotilha.

22.

Saindo do estúdio e indo para casa, Meg notou que estava sendo seguida por cinco carros.

Então começaram a persegui-la.

Todos os carros eram dirigidos por homens — de aparência estranha. Lupinos.

Inverno no Canadá: as estradas eram de gelo. Além disso, pelo jeito que os carros giravam à sua volta, cortavam a frente, acendiam luzes vermelhas, seguiam atrás, enquanto ao mesmo tempo tentavam fotografá-la, ela achou que certamente ia bater o carro.

Disse a si mesma para não entrar em pânico, não perder a direção, não dar a eles o que queriam. E então me ligou.

Eu estava em Londres, no meu carro, o guarda-costas na direção, e a voz em lágrimas dela me levou diretamente de volta para a infância. De volta a Balmoral. *Ela não sobreviveu, menino querido.* Pedi a Meg que ficasse calma, mantivesse os olhos na pista. A minha experiência de controlador aéreo tomou as rédeas da situação. Fui dando as orientações até a delegacia mais próxima. Quando ela saiu do carro, deu para ouvir ao fundo os paparazzi que a seguiam até a entrada.

Vamos, Meg, sorria para nós!

Clique, clique, clique.

Ela contou para os policiais o que estava acontecendo e pediu ajuda. Os policiais compreenderam, ou disseram compreender, mas ela era uma figura pública e assim, insistiram, não podiam fazer nada. Ela voltou para o carro, os paparazzi continuando a enxamear, e lhe dei as orientações até a sua casa, entrando pela porta da frente, onde ela desmoronou.

Eu também desmoronei um pouco. Me senti impotente, e percebi que esse era o meu calcanhar de aquiles. Era capaz de lidar com a maioria das coisas desde que pudesse entrar em ação. Mas quando não tinha o que fazer... eu queria morrer.

Mesmo dentro de casa, Meg não teve sossego. Como em todas as noites anteriores, paparazzi e ditos jornalistas constantemente batiam à porta, tocavam a campainha. Os cachorros estavam ficando doidos. Não entendiam o que estava acontecendo, por que ela não atendia a porta, por que a casa estava sendo atacada. Enquanto uivavam e andavam em círculos, ela ficou encolhida no chão, no canto da cozinha. Depois da meia-noite, quando as coisas se aquietaram, ela tomou coragem de espiar pelas persianas e viu lá fora os homens dormindo nos carros, motores ligados.

Os vizinhos disseram a Meg que também tinham sido assediados. Uns homens tinham percorrido a rua de cima a baixo, fazendo perguntas, oferecendo grana por qualquer fofoca sobre Meg — ou mesmo por alguma mentira saborosa. Um vizinho contou que tinham oferecido uma fortuna para montar câmeras de transmissão ao vivo no telhado da casa dele, dando para as janelas da casa de Meg. Outro vizinho de fato aceitou a proposta, prendeu uma câmera no telhado da casa, dando direto para os fundos da casa de Meg. Ela contatou outra vez a polícia, que outra vez não fez nada. Disseram-lhe que isso não era proibido pelas leis de Ontário. O vizinho, se não invadisse *fisicamente*, podia montar o telescópio Hubble no alto da casa e apontá-lo para o quintal de Meg.

Enquanto isso, em Los Angeles, a mãe dela era perseguida diariamente, saindo e voltando para casa, indo e voltando da lavanderia, indo e voltando do trabalho. Também estava sendo difamada. Foi tratada numa matéria como "pé-rapada moradora de trailer". Em outra, foi chamada de "maconheira". Na verdade, ela trabalhava como cuidadora, dando atendimento paliativo. Percorria Los Angeles inteira para ajudar as pessoas em final de vida.

Os paparazzi escalavam os muros e as cercas de muitos pacientes que ela visitava. Em outras palavras, todos os dias havia mais uma pessoa que, como mamãe, ouviria como último som na terra... um clique.

23.

Juntos outra vez. Uma noite tranquila no Nott Cott, preparando o jantar. Dezembro de 2016.

Meg e eu descobrimos que o nosso prato favorito era o mesmo: frango assado.

Eu não sabia prepará-lo, e assim, naquela noite, ela estava me ensinando.

Lembro do calorzinho da cozinha, dos cheiros maravilhosos. Limão em fatias na tábua de cortar, alho e alecrim, o molho borbulhando numa panela.

Lembro que esfreguei sal na pele do frango e abri uma garrafa de vinho.

Meg colocou uma música. Ela expandia os meus horizontes, me apresentando o folk e o soul, James Taylor e Nina Simone.

*It's a new dawn. It's a new day.**

Talvez o vinho tivesse subido à minha cabeça. Talvez as semanas combatendo a imprensa tivessem me esgotado. Por alguma razão, quando a conversa tomou um rumo inesperado, fiquei sensível.

E então fiquei irritado. Desproporcional e grosseiramente irritado.

Meg disse alguma coisa que não entendi bem. Era em parte uma diferença cultural, em parte uma barreira da língua, mas eu também estava ultrassensível naquela noite. Pensei: Por que ela está me agredindo?

Devolvi na lata, falei com ela com grosseria — com crueldade. Enquanto as palavras saíam da minha boca, senti que tudo ali parava. O molho parou de borbulhar, as moléculas do ar pararam de orbitar. Até Nina Simone pareceu se calar. Meg saiu da cozinha, sumindo por quinze minutos inteiros.

Fui atrás e ela estava no andar de cima. Sentada na cama. Estava calma, mas falou em tom baixo e sereno que jamais aceitaria ser tratada daquele jeito.

Assenti.

Ela quis saber de onde aquilo tinha saído.

Não sei.

---

* Em tradução livre: "É um novo amanhecer. É um novo dia". (N. E.)

Onde é que você já ouviu um homem falar assim com uma mulher? Ouviu adultos falarem desse jeito quando você era menino?

Pigarreei, desviei os olhos. *Ouvi.*

Ela não ia tolerar esse tipo de companheiro. Ou de pai para os seus filhos. Esse tipo de vida. Não ia criar filhos num clima de raiva ou desrespeito. Meg deixou tudo muito claro. Nós dois sabíamos que a minha raiva não tinha sido *causada* por nada da nossa conversa. Vinha de algum lugar lá no fundo, alguma coisa que eu precisava desenterrar, e era óbvio que uma ajuda seria bem-vinda.

Tentei terapia, disse a ela. Willy me falou para fazer. Nunca encontrei a pessoa certa. Não funcionou.

Não, disse ela suavemente. Tente outra vez.

24.

Saímos do Palácio de Kensington num carro escuro, um carro totalmente diferente, sem marca de identificação, os dois escondidos no banco traseiro. Saímos pelo portão dos fundos, lá pelas seis e meia da tarde. Os guarda-costas disseram que não estávamos sendo seguidos, e assim, quando ficamos presos no trânsito na Regent Street, pulamos fora e corremos. Estávamos indo ao teatro e não queríamos chegar depois que o espetáculo já tivesse começado, para não chamar a atenção. Estávamos tão empenhados em não nos atrasar, em olhar o relógio, que não vimos que "eles" estavam vindo atrás de nós — numa franca transgressão das leis de perseguição.

Eles nos fotografaram perto do teatro. De um veículo em movimento, pelo vidro de uma parada de ônibus.

Os fotógrafos, claro, eram Tweedle Debi e Tweedle Loide.

Não gostávamos de ser perseguidos por paparazzi, principalmente por esses dois. Mas tínhamos conseguido escapar deles durante cinco meses. Um bom tempo, dissemos.

A vez seguinte foi poucas semanas mais tarde, saindo do jantar com Doria, que tinha tomado um avião para vir ver Meg. Os paparazzi nos pegaram, mas felizmente não pegaram Doria. Ela se virou para voltar a seu hotel, nós nos viramos com os meus guarda-costas para ir até nosso carro. Os paparazzi nunca chegaram a vê-la.

Eu tinha ficado muito nervoso com a perspectiva daquele jantar. É sempre desgastante conhecer a mãe de uma namorada, mas sobretudo quando a gente está transformando a vida da sua filha num verdadeiro inferno. Pouco tempo antes, o *Sun* tinha publicado uma manchete de primeira página: *Garota de Harry no Pornhub*. A matéria trazia imagens de Meg, em *Suits*, que alguns pervertidos tinham postado em algum site pornô. Claro que o *Sun* não falou que as imagens foram usadas ilegalmente, que Meg não sabia nada a respeito delas, que Meg tinha a ver com pornografia tanto quanto vovó. Era só uma jogada, uma isca para levar os leitores a comprarem o jornal ou clicarem na notícia. Quando o leitor descobria que não havia nada lá, era tarde demais! O seu dinheirinho tinha ido para o bolso do *Sun*.

Tínhamos reagido, demos entrada a uma queixa formal, mas felizmente o assunto não aflorou naquela noite durante o jantar. Tínhamos coisas mais alegres para comentar. Meg acabava de voltar de uma viagem à Índia com o World Vision, trabalhando na questão da saúde menstrual de garotas, depois tinha levado Doria a um retiro de ioga em Goa — para comemorar o aniversário da mãe, que logo faria sessenta anos. Estávamos celebrando Doria, celebrando o fato de estarmos juntos, e fazendo tudo isso no nosso lugar preferido, a Soho House da Dean Street, 76. Quanto à Índia, rimos do conselho que eu tinha dado a Meg, antes de ela partir: *Não tire uma foto na frente do Taj Mahal.* Ela perguntou a razão e respondi: *A minha mãe.*

Expliquei que minha mãe tinha posado para uma foto lá, que se tornou lendária, e eu não queria que as pessoas achassem que Meg estava tentando imitá-la. Meg nunca tinha ouvido falar dessa foto e achou a coisa toda desconcertante, e adorei que ela se sentisse desconcertada.

Aquele jantar com Doria foi maravilhoso, mas agora vejo-o como o fim do começo. No dia seguinte apareceram as fotos dos paparazzi, e veio toda uma nova enxurrada de matérias, uma nova enchente nos vários canais das redes sociais. Racismo, misoginia, burrice criminosa — tudo ali às claras.

Sem saber a quem mais recorrer, liguei para papai.

Não leia, menino querido.

Não era tão simples assim, respondi irritado. Posso perder a Meg. Ela pode decidir que não vale a pena se incomodar por minha causa, ou que a imprensa pode envenenar tanto o público que algum idiota pode fazer alguma maldade, feri-la de alguma maneira.

Isso já estava acontecendo em câmara lenta. Ameaças de morte. O seu local de trabalho estava com acesso restrito porque alguém, reagindo ao que havia lido, tinha feito uma ameaça crível. Ela está isolada, disse eu, e com medo, faz meses que não ergue as persianas de casa — e você está me dizendo para não ler?

Ele falou que a minha reação era exagerada. *Infelizmente é assim que é.*

Apelei ao seu interesse próprio. Não fazer nada passava uma péssima imagem da monarquia. *As pessoas lá fora têm sentimentos muito claros sobre o que está acontecendo com ela, papai. Levam pro lado pessoal, entenda isso.*

Ele não se abalou.

25.

O local ficava a meia hora do Nott Cott. Um trajeto rápido cruzando o Tâmisa e passando pelo parque... mas parecia uma das minhas jornadas polares.

Com o coração batendo forte, respirei bem fundo e bati à porta.

A mulher abriu e me deu as boas-vindas. Levou-me por um corredor curto até a sua sala.

Primeira porta à esquerda.

Sala pequena. Janelas com venezianas. Dando para a rua movimentada. Dava para ouvir os carros, os sapatos na calçada. Gente falando, rindo.

Ela era quinze anos mais velha do que eu, mas tinha o ar jovial. Me lembrou Tiggy. Impressionante, de fato. Uma vibe muito parecida.

Me apontou um sofá verde-escuro e ficou numa cadeira no outro lado da sala. Era um dia de outono, mas eu suava loucamente. Me justifiquei. *Passo calor fácil. E também estou um pouco nervoso.*

Espere aí.

Deu um salto e saiu correndo. Dali a pouco voltou com um ventiladorzinho pequeno, que pôs na minha direção.

Ah, que ótimo. Obrigado.

Ela esperou que eu começasse. Mas eu não sabia por onde começar. Então comecei pela mamãe. Falei que tinha medo de perdê-la.

Ela me deu um olhar longo e penetrante.

Ela sabia, claro, que eu já tinha perdido minha mãe. Que surreal, encontrar uma terapeuta que já conhece a vida da gente, que pode ter passado as férias na praia lendo livros inteiros sobre a gente.

Sim, já perdi minha mãe, claro, mas tenho medo de que ao falar sobre ela, aqui, agora, para uma completa desconhecida, e talvez aliviando um pouco a dor dessa perda, eu venha a perdê-la outra vez. Venha a perder aquela sensação, aquela presença dela — ou o que sempre senti como presença dela.

A terapeuta me deu uma olhada. Tentei outra vez.

Você vê... a dor... se é que é dor... foi só o que me sobrou dela... E a dor é também o que me move. Tem dias em que a dor é a única coisa que me sustenta. E também acho que, sem a dor, bom, ela poderia pensar... que a esqueci.

Aquilo soou como uma bobagem. Mas, bom, era isso.

A maioria das lembranças da minha mãe, expliquei com uma súbita e imensa mágoa, tinha desaparecido. Do outro lado do Muro. Contei-lhe sobre o Muro. Contei-lhe que tinha conversado com Willy sobre a minha falta de lembranças da nossa mãe. Ele recomendou que eu olhasse os álbuns de fotos, coisa que fiz imediatamente. Nada.

Assim, a minha mãe não era imagens, nem impressões, era basicamente um vazio no meu coração, e se eu curasse, tampasse aquele vazio — o que aconteceria?

Perguntei se aquilo tudo parecia maluquice.

Não.

Ficamos em silêncio.

Por muito tempo.

Ela me perguntou do que eu precisava. Por que estava ali.

Veja, disse eu. Do que eu preciso... é me livrar desse peso no peito. Preciso... preciso...

Sim?

Chorar. Por favor. Me ajude a chorar.

26.

Na sessão seguinte, perguntei se podia deitar.

Ela sorriu. *Estava imaginando quando você perguntaria.*

Eu me estendi no sofá verde, apoiei a cabeça num travesseiro.

Falei sobre o sofrimento físico e emocional. O pânico, a ansiedade. Os suores.

Faz quanto tempo que isso acontece?

Agora uns dois ou três anos. Antes era muito pior.

Falei da conversa com Cress. Durante as férias de esqui. A rolha escapando da garrafa, emoções espirrando por todo lado. Chorei um pouco naquela vez... mas não o suficiente. Precisava chorar mais. E não conseguia.

Passei a falar da profunda raiva, o gatilho visível que tinha me levado a procurá-la. Descrevi a cena com Meg na cozinha.

Balancei a cabeça.

Desabafei sobre a minha família. Papai e Willy. Camilla. Volta e meia eu me interrompia no meio da frase, ouvindo os pedestres lá fora. Ah, se soubessem... O príncipe Harry ali dentro falando da família. Dos problemas dele. Ah, os jornais se esbaldariam.

O que nos levou ao assunto da imprensa. Terreno mais firme. Fui com tudo. Os meus próprios conterrâneos e conterrâneas, disse eu, mostrando tanto desdém, tanto desrespeito sórdido pela mulher que eu amava. A imprensa, claro, tinha sido cruel comigo ao longo dos anos, mas era diferente. Eu nasci dentro dela. E às vezes pedia por ela, atraía-a para mim.

Mas essa mulher não fez nada para merecer tanta crueldade.

E sempre que eu me queixava a esse respeito, em caráter público ou privado, as pessoas simplesmente reviravam os olhos. Diziam que eu estava choramingando, diziam que eu só fingia querer privacidade, diziam que Meg também estava fingindo. *Ah, está sendo perseguida, é? Haha, para com isso! Ela vai ficar numa boa, é atriz, está acostumada com os paparazzi. Na verdade, ela quer a presença deles.*

Mas ninguém queria aquilo. Ninguém jamais conseguiria se acostumar com aquilo. Todo aquele povo revirando os olhos não aguentaria dez minutos. Meg estava tendo ataques de pânico pela primeira vez na vida.

Tinha recebido pouco tempo antes uma mensagem de texto de um total desconhecido que sabia seu endereço em Toronto e prometeu que ia meter uma bala na cabeça dela.

A terapeuta falou que eu parecia bravo.

Porra, claro, eu estava bravo!

Ela disse que, por mais válidas que fossem as minhas reclamações, eu também parecia empacado. Sim, claro, Meg e eu estávamos vivendo um suplício, mas aquele Harry que tinha sido grosso com Meg com tanta raiva não era esse Harry aqui, o Harry sensato, deitado nesse sofá, expondo o seu caso. Aquele era o Harry de doze anos, o Harry traumatizado.

Isso pelo que você está passando agora é uma reminiscência de 1997, Harry, mas temo que essa parte sua esteja presa em 1997.

Aquilo não me agradou muito. Me senti um pouco insultado. *Me chamando de criança? Parece um pouco rude.*

Você diz que quer a verdade, que valoriza a verdade acima de tudo — bom, essa é a verdade.

A sessão se estendeu além do tempo marcado. Durou quase duas horas. Quando o nosso tempo acabou, marcamos uma data para nos revermos logo. Perguntei se podia abraçá-la.

Sim, claro.

Dei um leve abraço, agradeci.

Lá fora, na rua, minha cabeça girava. Por todo lado havia uma quantidade enorme de lojas e restaurantes, e eu daria qualquer coisa para andar de um lado a outro, olhar as vitrines, me dar tempo para processar tudo o que tinha dito e aprendido.

Impossível, claro.

Não queria causar uma cena.

27.

Bom, acontece que a terapeuta tinha conhecido Tiggy. Tremenda coincidência. Como o mundo é pequeno, o menor de todos os mundos possíveis. Assim, em outra sessão falamos sobre Tiggy, que ela tinha sido uma substituta materna para mim e para Willy, que Willy e eu volta e meia transformávamos as mulheres em substitutas maternas. Que volta e meia elas mesmas se lançavam sofregamente nesse papel.

Reconheci que mães substitutas faziam eu me sentir melhor, e pior também, porque me sentia culpado. *O que mamãe acharia?*

Falamos sobre a culpa.

Mencionei a experiência de mamãe com a terapia, conforme eu a via. Não ajudou. Na verdade, pode ter piorado as coisas. Ela era atacada, explorada por muita gente — inclusive por terapeutas.

Falamos de mamãe no seu papel junto aos filhos, como às vezes era maternal demais, e então passava períodos sem dar sinal de vida. A conversa parecia importante, mas também desleal.

Mais culpa.

Falamos da vida dentro da bolha britânica, dentro da bolha da realeza. Uma bolha dentro de outra bolha — impossível descrever para quem nunca tinha passado de fato por aquilo. As pessoas simplesmente não entendiam: ouviam a palavra "realeza" ou "príncipe" e perdiam qualquer racionalidade. *Ah, um príncipe — você não tem problemas.*

Supunham... não, tinham-lhes ensinado... que era um conto de fadas. Não éramos humanos.

Uma escritora admirada por muitos britânicos, autora de volumosos romances históricos, que acumulava vários prêmios literários, tinha escrito um ensaio sobre a minha família em que dizia que éramos simplesmente... pandas.

A nossa atual família real não tem as dificuldades de procriar que os pandas têm, mas a conservação dos pandas e das pessoas da realeza é igualmente dispendiosa e são mal adaptados a qualquer ambiente moderno. Mas não são interessantes? Não são bonitinhos de olhar?

Nunca vou esquecer o ensaísta altamente respeitado que escreveu na publicação literária mais altamente respeitada da Grã-Bretanha que "a morte prematura [de minha mãe] poupou todos nós de um grande tédio". (No mesmo ensaio, ele se referiu ao "encontro marcado de Diana com o túnel".) Mas a tirada sobre o panda sempre me pareceu de uma grande perspicácia e de uma barbárie única. De fato vivíamos num zoológico, mas ao mesmo tempo eu sabia, como soldado, que converter as pessoas em animais, em não pessoas, é o primeiro passo para maltratá-las, para destruí-las. Se mesmo uma intelectual renomada nos tratava como animais, que esperança havia para os homens e as mulheres comuns?

Dei à terapeuta uma visão geral do papel dessa desumanização na primeira metade da minha vida. Mas agora, com a desumanização de Meg, havia muito mais ódio, muito mais aspereza — e racismo. Contei-lhe o que eu tinha visto, ouvido, presenciado nos últimos meses. A certa altura me soergui do sofá, virei o pescoço para ver se ela estava ouvindo. Estava boquiaberta. Morando a vida toda na Grã-Bretanha, ela achava que conhecia o país.

Não conhecia.

No fim da sessão, pedi sua opinião profissional:

O que eu sinto é... normal?

Ela riu. Enfim, o que é normal?

Mas admitiu que uma coisa era muito clara: eu me encontrava em circunstâncias altamente incomuns.

Você acha que tenho uma personalidade adicta?

O que queria saber, mais precisamente, era: se eu tinha de fato uma personalidade adicta, onde eu estaria agora?

Difícil dizer. Apenas hipoteticamente.

Ela perguntou se eu usava drogas.

Sim.

Contei-lhe algumas doideiras.

Bom, até me espanta que você não seja viciado em drogas.

Se havia alguma coisa na qual eu parecia inegavelmente viciado, porém, era a imprensa. Ler os jornais, me enfurecer com eles, disse ela, essas eram compulsões evidentes.

Dei risada. *Verdade. Mas são uma merda total.*

Ela deu risada. *São, sim.*

28.

Sempre achei que Cressida tinha operado um milagre, fazendo com que eu me abrisse, liberasse emoções reprimidas. Mas ela apenas o tinha iniciado, e agora a terapeuta finalizava.

Durante toda a minha vida eu disse para as pessoas que não conseguia me lembrar do passado, não conseguia me lembrar da minha mãe, mas nunca apresentei a ninguém o quadro completo. A minha memória estava morta. Agora, com meses de terapia, trabalhando e massageando conscientemente a minha memória, ela se contorcia, chutava, crepitava.

Veio à luz.

Em certos dias, eu abria os olhos e via mamãe... na minha frente.

Mil imagens voltaram, algumas tão claras e vívidas como se fossem hologramas.

Lembrei-me de algumas manhãs no apartamento de mamãe no Palácio de Kensington, a babá acordando nós dois, Willy e eu, ajudando-nos a ir até o quarto de mamãe. Lembrei que ela tinha um colchão de água, e que Willy e eu ficávamos pulando em cima dele, gritando, rindo, o cabelo espetado. Lembro dos cafés da manhã que tomávamos juntos, mamãe se deliciando com toranjas e lichias, raramente tomava chá ou café. Lembro que, depois do café da manhã, passávamos para as tarefas do dia com ela, sentados ao seu lado durante os primeiros telefonemas, conferindo os compromissos de negócios.

Lembrei-me de que Willy e eu estivemos com ela numa conversa com Christy Turlington, Claudia Schiffer e Cindy Crawford. Bem desconcertante. Principalmente para dois garotos tímidos, na puberdade ou perto da puberdade.

Lembrei-me da hora de dormir, no Palácio de Kensington, desejar boa-noite no pé da escada, beijar seu pescoço macio, sentindo o seu perfume, então deitar na cama, no escuro, me sentindo tão longe, tão sozinho, e querendo ouvir só mais uma vez a sua voz. Lembrei-me de que o meu quarto de dormir era o mais distante do dela, e eu no escuro, no silêncio terrível, sem conseguir relaxar, sem conseguir me desprender.

A terapeuta insistia que eu continuasse. *Estamos avançando*, dizia ela. *Não vamos parar.* Levei para o consultório um frasco do perfume favorito de mamãe. (Recorri à irmã de mamãe, perguntei o nome.) Era First, de Van Cleef & Arpels. No início da sessão abri a tampa e inspirei fundo.

Foi como um tablete de LSD.

Li em algum lugar que o olfato é o nosso sentido mais antigo, e isso batia com o que senti naquele momento, imagens brotando daquilo que parecia ser a parte mais primal do meu cérebro.

Lembrei-me de um dia em Ludgrove, mamãe escondendo balinhas dentro da minha meia. Na escola era proibido levar doces, e assim mamãe estava burlando as regras, entre risadinhas, o que aumentava ainda mais o meu amor por ela. Lembrei que ambos ríamos enquanto enfiávamos as balas no fundo da meia, e eu exclamava: *Ah, mamãe, que esperta que você é!* Lembrei a marca daquelas balas. Opal Fruits!

Quadradinhos macios de cores vivas... não muito diferentes dessas lembranças ressuscitadas.

Não admira que eu gostasse tanto dos Dias de Gororoba.

E de Opal Fruits.

Lembrei-me de que ia para as aulas de tênis com mamãe dirigindo o carro, Willy e eu no banco de trás. De repente ela pisava fundo no acelerador e a gente se projetava para a frente, ela ia subindo por ladeiras estreitas, furando os sinais vermelhos, cantando pneu nas curvas. Willy e eu estávamos amarrados nos nossos assentos e assim não podíamos olhar pelo vidro traseiro, mas tínhamos noção de quem nos perseguia. Paparazzi de moto e lambreta. *Eles vão nos matar, mamãe? Vamos morrer?* Mamãe, com óculos escuros grandes, olhando pelos espelhos. Depois de quinze minutos e de quase colidir várias vezes, ela pisava no freio, parava, saltava do carro e ia até os paparazzi: *Deixem-nos em paz! Pelo amor de Deus, estou com os meus filhos, vocês não podem nos deixar em paz?* Vermelha, tremendo, ela entrava no carro, batia a porta, fechava os vidros, apoiava a cabeça no volante e chorava, enquanto os paparazzi continuavam tirando fotos sem parar. Lembrei-me das lágrimas escorrendo pelos óculos escuros e de Willy, que parecia petrificado, feito uma estátua, e me lembrei dos paparazzi só clicando, clicando, clicando, e me lembrei de todo o ódio que sentia por eles e de todo o profundo e eterno amor por quem estava naquele carro.

Lembrei-me de umas férias em Necker Island, nós três sentados numa cabana na encosta do morro, e veio um barco com um bando de fotógrafos, procurando por nós. Tínhamos brincado naquele dia com balões de água, e havia um monte deles por ali. Mamãe montou rapidamente uma catapulta e dividiu os balões entre nós. Contando até três, começamos a arremessá-los na cabeça dos fotógrafos. O som de sua risada naquele dia, que eu tinha esquecido durante todos aqueles anos, estava de volta — estava de volta. Alta e nítida como o trânsito lá fora, entrando pelas janelas da sala da terapeuta.

Chorei de alegria ao ouvi-la.

29.

O *Sun* fez uma errata da sua matéria pornô. Num **box** pequeno, na página 2, onde ninguém ia ver.

De que adiantava? O estrago estava feito.

Além disso, Meg teve de pagar dezenas de milhares de dólares em honorários de advogados.

Liguei mais uma vez para papai.

Não leia, menino...

Cortei. Não estava a fim de ouvir aquela bobagem outra vez.

Além disso, eu não era mais um menino.

Tentei um novo argumento. Relembrei a ele que eram os mesmos calhordas filhos da mãe que o pintavam feito um palhaço durante toda a sua vida, ridicularizando-o por alertar sobre a mudança climática. Eram os torturadores *dele*, eram os molestadores *dele*, e agora estavam atormentando e molestando o seu filho e a mulher do seu filho — ele não se sentia indignado? *Por que preciso implorar, papai? Por que isso não é por si só uma prioridade para você? Por que não fica angustiado, não passa a noite acordado, por estarem tratando a Meg desse jeito? Você adora ela, você mesmo me disse isso. Você sentiu esse vínculo com ela pelo amor de vocês dois pela música, você acha Meg divertida e espirituosa, de maneiras impecáveis, você me falou — então por quê, papai? Por quê?*

Não consegui nenhuma resposta direta. A conversa girava em círculos e, quando desligamos, me senti — abandonado.

Enquanto isso, Meg recorreu a Camilla, que tentou aconselhá-la dizendo que era apenas o que a imprensa fazia com novatos, que iria passar no devido tempo, que ela própria, Camilla, tinha sido a vilã no passado.

E isso significava o quê? Que agora era a vez de Meg? Como se fosse a mesma coisa...

Camilla também sugeriu a Meg que eu me tornasse governador-geral de Bermudas, o que resolveria todos os nossos problemas ao nos retirar do olho do furacão. Claro, claro, pensei, e um bônus desse plano seria nos tirar de cena.

Em desespero, recorri a Willy. Aproveitei que era o primeiro momento tranquilo que eu tinha com ele em anos: o final de agosto de 2017, em Althorp. Vinte anos da morte de mamãe.

Fomos remando até a ilha. (A ponte havia sido retirada para dar privacidade a minha mãe, para manter intrusos longe.) Levávamos, cada um de nós, um ramalhete de flores que depositamos no túmulo. Ficamos ali por algum tempo, entregues aos nossos pensamentos, e então falamos sobre a vida. Apresentei a ele um resumo rápido da situação que Meg e eu estávamos enfrentando.

Não se preocupe, Harold. Ninguém acredita nessa merda.

Não é verdade. Acreditam, sim. É instilada aos poucos, todos os dias, e passam a acreditar sem nem perceberem.

A isso ele não teve resposta, e assim ficamos em silêncio.

Então ele disse uma coisa extraordinária. Disse que achava que mamãe estava ali. Quer dizer... entre nós.

É, também acho, Willy.

Acho que ela tem estado na minha vida, Harold. Me guiando. Ajeitando as coisas para mim. Acho que ela me ajudou a iniciar uma família. E sinto como se ela também estivesse ajudando você agora.

Assenti. *Concordo cem por cento. Sinto como se ela tivesse me ajudado a encontrar Meg.*

Willy recuou um passo. Tinha um ar preocupado. Parecia que isso era levar as coisas um pouco longe demais.

Bom, Harold, quanto a isso não tenho certeza. Eu não diria ISSO!

30.

Meg veio para Londres. Setembro de 2017. Estávamos no Nott Cott. Na cozinha. Preparando o jantar.

O chalé todo estava repleto de... amor. Repleto até transbordar. Parecia sair pela porta aberta e se espalhar pelo jardim lá fora, uma areazinha de terra cheia de mato que por muito tempo ninguém quis e que devagarinho Meg e eu fomos reconquistando. Aparamos e rastelamos, plantamos e regamos, e passávamos ali muitos finais de tarde, sentados sobre uma manta, ouvindo concertos de música clássica que a brisa trazia do parque. Comentei com Meg sobre o jardim que ficava logo do outro lado do nosso muro: o jardim de mamãe. Onde Willy e eu brincávamos quando crianças. Agora estava definitivamente vedado a nós.

Como antes estavam as minhas lembranças.

E agora, de quem é o jardim?, ela perguntou.

Pertence à princesa Michael de Kent. E aos seus gatos siameses. Mamãe detestava aqueles gatos.

Enquanto eu sentia o perfume do jardim, e avaliava essa nova vida, acalentava essa nova vida, Meg estava sentada do outro lado da cozinha, tirando colheradas de Wagamama das embalagens e pondo nas tigelas. Sem pensar, soltei de repente: *Não sei, eu só...*

Eu estava de costas para ela. Parei no meio da frase, hesitando em continuar, hesitando em me virar.

Não sabe o quê, Haz?

Eu só...

Sim?

Te amo.

Fiquei esperando uma resposta. Nada.

Então ouvi ou senti que ela vinha na minha direção.

Virei e ali estava ela, bem na minha frente.

Também te amo, Haz.

Eu estava com aquelas palavras na ponta da língua quase desde o começo, e assim, em certo sentido, não pareciam especialmente reveladoras e nem mesmo necessárias. Claro que eu amava Meg. Ela sabia disso, podia ver, o mundo todo podia ver. Eu a amava de todo o meu coração, como nunca tinha amado ninguém. E mesmo assim, ao pôr em palavras, tudo ficava real. Ao pôr em palavras, as coisas se punham em movimento, automaticamente. Ao pôr em palavras, dava-se um passo.

Significava que agora tínhamos mais alguns grandes passos pela frente. Tipo... morar juntos?

Perguntei se ela pensaria em se mudar para a Grã-Bretanha, em vir morar comigo no Nott Cott.

Falamos de tudo o que isso significaria, como seria, do que ela estaria desistindo. Falamos da logística de deixar a sua vida em Toronto. Quando, como e principalmente... pelo quê? Exatamente?

Não posso simplesmente me demitir e deixar a minha série pra fazermos um teste. Mudar para a Grã-Bretanha significaria um compromisso para sempre?

Significaria, sim, disse eu.

Nesse caso, disse ela sorrindo, sim.

Nos beijamos, abraçamos, sentamos para jantar.

Suspirei. E vamos lá, pensei.

Mais tarde, porém, depois que ela tinha adormecido, analisei a mim mesmo. Um remanescente da terapia, talvez. Percebi que, misturada com todas as minhas emoções turbulentas, havia uma imensa onda de alívio. Ela tinha respondido, com palavras mesmo, *te amo*, e não tinha sido uma coisa inevitável, não tinha sido por formalidade. Não vou negar que uma parte de mim estava preparada para o pior. *Haz, me desculpe, mas não sei se consigo...* Uma parte de mim temia que ela fosse embora. Voltasse para Toronto, mudasse de número de telefone. Seguisse o conselho das amigas.

Alguém vale a pena a esse ponto?

Uma parte de mim achava que Meg faria bem em seguir o conselho delas.

31.

Por mero acaso, os Jogos Invictus de 2017 iam ser em Toronto. O quintal de Meg. Ocasião perfeita, decidiu o Palácio, para a nossa primeira aparição pública oficial.

Meg estava um pouco nervosa. Eu também. Mas não tínhamos escolha. É preciso, dissemos. Já tínhamos nos escondido do mundo por tempo suficiente. Além disso, aquele seria o ambiente mais controlado e previsível que poderíamos desejar.

Acima de tudo, depois de aparecermos juntos em público, isso poderia diminuir a recompensa pela nossa cabeça entre os paparazzi, que naquela altura estava por volta de 100 mil libras.

Tentamos fazer a coisa toda com a maior normalidade possível. Assistimos na primeira fila ao jogo de tênis em cadeira de rodas, nos concentramos na partida e na boa causa, ignoramos o zumbido das câmeras. Tratamos de nos divertir, de fazer algumas piadas com alguns neozelandeses sentados ao nosso lado, e as fotos que saíram no dia seguinte eram simpáticas, embora vários na imprensa britânica tenham criticado Meg por estar usando jeans rasgados. Ninguém mencionou que tudo o que ela estava vestindo, até as sapatilhas e a camisa de colarinho desabotoado, tinha sido previamente aprovado pelo Palácio.

E, quando digo "ninguém", estou me referindo a ninguém no Palácio.

Uma única declaração em defesa de Meg, naquela semana... teria feito uma diferença enorme.

32.

Contei a Elf e Jason que eu queria fazer o pedido de casamento.

Parabéns, disseram os dois.

Mas aí Elf falou que precisava fazer umas pesquisas rápidas, descobrir quais eram os protocolos. Havia regras estritas regendo essas coisas.

Regras? Sério?

Ele voltou uns dias depois e disse que, antes de fazer qualquer coisa, eu precisava pedir permissão à vovó.

Perguntei se isso era uma regra de verdade ou se dava para contornar.

Ah, não, é super de verdade.

Não fazia sentido. Um adulto pedindo a permissão da avó para se casar? Não me recordava que Willy tivesse pedido antes de propor casamento a

Kate. Ou que o meu primo tivesse pedido antes de propor casamento à sua esposa, Autumn. Mas, pensando melhor, realmente me lembrei de que papai pediu permissão quando quis se casar com Camilla. Na época, eu não tinha me dado conta do absurdo que era um homem de 56 anos pedindo a permissão da mãe.

Elf disse que era inútil ficar examinando os comos e os porquês: a regra era inalterável. Os seis primeiros na linha de sucessão do trono tinham de pedir permissão. A Lei dos Casamentos Reais de 1772, ou a Lei de Sucessão à Coroa de 2013 — ele falava e falava, e eu mal conseguia acreditar no que ouvia. A questão era que o amor decididamente vinha depois da lei. De fato, a lei tinha prevalecido várias vezes sobre o amor. Uma parente bastante recente tinha sido... vigorosamente dissuadida... de se casar com o amor da sua vida.

Quem?

A sua tia Margaret.

Sério?

Sério. Ela queria casar com um divorciado e... já viu, né?

Divorciado?

Elf assentiu.

Ai, merda, pensei eu. A coisa pode dar para trás.

Mas papai e Camilla eram divorciados, disse eu, e conseguiram permissão. Isso não significa que a regra não se aplica mais?

Uma coisa são eles, disse Elf, outra coisa é você.

Isso para não falar do furor em torno de certo rei que quis casar com uma divorciada americana, que, como me lembrou Elf, acabou resultando na abdicação e exílio do rei. *O duque de Windsor? Já ouviu falar dele?*

E assim, com muito medo no coração, sem saber o que dizer, consultei a agenda. Com a ajuda de Elf, marquei com um círculo um fim de semana no final de outubro. Uma caçada em família em Sandringham. As caçadas sempre deixavam vovó de bom humor.

Será que estaria mais aberta a pensamentos sobre o amor?

33.

Dia nublado, tempestuoso. Entrei no velho e respeitável Land Rover, a antiga ambulância do Exército que vovô tinha reformado para outros fins. Papai estava no volante, Willy no banco de trás. Fiquei no banco do passageiro, me perguntando se devia contar a eles qual era a minha intenção.

Achei melhor não. Papai já sabia, supunha eu, e Willy já tinha me desaconselhado.

Rápido demais, me disse ele. Cedo demais.

Na verdade, ele vinha desencorajando vivamente até mesmo o namoro com Meg. Um dia, sentados no seu jardim, Willy tinha previsto que eu enfrentaria uma série de dificuldades se me ligasse a uma "atriz americana", expressão que ele sempre conseguia fazer soar como "criminosa condenada".

Você tem certeza quanto a ela, Harold?

Tenho, Willy.

Mas você sabe como vai ser difícil?

O que você quer que eu faça? Me desapaixone dela?

Nós três estávamos de boina, jaqueta verde, calção de caça, como se jogássemos no mesmo time. (Em certo sentido, era isso mesmo, supus.) Papai, levando-nos para o campo, perguntou de Meg. Não com grande entusiasmo, apenas em tom casual. Mesmo assim, ele nem sempre perguntava, então fiquei contente.

Ela vai bem, obrigado.

Ela quer continuar a trabalhar?

Como assim?

Ela quer continuar atuando?

Ah, bom, não sei, acho que não. Imagino que ela vai querer ficar comigo, fazendo o trabalho, entende, o que excluiria a possibilidade de continuar em Suits... pois a filmagem é... em Toronto.

Hum. Entendo. Bom, menino querido, você sabe que não há dinheiro sobrando.

Arregalei os olhos. Do que ele estava falando?

Ele explicou. Ou tentou. *Não posso bancar mais ninguém. Já estou tendo de bancar o seu irmão e Catherine.*

Estremeci. Alguma coisa no fato de usar o nome Catherine. Lembrei a época em que ele e Camilla queriam que Kate mudasse o nome, porque já havia dois monogramas reais com um C e uma coroa acima: Charles e Camilla. Um terceiro confundiria demais. Mude para *Katherine* com *K*, sugeriram eles.

Agora eu me perguntava o que teria resultado daquela sugestão.

Me virei para Willy com um olhar de quem diz: *Está ouvindo isso?*

No rosto dele não havia qualquer expressão.

Papai sustentava financeiramente a nós, William e eu, e as nossas famílias não por qualquer espécie de generosidade. Era obrigação dele. Esse era o trato. Concordávamos em servir a monarca, ir para onde nos enviavam, fazer tudo o que nos diziam, abrir mão da nossa autonomia, ficar o tempo inteiro com as mãos e os pés presos dentro da gaiola dourada, e em troca os guardiões da gaiola concordavam em nos fornecer roupa e alimento. Papai, com todos os seus milhões do ducado imensamente lucrativo da Cornualha, estaria tentando dizer que o nosso cativeiro estava ficando caro demais?

Além disso — quanto custaria dar casa e comida para Meg? Fiquei com vontade de dizer: ela não come muito, sabe? E, se você quiser, peço a ela que faça as suas próprias roupas.

De repente ficou claro para mim que não era uma questão de dinheiro. Papai até podia recear o aumento das despesas para nos sustentar, mas o que ele realmente não engolia era que uma pessoa nova dominasse a monarquia, ocupasse os holofotes, uma pessoa nova e cintilante entrando e lançando sombra sobre ele. E sobre Camilla. Ele já tinha passado por isso antes e não tinha nenhum interesse em passar por isso de novo.

Eu não conseguia lidar com nada daquilo naquela hora. Não tinha tempo para invejas mesquinhas e intrigas palacianas. Ainda estava tentando elaborar o que ia dizer para vovó, e tinha chegado a hora.

O Land Rover parou. Saímos e nos alinhamos ao longo da sebe que papai estava montando. Esperamos que os pássaros aparecessem. O vento soprava, e a minha cabeça voava, mas, quando houve a primeira revoada, vi que eu estava atirando bem. Estava à vontade. Talvez fosse um alívio pensar em outra coisa. Talvez preferisse me concentrar no próximo tiro ao Grande Tiro que estava planejando. Continuei apenas movendo o cano do rifle, apertando o gatilho, acertando todos os alvos.

Paramos para almoçar. Tentei várias vezes, mas não consegui pegar vovó sozinha. Todo mundo estava à sua volta, entupindo os seus ouvidos. Então me lancei à comida, dando um tempo.

Uma clássica refeição das caçadas reais. Os pés frios se aquecendo ao fogo, batatas ao forno, carnes suculentas, sopas cremosas, a equipe de atendentes supervisionando todos os detalhes. Então uns pudins perfeitos. Então um pouco de chá, uma ou duas bebidas. Então de volta aos pássaros.

Nas duas revoadas finais do dia, fiquei dando umas olhadas constantes na direção da vovó, para ver como ela estava. Parecia bem. E muito fechada.

Será que ela não fazia mesmo ideia do que vinha pela frente?

Depois da última revoada, o grupo se dispersou. Todos acabaram de recolher as suas respectivas aves e voltaram para os Land Rovers. Vi vovó entrar no seu Range Rover, que era menor, e ir para o meio do campo de restolho. Ela começou a procurar os pássaros abatidos, enquanto os cães seguiam pelo faro.

Não havia nenhum segurança em volta dela e parecia ser a minha chance.

Fui até o meio do restolhal, fiquei ao seu lado, comecei a ajudar. Enquanto examinávamos o terreno procurando os pássaros abatidos, tentei conversar um pouco, para descontrair vovó e descontrair as minhas cordas vocais. O vento soprava mais forte, e ela parecia estar com as faces geladas, apesar do lenço bem apertado em volta da cabeça e do rosto.

Coisas que não ajudavam: o meu subconsciente. Estava aflorando. Finalmente a seriedade de tudo aquilo começava a se mostrar. Se vovó negasse… eu teria de deixar Meg? Não conseguia me imaginar sem ela… mas também não conseguia me imaginar desobedecendo deliberadamente a vovó. A minha Rainha, a minha Comandante-Chefe. Se ela não desse permissão, eu ficaria destroçado, e claro que procuraria outra ocasião para pedir de novo, mas sem muita chance. Vovó não era propriamente conhecida por mudar de ideia. Então esse momento era ou o começo ou o fim da minha vida. Tudo se resumia às palavras que eu escolhesse, como eu diria e como vovó ouviria.

Como se isso não bastasse para me deixar de língua presa, eu tinha visto montes de matérias na imprensa, dando como fonte "o Palácio", dizendo que algumas pessoas da minha família não, digamos assim, *aprovavam* Meg. Não gostavam da sua franqueza. Não se sentiam muito à vontade com a sua sólida ética de trabalho. Não gostavam nem mesmo das perguntas que ela fazia de vez em quando. Consideravam essa curiosidade natural e saudável como uma impertinência.

Havia também murmúrios sobre um vago desconforto difuso em relação à sua raça. Alguns tinham manifestado "preocupação" em relação a se a Grã-Bretanha estaria "pronta" para isso. O que quer que isso significasse. Alguma dessas besteiras teria chegado aos ouvidos de vovó? Nesse caso, o pedido de permissão seria apenas um exercício inútil?

Estaria eu fadado a ser a próxima Margaret?

Oh. Uma canetada. Uau.

Pensei nos vários momentos cruciais na minha vida que exigiam permissão. Pedir permissão do Controle para disparar contra o inimigo. Pedir permissão da Royal Foundation para criar os Jogos Invictus. Pensei nos pilotos me pedindo permissão para cruzar o meu espaço aéreo. De repente, a minha vida toda ficou parecendo uma série interminável de pedidos de permissão, todos eles um prelúdio para esse de agora.

Vovó começou a voltar para o Range Rover. Fui depressa atrás dela, com os cães rodeando meus pés. Ao olhá-los, a minha cabeça disparou. A minha mãe costumava dizer que estar com a vovó e os corgis era como estar num tapete movediço, e eu sabia os nomes de todos os corgis, vivos e mortos, como se fossem primos meus, Dookie, Emma, Susan, Linnet, Pickles, Chipper, todos tidos como descendentes dos corgis que eram da rainha Vitória, quanto mais as coisas mudavam, mais continuavam iguais, mas esses não eram corgis, eram cães de caça, e tinham outro propósito, e eu tinha outro propósito, e percebi que precisava agir, sem qualquer instante de hesitação, e assim, enquanto vovó abaixava a porta traseira, enquanto os cães subiam num salto, enquanto eu pensava em fazer um carinho neles e então lembrava que estava segurando dois pássaros abatidos, um em cada mão, os pescoços tortos entre os dedos, os olhos vítreos totalmente virados para trás (entendo você, pássaros), os corpos ainda mornos e eu sentindo o seu calor por entre as minhas luvas, me virei para vovó e vi que ela se virava para mim e franzia a testa (ela percebeu que eu estava com medo? Tanto do pedido de permissão quanto de Sua Majestade? Ela percebeu que eu, por mais que a amasse, sempre ficava nervoso na sua presença?) e vi que ela estava aguardando que eu falasse — e aguardando não com muita paciência.

Seu rosto irradiava: *Diga logo.*

Dei uma tossidela. *Vovó, você sabe que amo muito a Meg, e decidi que quero propor casamento a ela e me disseram que, hum, que tenho de pedir a sua permissão antes de propor a ela.*

Você tem de?

Hum. Bom, foi o que a sua equipe me falou, e a minha equipe também. Que tenho de pedir a sua permissão.

Fiquei totalmente imóvel, tão imóvel quanto os pássaros que tinha nas mãos. Fitei seu rosto, mas estava impenetrável. Por fim ela respondeu: *Bom, então suponho que eu tenho de consentir.*

Pisquei. Você acha que *tem de* consentir? Isso quer dizer que você *está* consentindo? Mas quer dizer não?

Não entendi. Era sarcasmo? Era ironia? Estava sendo deliberadamente enigmática? Estava fazendo algum jogo de palavras? Nunca vira vovó fazer nenhum jogo de palavras, e esse seria um momento absurdamente bizarro (para não dizer altamente inconveniente) para ela começar, mas talvez tenha apenas visto uma chance para pegar no meu pé pelo meu uso infeliz do verbo "ter" e não resistiu?

Ou, talvez, houvesse algum significado oculto por trás do jogo de palavras, alguma mensagem que eu não estava compreendendo?

Fiquei ali, piscando, sorrindo, me perguntando repetidamente: O que a Rainha da Inglaterra está me dizendo neste momento?

Por fim me dei conta: Ela consentiu, seu idiota! Ela está concedendo a permissão. Quem se importa com as palavras, saiba aceitar um sim como resposta.

Então cuspi: *Certo. Ok, vovó! Bom. Fantástico. Obrigado! Muito obrigado.*

Fiquei com vontade de abraçá-la.

Fiquei com uma vontade louca de abraçá-la.

Não a abracei.

Vi vovó entrar no Range Rover, e então voltei para junto de papai e Willy.

34.

Tirei um anel da caixa de joias de Meg e entreguei a um designer, para tomar a medida.

Como ele era o guardião das pulseiras, brincos e colares de mamãe, pedi que tirasse os diamantes de uma pulseira especialmente bonita que ela tinha e usasse para fazer um anel.

Eu tinha acertado tudo isso de antemão com Willy. Perguntei a ele se podia ficar com a pulseira e falei o que pretendia fazer. Não me recordo que ele tenha hesitado sequer um instante em me dá-la. Ele parecia *gostar* de Meg, apesar das preocupações que expunha com frequência. Kate também parecia gostar dela. Recebemos os dois para um jantar numa das visitas de Meg; Meg cozinhou e tudo correu bem. Willy estava resfriado: espirrava e tossia, e Meg correu até o segundo andar para lhe trazer uma das suas panaceias homeopáticas. Óleo de orégano, cúrcuma. Willy se mostrou encantado, comovido, embora Kate anunciasse à mesa que ele nunca tinha tomado esses remédios não convencionais.

Naquela noite falamos de Wimbledon e de *Suits*, e Willy e Kate não tiveram coragem de admitir que eram superfãs. Foi simpático da parte deles.

A única coisa talvez discordante que eu pude enxergar foi a enorme diferença na maneira como as duas se vestiam, e que ambas pareceram notar.

Meg: jeans rasgados, descalça.

Kate: nos trinques.

Nada de mais, pensei eu.

Além dos diamantes da pulseira, eu tinha pedido ao designer que acrescentasse mais um: um diamante — extraído de forma ética e segura — em Botsuana.

Ele perguntou se havia pressa.

Bom... já que você perguntou...

35.

Meg desmontou sua casa, deixou o papel em *Suits*. Depois de sete temporadas. Momento difícil para ela, porque adorava o programa, adorava a personagem que interpretava — adorava o Canadá. Por outro lado, a vida lá tinha ficado insustentável. Principalmente no estúdio. Os roteiristas andavam fartos, porque muitas vezes recebiam recomendações da equipe de comunicações do Palácio para modificar as falas dos diálogos, o que sua personagem faria, como deveria se comportar.

Ela também encerrou seu site, saiu de todas as redes sociais, mais uma vez por orientação do Palácio. Despediu-se dos amigos, despediu-se do carro, despediu-se de um dos seus cachorros — Bogart. Ele tinha ficado tão traumatizado com o assédio à casa, com o som constante da campainha, que seu comportamento se transformava quando Meg estava por perto. Ele se tornava um cão de guarda agressivo. Os vizinhos de Meg tinham gentilmente concordado em adotá-lo.

Mas Guy veio. Não o meu amigo, o outro cachorro de Meg, o seu pequeno beagle acabadinho, que ultimamente estava ainda mais acabadinho. Ele sentia falta de Bogart, claro, mas além disso estava seriamente machucado. Dias antes da partida de Meg, Guy tinha fugido do seu pet sitter. (Meg estava no trabalho.) Foi encontrado a vários quilômetros da casa de Meg, incapaz de andar. Suas pernas agora estavam com umas incômodas talas.

Muitas vezes eu precisava segurá-lo de pé para que conseguisse urinar.

Não me incomodava minimamente. Eu amava aquele cachorro. Não parava de dar beijinhos e fazer afagos nele. Sim, os meus sentimentos intensos por Meg se alastravam para qualquer pessoa ou qualquer coisa que ela amasse, mas além disso fazia muito tempo que eu queria ter um cachorro, o que nunca pude por causa da minha vida muito nômade. Numa noite, não muito depois da chegada de Meg à Grã-Bretanha, estávamos em casa, preparando o jantar, brincando com Guy, e a cozinha do Nott Cott estava repleta de amor como nenhum outro aposento onde eu estivera antes.

Abri uma garrafa de champanhe — um velho presente que eu vinha guardando para uma ocasião especial.

Meg sorriu. *Qual é a ocasião?*

Nenhuma.

Levantei Guy, levei-o para fora, no jardim murado, deitei-o numa manta que eu tinha estendido na grama. Então voltei correndo para dentro e pedi a Meg que pegasse sua taça de champanhe e viesse comigo.

O que está havendo?

Nada.

Levei-a até o jardim. Noite fria. Nós dois estávamos embrulhados nuns casacões, e o dela tinha um capuz orlado com pele sintética que emoldurava o seu rosto como um camafeu. Eu tinha montado um fio de luzinhas decorativas em volta do jardim e posto velas elétricas em torno da manta. Queria que ficasse parecendo Botsuana, a savana, onde eu havia pensado pela primeira vez em pedi-la em casamento.

Então me ajoelhei na manta, com Guy à minha direita. Nós dois olhávamos atentos para Meg mais acima.

Com os olhos já cheios de lágrimas, tirei o anel do bolso e fiz o meu discurso. Eu tremia, dava para ouvir as batidas do meu coração, a minha voz vacilava, mas ela captou a ideia.

Passa a sua vida comigo? Me faz o cara mais feliz deste planeta?

Sim.

Sim?

Sim!

Eu ri. Ela riu. Que outra reação seria possível? Nesse mundo bagunçado, nessa vida cheia de dor, tínhamos chegado lá. Tínhamos conseguido encontrar um ao outro.

E lá estávamos chorando e rindo, e afagando Guy, que parecia totalmente congelado.

Começamos a voltar para dentro.

Opa, espere aí. Não quer ver o anel, meu amor?

Ela nem tinha pensado nisso. Não se importava.

Fomos depressa para dentro, acabamos de comemorar no calor da cozinha.

Era 4 de novembro.

Conseguimos manter segredo por uns quinze dias.

36.

Normalmente, eu teria ido antes até o pai de Meg, para pedir a sua bênção.

Mas Thomas Markle era um homem complicado.

Ele e a mãe de Meg se separaram quando ela tinha dois anos, e a partir daí ela dividia o seu tempo entre os dois. De segunda a sexta com mamãe, fins de semana com papai. Então, durante boa parte do ensino médio, ela passou a morar com o pai em tempo integral. Eram muito próximos.

Depois da faculdade, ela tinha viajado pelo mundo, mas sempre mantendo contato constante com papai. Mesmo na casa dos trinta, Meg continuava a chamá-lo de papai. Amava-o muito, preocupava-se com ele — com a sua saúde e os seus hábitos — e muitas vezes recorria a ele. Durante todo o seu período em *Suits*, ela o consultava todas as semanas sobre a iluminação. (Ele tinha sido diretor de iluminação em Hollywood, ganhou dois Emmy.) Mas nos últimos anos ele não estava mais trabalhando regularmente e meio que desapareceu. Alugou uma casa pequena numa cidadezinha da fronteira mexicana e não ia muito bem.

Meg achava que o pai era em todos os aspectos singularmente incapaz de aguentar as pressões psicológicas que surgem ao ser perseguido pela imprensa, e agora era isso o que estava acontecendo com ele. Fazia tempo que estava aberta a temporada de caça a todos os que faziam parte do círculo de Meg, todas as atuais amigas e ex-namorados, todos os primos e ex-empregadores, mas, depois que a pedi em casamento, houve um frenesi em torno... do Pai. Era tido como a presa especial. Quando o *Daily Mirror* publicou onde ele morava, os paparazzi aterrissaram em cima da casa, provocando, tentando aliciá-lo ou atraí-lo para fora. Nunca houve uma caça à raposa, uma tortura de ursos mais depravada. Desconhecidos faziam ofertas de dinheiro, de presentes, de amizade. Quando nada disso surtiu efeito, eles alugaram a casa vizinha e o fotografavam dia e noite pelas janelas. A imprensa informou que, por causa disso, o pai de Meg tinha pregado chapas de compensado nas janelas.

Mas não era verdade. Ele costumava pregar chapas de compensado nas janelas com frequência, mesmo quando morava em Los Angeles, muito antes de Meg começar a sair comigo.

Homem complicado.

Então começaram a segui-lo pela cidade, a acompanhá-lo nos passeios, indo atrás dele enquanto andava pelos corredores das lojas locais. Publicavam fotos suas com a manchete: PEGAMOS!

Meg ligava com frequência para o pai, insistindo que mantivesse a calma. *Não fale com eles, papai. Ignore-os, vão acabar desistindo, desde que você não reaja. É o que o Palácio diz para fazer.*

37.

Lidando com tudo isso, era difícil nos concentrarmos nos mil e um detalhes da organização de um casamento real.

Estranhamente, o Palácio também estava tendo dificuldade em se concentrar.

Queríamos casar rápido. Por que dar tempo aos jornais e aos paparazzi de mostrarem toda a sua ruindade? Mas o Palácio parecia incapaz de escolher uma data. Ou um local.

Enquanto esperávamos um decreto vindo de cima, das nebulosas regiões superiores da máquina decisória real, saímos numa tradicional "turnê de noivado". Inglaterra, Irlanda, Escócia, Gales — percorremos de cima a baixo, de uma ponta a outra, todo o Reino Unido, apresentando Meg ao público.

As multidões ficaram doidas com ela. Eu ouvia várias mulheres gritando e repetindo: *Meg, Diana ia te amar!* Totalmente distante do tom e do teor dos tabloides, e também um lembrete de que a imprensa não era a realidade.

Ao voltarmos dessa viagem, liguei para Willy, sondei-o, perguntei em que lugar ele achava que podíamos nos casar.

Falei que estávamos pensando na Abadia de Westminster.

Não é boa ideia. Casamos lá.

Certo, certo. St Paul?

Grandiosa demais. Além disso, papai e mamãe casaram lá.

Hum. Certo.

Ele sugeriu Tetbury.

Resmunguei. *Tetbury? A capela perto de Highgrove? Sério, Willy? Quantas pessoas cabem?*

Não foi isso que você falou que queria — um casamento discreto e tranquilo?

Na verdade, a gente queria fugir. Descalços em Botsuana, talvez um amigo oficiando, era esse o nosso sonho. Mas o esperado era que partilhássemos esse momento com outras pessoas. Não dependia de nós.

38.

Recorri ao Palácio. Alguma novidade sobre a data? Sobre o local?

Nada, responderam.

Que tal março?

Pena, março está totalmente tomado.

E junho?

Lamento. A Cerimônia da Jarreteira.

Por fim vieram com uma data: maio de 2018.

E aceitaram o local que pedimos: a capela de St. George.

Resolvido isso, fizemos a nossa primeira aparição pública com Willy e Kate.

O Fórum da Royal Foundation. Fevereiro de 2018.

Nós quatro ficamos sentados num palco enquanto uma mulher nos perguntava coisas simples diante de um público bastante numeroso. A fundação tinha quase dez anos de existência, e falamos sobre o passado enquanto projetávamos o futuro com nós quatro no leme. O público estava atento, nós quatro nos divertíamos, o clima geral era imensamente positivo.

Depois um jornalista nos apelidou de Quarteto Fantástico.

Aí vamos nós, pensei, esperançoso.

Dias depois, controvérsia. Alguma coisa tipo Meg mostrando que apoiava o #metoo e Kate não mostrando — como, pelas roupas? Acho que esse era o ponto principal, mas não dá para saber. Era irreal. Mas acho que isso deixou Kate irritada, alertando-a e a todos os demais que agora ela ia ser *comparada* e forçada a competir com Meg.

Tudo isso veio na esteira de um momento de desconforto nos bastidores. Meg pediu emprestado o brilho labial de Kate. Coisa americana. Meg esqueceu o dela, achou que precisava pôr um pouco e pediu ajuda a

Kate. Meio espantada, Kate pegou a bolsa e tirou relutante um tubinho. Meg colocou um pouco no dedo e passou nos lábios. Kate deu um sorriso torto. Um pequeno choque entre estilos, talvez? Uma coisa que deveríamos achar engraçada logo depois. Mas deixou uma pequena marca. E então a imprensa sentiu alguma coisa no ar e tentou transformar em algo maior.

Aí vamos nós, pensei, pesaroso.

39.

Vovó aprovou formalmente o casamento em março de 2018.

Por decreto real.

Enquanto isso, Meg e eu já éramos uma família em expansão. Trouxemos um novo cachorrinho — um irmão para o pequeno Guy. Estava precisando, coitadinho. Assim, quando um amigo em Norfolk me falou que a sua labradora preta estava com uma ninhada e me ofereceu uma linda cadelinha de olhos cor de âmbar, não fui capaz de recusar.

Meg e eu lhe demos o nome de Pula. Termo tsuana para chuva.

E boa sorte.

Muitas manhãs eu acordava e me encontrava cercado por seres que eu amava, que me amavam e dependiam de mim, e pensava que simplesmente não merecia toda aquela boa sorte. Tirando os problemas de trabalho, aquilo era a felicidade. A vida era boa.

E seguia um caminho predestinado, ao que parecia. O decreto sobre o casamento coincidiu misteriosamente com a transmissão da última temporada de Meg em *Suits*, em que a sua personagem, Rachel, também se preparava para casar. Arte e vida, uma imitando a outra.

Legal da parte de *Suits*, pensei eu, encerrar a participação de Meg casando-a em vez de jogá-la no poço do elevador. Já havia gente suficiente tentando fazer isso na vida real.

Naquela primavera, porém, a imprensa andava mais sossegada. Mais interessada em dar novos detalhes do casamento do que em inventar novas difamações. Todo dia havia mais uma "exclusiva mundial" sobre as flores, a música, a comida, o bolo. Nenhum detalhe era ínfimo, nem mesmo os banheiros químicos. Publicaram que iríamos pôr os banheiros químicos mais chiques do mundo — vasos de porcelana, assentos folheados a ouro —, inspirados nos do casamento de Pippa Middleton. Na verdade, não notamos nada de diferente na maneira como e onde as pessoas iam fazer xixi ou cocô no casamento de Pippa, e não tivemos nada a ver com a escolha dos banheiros químicos do nosso. Mas esperávamos sinceramente que todos pudessem fazer as suas necessidades com conforto e paz.

E acima de tudo esperávamos que os correspondentes da realeza continuassem a escrever sobre cocô em vez de jogá-lo no ventilador.

Assim, quando o Palácio nos incentivou a dar mais detalhes do casamento àqueles correspondentes, conhecidos como Royal Rota, obedecemos de bom grado. Ao mesmo tempo, avisei o Palácio que no Grande Dia, o dia mais feliz da nossa vida, eu não queria ver nenhum correspondente da realeza dentro da capela, a menos que Murdoch se desculpasse pessoalmente pelo grampeamento dos telefones.

O Palácio deu risada. Barrar a entrada do Royal Rota no casamento, advertiram os cortesãos, seria a guerra total.

Então vamos à guerra.

Eu não aguentava mais o Royal Rota, tanto os indivíduos quanto o sistema, que era mais ultrapassado do que bonde a cavalo. Tinha sido concebido uns quarenta anos antes, para dar aos repórteres da imprensa e da televisão britânicas prioridade nas notícias da Família Real, e fedia de podre. Desestimulava a concorrência leal, gerava favoritismos, estimulava uma ganguezinha de mercenários a se sentirem no direito de qualquer coisa.

Depois de semanas de discussões, o Palácio concordou. O Royal Rota não seria admitido na capela, mas podia ficar do lado de fora.

Uma pequena vitória, que comemorei entusiasticamente.

40.

Papai queria ajudar a escolher a música para a cerimônia, e assim nos convidou para irmos uma noite à Clarence House, para um jantar e... um concerto.

Ele trouxe o aparelho de som portátil e começamos a ouvir trechos de músicas, músicas maravilhosas, de todo tipo. Endossou totalmente o nosso desejo de ter uma orquestra em vez de um organista, e tocou uma variedade de orquestras para entrarmos no clima.

Depois de algum tempo, passamos para a música clássica, e ele falou do seu amor por Beethoven.

Meg falou do seu imenso apreço por Chopin.

Disse que sempre tinha amado Chopin, mas que no Canadá se afeiçoou ainda mais a ele, porque Chopin era a única coisa capaz de acalmar Guy e Bogart.

Ela tocava Chopin dia e noite para eles.

Papai deu um sorriso compreensivo.

Quando terminava uma peça, ele rapidamente colocava uma nova, começava a cantarolar de boca fechada ou a acompanhar com o pé. Estava alegre, amável, descontraído, e eu ficava abanando a cabeça, admirado. Sabia que papai gostava de música, mas nunca soube que gostava tanto.

Meg trouxe muitas coisas dele à tona, qualidades que eu raramente tinha visto. Ele ficava juvenil na sua presença. Eu via isso, via o vínculo entre eles se fortalecer, e sentia o meu vínculo pessoal com ele se fortalecer também. Tanta gente andava tratando Meg de maneira mesquinha que meu coração se aquecia ao ver o meu pai tratá-la como a princesa que ela estava prestes — talvez *destinada* — a se tornar.

41.

Depois de todo o estresse em pedir a permissão de vovó para me casar com Meg, achei que nunca teria coragem de lhe pedir qualquer outra coisa.

E, mesmo assim, agora me atrevia a outro pedido: *Vovó, por favor, posso manter a barba no meu casamento?*

Isso também não era pedir pouca coisa. Alguns consideravam a barba uma nítida transgressão do protocolo e das normas longamente estabelecidas, ainda mais porque eu ia me casar usando o uniforme do Exército. As barbas eram proibidas no Exército britânico.

Mas eu não estava mais no Exército e queria desesperadamente me segurar em alguma coisa que tinha se demonstrado eficiente em controlar a minha ansiedade.

Ilógico, mas real. Eu tinha deixado a barba crescer durante a viagem ao Polo Sul, e a mantive depois de voltar para casa; ela, junto com a terapia, a meditação e mais algumas coisas, ajudava a acalmar os meus nervos. Não sabia explicar por quê, mas encontrei artigos que descreviam o fenômeno. Talvez fosse freudiano — a barba como "cobertor de segurança". Talvez fosse junguiano — a barba como máscara. Fosse o que fosse, ela me deixava mais calmo, e eu queria me sentir o mais calmo possível no dia do meu casamento.

Além disso, a minha futura esposa nunca tinha me visto sem barba. Meg gostava dela, gostava de agarrá-la e me puxar pela barba para dar um beijo. Eu não queria que, na hora de atravessar a nave, ela visse um completo desconhecido.

Expliquei tudo isso para vovó, e ela disse que entendia. Além do mais, seu próprio marido gostava de cultivar uns tufos de vez em quando. Sim, disse ela, pode ficar com a barba. Mas aí expliquei para o meu irmão e ele... se encrespou?

De jeito nenhum, disse ele. Forças Armadas, regras, e coisa e tal.

Dei-lhe uma rápida aula de história. Mencionei os vários membros da realeza que eram militares e usavam barba. Rei Eduardo VII. Rei Jorge V. Príncipe Albert. Em data mais recente, príncipe Michael de Kent.

Para ajudar, lhe mostrei o Google Imagens.

Não é a mesma coisa, disse ele.

Quando o informei de que, na verdade, a sua opinião não importava muito, pois eu já tinha consultado a vovó e ela dera sinal verde, ele ficou roxo. Levantou a voz.

Você foi pedir a ela!

Fui.

E o que vovó disse?

Disse para eu manter a barba.

Você a pôs numa posição incômoda, Harold! Ela não tinha escolha, a não ser concordar.

Não tinha escolha? Ela é a Rainha! Se ela não me quisesse de barba, creio que poderia falar por si mesma.

Mas Willy sempre achou que vovó tinha um fraco por mim, que fazia as minhas vontades enquanto impunha a ele um padrão impossivelmente elevado. Porque... o Herdeiro, o Reserva etc. Isso o irritava.

A discussão continuou, ao vivo, pelo telefone, por mais de uma semana. Ele não cedia.

A certa altura, ele de fato me deu ordens, como o Herdeiro falando com o Reserva, de raspar a barba.

Sério?

Estou lhe dizendo, raspe a barba.

Pelo amor de Deus, Willy, por que você se importa tanto com isso?

Porque não me deixaram manter a minha barba.

Ah... então era isso. Depois de voltar de uma missão com as Forças Especiais, Willy estava usando uma barba cheia, e alguém lhe falou para se comportar como um bom menino e raspá-la. Ele odiava a ideia de que eu podia gozar de uma regalia que lhe fora negada.

E também, suspeitei, que lhe trazia más lembranças de quando lhe disseram que não poderia se casar com o uniforme de sua escolha.

Então ele confirmou a minha suspeita. E disse com todas as letras: Numa das nossas discussões sobre a barba, ele se queixou amargamente por me deixarem casar com o meu casaco da Cavalaria do Palácio, que era o que ele queria usar no casamento *dele*.

Willy estava sendo ridículo, e eu lhe disse isso. Mas ele continuou a ficar com cada vez mais raiva.

Por fim, falei na sua cara, na lata, que seu irmão barbado ia se casar em breve e ele poderia participar ou não. A escolha era dele.

42.

Apareci na minha despedida de solteiro pronto para a gandaia. Para rir, me divertir, me libertar de todo aquele estresse. Mas também fiquei com receio de que, se me libertasse demais, ficasse bêbado demais e então desmaiasse, Willy e seus amigos me pegariam e raspariam a minha barba.

De fato, Willy me falou explicitamente, com toda a seriedade, *que era este o seu plano.*

Assim, enquanto me divertia, ao mesmo tempo não perdia de vista meu irmão mais velho.

A despedida de solteiro foi na casa de um amigo na área rural de Hampshire. Não na costa sul, nem no Canadá, nem na África, ao contrário do que divulgaram.

Além do meu irmão, havia quinze amigos.

O anfitrião decorou a quadra de tênis interna com vários brinquedos de moleque:

Luvas de boxe gigantescas.

Arcos e flechas, à la *Senhor dos Anéis*.

Um touro mecânico.

Pintamos a cara e ficamos trocando socos de brincadeira feito uns idiotas. Divertidíssimo.

Depois de uma ou duas horas eu já estava cansado, e foi um alívio quando gritaram avisando que o almoço estava pronto.

Fizemos um grande piquenique num celeiro amplo e arejado, e então saímos em bando para um campo de tiro improvisado.

Armar até os dentes aquele grupo de bêbados — ideia perigosa. Mas, de alguma maneira, ninguém saiu ferido.

Depois que todo mundo enjoou de disparar fuzis, me vestiram como uma galinha amarela gigante e me mandaram até o fundo do campo para atirar fogos de artifício em mim. Bom, eu é que *me ofereci. Quem chegar mais perto ganha!* Tive um flashback daqueles antigos fins de semana em Norfolk, atirando e escapando dos fogos de artifício com os filhos de Hugh e Emilie.

Fiquei me perguntando se Willy também lembrou.

Como foi que perdemos tanto da proximidade que tínhamos naqueles tempos?

Perdemos mesmo?

Talvez, pensei eu, *ainda* possamos recuperá-la.

Agora que vou me casar.

43.

Tinham ocorrido vivas discussões nos corredores do Palácio sobre se Meg poderia — ou deveria — usar véu. De jeito nenhum, diziam alguns.

Para uma divorciada, não havia a menor hipótese de um véu.

Mas os poderes constituídos mostraram, inesperadamente, certa flexibilidade no assunto.

Depois veio a questão da tiara. A família da minha mãe tinha oferecido uma das dela. Meg então passou horas e horas com a sua estilista, para que o véu combinasse com a tiara, dando-lhe uma borda rendada parecida.

Mas, um pouco antes do casamento, vovó entrou em cena. Ofereceu-nos acesso completo à *sua* coleção de tiaras. Até nos convidou para irmos ao Palácio de Buckingham para experimentá-las. *Venham mesmo*, lembro dela dizer.

Manhã fabulosa. Entramos no quarto de vestir de vovó, ao lado do quarto de dormir, espaço onde eu nunca tinha entrado. Com vovó estava um especialista em joias, um eminente historiador que conhecia a linhagem de cada pedra da coleção real. A costureira e confidente de vovó, Angela, também estava presente. Sobre uma mesa estavam dispostas cinco tiaras, e vovó falou para Meg experimentar cada uma delas na frente de um espelho de corpo inteiro. Fiquei atrás, observando.

Uma era toda de esmeraldas. Outra era de águas-marinhas. Cada uma mais deslumbrante do que a outra. Todas me tiraram o fôlego.

Não fui o único. Vovó disse a Meg com muita meiguice: *Você fica bem de tiara.*

Meg se derreteu. *Obrigada, senhora.*

Mas uma das cinco se destacou. Todos concordaram. Era linda, parecia feita especialmente para Meg. Vovó falou que iriam guardá-la de imediato num cofre e que estava ansiosa em vê-la na cabeça de Meg quando chegasse o Grande Dia.

E não deixe de praticar, acrescentou ela, *a maneira de usá-la. Com o seu cabeleireiro. É complicado e você não vai querer tentar pela primeira vez no dia do casamento.*

Saímos do Palácio sentindo-nos maravilhados, amados e agradecidos.

Uma semana mais tarde, entramos em contato com Angela e lhe pedimos a gentileza de enviar a tiara escolhida, para podermos começar a praticar. Tínhamos pesquisado, tínhamos conversado com Kate sobre a sua experiência e vimos que o aviso de vovó era certeiro. Pôr a tiara era um processo intrincado e elaborado. Primeiro precisava ser costurada no véu, e então o cabeleireiro de Meg precisava prendê-la numa pequena dobra do cabelo. Complicado e demorado — precisávamos ensaiar pelo menos uma vez.

Mas, por alguma razão, Angela não respondeu a nenhuma das nossas mensagens.

Continuamos a tentar.

Nenhuma resposta.

Quando finalmente conseguimos falar com ela, Angela disse que a tiara precisava de um ordenança e de uma escolta policial para sair do Palácio.

Aquilo pareceu... demais. Mas tudo bem, disse eu, se o protocolo é esse, vamos encontrar um ordenança e um policial, e dar andamento. O tempo estava passando.

Inexplicavelmente, ela respondeu: *Não dá.*

Por que não dá?

Ela estava com a agenda muito lotada.

Era evidente que Angela estava pondo obstáculos, mas por quê? Não conseguíamos sequer arriscar um palpite. Pensei em falar com vovó, mas provavelmente isso desencadearia um confronto total, e eu não tinha muita certeza de que lado vovó ficaria.

Além disso, na minha opinião, Angela era encrenqueira e eu realmente não precisava dela como inimiga.

E, acima de tudo, *ela ainda estava na posse daquela tiara.*

Tinha todas as cartas na mão.

44.

Embora a imprensa estivesse basicamente deixando Meg de lado, basicamente se concentrando no casamento que se aproximava, o estrago já estava feito. Depois de dezoito meses avacalhando com ela, tinham atiçado todos os trolls, que agora saíam rastejando dos seus antros e covis. Desde que havíamos reconhecido que éramos um casal, tínhamos sido soterrados por insultos racistas e ameaças de morte nas redes sociais. (*Te pego, seu traidor da raça!*) Mas agora o nível oficial de ameaças, usado pela segurança do Palácio para alocar pessoal e armamento, tinha chegado a alturas vertiginosas. Em conversas pré-casamento com a polícia, soubemos que tínhamos nos tornado o grande alvo de terroristas e extremistas. Lembrei-me do general Dannatt dizendo que eu era um ímã que atraía balas e que ninguém que se encontrasse ao meu lado estaria em segurança. Bom, eu voltava a ser um ímã que atraía balas, mas quem ia estar ao meu lado era a pessoa que eu mais amava no mundo.

Houve algumas notícias de que o Palácio decidira ensinar a Meg guerra de guerrilha e táticas de sobrevivência, para o caso de uma tentativa de sequestro. Um best-seller descreve o dia em que as Forças Especiais estiveram na nossa casa, pegaram Meg, submeteram-na a vários dias de treinamento intenso, empurrando-a para dentro de porta-malas e bancos traseiros, saindo em disparada para abrigos de segurança — tudo isso é uma absoluta bobagem. Meg não recebeu sequer um minuto de treinamento. Muito pelo contrário, o Palácio aventou a ideia de não lhe fornecer qualquer agente de segurança, porque agora eu era o sexto na linha de sucessão ao trono. Quem dera as notícias sobre as Forças Especiais fossem ao menos parcialmente verdadeiras! Que vontade de ligar para os meus companheiros nas Forças Especiais, para virem treinar Meg e me retreinar. Ou, melhor ainda, para entrarem em ação, para nos protegerem. Aliás, que vontade de poder mandar as Forças Especiais irem pegar aquela tiara.

Angela ainda não a entregara.

O cabeleireiro de Meg tinha vindo da França para o ensaio, e a tiara ainda não estava lá. Então ele fora embora.

Ligamos mais uma vez para Angela. Mais uma vez, nada.

Finalmente Angela apareceu do nada no Palácio de Kensington. Encontrei com ela no Salão de Audiências.

Ela pôs uma ordem de liberação na minha frente, que assinei, e então me estendeu a tiara.

Agradeci, mas acrescentei que teria facilitado muito a nossa vida se tivesse sido entregue mais cedo.

Os olhos de Angela faiscaram. Começou a querer brigar.

Angela, você quer mesmo fazer isso agora? Mesmo? Agora?

Ela me fitou com um olhar que me fez estremecer. Pude ver no seu rosto uma clara advertência.

Isso ainda não acabou.

45.

Meg tinha passado meses tentando acalmar o pai. Sempre havia alguma coisa nova que ele lera a seu respeito, alguma coisa humilhante que tinha levado a sério. Seu orgulho vivia constantemente ferido. Todo dia havia mais uma foto humilhante nos jornais. Thomas Markle comprando uma privada nova. Thomas Markle comprando um engradado de seis cervejas. Thomas Markle com a barriga pendendo por cima do cinto.

Compreendíamos. Meg lhe disse que sabíamos como ele se sentia. A imprensa, os paparazzi, eram medonhos. Impossível ignorar por completo o que escrevem, admitiu ela. Mas, por favor, tente ignorá-los *ao vivo*. Ignore qualquer um que se aproxime, papai. Fique em alerta contra qualquer um que finja ser um grande amigo. Ele parecia estar ouvindo. Começou a dar a impressão de que estava mentalmente melhor.

Então, no sábado antes do casamento, Jason nos ligou. *Temos um problema.*

Qual?

O Mail on Sunday vai publicar uma matéria dizendo que o pai de Meg está trabalhando com os paparazzi e, por dinheiro, encenou algumas fotos espontâneas.

Ligamos na mesma hora para o pai de Meg, contamos o que vinha pela frente. Perguntamos se era verdade. Ele tinha encenado um conjunto de fotos espontâneas por dinheiro?

Não.

Meg disse: *A gente pode conseguir bloquear essa matéria, papai, mas, se for revelado que você está mentindo, nunca mais vamos conseguir bloquear uma matéria falsa sobre nós mesmos ou sobre os nossos filhos. Então isso é sério. Você precisa nos dizer a verdade.*

Ele jurou que nunca tinha encenado foto nenhuma, que não tinha participado de nenhuma farsa, que não conhecia o paparazzo em questão.

Meg me disse: *Acredito nele.*

Nesse caso, dissemos a ele, saia agora do México: Vai recair sobre você todo um novo grau de assédio, então venha para a Grã-Bretanha. Imediatamente. Vamos arranjar um apartamento onde você possa se esconder em segurança até a hora do voo.

Air New Zealand, primeira classe, reservado e pago por Meg.

416

Mandaríamos no mesmo instante um carro, com uma equipe de segurança particular, para pegá-lo.

Ele disse que tinha compromissos.

Então a expressão no rosto de Meg mudou. Havia alguma coisa de errado.

Ela se virou mais uma vez para mim e suspirou: *Ele está mentindo.*

A matéria saiu na manhã seguinte, e era pior do que temíamos. Havia um vídeo do pai de Meg encontrando o paparazzo num cibercafé. Havia uma série de fotos farsescamente encenadas, inclusive uma dele lendo um livro sobre a Grã-Bretanha, como se estudasse para o casamento. As fotos, supostamente no valor de 100 mil libras, pareciam provar sem qualquer margem de dúvida que o pai de Meg de fato mentira. Ele tinha participado voluntariamente da farsa, fosse para promover a sua imagem pública, fosse para faturar uma grana, ou as duas coisas ao mesmo tempo.

As manchetes diziam: *O pai de Meghan Markle é um vigarista! Fotos espontâneas encenadas por dinheiro!*

Uma semana antes do casamento, essa agora se tornava *a* matéria.

Embora tivessem sido tiradas semanas antes, as fotos ficaram guardadas até chegar o momento mais devastador possível.

Logo depois de sair a matéria, Thomas Markle nos enviou uma mensagem de texto:

Estou muito envergonhado.

Ligamos para ele.

Escrevemos para ele.

Ligamos de novo.

Não estamos bravos, por favor atenda.

Não atendeu.

Então soubemos, com o restante do mundo, que ele aparentemente tinha sofrido um ataque cardíaco e não viria ao casamento.

46.

No dia seguinte, Meg recebeu uma mensagem de texto de Kate.

Pelo visto, havia um problema com os vestidos das damas de honra. Precisavam de ajustes. Os vestidos eram de alta-costura francesa, feitos à mão sob medida. Assim, não era uma grande surpresa que pudessem precisar de algum ajuste.

Meg não respondeu Kate imediatamente. Sim, ela estava trocando um sem-fim de mensagens sobre o casamento, mas sobretudo estava lidando com o caos relacionado a seu pai. Então, na manhã seguinte, Meg respondeu a Kate que havia um alfaiate à disposição. No Palácio. Ele se chamava Ajay.

Não foi o suficiente.

Marcaram um horário para conversar naquela tarde.

O vestido de Charlotte está grande demais, comprido demais, largo demais. Ela chorou ao prová-lo em casa, Kate disse.

Certo, e eu disse a você que o alfaiate estava à disposição desde as oito da manhã. Aqui. No Palácio de Kensington. Você pode trazer Charlotte para fazer o ajuste, como as outras mães estão fazendo?

Não, todos os vestidos precisam ser refeitos.

A própria designer do vestido de noiva de Kate achava isso, ela acrescentou.

Meg perguntou se ela estava a par do que estava acontecendo naquele momento. Com o pai dela.

Kate respondeu que estava bem a par, mas os vestidos. *E o casamento é daqui quatro dias!*

Sim, Kate, eu sei...

E Kate tinha outros problemas com a forma como Meg vinha planejando a cerimônia. Alguma coisa sobre uma festa para os pajens?

Os pajens? Metade das crianças no casamento vinha dos Estados Unidos. Nem haviam chegado ainda.

Continuaram nisso.

Não sei mais o que dizer. Se o vestido não serve, por favor leve a Charlotte para ver o Ajay. Ele esperou o dia todo.

Tá bom.

Pouco tempo depois, cheguei em casa e encontrei Meg no chão. Soluçando.

Fiquei horrorizado ao vê-la tão transtornada, mas não me pareceu uma grande catástrofe. As emoções andavam exacerbadas, claro, depois do estresse da última semana, do último mês, do dia anterior. Era intolerável — mas temporário. Kate não tinha feito por mal, eu disse.

De fato, na manhã seguinte Kate apareceu trazendo flores e um cartão com um pedido de desculpas. A melhor amiga de Meg, Lindsay, estava na cozinha quando ela apareceu.

Um simples desentendimento, eu disse a mim mesmo.

47.

Na véspera do casamento, fiquei no Coworth Park Hotel. Um chalé privado. Vários amigos estavam comigo e tomamos uns drinques. Um deles comentou que eu parecia um pouco distraído.

É, pois é. Tem sido muita coisa.

Eu não queria falar muito. A história com o pai de Meg, a briga com Kate, a preocupação constante de que alguém na multidão cometesse alguma loucura — melhor não falar a respeito.

Alguém perguntou do meu irmão. Onde está o Willy?

Desconversei outra vez. Mais outro tema sensível.

Ele tinha combinado que viria nos encontrar no final da tarde. Mas, como o pai de Meg, cancelou de última hora.

Havia me dito, logo antes de ir para o chá com vovó: Não dá para ir, Harold. Kate e as crianças.

Lembrei-lhe que essa era a nossa tradição, que tivemos um jantar antes do seu casamento, que tínhamos ido juntos e visitamos as multidões.

Ele não cedeu: *Não dá para ir.*

Insisti. *Por que você está fazendo isso, Willy? Estive com você a noite toda antes do casamento com Kate. Por que está agindo assim?*

Me perguntei o que realmente estaria acontecendo. Estava aborrecido por não ser o meu padrinho de casamento? Ficou chateado porque convidei o meu velho amigo Charlie? (O Palácio anunciou a história de que Willy era o padrinho, como tinham feito comigo quando ele e Kate se casaram.) Seria isso?

Ou uma ressaca do Barbagate?

Ou estava chateado por causa do entrevero entre Kate e Meg?

Ele não estava dando nenhuma pista. Só continuava a dizer não. E eu me perguntava por que eu dava tanta importância a isso.

Por que você vai acenar para as multidões, Harold?

Porque foi o que a assessoria de imprensa me falou para fazer. Como fizemos no seu casamento.

Você não precisa dar ouvidos a eles.

Ah, é? Desde quando?

Fiquei doente com aquilo. Sempre tinha acreditado que, apesar dos nossos problemas, havia um vínculo forte entre nós. Achava que o laço fraterno sempre prevaleceria sobre um vestido de dama de honra ou uma barba. Pelo visto não.

E aí, logo após deixar vovó, lá pelas seis da tarde, Willy mandou uma mensagem. Tinha mudado de ideia. Estava vindo.

Será que vovó interveio?

Que seja. Agradeci feliz, de coração.

Momentos depois, encontramo-nos do lado de fora, entramos num carro que nos levou até o King Edward Gate. Descemos, percorremos a multidão, agradecendo as pessoas por terem vindo.

Desejavam-nos tudo de bom, sopravam-nos beijos.

Acenamos em despedida e voltamos para o carro.

Ao partirmos, pedi que ficasse, que jantasse comigo. Mencionei que podia talvez passar a noite, como eu tinha feito na véspera do casamento dele.

Não aceitou.

Vamos lá, Willy, por favor.

Desculpe, Harold. Não dá. As crianças.

48.

Postado junto ao altar, alisando a frente do meu uniforme da Cavalaria do Palácio, observei enquanto Meg vinha flutuando até mim. Eu tinha me esforçado muito para escolher a música certa para a sua entrada, e acabei escolhendo *Fonte eterna de luz divina*, de Händel.

Agora, quando a voz do solista ressoou sobre nós, concluí que fora uma boa escolha.

Na verdade, conforme Meg se aproximava, eu agradecia por todas as minhas escolhas.

Incrível que eu ainda conseguisse ouvir a música por sobre as batidas do meu coração quando Meg subiu o degrau e pegou a minha mão. O presente se dissolveu, o passado voltou num tropel. As nossas primeiras trocas de mensagens no Instagram. O nosso primeiro encontro na Soho House. A nossa primeira viagem a Botsuana. As nossas primeiras conversas animadas depois que o meu celular caiu no rio. O nosso primeiro frango assado. Os nossos primeiros voos atravessando o Atlântico de um lado a outro. A primeira vez que disse a ela: te amo. Ouvindo ela me dizer o mesmo. Guy com as talas. Steve, o cisne rabugento. A tremenda luta para mantê-la a salvo da imprensa. E agora ali estávamos nós, na linha de chegada. Na linha de partida.

Nos últimos meses, poucas coisas tinham saído conforme o plano. Mas lembrei a mim mesmo que nada *daquilo* era o plano. Este era o plano. Este. O amor.

Dei uma olhada em papai, que havia acompanhado Meg na parte final da nave. Não era o pai dela, mas mesmo assim foi especial, e ela ficou comovida. Não compensava o comportamento do seu pai, nem o que a imprensa tinha feito com ele, mas ajudou muito.

Tia Jane se pôs de pé e fez uma leitura em homenagem à mamãe. *Cântico de Salomão.*

Meg e eu escolhemos.

Levanta-te, minha amada, formosa minha, vem a mim...
Grava-me, como um selo em teu coração, como um selo em teu braço;
pois o amor é forte, é como a morte! Cruel como o abismo é a paixão...

Forte como a morte. Cruel como o abismo. Sim, pensei. Isso mesmo.

Vi o arcebispo estender os anéis, com as mãos trêmulas. Eu tinha esquecido, mas ele certamente não: doze câmeras apontadas para nós, 2 bilhões de pessoas assistindo pela televisão, fotógrafos nas vigas, multidões enormes lá fora aclamando ruidosas.

Trocamos as alianças. A de Meg era da mesma pepita de ouro galês que fora usada na de Kate.

Vovó tinha me dito que era praticamente o que sobrara dela.

O último ouro. Era como eu me sentia em relação a Meg.

O arcebispo chegou à parte oficial, pronunciou as poucas palavras que nos tornavam duque e duquesa de Sussex, títulos conferidos por vovó, e nos uniu até que a morte nos separe, embora já tivesse feito isso dias antes, no nosso jardim, uma pequena cerimônia, só nós dois, Guy e Pula como únicas testemunhas. Não oficial, não obrigatório, a não ser na nossa alma. Éramos gratos a todos os que estavam dentro e em volta da capela e assistindo pela TV, mas o nosso amor se iniciou na nossa esfera privada, e a sua divulgação pública tinha trazido muito sofrimento, e assim queríamos que a primeira consagração do nosso amor, os primeiros votos também fossem na esfera privada. Por mais mágica que fosse a cerimônia formal, nós dois tínhamos passado a sentir um leve medo de... multidões.

Intensificando esse sentimento: a primeira coisa que vimos ao voltar pela nave e sair da igreja, além de uma enxurrada de rostos sorridentes, foram atiradores de elite. No alto dos telhados, entre os panos e bandeiras. A polícia nos disse que era incomum, mas necessário.

Por causa da quantidade inédita de ameaças que estavam encontrando.

49.

A nossa lua de mel era um segredo guardado a sete chaves. Saímos de Londres num carro disfarçado como van de mudanças, os vidros tampados com chapas de papelão, e fomos passar dez dias no Mediterrâneo. Uma maravilha estar longe, no mar, ao sol. Mas também estávamos adoentados. O acúmulo de coisas até a chegada do casamento havia nos esgotado.

Voltamos bem a tempo para a comemoração oficial do aniversário de vovó em junho. Trooping the Colour: uma das nossas primeiras aparições públicas como recém-casados. Todos os presentes estavam de bom humor, alegres e bem-dispostos. Mas aí:

Kate perguntou a Meg o que ela estava achando do seu primeiro Trooping the Colour.

E Meg respondeu, brincando: Colorido.

E então se instalou um silêncio que ameaçava engolir a todos nós.

Dias depois, Meg saiu na sua primeira excursão real com vovó. Estava nervosa, mas as duas se deram fantasticamente bem. Sentiram-se unidas pelo amor aos cães.

Ela voltou radiante da excursão: *Nos demos bem, disse-me. A Rainha e eu realmente nos demos bem! Conversamos e falei o quanto eu queria ter filhos, e ela me falou que a melhor maneira de induzir o parto era um passeio de carro com uns bons trancos e solavancos! Falei que me lembraria disso quando chegasse a hora.*

As coisas vão melhorar agora, dissemos nós dois.

Os jornais, porém, declararam que a excursão foi um absoluto desastre. Apresentaram Meg como arrogante, de nariz empinado, ignorando o protocolo real, pois tinha cometido o erro inconcebível de entrar num carro antes de vovó.

Na verdade, ela tinha feito exatamente o que vovó lhe dissera para fazer. Vovó disse: entre; ela entrou.

Não interessava. Foram dias a fio com matérias sobre a transgressão de Meg, sobre a sua completa falta de classe — sobre a sua ousadia de não usar chapéu na presença de vovó. O Palácio tinha especificamente orientado Meg a não usar chapéu. Vovó também vestia verde em homenagem às vítimas de Grenfell Tower, e ninguém orientou Meg a usar verde — então disseram que ela não se importava com as vítimas.

Falei: *O Palácio vai dar um telefonema e vão retificar essa informação.*

Não corrigiram.

50.

Willy e Kate nos convidaram para o chá. Para desanuviar o clima.

Junho de 2018.

Fomos num fim de tarde. Vi como os olhos de Meg se arregalavam enquanto entrávamos pela porta da frente, passávamos pela sala de visitas, seguíamos pelo corredor e íamos até o gabinete deles.

Uau, repetiu Meg várias vezes.

O papel de parede, as cornijas decorativas, as prateleiras de nogueira com filas de volumes de cores combinando, os objetos de arte de valor inestimável. Lindo. Como um museu. E nós dois dissemos isso a eles. Elogiamos efusivamente a reforma que tinham feito, enquanto também pensávamos com certa vergonha nas nossas luminárias da Ikea, no sofá que, pouco tempo antes, tínhamos comprado com desconto numa liquidação, usando o cartão de crédito de Meg, no sofa.com.

No gabinete, Meg e eu nos sentamos num sofá de dois lugares num lado da sala, Kate no outro lado, numa Fender forrada de couro, na frente da lareira. Willy estava à sua direita, numa poltrona. Havia uma travessa com chá e biscoitos. Nos primeiros dez minutos ficamos nas clássicas amenidades. *Como vão as crianças? Como foi a lua de mel?*

Meg então admitiu a tensão que existia entre nós quatro e arriscou que isso poderia ter a ver com aqueles primeiros dias quando se juntara à família — um mal-entendido que passara quase despercebido. Kate pensou que Meg queria os seus contatos de moda. Mas Meg tinha os dela. Teriam talvez começado com o pé esquerdo? E então, acrescentou Meg, tudo ganhou maiores dimensões com o casamento e aqueles infernais vestidos das damas de honra.

Mas aí se revelou que havia mais coisas... que nem sabíamos.

Pelo visto, Willy e Kate ficaram chateados porque não tínhamos lhes dado presentes de Páscoa.

Presentes de Páscoa? Isso existia? Willy e eu nunca tínhamos trocado presentes de Páscoa. Papai, claro, sempre fazia um grande estardalhaço em torno da Páscoa, mas isso era papai.

Mesmo assim, se Willy e Kate ficaram chateados, pedimos que nos desculpassem.

Do nosso lado, contribuímos dizendo que não tínhamos gostado muito quando Willy e Kate trocaram os cartões dos lugares na mesa e mudaram os assentos no nosso casamento. Tínhamos seguido a tradição americana, pondo os casais um ao lado do outro, mas Willy e Kate não gostavam daquela tradição, e assim a mesa deles foi a única em que os cônjuges ficaram separados.

Willy e Kate insistiram que não foram eles, que foi alguma outra pessoa.

E disseram que tínhamos feito a mesma coisa no casamento de Pippa.

Não fizemos. Por mais que quiséssemos. Estávamos separados por um enorme arranjo de flores e, mesmo querendo loucamente nos sentarmos juntos, não tínhamos feito nada quanto àquilo.

Senti que não nos fazia nenhum bem ficar dando vazão às nossas queixas. Não chegaríamos a lugar algum.

Kate olhou o jardim lá fora, agarrando as beiradas do couro com tanta força que os dedos ficaram brancos, e falou que aguardava um pedido de desculpas.

Meg perguntou: *Pelo quê?*

Você me magoou, Meghan.

Quando? Diga, por favor.

Eu falei que não estava conseguindo me lembrar de alguma coisa, e você disse que eram os meus hormônios!

Do que você está falando?

Kate mencionou um telefonema em que as duas discutiram o horário dos ensaios para o casamento.

Meg disse: *Ah, sim! Estou lembrada: Você não conseguia se lembrar de algo e eu disse que não tinha problema, que era cérebro de grávida. Porque tinha acabado de ter um bebê. Hormônios.*

Kate ergueu as sobrancelhas: *Isso. Você falou dos meus hormônios. Não temos intimidade suficiente para você falar dos meus hormônios!*

Meg também ergueu as sobrancelhas: *Desculpe. Falei dos seus hormônios. É como falo com as minhas amigas.*

Willy apontou o dedo para Meg. *É grosseria, Meg. Isso não se faz aqui na Grã-Bretanha.*

Faça a gentileza de tirar esse seu dedo da minha cara!

Aquilo estava acontecendo mesmo? As coisas tinham realmente chegado a esse ponto? Um gritando com o outro por causa de cartões na mesa e de hormônios?

Intervim, falei para Willy abaixar o dedo, pedi a todos que parassem com aquilo.

Meg disse que nunca teve qualquer intenção de magoar Kate e que, se isso voltasse a acontecer no futuro, ela agradeceria se Kate simplesmente lhe dissesse.

Todos nos abraçamos. Mais ou menos.

E aí falei que era melhor irmos embora.

51.

Nossas equipes sentiram o clima de atrito, leram as notícias, e aí se tornaram frequentes os conflitos no escritório. Tomou-se partido. Time de Cambridge vs. Time de Sussex. Rivalidades, invejas, posições contrárias — tudo isso intoxicava a atmosfera.

E o fato de estarem todos trabalhando 24 horas por dia não ajudava em nada. Havia uma quantidade enorme de demandas da imprensa, um fluxo constante de erros que precisavam de retificação, e nem de longe tínhamos pessoal ou recursos suficientes. Conseguíamos no máximo atender a 10% das coisas. Todos uma pilha de nervos, falando uns dos outros pelas costas. Num clima desses, crítica construtiva era algo que não existia. Qualquer comentário era visto como afronta, como insulto.

De vez em quando alguém da equipe se debruçava no tampo da mesa e chorava.

Willy botava a culpa de tudo isso, de cada ínfimo detalhe, numa única pessoa. Meg. Willy me falou isso várias vezes e se irritou quando eu disse que ele estava passando dos limites. Estava apenas repetindo a narrativa da imprensa, recitando falsidades que tinha lido ou ouvido. A grande ironia, disse eu, era que os verdadeiros vilões eram as pessoas que ele tinha trazido para o escritório, gente do governo, que pareciam viciadas nesse tipo de conflito e não imunes a ele. Tinham prazer em dar facadas pelas costas, talento para intrigas, e estavam constantemente lançando nossas duas equipes uma contra a outra.

Enquanto isso, no meio de tudo aquilo, Meg conseguia manter a calma. Apesar do que alguns andavam falando sobre ela, nunca ouvi Meg dizer uma única palavra negativa sobre alguém ou para alguém. Pelo contrário, eu via que ela redobrava os esforços em conversar, em ser gentil com todos. Enviava bilhetes de agradecimento escritos à mão, se informava sobre quem estivesse doente, mandava cestos de comida, flores ou guloseimas para quem estivesse em dificuldades, com depressão ou em licença médica. O escritório muitas vezes ficava frio e escuro, e ela o melhorou com lâmpadas novas e aquecedores de ambiente, tudo isso pago com seu cartão de crédito pessoal. Trazia pizza e biscoitos, promovia reuniões para tomarem chá e festas do sorvete. Repartia todos os brindes que recebia, roupas, perfumes, produtos de maquiagem, com todas as mulheres do escritório.

Eu contemplava admirado a sua capacidade ou determinação de sempre ver o lado bom das pessoas. O seu enorme coração realmente se evidenciou para mim, certo dia. Soube que o sr. R., meu antigo vizinho do andar de cima quando eu morava naquela toca de texugo, tinha passado por uma tragédia. Um filho adulto havia morrido.

Meg não conhecia o sr. R. E nem conhecia seu filho. Mas sabia que a família tinha sido vizinha minha e vira muitas vezes o pessoal da família passeando com os cachorros. Assim, ela ficou extremamente triste por eles e escreveu ao pai uma carta dando os pêsames e dizendo que gostaria de lhe dar um abraço, mas não sabia se seria apropriado. Junto com a carta incluiu uma gardênia, em memória do filho dele.

Uma semana depois, o sr. R. apareceu à nossa porta no Nott Cott. Entregou a Meg uma nota de agradecimento e lhe deu um abraço apertado.

Fiquei muito orgulhoso dela e muito pesaroso com a minha briga com o sr. R.

E mais, fiquei pesaroso com a minha família brigando com a minha esposa.

52.

Não queríamos esperar. Nós dois queríamos começar imediatamente uma família. Estávamos trabalhando como loucos, nossos trabalhos exigiam muito de nós, o momento não era o ideal, mas azar. Essa sempre tinha sido a nossa grande prioridade.

Estávamos preocupados com o estresse do nosso cotidiano, preocupados que isso impedisse a gravidez. O preço começava a se fazer visível em Meg; tinha perdido muito peso no último ano, apesar de todas as tortas madalena. Nunca comi tanto, disse ela — e mesmo assim continuava a emagrecer.

Algumas amigas recomendaram uma médica ayurvédica que as ajudara a engravidar. Pelo que entendi, a medicina ayurvédica dividia as pessoas em categorias. Não lembro em que categoria essa médica classificou Meg, mas ela de fato confirmou a nossa suspeita de que a perda de peso de Meg podia ser um obstáculo para engravidar.

Engorde três quilos, disse a médica, e vai engravidar.

Então Meg comia, comia e logo engordou os três quilos recomendados, e olhávamos esperançosos o calendário.

Perto do final do verão de 2018, fomos para a Escócia, ao Castelo de Mey, passar alguns dias com papai. O vínculo entre Meg e papai, sempre forte, se fortaleceu ainda mais naquele final de semana. Uma noite, durante os aperitivos antes do jantar, Fred Astaire tocando ao fundo, veio à tona que o dia de nascimento de Meg era o mesmo da pessoa favorita de papai: Gan-Gan.

Quatro de agosto.

Incrível, disse papai sorrindo.

À lembrança de Gan-Gan e com esse vínculo entre ela e a minha esposa, de repente ele ficou muito alegre, contando histórias que eu nunca tinha ouvido, basicamente encenando e se exibindo para Meg.

Uma história em especial nos deliciou, capturou a nossa imaginação. Era sobre as *selkies*.

As o quê, papai?

Sereias escocesas, disse ele. Assumiam a forma de focas e nadavam lentamente na costa diante do castelo, a um passo de onde estávamos sentados. *Então, quando você vê uma foca*, avisou ele, *nunca se sabe… Cante para ela. Muitas vezes elas cantam em resposta.*

Ah, imagine. Isso é conto de fadas, papai!

Não, é a mais pura verdade!

Terei imaginado — terá papai garantido — que as *selkies* também podem atender a um desejo?

Durante o jantar, falamos um pouco sobre o estresse que vínhamos enfrentando. Se pelo menos conseguíssemos convencer os jornais a recuar, dissemos… Pelo menos durante um tempinho.

Papai assentiu. Mas achou muito importante nos lembrar…

Tá, tá, papai. Sabemos. Não leiam.

No dia seguinte, no chá, as vibrações positivas continuavam. Estávamos todos rindo, falando de uma coisa e outra, quando o mordomo entrou de supetão na sala, puxando um fio de telefone atrás de si.

Vossa Alteza Real, Sua Majestade.

Papai se empertigou todo na cadeira. *Ah, sim.* Pegou o telefone.

Desculpe, senhor, mas ela quer falar com a duquesa.

Oh.

Todos ficamos atônitos. Hesitando, Meg pegou o telefone.

Pelo visto, vovó estava ligando para falar sobre o pai de Meg. Estava respondendo a uma carta que Meg lhe havia escrito, pedindo ajuda e conselho. Meg disse que não sabia o que fazer para que a imprensa parasse de entrevistá-lo, de instigá-lo a dizer coisas horrendas. Vovó então sugeriu que Meg esquecesse a imprensa, fosse visitar o pai e tentasse lhe incutir um pouco de sensatez.

Meg explicou que ele morava numa cidadezinha na fronteira mexicana, e ela não sabia sequer como poderia sair do aeroporto, passar pela imprensa que cercava a casa dele, atravessar aquela parte da cidade, e então voltar, de forma discreta e segura.

Vovó reconheceu os vários problemas desse plano.

Nesse caso, talvez escrever uma carta para ele?

Papai concordou. Ótima ideia.

53.

Meg e eu descemos até a praia na frente do castelo. Dia gelado, mas o sol brilhava.

Ficamos nas pedras, olhando o mar. Em meio a todas as ilhas sedosas de algas vimos... alguma coisa.

Uma cabeça.

Dois olhos afetuosos.

Veja! Uma foca!

A cabeça mergulhava e aflorava. Os olhos visivelmente nos fitavam.

Veja! Outra!

Tal como recomendara papai, fui até a beira d'água e cantei para elas. Fiz uma serenata para elas.

Aroooo.

Nenhuma resposta.

Meg se juntou a mim e cantou para elas, e agora, claro, elas cantaram de volta.

Ela é realmente mágica, pensei. Até as focas sabem disso.

De repente, por toda parte afloravam cabeças, cantando para ela.

Aroooo.

Uma ópera de focas.

Superstição boba, talvez, mas pouco me importei. Tomei como um bom presságio. Tirei a roupa, pulei na água, nadei até elas.

Mais tarde, o chef de cozinha australiano de papai ficou horrorizado. Disse-nos que tinha sido uma péssima ideia, mais descerebrada do que mergulhar imprudentemente nas mais escuras águas do Okavango. Essa parte da costa escocesa estava repleta de baleias assassinas, disse o chef, e cantar para as focas era como atraí-las para a sua morte sangrenta.

Balancei a cabeça.

Tinha sido um conto de fadas tão encantador, pensei.

Como ficou sombrio tão depressa?

54.

Meg estava com a menstruação atrasada.

Compramos dois testes caseiros de gravidez, um de reserva, e ela foi com os dois para o banheiro no Nott Cott.

Eu estava deitado na nossa cama e, enquanto esperava Meg voltar... caí no sono.

Quando acordei, ela estava ao meu lado.

Como foi? O que...?

Ela respondeu que não tinha olhado. Estava esperando por mim.

Os bastões estavam na mesinha de cabeceira. Eu deixava ali só umas poucas coisas, entre elas a caixinha azul com o cabelo da minha mãe. Certo, pensei, bom. Vamos ver o que mamãe pode fazer com essa situação.

Estendi a mão, peguei os bastões, espiei no pequeno mostrador.

Azul.

Azul vivo, bem vivo. Os dois.

Azul queria dizer... bebê.

Puxa!

Uau!

Uau!

Nos abraçamos, nos beijamos.

Pus os bastões de volta na mesinha de cabeceira.

Pensei: Obrigado, *selkies*.

Pensei: Obrigado, mamãe.

55.

Euge ia se casar com Jack, e estávamos delirando de felicidade por ela e, egoisticamente, por nós, visto que Jack era uma das nossas pessoas preferidas. Meg e eu devíamos partir para a nossa primeira viagem oficial no exterior como casados, mas adiamos a data de partida por vários dias para podermos ir ao casamento.

Além disso, os diversos encontros ligados ao casamento nos dariam a chance de puxar de lado os membros da família, um a um, e lhes contar a boa nova.

Em Windsor, logo antes de um coquetel para os noivos, pegamos papai no seu gabinete. Estava sentado atrás da grande escrivaninha, que oferecia a sua vista favorita, diretamente para o Long Walk. Todas as janelas estavam abertas, para refrescar a sala, e uma brisa passava esvoaçando sobre os papéis, que estavam todos empilhados em pequenas torres maçudas, cada uma coroada por um peso de papel. Ele ficou encantado ao saber que ia ser avô pela quarta vez; o seu largo sorriso me aqueceu o coração.

Depois do coquetel em St. George's Hall, Meg e eu puxamos Willy de lado. Estávamos numa sala grande, com armaduras nas paredes. Sala estranha, momento estranho. Contamos a novidade num sussurro, e Willy sorriu e falou que precisávamos contar para Kate. Ela estava do outro lado da sala, conversando com Pippa. Falei que a gente podia contar depois, mas ele insistiu. Então fomos, contamos para Kate e ela também nos deu um amplo sorriso e sinceros parabéns.

Os dois reagiram exatamente como eu tinha esperado — como eu tinha desejado.

56.

Dias depois a gravidez foi anunciada publicamente. Os jornais noticiaram que Meg estava lutando contra fadiga e crises de tontura e não conseguia reter a comida, especialmente pela manhã, o que era mentira. Ela estava cansada, mas, de resto, ativa feito um dínamo. Na verdade, se sentia sortuda por não estar sofrendo de enjoos matinais severos, já que embarcaríamos em uma turnê extremamente desgastante.

Em todos os lugares por onde passamos, multidões apareceram para vê-la, e ela não decepcionou as pessoas. Por toda a Austrália, Tonga, ilhas Fiji, Nova Zelândia, Meg esteve deslumbrante. Depois de um discurso especialmente empolgante, foi aplaudida de pé.

Ela era tão fascinante que, no meio da turnê, eu me senti compelido a... alertá-la.

Você está indo muito bem, meu amor. Bem demais. Está fazendo parecer fácil demais. Foi assim que tudo começou... com minha mãe.

Talvez eu parecesse louco, paranoico. Mas todos sabiam que a situação de mamãe foi de mal a pior assim que ela mostrou ao mundo, mostrou à família, que era melhor nas turnês de compromissos oficiais, melhor em se conectar com as pessoas, melhor em ser "real" do que tinha o direito de ser.

Foi aí que as coisas realmente começaram a degringolar.

Na volta para casa, fomos recebidos com boas-vindas radiantes e manchetes exultantes. Meg, a futura mamãe, a perfeita representante da Coroa, foi ovacionada.

Ninguém escreveu uma única palavra negativa.

As coisas mudaram, dissemos. Finalmente mudaram.

Mas depois mudaram de novo. Ah, e como mudaram.

Histórias se sucederam aos montes, como ondas na praia. Primeiro, um artigo cheio de besteiras de um biógrafo medíocre do papai afirmou que eu tinha feito birra antes da cerimônia de casamento. Em seguida, veio à tona uma obra de ficção com acusações de que Meg praticava assédio moral com seu estafe, infernizando seus funcionários e exigindo demais deles, a ponto de cometer o imperdoável pecado de enviar e-mails às pessoas logo pela manhã bem cedo. (Acontece que, por acaso, ela estava acordada a essa hora, tentando manter contato com amigos notívagos nos Estados Unidos — ela não esperava uma resposta instantânea.) Dizia-se que ela forçou uma assistente a pedir demissão, quando, na verdade, fomos aconselhados pelos Recursos Humanos do Palácio a solicitar o desligamento dessa mulher depois que ela foi flagrada tirando proveito do título de Meg como moeda de troca para obter brindes. Mas, como não podíamos falar publicamente sobre os motivos para a demissão da assistente, rumores preencheram o vazio. De certo modo, esse foi o início de todos os problemas. Logo depois, começou a aparecer em todos os jornais a narrativa da "Duquesa Difícil".

Em seguida, um tabloide publicou uma novelinha repleta de peripécias sobre a tiara. De acordo com a matéria, Meg havia exigido certa tiara que pertencera à mamãe e, quando a rainha se recusou a cedê-la, eu dei um chilique: *O que Meg quiser Meg terá!*

Dias depois veio o golpe de misericórdia: uma correspondente da realeza publicou uma fantasia de ficção científica descrevendo a "crescente frieza" (meu Deus do céu) entre Kate e Meg, alegando que, segundo "duas fontes", Meg havia levado Kate às lágrimas por causa de uma discussão sobre os vestidos das damas de honra.

Essa correspondente real em particular sempre me deixava louco da vida. Ela sempre, sempre interpretava tudo errado. Mas isso parecia mais do que um erro.

Li, incrédulo, a matéria. Meg não. Ela ainda não lia nada. Mas ouviu falar a respeito, já que foi o único assunto que se debateu na Grã-Bretanha ao longo das 24 horas seguintes, e enquanto eu viver, nunca me esquecerei do tom de sua voz quando ela me olhou nos olhos e disse:

Haz, eu é que a fiz chorar? Eu é que fiz a KATE chorar?

57.

Marcamos uma segunda reunião de cúpula com Willy e Kate.

Dessa vez em nosso território.

Dez de dezembro de 2018. No início da noite.

Nós nos reunimos em nosso pequeno anexo da frente, e dessa vez não houve conversa fiada: de imediato Kate foi direto ao ponto, reconhecendo que as histórias que os jornais contavam sobre Meg tê-la feito chorar eram pura invencionice. *Eu sei, Meghan, que eu é que fiz você chorar.*

Suspirei. Excelente começo, pensei.

Meg agradeceu pelo pedido de desculpas, mas queria saber por que os jornais afirmavam aquilo, e o que estava sendo feito para impedi-los. Em outras palavras: *Por que o escritório de vocês não está me defendendo? Por que vocês não ligaram para a mulher execrável que escreveu a matéria exigindo uma retratação?*

Aturdida, Kate não respondeu, e Willy entrou na conversa com algumas evasivas que até soavam como apoio, mas eu já sabia a verdade. Kate não poderia telefonar para a correspondente, ninguém no Palácio poderia telefonar para a correspondente, porque isso desencadearia a inevitável réplica: Bem, se a história está errada, então qual é a verdadeira história? O que aconteceu *de fato* entre as duas duquesas? E essa porta nunca deveria ser aberta, porque colocaria a futura rainha em uma situação constrangedora.

A monarquia tinha que ser protegida sempre, a todo custo.

O tema da conversa mudou do que fazer com a história para de onde a história surgira. Quem poderia ter plantado uma coisa dessas? Quem poderia ter vazado para a imprensa? Quem?

Demos voltas e voltas. A lista de suspeitos foi ficando cada vez menor.

Por fim, *finalmente*, Willy recostou na cadeira e admitiu que, ahã, enquanto estávamos em turnê na Austrália, ele e Kate foram jantar com papai e Camilla... e, infelizmente, ele disse, todo encabulado, que *talvez* tivesse deixado escapar que houve um desentendimento entre os dois casais...

Cobri o rosto com as mãos. Meg congelou. Caiu um silêncio pesado.

Então agora nós sabíamos.

Eu disse a Willy: *Você... mais do que ninguém... deveria saber...*

Ele assentiu. Ele sabia.

Mais silêncio.

Era hora de eles irem embora.

58.

A coisa não parava. Era uma história atrás da outra. De tempos em tempos eu pensava no sr. Marston tocando incessantemente sua insana sineta.

Quem é capaz de esquecer a enxurrada de matérias de primeira página fazendo de Meg a única responsável pelo Fim dos Tempos? Especificamente, ela foi "flagrada" comendo torradas com pasta de abacate, e a imprensa publicou uma batelada de artigos para explicar que a colheita de abacates estava acelerando a destruição das florestas tropicais, desestabilizando a economia de países em desenvolvimento e ajudando a financiar o terrorismo de Estado. É claro que, pouco tempo antes, os mesmíssimos jornalistas que escreviam essas histórias haviam ficado embevecidos com o amor de Kate por... abacates. (*Oh, vejam como fazem a pele de Kate brilhar!*)

Vale notar que foi nessa época que a narrativa maior embutida em cada uma dessas histórias começou a mudar. Não se tratava mais de duas mulheres brigando, nem de duas duquesas em conflito, tampouco duas famílias. Agora se tratava de mostrar que uma pessoa era uma bruxa e fazer com que todos fugissem dela, e a pessoa em questão era a minha esposa. E, na construção dessa narrativa, a imprensa estava claramente sendo auxiliada, por algum motivo, por alguém ou vários alguéns dentro do Palácio.

Alguém que queria a cabeça de Meg.

Um dia era: Eca! A alça do sutiã de Meg estava aparecendo. (Meghan não tem classe.)

No dia seguinte: Credo! — ela está usando aquele vestido? (Meghan é vulgar.)

No dia seguinte: Que Deus nos ajude, as unhas dela estão pintadas de preto! (Meghan é gótica.)

No dia seguinte: Meu Deus — ela ainda não sabe a maneira de fazer uma reverência. (Meghan é americana.)

No dia seguinte: Caramba, mais uma vez ela mesma fechou a porta do carro! (Meghan é arrogante.)

59.

Alugamos uma casa em Oxfordshire. Apenas um lugar para fugir de vez em quando do turbilhão, mas também de Nott Cott, que era charmoso, mas pequeno demais. E estava literalmente desabando em cima da nossa cabeça.

As coisas estavam tão ruins que um dia tive que ligar para vovó. Eu disse a ela que precisávamos de um novo lugar para morar. Expliquei que Willy e Kate não tinham simplesmente enjoado de Nott Cott, haviam fugido de lá, por causa da quantidade de reparos necessários e da falta de espaço, e agora estávamos no mesmo barco. Com dois cachorros indisciplinados... e um bebê a caminho...

Eu disse a ela que havíamos discutido nossa situação habitacional com o Palácio e que nos ofereceram várias propriedades, mas a nosso ver todas eram majestosas demais. Suntuosas demais. E caras demais para reformar.

A vovó pensou e voltamos a conversar dias depois.

Frogmore, ela disse.

Frogmore, vovó?

Sim. Frogmore.

Frogmore House?

Eu conhecia bem esse palácio. Foi lá que tiramos nossas fotos de noivado.

Não, não — Frogmore Cottage. Perto de Frogmore House.

Uma residência um tanto escondida, ela disse. Isolada. Originalmente era o lar da rainha Carlota e suas filhas, depois de um dos assessores da rainha Vitória, e mais tarde foi dividida em unidades menores. Mas a mansão poderia ser remontada se quiséssemos. Lindo lugar, a vovó disse. Além disso, histórico. A propriedade era parte do patrimônio da Coroa. Muito aprazível.

Eu disse a ela que Meg e eu adorávamos os jardins de Frogmore, íamos passear lá com frequência, e se a casa ficava perto desse lugar, bem, o que poderia ser melhor?

Ela avisou: *É meio que um canteiro de obras no momento. Há apenas a estrutura externa. Mas vá e dê uma olhada e me diga se funciona.*

Fomos no mesmo dia, e a vovó estava certa. A casa falou conosco. Charmosa, cheia de potencial. Bem próxima do Cemitério Real, mas e daí? Isso não nos incomodava. Eu e Meg não importunaríamos os mortos se eles prometessem não nos importunar.

Liguei para a vovó e disse que Frogmore Cottage seria como a realização de um sonho. Eu lhe agradeci mil vezes. Com sua permissão, começamos a nos reunir com os construtores, planejando as reformas mínimas, para tornar o local habitável — encanamento, aquecimento, água.

Enquanto as obras eram realizadas, pensamos em nos mudar para Oxfordshire em tempo integral. Adorávamos aquele lugar. O ar fresco, os jardins verdejantes — além disso, nada de paparazzi. O melhor de tudo: poderíamos recorrer aos talentos do mordomo de longa data do meu pai, Kevin. Ele conhecia de cor cada canto da casa de Oxfordshire e saberia como transformá-la rapidamente em um lar. Melhor ainda, ele me conhecia, me pegou no colo quando eu era bebê, e fez amizade com minha mãe no tempo em que ela vagava pelo Castelo de Windsor em busca de um rosto solidário. Ele me disse que mamãe era a única pessoa da família que se atrevia a se aventurar no "andar de baixo" para conversar com os funcionários. Na verdade, ela muitas vezes escapulia furtivamente lá para baixo e sentava com Kevin na cozinha para tomar uma bebida ou fazer um lanche assistindo à TV. Coube a Kevin, no dia do funeral de mamãe, receber a mim e a Willy quando voltamos a Highgrove. Ele lembrava que ficou plantado nos degraus da frente da casa, à espera do nosso carro, ensaiando o que ia dizer. Mas quando chegamos e ele abriu a porta do carro, eu perguntei:

Como você está, Kevin?

Tão educado, ele disse.

Tão reprimido, pensei.

Meg adorava Kevin e vice-versa, então pensei que isso poderia ser o começo de alguma coisa boa. Uma muito necessária mudança de cenário, um muito necessário aliado do nosso lado. Até que um dia olhei para o meu celular: uma mensagem de texto da nossa equipe me alertando para longas e espalhafatosas matérias publicadas no *Sun* e no *Daily Mail*, com detalhadas fotos aéreas de Oxfordshire.

Um helicóptero pairava sobre a propriedade, com um paparazzi pendurado na porta, apontando teleobjetivas para todas as janelas, incluindo as do nosso quarto.

Assim terminou o sonho de Oxfordshire.

60.

Voltei do escritório para casa e encontrei Meg sentada nas escadas.

Ela estava soluçando. Incontrolavelmente.

Meu amor, o que aconteceu?

Eu tinha certeza de que tínhamos perdido o bebê.

Eu me ajoelhei na frente de Meg. Com a voz engasgada, ela disse que não queria mais fazer isso.

Fazer o quê?

Viver.

A princípio não entendi. Não entendi ou talvez não quisesse entender. Minha mente simplesmente não queria processar as palavras.

É tudo tão doloroso, ela dizia.

O quê?

Ser odiada assim — por quê?

O que ela tinha *feito?*, Meg perguntou. Ela realmente queria saber. Que pecado havia cometido para merecer aquele tipo de tratamento?

Ela só queria fazer a dor parar. Não somente para ela, para todos. Para mim, para sua mãe. Mas *não conseguia*, por isso decidiu desaparecer.

Desaparecer?

Meg argumentou que, sem ela, toda a imprensa iria embora, e então eu não teria que viver daquela maneira. Nosso filho ainda por nascer nunca teria que viver assim.

É tão óbvio, ela não parava de repetir, *é tão óbvio. Simplesmente parar de respirar. Deixar de existir. Isso existe porque eu existo.*

Implorei para ela não falar assim. Prometi que passaríamos por aquela situação difícil, daríamos um jeito. Enquanto isso, encontraríamos a ajuda de que ela precisava.

Pedi a Meg para ser forte, aguentar firme.

Inacreditavelmente, enquanto eu a tranquilizava e a abraçava, não conseguia parar de pensar como *a porra de um membro da realeza.* Tínhamos que comparecer a um compromisso da Sentebale naquela noite, um evento no Royal Albert Hall, e eu não parava de dizer a mim mesmo: Não podemos nos atrasar. Não podemos nos atrasar *de jeito nenhum*. Eles vão nos esfolar vivos! E vão culpá-la.

Aos poucos — muito lentamente —, percebi que o atraso era o menor dos nossos problemas.

Sugeri que ela se ausentasse do compromisso, é claro. Eu precisava ir, fazer uma aparição rápida, mas voltaria logo para casa.

Não, ela insistiu, com sentimentos tão sombrios, não confiava em si mesma para ficar sozinha em casa, nem sequer por uma hora. Então vestimos nossas melhores roupas, ela passou um batom escuro para desviar a atenção de seus olhos injetados de sangue, e saímos pela porta.

O carro parou em frente ao Royal Albert Hall, e assim que ficamos sob as luzes azuis piscantes da escolta policial e as luzes brancas dos flashes da imprensa, Meg segurou minha mão. Ela a agarrou com força. Assim que entramos, apertou ainda mais forte. Fiquei animado com o vigor daquele aperto. Ela está segurando as pontas, pensei. Melhor do que entregar os pontos.

Porém, tão logo nos acomodamos no camarote real e as luzes diminuíram, ela deu vazão às emoções. Não conseguiu conter as lágrimas. Chorou em silêncio.

A música começou; nós nos viramos e olhamos para a frente. Durante toda a apresentação (do Cirque du Soleil) mantivemos as mãos unidas num forte aperto; com um sussurro, prometi a ela:

Confie em mim. Eu vou proteger você.

61.

Acordei com uma mensagem de Jason.

Más notícias.

O que é agora?

O *Mail on Sunday* havia publicado a carta particular que Meg escrevera ao pai. A carta que vovó e papai insistiram que ela escrevesse.

Fevereiro de 2019.

Eu estava na cama, Meg estava deitada ao meu lado, ainda dormindo. Esperei um pouco; depois, com delicadeza, dei a notícia a ela.

Seu pai entregou sua carta ao Mail.

Não.

Meg, não sei o que dizer, ele deu a carta a eles.

Para mim, esse momento foi decisivo. Com relação ao sr. Markle, mas também com relação à imprensa. Houve muitos outros momentos, mas essa foi a gota d'água. Eu não queria mais ouvir falar de protocolos, tradição, estratégia. Já chega, pensei.

Já chega.

Os editores do jornal sabiam que era ilegal publicar a carta, sabiam muito bem, e mesmo assim a publicaram. Por quê? Porque sabiam também que Meg estava indefesa. Sabiam que ela não contava com o apoio *robusto* da minha família — de que outro modo teriam como saber disso, a não ser por meio do vazamento de informações por pessoas próximas à família? Ou de dentro da família? Os jornais sabiam que o único recurso que Meg tinha era processá-los na justiça, e ela não poderia fazer isso porque havia apenas um advogado trabalhando com a família, e esse advogado estava sob controle do Palácio, e o Palácio jamais o autorizaria a agir em nome de Meg.

Na carta não havia nada do que se envergonhar. Uma filha implorando ao pai para se comportar com decência? Meg mantinha cada palavra. Ela sempre soube que a carta poderia ser interceptada, que um dos vizinhos do pai, ou um dos paparazzi que ficavam de tocaia na frente da casa dele poderiam roubar sua correspondência. Tudo era possível. Mas ela nunca parou para pensar que o próprio pai teria coragem de vender a carta, ou que um jornal realmente pudesse comprá-la — e publicá-la.

E editá-la. Na verdade, essa talvez tenha sido a coisa mais exasperante, a maneira como os editores recortaram e colaram as palavras de Meg de modo a fazê-las parecer menos amorosas.

Ver uma coisa tão profundamente pessoal estampada nas primeiras páginas de um tabloide, engolida com voracidade pelos britânicos enquanto comiam sua torrada com geleia matinal, era bastante invasivo. Mas a dor foi agravada em dez vezes pelas entrevistas simultâneas com supostos especialistas em caligrafia, que analisaram a carta de Meg e inferiram que ela, pela maneira como cruzava seus tês ou inclinava os erres, era uma pessoa terrível.

Inclinação para a direita? Emotiva em excesso.

Letras extremamente estilizadas? Uma atriz fingida.

Linha de base irregular? Incapaz de controlar os impulsos.

A expressão no rosto de Meg enquanto eu contava sobre essas calúnias... eu sabia como lidar com a dor do luto, e não havia dúvidas — aquilo era puro luto. O pai de Meg estava morto para ela, mas seu luto era também pela perda de sua própria inocência. Num fiapo de voz, como se temesse que alguém pudesse nos ouvir, ela me disse que fez um curso de caligrafia no ensino médio e, como resultado, sempre teve uma letra perfeita. As pessoas a elogiavam. Ela chegou a usar essa habilidade na faculdade para ganhar dinheiro extra. À noite, nos fins de semana, escrevia convites de casamento e aniversário, o que a ajudava a pagar o aluguel. Agora as pessoas estavam tentando dizer que isso era algum tipo de janela para sua alma? E que a janela estava suja?

Atormentar Meghan Markle se tornou um esporte nacional que nos envergonha, declarou uma manchete no *Guardian*.

Verdade. Mas ninguém se envergonhava, esse era o problema. Ninguém sentia o menor peso na consciência. No fim das contas teriam algum remorso se causassem um divórcio? Ou seria necessário morrer mais alguém?

O que tinha acontecido com toda a vergonha que sentiram no final dos anos 1990?

Meg queria processá-los. Eu também. De certa forma, ambos sentíamos que não havia escolha. Se não entrássemos na justiça contra eles por terem feito *isso*, que tipo de mensagem enviaríamos? Para a imprensa? Para o mundo? Assim, mais uma vez consultamos o advogado do Palácio.

Demos de cara com um muro de pedra.

Busquei a ajuda de papai e Willy. No passado, ambos haviam entrado com processos contra a imprensa por conta de invenções e mentiras. Papai processou jornalistas por causa do episódio dos "memorandos da aranha negra", suas cartas a autoridades do governo. Willy moveu uma ação devido à publicação de fotos de Kate de topless.

Mas os dois se opuseram veementemente à ideia de Meg e eu tomarmos qualquer ação legal.

Por quê?, perguntei.

Eles gaguejaram e riram. A única resposta que consegui arrancar deles foi que simplesmente não era aconselhável. O modo correto de agir etc.

Eu disse a Meg: *Fiquei com a impressão de que estaríamos processando algum amigo querido deles.*

62.

Willy pediu uma reunião. Ele queria falar a respeito de tudo, de toda a catástrofe em curso.

Somente ele e eu, disse.

Por acaso, Meg estava viajando, visitando amigas, então a ocasião era perfeita. Eu o convidei para ir a minha casa.

Uma hora depois ele entrou em Nott Cott, onde não punha os pés desde que Meg se mudara para lá. Ele parecia estar de cabeça quente.

Era início da noite. Eu lhe ofereci uma bebida, perguntei sobre sua família.

Todo mundo estava bem.

Ele não perguntou sobre a minha. Simplesmente veio pra cima com tudo. Todas as fichas no centro da mesa.

Meg é difícil, ele disse.

Ah, sério?

Ela é rude. É agressiva. Ela já afugentou metade da equipe.

Não era a primeira vez que ele repetia a narrativa da imprensa. A Duquesa Difícil, toda essa merda. Rumores, lixo de tabloides, e eu disse isso a ele — de novo. Disse com todas as letras que esperava mais do meu irmão mais velho. Fiquei chocado ao ver que isso realmente o irritou. Ele veio até a minha casa na expectativa de alguma coisa diferente? Achava que eu concordaria que minha esposa era um monstro?

Eu disse a Willy para dar um passo atrás, respirar fundo e se perguntar: Meg não era sua cunhada? Aquela instituição não era tóxica para qualquer novato? Na pior das hipóteses, se sua cunhada estava tendo problemas para se adaptar a um novo escritório, uma nova família, um novo país, uma nova cultura, ele não era capaz de cogitar seriamente a hipótese de dar a ela uma chance? *Não poderia apenas apoiá-la, ficar ao seu lado? Ajudá-la?*

Willy não estava interessado em um debate. Ele me procurou para ditar ordens de forma autoritária. Queria que eu concordasse que Meg estava errada e, ainda por cima, que eu concordasse em fazer alguma coisa a respeito.

Como o quê, por exemplo? Repreendê-la? Demiti-la? Divorciar-me dela? Eu não sabia. Mas Willy também não sabia, não era uma coisa racional. Toda vez que eu tentava pedir que ele se acalmasse, apontar a falta de lógica no que estava dizendo, ele ficava ainda mais exaltado e levantava a voz. Aí um atropelava a fala do outro, os dois berrando.

Entre todas as emoções diferentes e turbulentas que dominavam meu irmão naquela tarde, uma realmente me saltou aos olhos. Ele parecia *ofendido*, esmagado pela convicção de que eu não o estava obedecendo de maneira submissa, que eu estava sendo impertinente a ponto de repudiá--lo, de desafiá-lo, de refutar seu conhecimento, que vinha de assessores de confiança. O que estava em jogo era um roteiro que eu tive a audácia de não seguir. Meu irmão acionou o modo Herdeiro na máxima potência e não conseguia entender por que motivo eu não estava cumprindo o papel de Reserva.

Eu estava sentado no sofá, ele de pé diante de mim. Lembro-me de dizer: *Você precisa me ouvir, Willy.*

Ele não ouviu. Simplesmente não queria ouvir.

Justiça seja feita, ele pensava a mesma coisa a meu respeito.

Willy me xingou. Todo tipo de ofensa. Disse que eu me recusava a assumir a responsabilidade pelo que estava acontecendo. Disse que eu não me importava com meu escritório e com as pessoas que trabalhavam para mim.

Willy, me dê um exemplo de...

Ele me cortou, disse que estava tentando me ajudar.

É sério isso? Me ajudar? Desculpe — é assim que você chama isso? Me ajudar?

Por alguma razão, aquilo realmente tirou Willy do sério. Ele avançou na minha direção, xingando.

Até aquele momento eu estava me sentindo desconfortável, mas agora me sentia um pouco assustado. Eu me levantei e passei por ele para ir até a cozinha, até a pia. Ele me seguiu, me censurando, gritando.

Servi um copo de água para mim e outro para ele. Entreguei-lhe o copo. Acho que ele não tomou nem um gole.

Willy, não posso falar com você enquanto você estiver assim.

Ele pousou o copo de água, me xingou de novo, depois veio para cima de mim. Aconteceu tudo muito rápido. Muito rápido. Ele me pegou pelo colarinho, arrancando minha corrente, e me derrubou no chão. Aterrissei em cima da tigela dos cachorros, que quebrou sob meu peso. Fiquei lá deitado por um momento, atordoado, depois me pus de pé e pedi a ele que fosse embora.

Vamos lá, bata em mim! Você vai se sentir melhor se me bater!

Fazer o quê?

Vamos lá, a gente sempre costumava brigar. Você vai se sentir melhor se bater em mim!

Não, só você vai se sentir melhor se eu te bater. Por favor... vai embora.

Ele saiu da cozinha, mas não da casa. Percebi que estava na sala de estar. Permaneci na cozinha. Dois minutos se passaram, dois longos minutos. Ele voltou com ar arrependido e me pediu desculpas.

Ele caminhou até a porta da frente. Dessa vez eu fui atrás. Antes de sair, virou-se e disse em voz alta: *Você não precisa contar a Meg sobre isto.*

Que você me atacou?

Eu não ataquei você, Harold.

Tá legal. Não vou contar nada pra ela.

Ótimo, obrigado.

Ele saiu.

Olhei para o telefone. Promessa é promessa, eu disse a mim mesmo, então não podia ligar para a minha esposa, por mais que quisesse.

Mas eu precisava falar com alguém. Então liguei para a minha terapeuta. Graças a Deus ela atendeu.

Pedi desculpas pela intromissão e disse a ela que não sabia para quem mais ligar. Contei sobre a briga com Willy, que ele me derrubou no chão. Olhei para baixo e contei que minha camisa estava rasgada, minha corrente quebrada.

Eu disse a ela que tivemos um milhão de brigas físicas na vida. Quando crianças, não fazíamos outra coisa *além* de brigar. Mas agora parecia diferente.

A terapeuta me instruiu a respirar fundo e me pediu para descrever a cena várias vezes. A cada repetição a história ficava mais parecida com um pesadelo.

E me deixava um pouco mais tranquilo.

Eu disse a ela: *Estou orgulhoso de mim mesmo.*

Orgulhoso, Harry? Por quê?

Eu não revidei.

Mantive-me fiel à minha palavra, e não contei nada a Meg.

Porém, não muito tempo depois que voltou do Canadá, ela me viu saindo do chuveiro e sufocou um grito.

Haz, o que são esses arranhões e hematomas nas suas costas?

Eu não podia mentir para ela.

Ela não ficou surpresa, tampouco se enfureceu.

Ficou terrivelmente triste.

63.

Pouco depois desse dia, anunciou-se que as duas casas reais, Cambridge e Sussex, deixariam de compartilhar o mesmo escritório. Não trabalharíamos mais juntos em qualquer atividade ou função oficial. O Quarteto Fantástico... *finis*, já era.

A reação foi mais ou menos dentro do esperado. O público gemeu, os jornalistas vociferaram. A resposta mais desanimadora foi a da minha família. Silêncio. Jamais comentaram nada publicamente, jamais me disseram sequer uma palavra em âmbito reservado. Em momento algum papai entrou em contato comigo, vovó não me ligou. Isso me fez parar para pensar, pensar de verdade, sobre o silêncio em torno de tudo o que acontecia comigo e com Meg. Eu sempre disse a mim mesmo que, ainda que todos os meus familiares não condenassem explicitamente os ataques da imprensa, isso não significava que *compactuavam* com eles. Mas agora me perguntava: Isso é verdade? Como é que eu sei? Se nunca dizem nada, por que tantas vezes suponho saber como pensam?

E que estão inequivocamente do nosso lado?

Tudo o que me ensinaram, todas as coisas nas quais cresci acreditando a respeito da família e da monarquia, sobre sua imparcialidade essencial, sobre seu papel de unir em vez de dividir, estavam sendo minadas, postas em xeque. Era tudo falso? Era tudo apenas um show? Porque, se não éramos capazes de defender uns aos outros, de dar todo o apoio possível ao nosso mais novo membro, nosso primeiro membro birracial, então o que éramos de fato? Isso era uma monarquia constitucional de verdade? Isso era uma família de verdade?

"Um defender o outro" não é a primeira regra de toda família?

64.

Meg e eu transferimos nosso escritório para o Palácio de Buckingham.

E também nos mudamos para uma nova casa.

Frogmore estava pronta.

Ficamos apaixonados pelo lugar. Desde o primeiro minuto. Parecia que nosso destino era viver lá. Mal podíamos esperar para acordar de manhã, dar uma longa caminhada pelos jardins, bater papo com os cisnes. Especialmente o rabugento Steve.

Conhecemos os jardineiros da Rainha, sabíamos os nomes deles e os nomes de todas as flores. Eles se emocionavam de ver o quanto apreciávamos e elogiávamos seu trabalho artístico.

Em meio a toda essa mudança, nos reunimos com nossa nova chefe de comunicação, Sara. Traçamos com ela uma nova estratégia, cuja peça central era não ter absolutamente nada a ver com a Royal Rota, e esperávamos em breve recomeçar do zero.

No final de abril de 2019, dias antes de Meg dar à luz, Willy ligou.

Atendi no nosso novo jardim.

Alguma coisa havia acontecido entre ele, papai e Camilla. Não consegui entender toda a história, ele falou rápido demais e estava muito chateado. Na verdade, fervendo de raiva. Pelo visto, papai e Camilla haviam plantado uma história ou várias histórias sobre ele e Kate, e as crianças, e ele não aguentava mais. Dê a mão a papai e Camilla e eles vão querer o braço, Willy disse.

É a última vez que fazem isso comigo.

Eu me compadeci dele. Eles tinham feito o mesmo comigo e com Meg.

Mas tecnicamente não tinham sido eles; a culpa era do membro mais eufórico da equipe de comunicação de papai, uma devota que idealizou e lançou uma nova campanha com o intuito de obter repercussão midiática favorável para papai e Camilla às custas de nos difamar na imprensa. Fazia algum tempo que essa pessoa vinha vendendo a todos os jornais um punhado de histórias pouco lisonjeiras, histórias falsas, sobre o Herdeiro e o Reserva. Suspeitei que essa pessoa fosse a única fonte de matérias sobre uma viagem de caça que fiz à Alemanha em 2017, relatos que me faziam parecer um barão gordo do século XVII ávido por sangue e troféus, quando na verdade eu estava trabalhando junto com agricultores alemães para abater javalis e salvar suas colheitas. Eu estava convencido de que a história fora oferecida como moeda de troca para assegurar maior acesso a papai, e também como recompensa pelo abafamento de histórias sobre o filho de Camilla, que vagabundeava por Londres à procura de diversão, gerando rumores de mau gosto. Fiquei descontente por ter sido usado dessa maneira, e exasperado por fazerem isso com Meg, mas eu tinha que admitir: ultimamente o alvo mais frequente desse tipo de coisa vinha sendo Willy, que, com razão, estava furioso.

Willy já havia confrontado papai uma vez sobre essa mulher, cara a cara. Eu tinha ido junto, para lhe dar apoio moral. A cena aconteceu na Clarence House, no escritório de papai. Lembro-me das janelas abertas, das cortinas brancas infladas, entrando e saindo, então deve ter sido numa noite quente. Willy disse a papai: *Como o senhor pode deixar uma pessoa de fora da família fazer isso com seus filhos?*

Papai instantaneamente se aborreceu e começou a gritar que Willy estava paranoico. Nós dois estávamos. Só porque *nós* estávamos sendo criticados na imprensa e ele elogiado não significava que sua equipe estava por trás disso.

Mas tínhamos provas. Repórteres, dentro das redações dos jornais, nos asseguraram de que essa mulher estava traindo nossa confiança.

Papai se recusou a ouvir. Sua resposta foi grosseira, patética: *Vovó tem a pessoa dela, por que não posso ter a minha?*

Por "pessoa da vovó" ele se referia a Angela. Entre os muitos serviços que ela prestava a vovó, dizia-se que era hábil em plantar histórias.

Que comparação absurda, Willy disse. Por que alguém em sã consciência, ainda mais um homem adulto, iria querer ter sua própria Angela?

Mas papai continuou dizendo que vovó tinha a pessoa dela, vovó tinha a pessoa dela, e já passava da hora de ele ter sua própria pessoa também.

Fiquei feliz por Willy sentir que ainda podia falar comigo sobre papai e Camilla, mesmo depois de tudo o que havíamos passado nos últimos tempos. Vendo uma oportunidade de lidar com nossas recentes tensões, tentei relacionar o que papai e Camilla fizeram com ele ao que a imprensa havia feito com Meg.

Willy vociferou: *Eu tenho problemas diferentes com vocês dois!*

Num piscar de olhos, ele transferiu para mim toda a sua raiva. Não consigo lembrar quais foram suas palavras exatas, porque eu estava muito cansado de todas as nossas brigas — para não falar da recente mudança para Frogmore e para novos escritórios — e focado no iminente nascimento de nosso primeiro filho. Mas eu me recordo de cada detalhe físico da cena. Os narcisos em flor, a grama nova brotando, um jato decolando de Heathrow rumo ao leste, um voo excepcionalmente baixo, seus motores fazendo meu peito vibrar. Eu me lembro de pensar como era incrível ainda conseguir ouvir Willy por cima do ruído do jato. Era inimaginável como ainda podia restar tanta raiva nele depois do nosso confronto em Nott Cott.

Do outro lado da linha, Willy não parava de falar, e eu perdi o fio da meada. Não conseguia entender o que ele dizia e parei de tentar. Fiquei em silêncio, esperando que ele se acalmasse.

Nesse momento olhei para trás. Meg acabava de sair da casa e vinha caminhando em minha direção. Rapidamente tirei o telefone do viva-voz, mas ela já tinha ouvido. E Willy estava falando tão alto que, mesmo com o viva-voz desativado, ela conseguia escutar.

As lágrimas nos olhos dela cintilaram ao sol da primavera. Comecei a dizer alguma coisa, mas ela parou e balançou a cabeça.

Com as mãos na barriga, ela se virou e caminhou de volta para a casa.

65.

Doria se hospedou conosco para esperar o bebê chegar. Ela e Meg não se separavam. Nenhum de nós se afastava muito um do outro. Ficávamos todos sentados e à espera, volta e meia saíamos para uma ocasional caminhada, para olhar as vacas.

Assim que Meg passou uma semana da data prevista para o parto, a equipe de comunicação e o Palácio começaram a me pressionar. Quando chega o bebê? A imprensa não pode esperar para sempre, você sabe.

Oh. A imprensa está ficando frustrada? Deus não permita!

A médica de Meg havia tentado várias maneiras homeopáticas de fazer as coisas andarem, mas nosso pequeno visitante não queria saber de se mexer. (Não lembro se chegamos a testar a sugestão da vovó de dar um passeio de carro por uma rua esburacada.) Por fim, decidimos: Vamos nos certificar de que não há nada de errado. E vamos nos preparar caso a médica diga que está na hora.

Entramos em uma minivan discreta e genérica e escapamos de fininho de Frogmore sem alertar nenhum dos jornalistas estacionados nos portões. Era o último tipo de veículo em que eles suspeitariam nos ver. Pouco depois chegamos ao Hospital Portland e fomos levados às pressas para um elevador secreto, depois para um quarto privativo. Nossa médica entrou, deu uma olhada em Meg e disse que era hora de induzir o parto.

Meg estava calmíssima. Eu também estava tranquilo. Mas encontrei duas maneiras de *aumentar* minha calma. Um: o frango do restaurante Nando's. (Trazido por nossos guarda-costas.) Dois: um cilindro de gás hilariante ao lado da cama de Meg. Inalei várias doses rápidas e penetrantes. Sentada em cima de uma bola de pilates roxa fazendo movimentos circulares, maneira comprovada de dar um empurrãozinho na natureza, Meg riu e revirou os olhos.

Inalei várias outras doses, e agora eu também estava saltitando.

Quando as contrações começaram a acelerar e a se intensificar, uma enfermeira veio e tentou dar um pouco do óxido nitroso a Meg. Não havia sobrado nenhum. A enfermeira olhou para o cilindro, olhou para mim, e pude ver o pensamento surgindo lentamente: Meu Deus, o marido inalou tudo.

Desculpe, eu disse mansamente.

Meg riu, a enfermeira teve que rir, e rapidamente trocou o cilindro.

Meg entrou em uma banheira, coloquei uma música suave. Deva Premal: ela remixou mantras sânscritos na forma de hinos comoventes. (Premal afirmava ter ouvido seu primeiro mantra ainda no útero, entoado por seu pai, e quando ele estava à beira da morte, ela entoou para ele o mesmo mantra.) Coisa poderosa.

Em nossa mala de maternidade levamos as mesmas luzinhas que eu tinha posto no jardim na noite em que a pedi em casamento. Agora eu as pendurei no quarto do hospital. Também pus sobre a mesinha uma foto emoldurada da minha mãe. Ideia da Meg.

O tempo passou. As horas derreteram uma por cima da outra. Dilatação mínima.

Meg respirava devagar e profundamente para aliviar a dor. Mas a respiração profunda parou de funcionar. Ela estava com tanta dor que precisou de uma epidural.

O anestesista entrou apressado. Desliguei a música, acendi as luzes. Uau. Mudança de clima.

O anestesista aplicou uma injeção na base da coluna.

Mesmo assim a dor não passou. O medicamento aparentemente não estava chegando aonde precisava.

Ele voltou, repetiu o procedimento.

Agora as coisas se aquietaram e se aceleraram.

A obstetra de Meg voltou, enfiou as duas mãos em um par de luvas de borracha. *Chegou a hora, pessoal.* Eu me posicionei na cabeceira da cama, segurando a mão de Meg, encorajando-a. *Empurre, meu amor. Respire.* A médica deu a Meg um espelhinho de mão. Tentei não olhar, mas não consegui. De relance, vi um reflexo da cabeça do bebê aparecendo. Entalada. O cordão umbilical enrolado. *Ah, não, por favor, não.* A médica ergueu os olhos, a boca enrijecida de uma maneira específica. As coisas estavam ficando sérias.

Eu disse a Meg: *Meu amor, preciso que você empurre.*

Eu não lhe disse por quê. Não contei a ela sobre o cordão umbilical, não falei da possibilidade de uma cesariana de emergência. Eu disse apenas: *Dê tudo o que você tem.*

E ela deu.

Vi o rostinho, o pescoço, o peito e os bracinhos, contorcendo-se, revirando-se. Vida, vida — extraordinário! Eu pensei: Uau, realmente tudo começa com uma luta pela liberdade.

Uma enfermeira enrolou o bebê numa toalha e o depositou em cima do peito de Meg e nós dois choramos ao vê-lo, ao conhecê-lo. Um menininho saudável, e estava *aqui.*

Nossa médica aiurvédica nos aconselhara que, no primeiro minuto de vida, um recém-nascido absorve tudo o que lhe é dito. *Então sussurrem para o bebê, contem ao bebê o que desejam para ele, falem de seu amor. Digam.*

Nós dissemos.

Não me lembro de ter telefonado para ninguém nem de ter enviado mensagens de texto. Lembro-me de ver as enfermeiras fazendo exames no meu filhinho que tinha apenas uma hora de vida, enquanto eu implorava ao hospital que agilizasse toda a papelada da alta. Eles fizeram isso, e fomos embora de lá. Elevador, estacionamento subterrâneo, minivan, pé na estrada. Duas horas depois de nosso filho nascer, estávamos de volta a Frogmore. O sol nasceu e estávamos a portas fechadas antes da divulgação do anúncio oficial...

Informando que Meg entrou em trabalho de parto?

Eu me desentendi com Sara por causa disso. Ela não está mais em trabalho de parto, eu disse.

Ela explicou que era preciso dar à imprensa a história dramática e cheia de suspense que os jornalistas exigiam.

Mas isso não é verdade, aleguei.

Ah, a verdade não importava. Manter as pessoas sintonizadas no show, esse era o objetivo.

Depois de algumas horas, eu estava em pé nos estábulos de Windsor, anunciando ao mundo: É um menino. Dias depois, divulgamos ao mundo o nome: Archie.

Os jornais ficaram furiosos. Alegaram que tínhamos passado a perna neles.

E era verdade.

Eles julgaram que, ao fazer isso, tínhamos sido... maus parceiros?

Espantoso. Eles ainda pensavam em nós como parceiros? Realmente esperavam deferência especial, tratamento preferencial — considerando a maneira como haviam nos tratado nos últimos três anos?

E foi aí que eles mostraram ao mundo que tipo de "parceiros" realmente eram. Um apresentador de rádio da BBC postou em suas redes sociais uma foto — um homem e uma mulher de mãos dadas com um chimpanzé.

A legenda dizia: *Bebê real deixa o hospital.*

66.

Tomei um demorado chá com vovó, pouco antes de ela partir para Balmoral. Fiz uma recapitulação de todos os últimos eventos. Ela sabia um pouco, mas preenchi lacunas importantes.

Ela parecia chocada.

Pavoroso, ela disse.

Ela prometeu enviar o Abelha para falar conosco.

Passei a vida lidando com cortesãos, dezenas deles, mas agora lidava exclusivamente com três, todos homens brancos de meia-idade que conseguiram consolidar seu poder por meio de uma série de manobras ousadas e maquiavélicas. Eles tinham nomes normais, nomes extremamente britânicos, mas era mais fácil classificá-los em categorias zoológicas. O Abelha. O Mosquito. E o Vespa.

O Abelha tinha o rosto oval e felpudo e tendia a deslizar de um lado para outro com grande tranquilidade e compostura, como se fosse uma bênção para todas as coisas vivas. Ele era tão sereno e empertigado que as pessoas não o temiam. Grande erro. Às vezes, o último erro que cometiam.

O Mosca passou grande parte de sua carreira ao lado da merda, e de fato, sendo atraído pela merda. Adorava o refugo do governo e da mídia, as vísceras verminosas, engordava com os restos, esfregava as mãos de alegria diante do rebotalho, embora fingisse o contrário. Ele se esforçava para transparecer um ar de despreocupação, de alguém que não se envolve em confusão, friamente eficiente e sempre prestativo.

O Vespa era esguio, charmoso, arrogante, uma bola de energia atuante. Ele era ótimo em fingir ser educado, até mesmo servil. Você afirmava um fato, uma coisa aparentemente irrefutável — *Creio que o sol nasce todo dia pela manhã* —, e ele gaguejava que talvez fosse melhor considerar por um momento a possibilidade de você estar mal informado: *Bem, he-he, eu não tenho tanta certeza quanto a isso, Sua Alteza Real, sabe, tudo depende do que se entende por manhãs, senhor.*

Como ele parecia muito mirrado, muito modesto, você poderia ficar tentado a não recuar, e em vez disso insistir em seu ponto de vista, e era aí que o Vespa incluía seu nome na lista dele. Pouco tempo depois, sem aviso, picava você com uma dolorosa cravada de seu descomunal ferrão, a ponto de deixá-lo atordoado, perguntando-se, aos berros: *Porra, de onde veio isso?*

Eu não gostava desses homens, e eles não tinham nenhuma utilidade para mim. Eles me consideravam, na melhor das hipóteses, irrelevante, e, na pior, estúpido. Acima de tudo, sabiam como eu os via: como usurpadores. No fundo, eu temia que cada um desses homens se sentisse o Único e Verdadeiro Monarca, que cada um deles estivesse se aproveitando de uma Rainha de noventa e poucos anos, desfrutando de sua posição influente enquanto apenas aparentavam servir.

Chegara a essa conclusão depois de experimentar na pele. Um exemplo: Meg e eu consultamos o Vespa com relação à atuação da imprensa, e ele concordou conosco que a situação era abominável, que precisava ser interrompida antes que alguém se machucasse. *Sim! Vocês não ouvirão de nossa parte nenhum senão acerca disso!* Ele sugeriu que o Palácio convocaria uma reunião de cúpula com todos os principais editores, para discutir nosso caso.

Finalmente, eu disse a Meg, alguém entendeu.

Nunca mais tivemos notícias dele.

Por causa disso me mantive cético quando a vovó se ofereceu para nos enviar o Abelha. Mas eu disse a mim mesmo para manter a mente aberta. Talvez dessa vez fosse diferente, porque dessa vez vovó o estava despachando pessoalmente.

Dias depois, Meg e eu recebemos o Abelha em Frogmore, e o deixamos à vontade em nossa nova sala de estar, oferecemos a ele uma taça de rosé, fizemos uma apresentação detalhada. Ele tomava notas meticulosas, volta e meia pondo a mão sobre a boca e balançando a cabeça. Disse que tinha visto as manchetes, mas não avaliara todo o impacto que isso poderia ter em um jovem casal.

Esse dilúvio de ódio e mentiras, ele disse, era sem precedentes na história britânica. *Incomparável a qualquer coisa que eu já tenha visto.*

Obrigado, dissemos. Obrigado por compreender.

Ele prometeu discutir o assunto com todas as partes necessárias e assegurou que voltaria em breve com um plano de ação, um conjunto de soluções concretas.

Nunca mais ouvimos falar dele.

67.

Meg e eu estávamos ao telefone com Elton John e seu marido David, e confessamos: Precisávamos de ajuda.

Estamos meio que perdendo a cabeça aqui, caras.

Venham ficar com a gente, Elton propôs.

Ele estava se referindo à casa que tinham na França.

Verão de 2019.

Então fomos. Durante alguns dias, sentados no terraço deles, aproveitamos o sol. Passamos longos momentos de cura contemplando o mar azul-celeste, e parecia uma coisa hedonista, não apenas por causa do cenário luxuoso. Liberdade de qualquer tipo, em qualquer medida, passara a parecer um luxo escandaloso. Estar fora do aquário, mesmo que por uma tarde, era como o dia da libertação da prisão.

Uma tarde fizemos um passeio de scooter com David ao redor da baía local, descendo a estrada costeira. Pilotei, e Meg foi na garupa, estendendo os braços e gritando de alegria enquanto passávamos zunindo pelos vilarejos, farejando os jantares das pessoas pelas janelas abertas, acenando para as crianças que brincavam nos jardins. Todas retribuíam o aceno e sorriam. Não nos conheciam.

A melhor parte da visita foi ver Elton e David e seus dois meninos se apaixonarem por Archie. Muitas vezes eu flagrava Elton estudando o rosto de Archie e sabia o que estava pensando: Mamãe. Eu sabia porque acontecia muitas vezes comigo também. Volta e meia eu via uma expressão perpassar o rosto de Archie, e isso me paralisava. Quase contei a Elton sobre o quanto gostaria que minha mãe pudesse segurar no colo seu netinho, sobre quantas vezes acontecia de, enquanto eu abraçava Archie, sentir minha mãe — ou querer senti-la. Cada abraço no meu filho era tingido de nostalgia; toda vez que eu punha o menino no berço para dormir tinha um toque de luto.

Existe alguma coisa mais propensa a pôr a pessoa cara a cara com o passado do que a paternidade?

Na última noite estávamos todos sentindo na pele aquele conhecido mal-estar de fim de feriado: *Por que não pode ser assim para sempre?* Zanzávamos do terraço para a piscina, e de novo da piscina para o terraço,

Elton oferecendo coquetéis, David e eu batendo papo sobre o noticiário. E sobre a situação lamentável da imprensa. E o que isso significava para a situação da Grã-Bretanha.

Passamos a falar de livros. David mencionou as memórias de Elton, nas quais ele vinha trabalhando arduamente havia anos. Finalmente a obra fora concluída, Elton estava muito orgulhoso disso, e a data de publicação se aproximava.

Bravo, Elton!

Elton mencionou que o livro seria publicado em capítulos.

Ah, é?

Sim. No Daily Mail.

Ele viu meu rosto. Rapidamente desviou o olhar.

Elton, mas que...?

Eu quero que as pessoas leiam!

Mas, Elton...? As mesmas pessoas que fizeram da sua vida um inferno?

Exatamente. Qual é o melhor veículo para publicar capítulos do meu livro? Há lugar melhor do que o próprio jornal que tem sido tão venenoso comigo a minha vida inteira?

Qual é o melhor veículo? Eu... eu não entendo.

Era uma noite quente, por isso eu já estava suando. Mas agora as gotas de suor pingavam da minha testa. Fiz questão de lembrar Elton das mentiras específicas que todo mundo sabia que o *Mail* publicara sobre ele. Mas que inferno — ele tinha processado o jornal havia pouco mais de uma década, depois que repórteres alegaram que, durante um evento beneficente, Elton proibiu as pessoas de lhe dirigirem a palavra.

No fim das contas o *Mail* teve de preencher um cheque de 100 mil libras para ele.

Trouxe à tona a excepcional declaração que o próprio Elton tinha dado em uma entrevista: "Eles podem dizer que sou um velho gordo. Podem dizer que sou um imbecil sem talento. Podem me chamar de bicha. Mas não podem dizer mentiras a meu respeito".

Ele ficou sem resposta.

Mas não insisti.

Eu o amava. Sempre vou amá-lo.

E eu também não queria estragar as férias.

68.

Foi glorioso ver um país inteiro se apaixonar por minha esposa.

A África do Sul, claro está.

Setembro de 2019.

Mais uma turnê em terras estrangeiras representando a Rainha, e mais um triunfo. Da Cidade do Cabo a Johanesburgo, as pessoas não se cansavam de Meg.

Portanto, alguns dias antes de voltarmos para casa, nós dois nos sentíamos um pouco mais confiantes, um pouco mais corajosos, quando vestimos nossa armadura de batalha e anunciamos a decisão de entrar com processos judiciais contra três dos quatro tabloides britânicos (incluindo aquele que publicara a carta de Meg ao pai) por sua conduta vergonhosa e por sua prática de longa data de invadir os telefones das pessoas.

Em parte, isso se deveu a Elton e David. No final de nossa mais recente visita, eles haviam nos apresentado a um advogado, um conhecido deles, um sujeito adorável que sabia mais sobre o escândalo de hackeamento de telefones do que qualquer pessoa que eu já conheci. Ele compartilhou comigo sua experiência, além de um monte de provas do tribunal, e quando eu lhe disse que gostaria de poder fazer alguma coisa a respeito, quando reclamei que todas as nossas iniciativas tinham sido bloqueadas pelo Palácio, ele ofereceu uma solução que, de tão elegante, era de tirar o fôlego.

Por que não contratar seu próprio advogado?

Eu gaguejei: *Você quer dizer... está me dizendo que poderíamos...?*

Que ideia. Isso nunca tinha me ocorrido.

Eu tinha sido totalmente condicionado a fazer o que me mandavam.

69.

Liguei para a vovó para lhe contar de antemão. Avisei papai também. E mandei uma mensagem para Willy.

Também entrei em contato com o Abelha, notificando-o com antecedência sobre o processo, informando-o de que já tínhamos uma declaração pronta, pedindo-lhe que redirecionasse a nosso escritório todas as perguntas que a imprensa inevitavelmente faria. Ele nos desejou sorte! Foi divertido, portanto, quando eu soube que ele e o Vespa alegaram não terem recebido nenhum aviso prévio.

Ao anunciar o processo, expus ao mundo os argumentos do meu caso:

Minha esposa se tornou uma das vítimas mais recentes de um tabloide britânico que move campanhas difamatórias contra pessoas sem pensar nas consequências — uma campanha cruel que se intensificou no ano passado, durante toda a gravidez e enquanto criávamos nosso filho recém-nascido. [...] Não tenho palavras para descrever o quando tem sido doloroso. [...] Embora esta ação possa não ser a mais segura, é a correta. Porque meu medo mais profundo é a história se repetir. [...] Perdi minha mãe e agora assisto à minha esposa sendo vítima das mesmas forças poderosas.

O processo não teve uma cobertura tão ampla quanto, digamos, a ousadia de Meg em fechar a porta do próprio carro. Na verdade, quase não teve repercussão alguma na mídia. No entanto, os amigos deram atenção. Muitos mandaram mensagens: *Por que agora?*

Simples. Dali a poucas semanas as leis de privacidade na Grã-Bretanha mudariam a favor dos tabloides. Queríamos que nosso caso chegasse aos tribunais antes que uma regra desvantajosa fosse introduzida no jogo.

Amigos também perguntaram: *Por que processar agora, quando vocês estão em alta na imprensa? A turnê na África do Sul foi um sucesso, a cobertura foi extremamente positiva.*

Este é o ponto, expliquei. *Não se trata de querer ou precisar de uma boa imagem na imprensa. A questão é não deixar as pessoas escaparem impunes dos abusos. E das mentiras. Especialmente o tipo de mentira que pode destruir inocentes.*

Talvez eu soasse um pouco arrogante. Talvez desse a impressão de pedantismo, de estar no alto de um pedestal. Mas logo depois de anunciar nosso processo, senti-me energizado por uma história medonha publicada no *Express*.

Como as flores de Meghan Markle podem ter posto em risco a vida da princesa Charlotte.

Esse último "escândalo" dizia respeito às tiaras de flores usadas pelas nossas damas de honra, mais de um ano antes. Incluídos nas coroas havia alguns lírios-do-vale, que podem ser venenosos para as crianças. Contanto que as crianças *comam* os lírios.

Mesmo assim, a reação seria de algum desconforto, preocupante para os pais, mas apenas nos casos mais raros seria fatal.

Pouco importava o fato de que essas tiaras tivessem sido arranjadas por um florista oficial. De nada adiantava saber que a "decisão perigosa" não havia sido tomada por Meg. Não importava que noivas reais anteriores, incluindo Kate e minha mãe, também tivessem usado lírios-do-vale.

Nada disso importava. A história de "Meghan, a assassina" era boa demais.

A fotografia que acompanhava a matéria mostrava minha pobre sobrinha usando a coroa com flores, o rosto contorcido em um paroxismo de agonia, ou um espirro. Ao lado dessa foto, uma imagem de Meg parecendo sublimemente despreocupada com a morte iminente da angelical criança.

70.

Fui chamado ao Palácio de Buckingham. Um almoço com vovó e papai. O convite fora feito em um e-mail conciso do Abelha, e o tom não era: Você gostaria de dar uma passadinha aqui?

Estava mais para: Mexa sua bunda e venha para cá agora.

Vesti um terno, pulei no carro.

O Abelha e o Vespa foram os primeiros rostos que vi. Uma emboscada. Achei que era um almoço de família. Parecia não ser o caso.

Sozinho, sem meus assistentes, sem Meg, fui questionado sobre meu processo na justiça. Meu pai disse que era tremendamente danoso à reputação da família.

Como assim?

Isso torna complicada nossa relação com a mídia.

Complicada. Boa palavra.

Qualquer coisa que você faça afeta toda a família.

Pode-se dizer o mesmo sobre todas as suas ações e decisões. Elas também nos afetam. Como, por exemplo, tomar vinho e jantar com os mesmos editores e jornalistas que vivem difamando a mim e à minha esposa...

O Abelha (ou o Vespa) entrou na conversa para me lembrar: *É necessário ter um relacionamento com a imprensa... Senhor, já discutimos isso antes!*

Um relacionamento sim, mas não um caso sórdido.

Tentei uma nova tática: *Todos nesta família já processaram a imprensa, incluindo a vovó. Por que agora é diferente?*

Grilos cricrilando. Silêncio.

Nova rodada de acaloradas discussões, até que por fim eu disse:

Não tínhamos outra opção. E não precisaríamos ter feito isso se todos vocês nos protegessem. E, no processo, protegessem a monarquia. Ao não protegerem minha esposa, vocês estão fazendo um desserviço a si mesmos.

Olhei ao redor da mesa. Rostos de pedra. Era incompreensão? Dissonância cognitiva? Um plano de longo prazo em ação? Ou... eles realmente não sabiam? Viviam nas profundezas abissais de uma bolha dentro de uma bolha a ponto de realmente não perceberem como as coisas estavam ruins?

Por exemplo, a revista *Tatler* citando um velho etoniano dizendo que me casei com Meg porque "estrangeiras" como ela são "mais fáceis" do que garotas "com a origem certa".

Ou o *Daily Mail* dizendo que Meg estava "subindo na vida", porque ascendeu socialmente de "escrava à realeza" em apenas 150 anos.

Ou as postagens em redes sociais afirmando que ela era uma "garota de iates" e uma "acompanhante", ou chamando-a repetidamente de "interesseira" e "prostituta" e "cadela" e "vadia" e "negrinha". Algumas dessas postagens estavam na seção de comentários nas páginas oficiais dos três palácios — e ainda não haviam sido apagadas.

Ou o tuíte em que se lia: "Cara duquesa, não estou dizendo que odeio você, mas espero que sua próxima menstruação aconteça dentro de um tanque de tubarões".

Ou a revelação de mensagens de texto racistas de autoria de Jo Marney, namorada de Henry Bolton, líder do UKIP,[*] incluindo uma em que vaticinava que minha "noiva negra" americana "mancharia" a Família Real, preparando o palco para "um rei negro", e outra asseverando que a srta. Marney jamais faria sexo com "um negro".

"Aqui é a Grã-Bretanha, não a África."

---

[*] Partido de Independência do Reino Unido, de extrema direita. (N. T.)

Ou o *Mail* reclamando que Meg não tirava nunca as mãos da barriga de grávida, que ela esfregava e esfregava feito um súcubo.

As coisas ficaram tão fora de controle que 72 mulheres no Parlamento, de todos os partidos, condenaram os "tons coloniais" de toda a cobertura jornalística dispensada à duquesa de Sussex.

Nenhuma dessas coisas mereceu um único comentário, nem público nem privado, de minha família.

Eu sabia como eles racionalizavam tudo, alegando que não era nem um pouco diferente do tratamento que Camilla recebia. Ou Kate. Mas era diferente. Um estudo analisou detidamente quatrocentos tuítes abomináveis sobre Meg. Uma equipe de especialistas em dados e analistas de computação forense concluiu que essa avalanche de ódio era extremamente atípica, a anos-luz de qualquer coisa dirigida a Camilla ou Kate. Um tuíte chamando Meg de "rainha da ilha dos macacos" não tinha precedente histórico ou equivalente.

E não se tratava de sentimentos magoados ou egos feridos. O ódio tinha efeitos físicos. Havia uma tonelada de dados científicos comprovando o quanto é insalubre ser publicamente odiado e ridicularizado. Por sua vez, os efeitos sociais mais amplos eram ainda mais assustadores. Certos tipos de pessoas são mais suscetíveis a esse ódio, e são instigados por ele. Daí um pacote com pó branco suspeito ter sido enviado ao nosso escritório, com uma nojenta mensagem racista anexada.

Olhei para vovó, encarei cada um dos presentes na sala, lembrei a todos que Meg e eu estávamos lidando com uma situação totalmente singular, e fazendo tudo sozinhos. Nossa dedicada equipe era muito pequena, muito jovem, e subfinanciada de uma forma asquerosa.

O Abelha e o Vespa limparam a garganta, e em tom de desaprovação alegaram que devíamos ter avisado que contávamos com poucos recursos.

Avisado? Rebati, afirmando que implorei repetidamente a todos eles, e um de nossos principais assessores também enviou pedidos — várias vezes.

Vovó olhou diretamente para o Abelha: *Isso é verdade?*

O Abelha a fitou bem nos olhos e, com o Vespa assentindo em consentimento, declarou: *Sua Majestade, jamais recebemos nenhum desses pedidos de apoio.*

71.

Meg e eu participamos dos prêmios WellChild, evento anual que homenageia crianças acometidas por doenças graves. Outubro de 2019.

Patrono da instituição desde 2007, eu já havia participado da premiação muitas vezes ao longo dos anos, e sempre era devastador. As crianças eram tão corajosas, seus pais e mães tão orgulhosos — e sofridos. Nessa noite foram concedidos vários prêmios por inspiração e coragem no enfrentamento das adversidades, e me coube entregar uma das distinções a uma criança em idade pré-escolar especialmente resiliente.

Subi ao palco, comecei meus breves comentários e avistei o rosto de Meg. Lembrei-me de um ano antes, quando ela e eu estávamos no mesmo evento poucos dias depois de fazer o teste de gravidez em casa. Cheios de esperança e preocupação, como todos os futuros pais e mães, e agora tínhamos um menininho saudável em casa. Mas os pais, mães, filhos e filhas lá presentes não tiveram tanta sorte. Gratidão e simpatia convergiram em meu coração, e eu engasguei. Incapaz de pronunciar as palavras, agarrei com força o púlpito e me inclinei para a frente. O apresentador, que era amigo da minha mãe, se aproximou e massageou meus ombros. Isso ajudou, bem como a explosão de aplausos, que me deu um momento para recompor minhas cordas vocais. Logo depois, recebi uma mensagem de texto de Willy, que estava no Paquistão em turnê oficial. Ele disse que era evidente que eu enfrentava sérias dificuldades e que estava preocupado comigo.

Agradeci por sua preocupação, assegurei-lhe que estava bem. Ficara emocionado na frente de um salão cheio de crianças doentes e seus pais e mães logo depois de me tornar pai — nada de anormal nisso.

Ele insistiu que eu não estava bem. E repetiu que eu precisava de ajuda.

Eu o lembrei de que estava fazendo terapia. Na verdade, pouco tempo antes ele pedira para me acompanhar à sessão com a minha terapeuta, porque suspeitava que eu estivesse sofrendo uma "lavagem cerebral".

Então venha, eu disse. *Vai ser bom para você. Vai ser bom para nós.*

Ele nunca foi.

Sua estratégia era flagrantemente óbvia: eu não estava bem, o que significava que eu era insensato. Como se todo o meu comportamento precisasse ser questionado.

Esforcei-me com afinco para manter a civilidade. No entanto, a troca de mensagens se transformou numa discussão, que se estendeu por mais de 72 horas. O vaivém de farpas foi se arrastando, o dia todo, madrugada a dentro — nunca tínhamos brigado assim antes por causa de uma mensagem. Com raiva, mas também a quilômetros de distância, como se estivéssemos falando línguas diferentes. Vez ou outra eu me dava conta de que meu pior medo estava se tornando realidade: depois de meses de terapia, de trabalhar duro para me tornar mais consciente, mais independente, eu era um desconhecido para meu irmão mais velho. Ele não conseguia mais se identificar comigo — me tolerar.

Ou talvez fosse apenas o estresse dos últimos anos, das últimas décadas, finalmente irrompendo.

Salvei as mensagens de texto. Ainda as tenho. Às vezes eu as releio, com tristeza, com perplexidade, pensando: Como foi que chegamos nesse ponto?

Em suas últimas mensagens, Willy escreveu que me amava. Que se importava profundamente comigo. Que faria o que fosse preciso para me ajudar.

Ele me pediu que nunca duvidasse disso.

72.

Meg e eu conversamos sobre a possibilidade de escapar, mas dessa vez não estávamos falando sobre um dia em Wimbledon ou um fim de semana com Elton.

Estávamos falando em fugir.

Um amigo conhecia alguém que tinha uma casa que poderíamos alugar na ilha de Vancouver. Um lugar silencioso, verde — aparentemente remoto. Acessível apenas por balsa ou avião, esse amigo nos disse.

Novembro de 2019.

Protegidos pela escuridão, chegamos com Archie, Guy, Pula e nossa babá, em uma noite de tempestade, e passamos os dias seguintes tentando relaxar. Não foi difícil. Do raiar do dia ao anoitecer, não precisávamos pensar em nos esquivar de emboscadas. A casa ficava na borda de uma floresta verdejante, com grandes jardins onde Archie e os cachorros podiam brincar, e era quase circundada pelo mar limpo e frio. Eu podia dar um mergulho revigorante todas as manhãs. O melhor de tudo é que ninguém sabia que estávamos lá. Fazíamos caminhadas, passeávamos de caiaque, brincávamos — em paz.

Depois de alguns dias, precisávamos de suprimentos. Nós nos aventuramos timidamente, descemos de carro a estrada até a vila mais próxima, percorremos a pé a calçada como personagens de um filme de terror. De onde virá o ataque? De qual direção?

Mas não aconteceu. As pessoas não surtaram. Não nos encararam. Não sacaram seus celulares. Todas sabiam, ou sentiam, que estávamos passando por alguma coisa. Elas nos deram espaço e, ao mesmo tempo, com um sorriso amável, um aceno, conseguiram nos dar a sensação de que éramos bem-vindos, parte de uma comunidade. Eles nos fizeram sentir normais.

Por seis semanas.

Até que o *Daily Mail* publicou nosso endereço.

Em poucas horas a casa já estava cercada por barcos. Uma invasão total pelo mar. Todos os barcos estavam equipados com câmeras teleobjetivas, dispostas como armas ao longo do convés, e todas as lentes apontavam para nossas janelas. Para o nosso menino.

Adeus, brincadeiras nos jardins.

Agarramos Archie e o puxamos para dentro de casa.

Eles filmavam e tiravam fotos através das janelas da cozinha durante as refeições do menino.

Abaixamos as persianas.

Quando voltamos de carro à cidadezinha, havia quarenta paparazzi ao longo do caminho. Quarenta. Nós contamos. Alguns nos perseguiram. Em nosso empório favorito, agora havia uma placa queixosa pendurada na vitrine: Sem imprensa.

Corremos de volta para casa, cerramos ainda mais as persianas, voltamos a uma espécie de crepúsculo permanente.

Meg disse que havia oficialmente fechado um ciclo. De volta ao Canadá, com medo de abrir as cortinas.

Mas as cortinas não eram suficientes. Câmeras de segurança ao longo da cerca dos fundos da propriedade logo pegaram um jovem esquelético andando de um lado para outro, espiando, procurando uma maneira de entrar. E tirando fotos por cima da cerca. Ele vestia um imundo colete acolchoado, calças sujas que se avolumavam em torno dos sapatos esfarrapados, e parecia capaz de qualquer baixeza. Qualquer uma. Seu nome era Steve Dennett. Ele era um paparazzo freelance que já havia nos espionado antes, a serviço da agência *Splash!*

Ele era uma praga. Mas talvez o próximo cara fosse mais do que uma praga.

Não podemos ficar aqui, concluímos.

Por outro lado...

Por mais breve que tivesse sido, aquele gostinho de liberdade nos fez parar para pensar. E se a vida pudesse ser assim... o tempo todo? E se pudéssemos passar pelo menos parte de cada ano em algum lugar distante, ainda trabalhando para a Rainha, mas fora do alcance da imprensa?

Livres. Livres da imprensa, livres do drama, livres das mentiras. Mas também livres do suposto "interesse público", que era o argumento utilizado para justificar a frenética cobertura sobre a nossa vida.

A questão era... onde?

Cogitamos a Nova Zelândia. Conversamos sobre a África do Sul. Metade do ano na Cidade do Cabo, talvez? Poderia ser maravilhoso. Longe do drama, mais perto do meu trabalho de conservação ambiental — e de dezoito outros países da Commonwealth.

Eu já havia apresentado a ideia a vovó uma vez. Ela inclusive dera sinal verde. E apresentara também ao papai, na Clarence House, com a presença do Vespa. Ele me dissera para pôr a coisa por escrito, o que eu fiz imediatamente. Em poucos dias a notícia estava em todos os jornais e causou uma confusão dos diabos. Assim, agora, no final de dezembro de 2019, conversando ao telefone com papai, reiterando que nunca falara tão sério sobre passar parte do ano longe da Grã-Bretanha, não aceitei quando ele respondeu que eu deveria pôr aquilo por escrito.

Sim, hã, eu já fiz isso, papai. E nosso plano imediatamente vazou e foi arruinado.

Eu não posso ajudar se você não expuser seu plano por escrito, menino querido. Essas coisas têm que passar pelo governo.

Pelo amor de...

Pois bem. Nos primeiros dias de janeiro de 2020, enviei-lhe uma carta em papel timbrado, com um carimbo de PRIVADA E CONFIDENCIAL, delineando amplamente a ideia, destacando item por item os objetivos, com profusão de detalhes, martelando o tema essencial: estávamos preparados para fazer qualquer sacrifício necessário a fim de encontrar um pouco de paz e segurança, inclusive renunciar aos nossos títulos.

Liguei para saber o que ele achava.

Ele não atendeu o telefone.

Logo recebi um longo e-mail dele dizendo que teríamos que nos sentar para discutir a coisa toda. Queria que fôssemos o quanto antes.

O senhor está com sorte, papai! Estou voltando para a Grã-Bretanha nos próximos dias — para ver a vovó. Então... quando podemos nos encontrar?

Não antes do final de janeiro.

O quê? Isso é daqui a mais de um mês.

Estou na Escócia. Não consigo chegar antes disso.

Espero de verdade que possamos conversar mais sobre o assunto sem que ele se torne público e vire um circo.

Ele respondeu com o que pareceu um agourenta ameaça: *Você estará desobedecendo a ordens da monarca e minhas se persistir nessa decisão antes que tenhamos a chance de nos sentar para discutir.*

73.

Liguei para vovó no dia 3 de janeiro.

Estamos voltando para a Grã-Bretanha, eu disse. Adoraríamos ver a senhora.

Eu disse explicitamente que esperávamos discutir com ela nosso plano de criar um esquema de trabalho diferente.

Ela não ficou contente. Tampouco chocada. Sabia como estávamos infelizes, e já tinha antevisto que esse dia chegaria.

Uma boa conversa com minha avó, eu achava, poria um ponto-final à nossa provação.

Eu disse: *Vovó, a senhora está livre?*

Sim, claro! Estou livre a semana toda. A agenda está vazia.

Isso é ótimo. Meg e eu podemos aparecer aí para tomar chá e depois volta-mos para Londres. Temos um compromisso na Canada House no dia seguinte.

Vocês querem ficar aqui? Ficarão exaustos da viagem.

"Aqui" era Sandringham. Sim, seria mais fácil, foi o que eu disse a ela.

Isso seria maravilhoso, obrigado.

Você planeja ver seu pai também?

Eu pedi, mas ele disse que é impossível. Ele está na Escócia e não pode partir até o final do mês.

Ela soltou um muxoxo. Um suspiro ou grunhido de quem entendia. Tive que rir.

Ela disse: *Eu só tenho uma coisa a dizer sobre isso.*

Sim?

Seu pai sempre faz o que quer.

Dias depois, em 5 de janeiro, quando Meg e eu embarcamos no avião em Vancouver, recebi um recado desesperado de nossa equipe, que havia recebido uma nota desvairada do Abelha. Vovó não poderia me ver. *Inicialmente, Sua Majestade julgava que seria possível, mas não será... O duque de Sussex não pode vir a Norfolk amanhã. Sua Majestade poderá agendar outra reunião ainda este mês. Nenhum tipo de anúncio sobre qualquer tema deverá ser emitido até que a supracitada reunião ocorra.*

Eu disse a Meg: Estão me impedindo de ver minha própria avó.

Tão logo pousamos, cogitei ir de carro diretamente a Sandringham de qualquer maneira. Para o inferno o Abelha. Quem era ele para tentar me tolher? Imaginei nosso carro sendo parado no portão pela polícia do Palácio. Imaginei-me passando a toda velocidade pela segurança, arrebentando o portão, que voaria por cima do capô. Uma fantasia divertida, e uma maneira prazerosa de passar o tempo no trajeto desde o aeroporto, mas não. Eu teria que dar tempo ao tempo.

Quando chegamos a Frogmore, liguei novamente para vovó. Imaginei o telefone tocando em sua escrivaninha. Eu podia de fato ouvi-lo em minha mente, *rrring*, igual ao telefone vermelho na barraca de Altíssima Prontidão.

Tropas em contato!

Aí ouvi a voz dela.

Alô?

Oi, vovó, é o Harry. Desculpe, devo ter entendido errado no outro dia, quando a senhora disse que não tinha nenhum compromisso hoje.

Surgiu uma coisa de que eu não sabia.

Sua voz estava estranha.

Posso dar uma passada aí amanhã então, vovó?

Hã, bem, estou ocupada a semana toda.

Pelo menos, ela acrescentou, foi o que o Abelha lhe disse...

Ele está na sala com a senhora, vovó?

Nenhuma resposta.

74.

Sara nos contou que o *Sun* estava prestes a publicar uma matéria dizendo que o duque e a duquesa de Sussex se afastariam de seus deveres reais para passar mais tempo no Canadá. Dizia-se que um homenzinho triste, editor da seção de entretenimento do jornal, era o principal repórter da matéria.

Por que ele? Por que, de todas as pessoas, logo o cara do entretenimento?

Porque ultimamente ele se transformara numa espécie de quase correspondente da realeza, em grande parte por causa de seu relacionamento com certo amigo próximo da secretária de comunicação de Willy — que lhe repassava fofocas triviais (e sobretudo falsas).

Ele com certeza erraria tudo, levando-se em conta os enormes equívocos que cometera em seu último grande "furo exclusivo", o episódio Tiaragate. Eram favas contadas que conseguiria enfiar sua história no jornal o mais rápido possível, porque provavelmente trabalhava em conluio com o Palácio, cujos cortesãos estavam determinados a se adiantar a nós e manipular a história. Não queríamos isso. Não queríamos que mais ninguém divulgasse nossas notícias, *distorcendo* nossas notícias.

Teríamos que emitir às pressas uma declaração.

Liguei de novo para vovó, contei a ela sobre o *Sun*, disse que precisávamos redigir a toque de caixa um comunicado. Ela entendeu. Permitiria, contanto que isso não contribuísse para "intensificar as especulações".

Eu não lhe disse qual seria exatamente o conteúdo de nossa declaração. Ela não perguntou. Mas eu também não sabia ainda. Dei a ela a ideia geral, no entanto, e mencionei alguns dos detalhes básicos que descrevi no memorando que papai exigira e que ela tinha visto.

A redação precisava ser precisa. E precisava ser suave — calma. Não queríamos atribuir nenhuma culpa, não queríamos jogar lenha na fogueira. Não era nossa intenção intensificar as especulações.

Um formidável desafio de escrita.

Logo percebemos que não era possível; não havia tempo hábil para sermos os primeiros a divulgar nossa declaração.

Abrimos uma garrafa de vinho. Vá em frente, homenzinho triste, vá em frente.

Ele foi. Horas depois, na calada da noite, o *Sun* postou a matéria do sujeito, e novamente pela manhã, na primeira página.

A manchete: ESTAMOS FORA!

Como era esperado, a história retratava nosso afastamento como uma *escapada* divertida, despreocupada e hedonista, em vez de um recuo cuidadoso e uma tentativa de autopreservação. A matéria incluía também o revelador detalhe de que nos oferecemos para abrir mão de nossos títulos reais. Havia apenas um documento no planeta em que esse detalhe fora mencionado — minha carta privada e confidencial para papai.

À qual um número chocante e execravelmente pequeno de pessoas teve acesso. Não a havíamos mencionado nem a nossos melhores amigos.

No dia 7 de janeiro, trabalhamos mais um pouco no nosso texto, fizemos uma breve aparição pública, nos reunimos com nossa equipe. Por fim, sabendo que mais detalhes estavam prestes a vazar, em 8 de janeiro nos trancamos numa das principais salas de Estado, nas entranhas do Palácio de Buckingham, com as duas integrantes mais experientes da nossa equipe.

Sempre gostei daquela sala de Estado. Suas paredes pálidas, seu lustre de cristal brilhante. Mas agora o lugar me pareceu especialmente adorável e pensei: Sempre foi assim? Sempre teve esse aspecto tão... *régio*?

Em um canto da sala havia uma grande escrivaninha de madeira, que usamos como nosso espaço de trabalho. Nós nos revezamos sentados lá, digitando em um laptop. Tentamos diferentes frases. Queríamos dizer que assumiríamos um papel reduzido, era um recuo, mas não uma renúncia. Difícil chegar à redação exata, o tom certo. Sério, porém respeitoso.

De tempos em tempos um de nós se espreguiçava em uma poltrona próxima, ou descansava os olhos contemplando os jardins através das duas enormes janelas. Quando precisei de uma pausa mais longa, saí para uma caminhada pelo tapete oceânico. Do outro lado da sala, no canto esquerdo, uma pequena porta levava à suíte belga, onde Meg e eu passáramos uma noite. No canto mais próximo havia duas altas portas de madeira, do tipo em que as pessoas pensam quando ouvem a palavra "palácio", e que levavam a uma sala onde eu havia participado de inúmeros coquetéis. Pensei nessas reuniões festivas, em todos os bons momentos que tivera nesse lugar.

Lembrei: A sala ao lado era onde a família sempre se reunia para beber antes do almoço de Natal.

Saí para o corredor. Havia uma árvore de Natal alta e bonita, ainda bem iluminada. Parei diante dela, relembrando. Tirei dois enfeites, pequenos corgis macios, e os levei para nossa equipe. Um para cada. Uma lembrança dessa estranha missão, eu disse.

Elas ficaram comovidas. Mas com uma ligeira sensação de culpa.

Assegurei-lhes: *Ninguém sentirá falta deles.*

Palavras que pareciam ter duplo sentido.

No final do dia, enquanto nos aproximávamos a duras penas de um rascunho final, as integrantes da nossa equipe começaram a ficar ansiosas. Expressaram preocupação com o que poderia acontecer caso descobrissem seu envolvimento, o que isso significaria para seus empregos. Mas estavam sobretudo animadas. Sentiam que estavam do lado certo; durante meses, ambas haviam lido cada palavra de abuso na imprensa e nas redes sociais.

Às seis da tarde, encerramos. Reunidos em volta do laptop, lemos uma última vez a versão definitiva do texto. Uma das integrantes da nossa equipe enviou uma mensagem aos secretários particulares da vovó, de papai e de Willy, contou o que estava por vir. O cara de Willy respondeu imediatamente: *Isto vai ser uma bomba nuclear.*

Eu sabia, é claro, que muitos britânicos ficariam chocados e entristecidos, o que fez meu estômago revirar. Mas me senti confiante de que, no devido tempo, eles entenderiam.

Uma delas disse: *Vamos mesmo fazer isso?*

Meg e eu respondemos em uníssono:

Sim. Não temos outra opção.

Encaminhamos a declaração à nossa pessoa de redes sociais. Em um minuto lá estava, ao vivo, em nossa página do Instagram, a única plataforma disponível para nós. Todos nós nos abraçamos, enxugamos os olhos e rapidamente juntamos nossas coisas.

Meg e eu saímos do Palácio e entramos no carro. Enquanto acelerávamos em direção a Frogmore, a notícia já estava no rádio. Em todas as estações. Escolhemos uma. Magic FM. A preferida de Meg. Ouvimos o locutor ficar todo alterado, aturdido de uma forma muito britânica. Demos as mãos e compartilhamos um sorriso com nossos guarda-costas no banco da frente. Em seguida olhamos em silêncio pela janela.

75.

Dias depois houve uma reunião em Sandringham. Não lembro quem a chamou de "reunião de cúpula de Sandringham". Alguém na imprensa, desconfio.

No caminho, recebi uma mensagem de Marko sobre uma matéria do *Times*.

Willy estava declarando que agora ele e eu éramos "entidades separadas".

"Protegi meu irmão a vida toda, e não posso mais fazer isso", ele disse.

Meg tinha voltado para o Canadá para ficar com Archie, então eu estava sozinho para esse encontro. Cheguei cedo, esperando ter uma conversa rápida com vovó. Ela estava sentada em um banco diante da lareira e eu me sentei ao seu lado. Vi o Vespa reagir com alvoroço. Ele saiu zumbindo e momentos depois voltou com papai, que se sentou ao meu lado. Um instante depois entrou Willy, que me olhou como se planejasse me matar. *Olá, Harold.* Sentou do outro lado, de frente para mim. Entidades separadas, de fato.

Assim que todos os participantes chegaram, passamos para uma comprida mesa, vovó na cabeceira. Diante de cada cadeira havia um bloco de anotações e um lápis com o brasão da realeza.

O Abelha e o Vespa fizeram um breve resumo da situação. O assunto da imprensa não demorou a vir à tona. Mencionei o comportamento cruel e criminoso dos jornalistas, mas enfatizei que eles contavam com muita ajuda. Essa família havia viabilizado as ações dos jornais, ao fazer vistas grossas ou ao cortejá-los ativamente, e alguns membros trabalhavam em colaboração direta com os jornalistas, informando-os, plantando histórias, vez por outra recompensando-os e festejando-os. A imprensa era grande parte do motivo pelo qual chegamos a essa crise — seu modelo de negócios exigia que vivêssemos em constante conflito —, mas a mídia não era a única culpada.

Olhei para Willy. Esse era o momento para ele entrar em cena, reverberar o que eu estava dizendo, falar sobre suas enlouquecedoras experiências com papai e Camilla. Em vez disso, reclamou de uma história publicada nos jornais sugerindo que ele era o motivo de nossa saída.

Agora estou sendo acusado de tirar você e Meg da família!

Tive vontade de dizer: Não tivemos nada a ver com a publicação dessa matéria... mas imagine como você se sentiria se a tivéssemos *vazado*. Então você saberia como Meg e eu nos sentimos nos últimos três anos.

Os secretários particulares começaram a falar com a vovó sobre as Cinco Opções.

Sua Majestade viu as Cinco Opções.

Sim, ela disse.

Todos nós tínhamos visto. Elas nos foram enviadas por e-mail, cinco maneiras diferentes de proceder. A Opção Um era a continuidade do status quo: Meg e eu não vamos embora, todo mundo tenta voltar ao normal. A Opção Cinco era o desligamento completo, nenhum papel real, nada de trabalhar para vovó, e perda total do aparato de segurança.

A Opção Três estava em algum lugar intermediário. Um meio-termo. Um acordo mais próximo do que havíamos proposto originalmente.

Eu disse a todas as pessoas ali reunidas que, acima de tudo, eu estava desesperado para manter a segurança. Era o aspecto que mais me preocupava, a integridade física da minha família. Eu queria evitar uma repetição da história, outra morte prematura como a que abalara a família 23 anos antes e da qual ainda estávamos tentando nos recuperar.

Eu tinha consultado vários veteranos do Palácio, pessoas que conheciam os mecanismos internos do funcionamento da monarquia e sua história,

471

e todos foram unânimes em dizer que a Opção Três era a melhor para todas as partes. Meg e eu moraríamos em outro lugar durante parte do ano, daríamos continuidade ao nosso trabalho; nossa equipe de segurança seria mantida, regressaríamos à Grã-Bretanha para eventos de caridade, cerimônias, compromissos. Solução sensata, esses veteranos do Palácio reiteraram. E eminentemente factível.

Mas a família, claro, me pressionou a acatar a Opção Um. À exceção dela, aceitariam somente a Opção Cinco.

Discutimos as Cinco Opções por quase uma hora. Por fim, o Abelha se levantou e deu a volta à mesa, distribuindo um rascunho de um comunicado que o Palácio divulgaria em breve. Anunciando a implementação da Opção Cinco.

Espere. Estou confuso. Vocês já redigiram uma declaração? Antes de qualquer debate? Anunciando a Opção Cinco? Em outras palavras, a decisão já estava tomada, esse tempo todo? Esta reunião era apenas fingimento?

Nenhuma resposta.

Perguntei se havia minutas de outras declarações. Anunciando as outras opções.

Ah, sim, claro, o Abelha me assegurou.

Posso vê-las?

Infelizmente, a impressora dele enguiçou, o Abelha alegou. Que coincidência! No exato momento em que ele estava prestes a imprimir os outros comunicados!

Comecei a rir. *Isto é algum tipo de brincadeira?*

Todo mundo estava olhando para longe ou para os próprios sapatos.

Virei para vovó: *A senhora se importa se eu fizer uma pausa, tomar um pouco de ar?*

Claro que não!

Saí da sala. Caminhei até um grande salão e encontrei Lady Susan, que trabalhava para vovó havia anos, e o sr. R, meu ex-vizinho do andar de cima na toca de texugo. Eles viram que eu estava chateado e perguntaram se havia alguma coisa que pudessem fazer por mim. Eu sorri, disse *Não, obrigado*, e voltei para a sala.

A essa altura houve alguma discussão sobre a Opção Três. Ou foi a Opção Dois? Tudo estava começando a me dar dor de cabeça. Eles estavam me exaurindo, eu já não me importava com a opção que adotaríamos, desde que a segurança permanecesse em vigor. Implorei pela manutenção do mesmo esquema de proteção policial armada que eu tinha e do qual precisava desde que nasci. Nunca fui autorizado a ir a lugar algum sem três guarda-costas armados, nem mesmo quando supostamente era o membro mais popular da família, e agora eu era alvo, junto com minha esposa e filho, de um ódio sem precedentes — e a principal proposta em discussão previa o abandono total?

Loucura.

Eu me ofereci para pagar do próprio bolso o custo da segurança. Não tinha certeza de como faria isso, mas encontraria uma maneira.

Fiz um último apelo: *Olhem. Por favor. Meg e eu não nos importamos com regalias, nossa preocupação é trabalhar, servir — e permanecer vivos.*

Isso pareceu simples e persuasivo. Todas as cabeças ao redor da mesa assentiram.

Quando a reunião chegou ao fim, havia um acordo básico e geral. Os muitos pormenores e minúcias desse arranjo híbrido seriam resolvidos durante um período de transição de doze meses, durante o qual continuaríamos a contar com o aparato de segurança.

Vovó se levantou. Todos nos levantamos. Ela saiu.

Para mim, havia mais um assunto inacabado. Saí à procura do escritório do Abelha. Felizmente, encontrei o pajem mais simpático da Rainha, que sempre gostou de mim. Perguntei onde ficava o escritório; ele disse que me levaria lá pessoalmente, e me conduziu pela cozinha, subindo algumas escadas dos fundos, descendo um corredor estreito.

Por aqui, ele disse, apontando.

Alguns passos depois, encontrei uma impressora enorme, produzindo documentos. O assistente do Abelha apareceu. Apontei para a impressora e disse: *Isso parece estar funcionando bem, não?*

Sim, Sua Alteza Real!

Não está quebrada?

Esta coisa? É indestrutível, senhor!

Perguntei sobre a impressora no escritório do Abelha. Essa também funciona?

Ah, sim, senhor! Precisa imprimir alguma coisa?

Não, obrigado.

Fui mais adiante no corredor, passando por uma porta. De repente, tudo me pareceu conhecido. Então me lembrei. Era o corredor onde eu havia dormido no Natal depois de voltar do Polo Sul. E agora, lá vinha o Abelha. De cabeça erguida. Ele me viu e pareceu ficar extremamente envergonhado... mais para um carneirinho do que uma abelha. Ele entendeu o que fui fazer lá. Ouviu o zumbido distante da impressora. Ele sabia que eu o pegara no flagra. *Oh, senhor, por favor, senhor, não se preocupe com isso, não é tão importante.*

Não é?

Afastei-me dele, desci as escadas. Alguém sugeriu que antes de ir embora, eu deveria falar com Willy. Para os dois esfriarem a cabeça.

Tudo bem.

Caminhamos ao longo das sebes de teixo. O dia estava gélido. Eu vestia apenas uma jaqueta leve, e Willy estava de suéter, então nós dois estávamos tremendo.

Mais uma vez fiquei impressionado com a beleza de tudo. Assim como na sala de Estado, tive a sensação de que nunca havia visto um palácio na vida. Estes jardins, pensei, são o paraíso. Por que não podemos apenas apreciá-los?

Eu me preparei para um sermão. O sermão não veio. Willy estava sereno. Ele queria ouvir. Pela primeira vez em muito tempo, meu irmão me ouviu, e me senti grato.

Contei a ele sobre um ex-funcionário que sabotou Meg. Conspirou contra ela. Contei sobre um membro atual da equipe, cujo amigo íntimo estava recebendo pagamentos para vazar para a imprensa coisas íntimas sobre Meg e mim. Minhas fontes sobre ele eram pessoas acima de qualquer suspeita, incluindo vários jornalistas e advogados. Além disso, fiz uma visita à New Scotland Yard.

Willy franziu a testa. Ele e Kate tinham suas próprias suspeitas. Ele investigaria o assunto.

Concordamos em continuar conversando.

76.

Pulei no carro e fui imediatamente informado de que o Palácio havia divulgado uma declaração dura negando a matéria abusiva publicada naquela manhã. A declaração era assinada por ninguém menos que... eu. E Willy. Meu nome estava sendo associado por pessoas anônimas a palavras que eu nunca havia visto — quanto mais aprovado? Fiquei estupefato.

Voltei para Frogmore. A partir de lá, nos dias seguintes, participei remotamente da redação de uma declaração final, divulgada em 18 de janeiro de 2020.

O Palácio anunciou que o duque e a duquesa de Sussex concordaram em "se afastar", que não representaríamos mais "formalmente" a Rainha, que nossos títulos de nobreza Sua Alteza Real estariam "suspensos" durante esse ano de transição — e que nos oferecemos para ressarcir os cofres do Fundo Soberano pelas despesas com as recentes reformas de Frogmore Cottage.

Com relação ao status da nossa segurança, um firme "sem comentários".

Voei de volta para Vancouver. Um delicioso reencontro com Meg, Archie e os cachorros. E, no entanto, por alguns dias, não me senti totalmente de volta. Parte de mim ainda estava na Grã-Bretanha. Ainda em Sandringham. Passei horas grudado no meu telefone e na internet, monitorando as consequências. A ira dirigida a nós pelos jornais e pelos trolls era alarmante.

"Não se enganem, é um insulto", bradou o *Daily Mail*, que convocou um "júri de Fleet Street" para avaliar nossos "crimes". Entre os integrantes estava o ex-secretário de imprensa da Rainha, que concluiu, com seus colegas jurados, que deveríamos ser tratados "sem misericórdia".

Balancei a cabeça. Sem misericórdia. A linguagem da guerra?

Claramente, isso era mais do que simples raiva. Esses homens e mulheres me viam como uma ameaça existencial. Se nosso desligamento representava uma ameaça à monarquia, como alguns diziam, então representava também uma ameaça a todos aqueles que ganhavam a vida cobrindo a monarquia.

Portanto, tínhamos que ser destruídos.

Uma das pessoas que faziam parte desse grupo, uma mulher que havia escrito um livro sobre mim e, portanto, provavelmente dependia de mim para pagar o aluguel, entrou ao vivo na TV para explicar, cheia de confiança, que Meg e eu partimos da Grã-Bretanha sem sequer pedir permissão à vovó. Não discutimos nossa decisão com ninguém, ela disse, nem mesmo com papai. Ela anunciou essas mentiras com uma convicção tão inabalável que até eu fiquei tentado a acreditar; dessa maneira, sua versão dos eventos rapidamente se tornou "a verdade" em muitos círculos. *Harry pegou a rainha de surpresa!* Essa foi a narrativa que prevaleceu. Eu podia senti-la escorrendo para dentro dos livros de história, e podia imaginar meninos e meninas em Ludgrove, décadas mais tarde, tendo essa baboseira enfiada goela abaixo.

Eu ficava acordado até tarde, refletindo sobre tudo, repassando os desdobramentos dos eventos e me perguntando: Qual é o problema com essas pessoas? O que faz com que ajam assim?

É tudo apenas por dinheiro?

Não é sempre? Toda a minha vida ouvi pessoas dizendo que a monarquia era cara, anacrônica, e agora Meg e eu fomos oferecidos como comprovação disso. Nosso casamento estava sendo apresentado como a Prova A. Custou milhões, e depois disso nós viramos as costas e fomos embora abruptamente. Ingratos.

Mas a família pagou pelo casamento propriamente dito, e grande parte desse dinheiro foi empregado para custear o aparato de segurança, em larga medida necessário porque a imprensa incitava o racismo e o ressentimento de classe. E os próprios especialistas em segurança nos diziam que os atiradores de elite e cães farejadores não eram apenas para nós: a eles cabia impedir que uma pessoa armada disparasse contra a multidão reunida na Long Walk, ou que um homem-bomba explodisse as pessoas durante nosso desfile na carruagem.

Talvez o dinheiro ocupe o centro de todas as controvérsias em torno da monarquia. A Grã-Bretanha há muito tem problemas para se decidir. Muitos apoiam a Coroa, mas muitos também se sentem aflitos em relação aos custos. Essa aflição é intensificada pelo fato de que o custo é inescrutável. Depende de quem está processando os números. A Coroa é um custo para os contribuintes? Sim. Também paga uma fortuna aos cofres do governo? Sim também. A Coroa gera substanciais receitas turísticas, que beneficiam a todos? É claro que sim. Também repousa sobre terras que foram obtidas e garantidas quando o sistema era injusto e a riqueza era gerada por meio da exploração de trabalhadores, barbárie, anexações e escravização?

Alguém pode negar?

De acordo com o último estudo a que tive acesso, a monarquia custa ao contribuinte médio o preço de uma cerveja por ano. À luz das suas muitas e boas obras, parece um bom investimento. Mas ninguém quer ouvir um príncipe argumentar em prol da existência de uma monarquia, e ninguém tampouco quer ouvir um príncipe argumentar contra ela. Deixo as análises de custo-benefício para os outros.

Minhas emoções acerca desse tema são complicadas, naturalmente, mas minha posição básica não é. Sempre apoiarei minha Rainha, minha Comandante, minha avó. Mesmo depois de ela ter nos deixado. Meu problema nunca foi com a monarquia nem com o conceito de monarquia. Tem sido com a imprensa e a relação doentia que se desenvolveu entre a imprensa e o Palácio. Eu amo e sempre amarei a minha pátria e a minha família. Eu só queria, no segundo momento mais sombrio da minha vida, que ambas tivessem estado comigo.

E acredito que um dia elas olharão para trás e desejarão ter sido também.

77.

A pergunta era: onde morar?

Cogitamos o Canadá. De modo geral, o país tinha sido bom para nós. Já nos dava a sensação de estar em casa. Era concebível passar o resto de nossa vida lá. Se pudéssemos encontrar um lugar que a imprensa não conhecesse, o Canadá poderia ser a resposta.

Meg entrou em contato com um amigo de Vancouver, que nos indicou um corretor imobiliário, e começamos a procurar casas. Estávamos dando os primeiros passos, tentando ser positivos. Na verdade, não importa onde vamos morar, repetíamos, contanto que o Palácio cumpra sua obrigação — e o que a meu ver tinha sido sua promessa implícita — de garantir a nossa segurança.

Certa noite, Meg me perguntou: *Você não acha que eles tirariam nosso serviço de segurança, acha?*

Nunca. Não neste clima de ódio. E não depois do que aconteceu com minha mãe.

Além do mais, não na esteira do meu tio Andrew. Ele estava envolvido em um escândalo vergonhoso, acusado de agressão sexual a uma jovem, e ninguém sugeriu que ele perdesse sua segurança. Quaisquer que fossem as queixas que as pessoas tivessem contra nós, crimes sexuais não constavam da lista.

Fevereiro de 2020.

Tirei Archie do berço depois de sua soneca e o levei para o gramado. Um dia ensolarado, frio; olhamos para a água, tocamos as folhas secas, coletamos pedras e galhos. Beijei suas bochechas gordinhas, fiz cócegas nele, mais tarde olhei para o meu celular e vi uma mensagem do chefe de nossa equipe de segurança, Lloyde.

Ele precisava me ver.

Carreguei Archie pelo jardim e o entreguei a Meg, depois atravessei a grama encharcada até o chalé onde Lloyde e os outros guarda-costas estavam hospedados. Sentamos em um banco, nós dois vestindo jaquetas acolchoadas. As ondas quebravam com estrondo ao fundo. Lloyde me disse que nosso aparato de segurança havia sido desativado. Ele e toda a equipe receberam ordens de evacuar.

Mas é claro que eles não podem fazer isso.

Eu tenderia a concordar. Mas estão fazendo.

O nível de ameaça para nós, Lloyde disse, ainda era maior do que para quase todos os outros membros da realeza, igual ao atribuído à Rainha. No entanto, a decisão foi comunicada, e não havia nada a discutir a respeito.

Então, aqui estamos, eu disse. O pesadelo máximo. O pior de todos os piores cenários possíveis. Agora qualquer ator canastrão do mundo conseguiria nos encontrar, e seria apenas eu com uma pistola para detê-lo.

Espere aí. Nada de pistola. Estou no Canadá.

Liguei para papai. Ele não atendeu minhas ligações.

Nesse momento recebi uma mensagem de Willy. *Você pode falar?*

Excelente. Eu tinha certeza de que meu irmão mais velho, depois de nossa recente caminhada pelos jardins de Sandringham, seria solidário. Que ele agiria.

Ele disse que era uma decisão do governo. Nada a se fazer.

78.

Lloyde estava implorando a seus superiores na Inglaterra, tentando convencê-los a pelo menos adiar a data em que ele e sua equipe iriam embora. Ele me mostrou os e-mails. Ele escreveu: *Não podemos simplesmente... deixá-los aqui!*

A pessoa do outro lado escreveu: *A decisão foi tomada. A partir de 31 de março eles estão sozinhos.*

Às pressas, tentei encontrar uma nova equipe de segurança. Falei com consultores, reuni estimativas. Enchi um caderno com anotações das minhas pesquisas. O Palácio me encaminhou para uma firma, que me passou a cotação de preço. Seis milhões por ano.

Desliguei lentamente o telefone.

No meio de toda essa escuridão veio a horrível notícia de que a minha velha amiga Caroline Flack havia tirado a própria vida. Ela não aguentou mais, aparentemente. O abuso implacável da imprensa, ano após ano, por fim a despedaçou. Eu me senti péssimo por sua família. Lembrei-me de como todos sofriam por Caroline ter cometido o pecado mortal de sair comigo.

Ela tinha sido tão leve e engraçada naquela noite em que nos conhecemos. A definição de uma pessoa despreocupada.

Naquela época teria sido impossível imaginar esse fim.

Eu disse a mim mesmo que era um lembrete importante. Eu não estava sendo dramático demais, não estava alertando sobre coisas que nunca aconteceriam. Meg e eu estávamos realmente lidando com uma questão de vida ou morte.

E o tempo estava se esgotando.

Em março de 2020 a Organização Mundial da Saúde declarou uma pandemia global, e o Canadá começou a discutir a possibilidade de fechar suas fronteiras.

Mas Meg não teve dúvidas. *Eles com certeza vão fechar estas fronteiras, então precisamos descobrir outro lugar para onde ir... e chegar lá.*

79.

Estávamos conversando com Tyler Perry, o ator-roteirista-diretor. Ele havia enviado uma mensagem para Meg antes do nosso casamento, do nada, dizendo-lhe que ela não estava sozinha, que ele acompanhava o que estava acontecendo. Agora, num bate-papo com ele por chamada de vídeo, Meg e eu tentávamos demonstrar força e confiança, mas ambos estávamos esgotados.

Tyler percebeu. Perguntou o que estava acontecendo.

Fizemos um resumo, realçando os pontos principais: a perda da proteção policial, o fechamento das fronteiras. Ninguém a quem recorrer.

Uau. Certo, é muita coisa. Mas... apenas respirem. Respirem.

Esse era o problema. Não conseguíamos respirar.

Escutem aqui... fiquem na minha casa.

O quê?

Minha casa em Los Angeles. É protegida por portões, é segura — vocês estarão a salvo lá. Vou cuidar da segurança de vocês.

Ele explicou que estava em viagem, trabalhando em um projeto, então a casa estava vazia, esperando por nós.

Era demais. Generoso demais.

Mas nós aceitamos. Sem pestanejar.

Perguntei por que ele estava fazendo aquilo.

Minha mãe.

Sua...?

A minha mãe amava a sua mãe.

Fui pego completamente de surpresa. Ele disse: *Depois que a sua mãe visitou o Harlem, pronto. Maxine Perry se tornou fã de carteirinha dela.*

Tyler disse que sua mãe morrera havia dez anos, e ele ainda estava de luto.

Eu quis dizer a ele que fica mais fácil.

Mas não disse.

80.

A casa era Xanadu. Tetos altos, obras de arte inestimáveis, uma bela piscina. Palaciana, mas acima de tudo ultrassegura. Melhor ainda: veio com o esquema de segurança, pago por Tyler.

Passamos os últimos dias de março de 2020 explorando o lugar, desfazendo as malas. Tentando nos orientar. Corredores, guarda-roupas, quartos; pareciam não ter fim os espaços a descobrir e nichos para Archie se esconder.

Meg o pegou pela mão, apresentou-o a tudo. Olhe só aquela estátua! Olha esta fonte! Olha os beija-flores no jardim!

No salão da frente havia uma pintura que o menino achou especialmente interessante. Ele iniciava o dia vidrado nela. Uma cena da Roma antiga. Eu e Meg perguntamos um ao outro o possível motivo.

Nenhuma pista.

Após uma semana a casa de Tyler já parecia um lar. Alguns meses mais tarde, no auge do bloqueio global decorrente da pandemia, Archie deu seus primeiros passos no jardim. Batemos palmas, o abraçamos, fizemos festa. Por um momento, pensei em como seria bom compartilhar a notícia com o vovô ou com o tio Willy.

Não muito depois desses primeiros passos, Archie foi marchando até sua pintura favorita no salão da frente. Olhou fixamente para a tela, fez um gorgolejo de reconhecimento.

Meg se inclinou para olhar mais de perto.

Notou, pela primeira vez, uma plaquinha de identificação na moldura.

Deusa da caça. *Diana.*

Quando contamos a Tyler, ele alegou que não sabia. Tinha esquecido que a pintura estava lá.

Ele disse: *Fiquei todo arrepiado.*

Nós também.

81.

Tarde da noite, assim que todos iam dormir, eu andava pela casa, verificando as portas e janelas. Depois me sentava na varanda ou na beira do jardim e enrolava um baseado.

A casa dava para um vale, do outro lado de uma encosta repleta de sapos. Eu ouvia sua música da madrugada, cheirava o ar perfumado de flores. As rãs, os cheiros, as árvores, o imenso céu estrelado, tudo isso me levava de volta a Botsuana.

Mas talvez não seja apenas a flora e a fauna, pensei.

Talvez seja mais a sensação de segurança. De vida.

Conseguimos trabalhar bastante. E tínhamos muito trabalho a fazer. Lançamos uma fundação, retomei os vínculos com meus contatos em entidades de conservação do planeta. As coisas estavam ficando sob controle... e então de alguma forma a imprensa soube que estávamos na casa de Tyler. Demorou exatamente seis semanas, o mesmo tempo que no Canadá. De repente, havia drones no céu, paparazzi do outro lado da rua, de uma ponta à outra do vale.

Eles cortaram a cerca.

Consertamos a cerca.

Paramos de nos aventurar fora da casa. O jardim estava à vista dos paparazzi.

Em seguida vieram os helicópteros.

Infelizmente, teríamos que fugir. Precisaríamos encontrar um novo lugar, e logo, e isso significaria pagar por nossa própria segurança. Voltei aos meus cadernos, e de novo comecei a entrar em contato com empresas de segurança. Meg e eu nos sentamos para descobrir exatamente a quantia que poderíamos gastar com segurança e moradia. Enquanto revisávamos nosso orçamento, veio a notícia: Papai havia me cortado das finanças reais.

Eu reconhecia o absurdo da situação, um homem de trinta e poucos anos deixando de ser bancado pelo pai. Mas papai não era apenas meu pai, era meu chefe, meu banqueiro, meu controlador financeiro, o guardião da bolsa durante toda a minha vida adulta. Cortar a minha ajuda financeira, portanto, significava me demitir, sem pagamento de indenização trabalhista, e me jogar no limbo depois de uma vida inteira de serviços prestados.

Mais que isso: depois de uma vida inteira sem me dar a possibilidade de ter outro tipo de emprego.

Eu me senti como gado engordado para o abate, um bezerro amamentado. Nunca pedi para ser financeiramente dependente de papai. Fui forçado a essa condição surreal, esse interminável "Show de Truman" em que quase nunca na vida carreguei dinheiro, nunca tive um carro, nunca carreguei uma chave de casa, nunca encomendei nada on-line, nunca recebi uma única caixa da Amazon, *quase* nunca andei de metrô. (Uma única vez, ainda nos tempos de Eton, numa ida ao teatro.) "Sanguessuga", os jornais me chamaram. Mas há uma grande diferença entre ser um sanguessuga e ser *proibido* de aprender a ser independente. Depois de décadas sendo infantilizado de forma rigorosa e sistemática, agora eu era abruptamente abandonado e ridicularizado por ser imaturo? Por não ser capaz de me virar sozinho?

A questão de como pagar por uma casa e por nosso aparato de segurança nos mantinha acordados à noite. Sempre podíamos gastar um pouco da minha herança da mamãe, Meg e eu dissemos, mas isso parecia um último recurso. Considerávamos que esse dinheiro pertencia a Archie. E ao irmão ou irmã dele.

Foi nessa época que soubemos que Meg estava grávida.

82.

Encontramos uma casa. Preço com um tremendo desconto. No litoral, perto de Santa Bárbara. Espaçosa, amplos jardins, um trepa-trepa — incluía até um lago com carpas koi.

As carpas eram estressadas, o corretor imobiliário nos alertou.

Nós também somos. Vamos nos dar muito bem.

Não, o corretor explicou, as carpas precisam de cuidados muito especiais. Vocês terão que contratar um especialista em peixes koi.

Ahã. E onde se encontra um especialista em peixes koi?

O corretor não tinha certeza.

Nós rimos. Problemas de primeiro mundo.

Fizemos um passeio pela propriedade. O lugar era um sonho. Pedimos a Tyler para dar uma olhada também, e ele disse: Comprem. Então, juntamos o dinheiro da entrada, negociamos uma hipoteca e, em julho de 2020, nos mudamos.

A mudança em si exigiu apenas algumas horas. Tudo o que tínhamos cabia em uma dúzia de malas. Comemoramos a primeira noite na casa nova tomando uma bebida, tranquilos, assamos um frango, fomos dormir cedo.

Tudo estava bem, dissemos.

No entanto, Meg ainda estava sob um imenso estresse.

Havia um problema urgente com a disputa judicial que ela travava contra os tabloides. O *Mail* estava apelando para seus truques habituais. A primeira tentativa do jornal de apresentar uma defesa tinha sido obviamente ridícula, então agora eles estavam tentando uma nova estratégia, mais ridícula ainda. O argumento era de que publicaram a carta escrita por Meg ao pai por causa de uma matéria na revista *People*, que citava um punhado de amigos de Meg — anonimamente. Os tabloides alegavam que Meg havia orquestrado essas citações, usando seus amigos como porta-vozes de fato e, portanto, o jornal tinha todo o direito de publicar a carta privada.

Mais: agora queriam que os nomes dos amigos até então anônimos de Meg fossem lidos nos autos do processo — para destruí-los. Meg estava determinada a fazer tudo ao seu alcance para evitar isso. Ela ficava acordada até tarde, noite após noite, tentando descobrir como salvar essas pessoas; na nossa primeira manhã na casa nova, ela relatou dores abdominais.

E sangramento.

Corremos para o hospital local. Quando a médica entrou no quarto, não ouvi uma palavra do que ela disse, apenas observei seu rosto, sua linguagem corporal. Eu já sabia. Nós dois sabíamos. A hemorragia tinha sido muito forte.

Ainda assim, ouvir as palavras foi um duro golpe.

Meg me agarrou, eu a abracei, nós dois choramos.

Durante a minha vida inteira, em apenas quatro ocasiões me senti *completamente* impotente.

No banco de trás do carro, enquanto mamãe, Willy e eu estávamos sendo perseguidos por paparazzi.

A bordo do Apache nos céus do Afeganistão, incapaz de obter autorização para cumprir meu dever.

Em Nott Cott, quando minha esposa grávida falou sobre suicídio.

E agora.

Saímos do hospital com nosso filho não nascido. Um minúsculo pacote. Fomos a um lugar, um lugar secreto que só nós dois conhecíamos.

Sob uma ampla figueira, enquanto Meg chorava, cavei com as mãos um buraco e delicadamente pousei o pacotinho na terra.

83.

Cinco meses depois. Natal de 2020.

Levamos Archie para escolher uma árvore de Natal. Uma loja temporária em Santa Bárbara.

Compramos um dos maiores abetos que eles tinham.

Levamos a árvore para casa, montamos na sala. Magnífico. Demos dois passos para trás, admirando, dando graças pelas bênçãos recebidas. Um novo lar. O menino saudável. Além disso, fechamos várias parcerias corporativas, o que nos daria a chance de retomar nosso trabalho, chamar a atenção para causas com as quais nos preocupamos, contar as histórias que consideramos fundamentais. E pagar pela nossa segurança.

Era véspera de Natal. À noite, fizemos uma chamada de vídeo com alguns amigos, inclusive na Grã-Bretanha. Vimos Archie correr em volta da árvore.

E abrimos presentes. Mantendo a tradição da família Windsor.

Um dos presentes era um pequeno enfeite de Natal da… Rainha!

Soltei um rugido. *Mas que porra…?*

Meg o tinha visto em uma lojinha local e achou que eu poderia gostar.

Segurei o enfeite contra a luz. Era o rosto da vovó, perfeitamente idêntico ao original. Eu o pendurei num dos galhos na altura dos olhos. Fiquei feliz em vê-la ali. Meg e eu abrimos um sorriso. Mas Archie, brincando ao redor da árvore, trombou na base; a árvore chacoalhou e a vovó caiu.

Ouvi um barulho e me virei.

Havia cacos por todo o chão.

Archie correu e pegou um frasco borrifador. Por alguma razão, ele achou que borrifar água nos pedaços quebrados resolveria o problema.

Meg disse: *Não, Archie, não — não jogue água na bisa!* Peguei uma pá de lixo e varri os pedaços, o tempo todo pensando: *Isso é esquisito.*

84.

O Palácio anunciou que havia sido feita uma revisão de nossa situação e do acordo firmado em Sandringham.

Daí por diante, fomos despojados de tudo, exceto de alguns patronatos reais.

Fevereiro de 2021.

Eles tiraram tudo de mim, pensei, até mesmo meus títulos militares. Eu não seria mais capitão-general dos Royal Marines, título herdado de meu avô. Não teria mais permissão para usar meu uniforme militar cerimonial.

Eu dizia a mim mesmo que eles jamais poderiam tirar de mim o meu uniforme real, ou meu status militar real. E ainda assim...

Além disso, o comunicado prosseguia, deixaríamos de prestar qualquer tipo de serviço à Rainha.

Eles deram a entender que havíamos estabelecido algum acordo entre nós. Longe disso.

Rechaçamos o comunicado com a nossa própria declaração, divulgada no mesmo dia, reiterando que nunca deixaríamos de viver uma vida de serviço à Coroa.

Esse novo tapa na cara por parte do Palácio foi como gasolina na fogueira. Desde o nosso afastamento estávamos sob o incessante ataque da mídia, mas esse rompimento oficial de laços desencadeou uma nova onda, que parecia diferente. Éramos vilipendiados todos os dias, todas as horas, nas redes sociais, e fomos convertidos em alvos de histórias obscenas e totalmente fictícias nos jornais, atribuídas a "assessores reais" ou "fontes de dentro da realeza", matérias obviamente plantadas pela equipe do Palácio — e, é quase certo, sancionadas pela minha família.

Eu nunca lia nada, raramente alguma história chegava a meus ouvidos. Agora eu estava evitando a internet do mesmo modo como um dia evitara o centro de Garmsir. Mantinha meu celular no modo silencioso. Não o deixava nem no modo vibrar. Às vezes, algum amigo bem-intencionado mandava uma mensagem: *Puxa, eu sinto muito por isto e aquilo.* Tivemos que pedir a todos os amigos que parassem de nos informar sobre o que liam a nosso respeito.

Com toda sinceridade, não fiquei totalmente surpreso quando o Palácio cortou de vez os laços. Eu já tivera uma prévia alguns meses antes. Perto do Dia da Lembrança, perguntei ao Palácio se alguém poderia depositar uma coroa de flores por mim no Cenotáfio, já que, é claro, eu não poderia estar lá.

Pedido negado.

Nesse caso, perguntei, seria possível pôr uma coroa de flores em outro lugar da Grã-Bretanha em meu nome?

Pedido negado.

Então, insisti, talvez uma coroa de flores pudesse ser posta em algum lugar da Commonwealth, em qualquer lugar, em meu nome?

Pedido negado.

Fui informado de que em nenhum lugar do mundo, nenhum representante teria permissão para depositar qualquer tipo de coroa em qualquer túmulo militar em nome do príncipe Harry.

Implorei, alegando ser a primeira vez que eu deixaria passar um Dia da Lembrança sem prestar homenagem aos militares mortos em combate, alguns dos quais eram amigos queridos.

Pedido negado.

No fim das contas, liguei para um dos meus antigos instrutores em Sandhurst e pedi que ele pusesse uma coroa de flores por mim. Ele sugeriu o Memorial do Iraque e do Afeganistão, em Londres, que acabara de ser inaugurado alguns anos antes.

Pela vovó.

Sim. Boa ideia. Obrigado.

Ele disse que seria uma honra.

Em seguida, acrescentou: *E, a propósito, capitão Wales. Foda-se tudo isso. Está tudo errado.*

85.

Eu não tinha certeza de como chamá-la, ou o que exatamente ela fazia. Tudo o que sabia era que ela alegava ter "poderes".

Eu reconhecia a alta probabilidade de fraude. Mas como a mulher veio com fortes recomendações de amigos de confiança, me perguntei: Que mal há?

Então, no minuto em que nos sentamos juntos, senti uma energia ao seu redor.

Ah, pensei. Uau. Tem alguma coisa aqui.

Ela disse que sentiu uma energia ao meu redor também. *Sua mãe está com você.*

Eu sei. Tenho sentido isso.

Ela disse: *Não. Ela está com você. Agora.*

Meu pescoço ficou quente. Meus olhos lacrimejaram.

Sua mãe sabe que você está à procura de clareza. Sua mãe sente sua confusão. Ela sabe que você tem muitas perguntas.

Eu tenho.

As respostas virão com o tempo. Um dia no futuro. Tenha paciência.

Paciência? A palavra ficou entalada na minha garganta.

Enquanto isso, a mulher disse, a minha mãe estava muito orgulhosa de mim. E totalmente solidária. Ela sabia que não era fácil.

O quê?

Sua mãe diz: Você está vivendo a vida que ela não pôde. Você está vivendo a vida que ela quis para você.

Engoli em seco. Eu queria acreditar. Queria que cada palavra que a mulher me dizia fosse verdade. Mas eu precisava de provas. Um sinal. Qualquer coisa.

Sua mãe diz... o enfeite?

Enfeite?

Ela estava lá.

Onde?

Sua mãe diz... alguma coisa sobre um enfeite de Natal? De uma mãe? Ou uma avó? Caiu? Quebrou?

Archie tentou consertá-lo.

A sua mãe diz que deu umas risadas com aquilo.

86.

Frogmore Gardens.

Horas depois do funeral do vovô.

Havia caminhado com Willy e papai por cerca de meia hora, mas parecia uma daquelas marchas de dia inteiro que o Exército me obrigava a fazer quando recruta. Eu estava moído.

Chegamos a um impasse. E tínhamos chegado à ruína gótica. Depois de completar o circuito, voltamos ao ponto onde iniciamos o percurso.

Papai e Willy ainda alegavam não saber por que razão eu havia fugido da Grã-Bretanha, ainda alegavam não saber de nada, e eu estava me preparando para ir embora.

Então um deles trouxe à tona a questão da imprensa. E em seguida me perguntaram sobre a situação do meu processo contra os tabloides por interceptarem meu celular.

Ainda não haviam perguntado sobre Meg, mas queriam saber como estava indo meu processo, porque isso os afetava diretamente.

Ainda em andamento.

Missão suicida, papai murmurou.

Pode ser. Mas vale a pena.

Eu disse que em breve provaria que os caras da imprensa eram mais do que mentirosos. Eram infratores da lei. Eu ainda veria alguns deles na cadeia. Era por isso que estavam me atacando com tanta crueldade: sabiam que eu tinha provas concretas.

Não dizia respeito a mim, era uma questão de interesse público.

Balançando a cabeça, papai admitiu que os jornalistas eram *a escória da terra*. Expressão dele. *Mas...*

Bufei. Com ele sempre havia um *mas* quando se tratava da imprensa, porque ele odiava o ódio dos jornalistas, mas ah, como amava o amor deles. Pode-se argumentar que aí estava a semente de todo o problema, certamente de todos os problemas, que remontavam a décadas. Privado de amor quando menino, intimidado e acossado pelos colegas de escola, meu pai foi atraído, de forma perigosa e compulsiva, pelo elixir que a imprensa lhe oferecia.

Ele citou o vovô como um excelente exemplo de por que não compensava incomodar-se com a imprensa. O pobre vovô foi maltratado pelos jornais durante a maior parte da vida, mas agora veja. Ele era um tesouro nacional! Os jornais não se cansavam de dizer coisas boas sobre o homem.

Então é isso? Basta esperar até morrermos e tudo será resolvido?

Se você conseguisse aguentar, menino querido, por um tempinho, é engraçado, mas eles o respeitariam por isso.

Eu ri.

Tudo o que estou dizendo é: não leve para o lado pessoal.

Por falar em levar as coisas para o lado pessoal, eu disse aos dois que poderia aprender a suportar a imprensa, e até perdoar seus abusos, *eu poderia, sim,* mas a cumplicidade da minha própria família — isso levaria mais tempo para ser superado. O escritório de papai e o escritório de Willy permitindo a ação desses demônios, quando não colaborando diretamente com eles?

Meg submetia seus funcionários a bullying — essa era a mais recente campanha difamatória que eles ajudaram a orquestrar. Uma coisa tão chocante, tão perturbadora, que mesmo depois de Meg e eu demolirmos essa mentira com um relatório de 25 páginas repleto de evidências enviado aos Recursos Humanos, eu teria dificuldade em deixar para lá.

Papai deu um passo para trás. Willy balançou a cabeça. Eles começaram a falar um por cima do outro. Já discutimos esse assunto uma centena de vezes, eles disseram. Você está delirando, Harry.

Mas eles é que eram os delirantes.

Ainda que, para fins de discussão, eu aceitasse o argumento de que papai, Willy e os funcionários de ambos nunca agiram de forma escancarada contra mim ou minha esposa — o silêncio deles era um fato inegável. E esse silêncio era condenatório. E persistente. E de partir o coração.

Papai disse: *Você deve entender, menino querido, a Instituição não pode simplesmente dizer à mídia o que fazer!*

Mais uma vez, gritei de tanto rir. Era como se papai dissesse que não podia simplesmente dizer a um de seus criados o que fazer.

Willy disse que eu estava em posição privilegiada para falar sobre cooperar com a imprensa. E quanto à conversa com a Oprah?

Fazia um mês, Meg e eu havíamos concedido uma entrevista a Oprah Winfrey. (Alguns dias antes de ir ao ar, tinham começado a aparecer nos jornais aquelas histórias sobre Meg fazer bullying — que coincidência!)

Desde nossa saída da Grã-Bretanha, os ataques contra nós vinham aumentando de maneira exponencial. Precisávamos tentar alguma coisa para dar um basta. Ficar em silêncio não estava funcionando. Apenas estava piorando. Sentíamos que não tínhamos escolha.

Vários amigos próximos e figuras queridas em minha vida, incluindo os filhos de Hugh e Emilie, a própria Emilie e até mesmo Tiggy, me criticaram severamente pela entrevista a *Oprah*. Como você pôde revelar essas coisas? Sobre a sua família? Eu lhes disse que não conseguia ver a diferença entre a conversa com Oprah e o que a minha família e seus funcionários e representantes tinham feito durante décadas — informando a imprensa às escondidas, plantando histórias. E o que dizer do sem-número de livros com os quais eles haviam cooperado, a começar pela mal disfarçada autobiografia que papai autorizara Jonathan Dimbleby a escrever em 1994? Ou as colaborações de Camilla com o editor Geordie Greig? A única diferença era que Meg e eu fomos sinceros com relação a isso. Escolhemos uma entrevistadora que estava acima de qualquer suspeita, e não nos escondemos atrás de expressões como "fontes do Palácio": deixamos as pessoas verem as palavras saindo de nossa própria boca.

Olhei para a ruína gótica. De que adianta?, pensei. Papai e Willy não me ouviam e eu não os ouvia. Eles nunca haviam tido uma explicação satisfatória para suas ações e omissões, e nunca teriam, porque não havia explicação. Comecei a me despedir, boa sorte, cuidem-se, mas Willy estava realmente fumegando de raiva, berrando que se as coisas estavam tão ruins quanto eu alegava, então a culpa era minha por nunca pedir ajuda.

Você nunca veio até nós! Você nunca veio até mim!

Desde a infância, essa era a posição de Willy a respeito de tudo. Eu é que devo ir até ele. De maneira incisiva, direta, formal — dobre os joelhos. Caso contrário, nenhuma ajuda por parte do Herdeiro. Eu me perguntava: Por que razão vou pedir ajuda ao meu irmão quando minha esposa e eu tivermos problemas?

Se estivéssemos sendo atacados por um urso, e ele visse, esperaria até pedirmos ajuda?

Mencionei o Acordo de Sandringham. Pedi sua ajuda quando o acordo foi violado, rasgado, quando fomos privados de tudo, e ele não levantou um dedo.

Isso foi coisa da vovó! Vá reclamar com a vovó!

Sacudi a mão, enojado, mas ele pulou, agarrou minha camisa. *Escute, Harold.*

Eu me afastei, me recusei a encará-lo. Ele me forçou a olhar em seus olhos.

Escute, Harold, escute! Eu amo você, Harold! Eu quero que você seja feliz.

As palavras saíram da minha boca: *Eu também amo você... mas a sua teimosia... é extraordinária!*

E a sua não é?

Eu me afastei de novo.

Ele me agarrou mais uma vez, torcendo meu corpo para manter contato visual.

Harold, você tem que me ouvir! Eu só quero que você seja feliz, Harold. Eu juro... juro... pela vida da mamãe.

Ele parou. Eu parei. Papai parou.

Ele pegou pesado.

Willy usou o código secreto, a senha universal. Desde que éramos meninos, essas quatro palavras eram utilizadas apenas em momentos de crise extrema. *Pela vida da mamãe.* Por quase 25 anos, reservamos esse juramento devastador somente para os momentos em que um de nós precisava que o ouvissem e rapidamente acreditassem no que estava dizendo. Para momentos em que nada mais serviria.

Quase caí duro, como era de esperar. Não porque ele usou as palavras, mas porque não funcionou. Eu simplesmente não acreditava nele, não confiava totalmente nele. E vice-versa. Ele também entendeu. Percebeu que estávamos em um lugar de tanta dor e dúvida que nem mesmo aquelas palavras sagradas seriam capazes de nos libertar.

Estamos tão perdidos, pensei. Desgarrados para longe um do outro. Quanto estrago foi causado ao nosso amor, aos nossos vínculos, e por quê? Tudo porque uma medonha horda de babacas, velhacos e criminosos de segunda categoria, uns sádicos clinicamente diagnosticados da Fleet Street, sentem necessidade de se divertir e engordar seus bolsos — e resolver seus problemas pessoais — atormentando uma família numerosa, muito antiga, muito disfuncional.

Willy não estava exatamente pronto para aceitar a derrota. *Eu me senti doente de verdade depois de tudo o que aconteceu e... e... agora juro pela vida da mamãe que só quero que você seja feliz.*

Minha voz falhou quando respondi com doçura: *Eu sinceramente não acho que você quer.*

De súbito, minha mente se inundou com lembranças de nosso relacionamento. Mas uma recordação em especial era cristalina. Willy e eu, anos antes, na Espanha. Um belo vale, o ar cintilante com aquela luz mediterrânea singularmente clara, nós dois ajoelhados atrás de uma parede de lona verde quando soaram as primeiras trompas da caçada. Abaixando nossos bonés quando as primeiras perdizes irromperam em nossa direção, *bangue*, algumas caindo, nós dois passando nossas armas aos carregadores, que nos entregaram novas, *bangue*, mais aves caindo, trocando nossas armas de novo, nossas camisas escurecendo de suor, o chão se coalhando com pássaros que alimentariam as aldeias vizinhas por semanas, *bangue*, um último tiro, nenhum de nós podia errar, e depois finalmente de pé, encharcados, famintos, felizes, porque éramos jovens e estávamos juntos e aquele era nosso lugar, nosso verdadeiro espaço, longe Deles e perto da Natureza. Foi um momento tão transcendente que ambos nos viramos e fizemos a mais rara das coisas — nos abraçamos. Nos abraçamos de verdade.

Mas agora eu via que, de alguma forma, até mesmo nossos mais belos momentos e minhas melhores lembranças envolviam a morte. O alicerce da nossa vida era a morte, nossos dias mais brilhantes eram anuviados pela sombra da morte. Olhando para trás, eu não via pontos sublimes no tempo, mas danças com a morte. Via como estávamos *mergulhados* na morte. Nos nossos batizados e coroações, formaturas e cerimônias de casamento, passávamos por cima dos ossos de nossos entes queridos. O próprio Castelo de Windsor era uma tumba, as paredes abarrotadas de ancestrais. O que fixava o reboco das paredes da Torre de Londres era o sangue de animais, usado pelos construtores originais mil anos atrás para dar consistência à argamassa entre os tijolos. Os forasteiros nos chamavam de seita, mas talvez fôssemos uma seita que cultuava a *morte*, e isso não era um pouco mais depravado? Mesmo depois de pôr o vovô para descansar, ainda não estávamos saciados? Por que estávamos ali, à espreita ao longo do limiar daquela "terra desconhecida de cujas fronteiras ninguém retorna"?

Embora essa talvez seja uma descrição mais adequada dos Estados Unidos.

Willy ainda estava falando, papai falava por cima dele, e eu não conseguia mais ouvir nem uma palavra do que diziam. Eu já tinha ido embora, já estava a caminho da Califórnia, uma voz na minha cabeça dizendo: *Chega de morte — chega.*

Quando é que alguém nesta família vai se libertar e viver?

87.

Foi um pouco mais fácil dessa vez. Talvez porque estivéssemos a um oceano de distância do antigo caos e estresse.

Quando o grande dia chegou, nós dois estávamos mais seguros, mais calmos — mais firmes. Que felicidade, dissemos um ao outro, não termos que nos preocupar com tempo, protocolos, jornalistas no portão da frente.

Fomos de carro, com calma e sensatez, até o hospital, onde nossos guarda-costas mais uma vez nos alimentaram. Dessa vez trouxeram hambúrgueres e batatas fritas do In-N-Out. E fajitas de um restaurante mexicano local para Meg. Comemos, comemos mais um pouco e depois fizemos a "Dança da mamãezinha" no quarto do hospital.

Naquele quarto não havia nada além de alegria e amor.

Mesmo assim, depois de muitas horas Meg perguntou à médica: *Quando?*

Em breve. Estamos quase.

Dessa vez nem toquei no gás hilariante. (Porque não havia nenhum.) Eu estava totalmente presente. Junto com Meg a cada empurrão.

Quando a médica avisou que era uma questão de minutos, eu disse a Meg que queria que o meu rosto fosse o primeiro que nossa garotinha visse.

Sabíamos que teríamos uma filha.

Meg assentiu e apertou minha mão.

Eu me posicionei ao lado da médica. Nós dois nos agachamos. Como se fôssemos rezar.

A médica gritou: *A cabeça está coroando.*

Coroando, pensei. Incrível.

A pele estava azulada. Minha preocupação era a bebê não estar recebendo ar suficiente. Ela está sufocando? Olhei para Meg. *Mais um empurrão, meu amor! Estamos quase lá.*

Aqui, aqui, aqui, a médica disse, guiando minhas mãos, *bem aqui.*

Um grito, depois um momento de puro silêncio líquido. Não era que, como às vezes acontece, de súbito o passado e o futuro tivessem se tornado um só. O passado não importava e o futuro não existia. Havia apenas esse presente intenso, e em seguida a médica se virou para mim e gritou: *Agora!*

Deslizei minhas mãos sob as costas e o pescoço pequeninos. Delicadamente, mas com firmeza, como eu tinha visto nos filmes, puxei nossa preciosa filha daquele mundo para este, e por um momento a embalei, tentando sorrir para ela, vê-la, mas, para dizer a verdade, não conseguia ver nada. Eu queria dizer: Olá. Queria dizer: De onde você veio? Queria dizer: Lá é melhor? É tranquilo? Você está com medo?

Não tenha medo, não tenha medo, tudo vai ficar bem.

Eu vou proteger você.

Eu a entreguei a Meg. Pele com pele, a enfermeira disse.

Mais tarde, depois que a levamos para casa, depois que nos adaptamos a todos os novos ritmos de uma família de quatro pessoas, Meg e eu estávamos pele com pele, e ela disse: *Nunca estive mais apaixonada por você do que naquele momento.*

Sério?

Sério.

Meg anotou alguns pensamentos numa espécie de diário, que ela compartilhou comigo.

Eu os li como um poema de amor.

Eu os li como um testamento, uma renovação de nossos votos.

Eu os li como uma citação, uma recordação, uma proclamação.

Eu os li como um decreto.

Ela disse: *Isso foi tudo.*

Ela disse: *Isso é um homem.*

Meu amor. Ela disse: *Isso não é um Reserva.*

Epílogo

Ajudei Meg a entrar no barco, que balançou, mas rapidamente fui para o meio e o endireitei a tempo.

Assim que ela se acomodou no assento na popa, peguei os remos. Não funcionaram.

Estamos atolados.

A lama espessa do baixio nos prendeu.

Tio Charles desceu até a beira da água, nos deu um empurrãozinho. Acenamos para ele e para minhas duas tias. *Tchauzinho. Até daqui a pouco.*

Deslizando pelo lago, olhei em volta para os campos ondulantes e as árvores ancestrais de Althorp, os milhares de hectares verdejantes onde minha mãe crescera e onde, embora as coisas não fossem perfeitas, ela conhecera um pouco de paz.

Minutos depois, chegamos à ilha e, com cautela, saltamos do barco na praia. Peguei Meg pela mão e a conduzi trilha acima, contornando uma cerca viva, através do labirinto. Lá estava ela, imensa: a pedra oval branca e cinzenta.

Nenhuma visita a esse lugar era fácil, mas dessa vez...

O 25º aniversário da morte da minha mãe.

E a primeira vez de Meg.

Finalmente eu estava trazendo a garota dos meus sonhos para conhecer minha mãe.

Hesitamos, abraçados, e eu fui primeiro. Depositei flores no túmulo. Meg me deu um momento sozinho, e na minha cabeça conversei com minha mãe, disse que sentia sua falta, pedi orientação e lucidez.

Sentindo que Meg talvez também quisesse um momento a sós com ela, contornei a cerca viva, contemplei o lago. Quando voltei, Meg estava ajoelhada, de olhos fechados, a palma das mãos contra a pedra.

No caminho de volta até o barco, perguntei o que ela havia pedido em suas orações.

Lucidez, ela disse. E orientação.

Os dias seguintes foram dedicados a uma viagem de trabalho relâmpago. Manchester, Dusseldorf, e depois de volta a Londres para a cerimônia dos prêmios WellChild. Mas, nesse dia — 8 de setembro de 2022 —, recebi uma ligação na hora do almoço.

Número desconhecido.

Alô?

Era o papai. O estado de saúde da vovó tinha piorado.

Ela estava em Balmoral, é claro. Aqueles belos e melancólicos dias de fim de verão. Ele desligou — tinha muitas outras ligações para fazer —, e eu imediatamente mandei uma mensagem de texto para Willy perguntando como e quando ele e Kate iriam para lá de avião.

Nenhuma resposta. Meg e eu analisamos as opções de voo.

A imprensa começou a telefonar; não podíamos mais adiar a decisão. Avisamos a nossa equipe para confirmar: não compareceríamos aos prêmios WellChild, e em vez disso rumaríamos às pressas para a Escócia.

Então veio outro telefonema do papai.

Ele disse que eu era bem-vindo em Balmoral, mas não queria a presença… dela. Começou a apresentar suas razões, que eram disparatadas e desrespeitosas, e eu não aceitei. *Nunca fale de minha esposa dessa maneira.*

Ele gaguejou, em tom de desculpas, alegando que simplesmente não queria muita gente por perto. Nenhuma outra esposa iria, Kate não iria, portanto Meg também não deveria ir.

Então isso é tudo que o senhor precisava dizer.

A essa altura já era meio da tarde; não havia mais voos comerciais partindo para Aberdeen nesse dia. E eu ainda não tinha uma resposta de Willy. Minha única opção, portanto, era um voo fretado desde Luton.

Duas horas mais tarde eu estava a bordo.

Passei boa parte do voo fitando as nuvens, relembrando a última vez que falara com vovó. Quatro dias antes, uma longa conversa ao telefone. Comentamos diversos assuntos. Sua saúde, é claro. A turbulência na Downing Street, número 10. Os Jogos das Highlands em Braemar — ela lamentava não estar bem o suficiente para comparecer. Também falamos sobre a seca de proporções bíblicas que assolava a Inglaterra. O gramado de Frogmore, onde Meg e eu nos hospedamos, estava em péssimas condições. *Parece o topo da minha cabeça, vovó! Calvo e com uns trechos marrons aqui e ali.*

Ela riu.

Eu disse a ela para se cuidar, que estava ansioso para revê-la em breve.

Quando o avião começou a descer, a tela do meu celular se acendeu. Uma mensagem de texto de Meg. *Me ligue assim que receber isto.*

Verifiquei o site da bbc.

Vovó se foi.

Papai era o rei.

Vesti minha gravata preta, desci do avião em meio a uma névoa espessa, acelerei para Balmoral em um carro emprestado. Quando passei pelos portões da frente, estava mais úmido, e escuro como breu, o que tornava os flashes brancos das dezenas de câmeras muito mais ofuscantes.

Encolhido de frio, corri para o vestíbulo. Tia Anne estava lá para me receber.

Eu a abracei. *Onde estão o papai e o Willy? E Camilla?*

Foram para Birkhall, ela disse.

Ela perguntou se eu queria ver a vovó.

Sim... eu quero.

Ela me levou escada acima, até o quarto da vovó. Eu me preparei, entrei. O quarto estava na penumbra, um lugar desconhecido — a minha vida inteira, tinha estado dentro dele apenas uma vez. Avancei, a passos hesitantes, e lá estava ela. Parei, petrificado, olhando-a fixamente. Olhei e olhei. Foi difícil, mas segui em frente, pensando em como me arrependia de não ter visto minha mãe no final. Anos lamentando essa falta de provas, adiando a dor do meu luto por falta de provas. Agora pensei: Aí está a prova. Cuidado com o que você deseja.

Sussurrei para ela que esperava que estivesse feliz, que esperava que estivesse com o vovô. Eu lhe disse que estava admirado por ela ter cumprido seus deveres até o fim. O Jubileu, as boas-vindas a uma nova primeira-ministra. No aniversário de noventa anos da vovó, meu pai havia feito uma homenagem comovente, citando Shakespeare sobre Elizabeth I:

... nenhum dia se passa sem um ato para coroá-lo.

A mais pura verdade.

Saí do quarto, voltei pelo corredor, atravessei o tapete xadrez, passei pela estátua da rainha Vitória. *Sua Majestade.* Liguei para Meg, disse a ela que tinha conseguido, que estava bem, depois entrei na sala de estar e jantei com a maioria dos meus familiares, embora ainda sem a presença do papai, Willy ou Camilla.

Terminada a refeição, me preparei para as gaitas de foles. Mas, por respeito a vovó, não houve nada. Um silêncio sinistro.

Foi ficando tarde, e todos se recolheram a seus quartos, menos eu. Fui zanzar, subindo e descendo as escadas, os corredores, e terminei no quarto que eu dividia com meu irmão quando éramos crianças. As pias antiquadas, a banheira, tudo igual a 25 anos atrás. Passei a maior parte da noite viajando em meus pensamentos enquanto, pelo telefone, tentava fazer arranjos de viagem.

A viagem de volta mais rápida teria sido uma carona com papai ou Willy... Tirando isso, a opção era a British Airways, partindo de Balmoral ao raiar do dia. Comprei um assento e fui um dos primeiros a embarcar.

Logo depois de me acomodar na primeira fila, senti uma presença à minha direita. *Minhas mais profundas condolências*, disse um passageiro antes de prosseguir pelo corredor.

Obrigado.

Momentos depois, outra presença.

Condolências, Harry.

Obrigado... muito obrigado.

500

A maioria dos passageiros parou para me oferecer uma palavra amável, e senti uma profunda afinidade com todos eles.

Nosso país, pensei.

Nossa Rainha.

Meg me recebeu na porta da frente de Frogmore com um longo abraço, do qual eu precisava desesperadamente. Nós nos sentamos com um copo de água e um calendário. Agora a nossa viagem rápida seria uma odisseia. Mais dez dias, pelo menos. Dias difíceis, ainda por cima. E mais: teríamos que ficar longe das crianças por mais tempo do que planejáramos, como nunca tínhamos ficado.

Quando o funeral finalmente foi realizado, Willy e eu, mal trocando uma palavra, tomamos nossos lugares e partimos em nossa jornada familiar, atrás de outro caixão envolto no Estandarte Real, empoleirado em outra carreta de canhão puxada por cavalos. A mesma rota, os mesmos pontos turísticos — mas dessa vez, ao contrário dos cortejos fúnebres anteriores, estávamos ombro a ombro. Além disso, havia música.

Quando chegamos à capela de St. George, em meio ao rugido de dezenas de gaitas de foles, pensei em todas as grandiosas ocasiões que vivenciara sob aquele teto. A despedida do vovô, a cerimônia do meu casamento. Até mesmo os eventos corriqueiros, simples domingos de Páscoa, me pareceram especialmente comoventes, toda a família viva e unida. De repente, eu estava enxugando os olhos.

Por que agora?, eu me perguntei. Por quê?

Na tarde seguinte, Meg e eu partimos para os Estados Unidos.

Durante dias e dias não conseguíamos parar de abraçar as crianças, não conseguíamos perdê-las de vista — embora eu também não conseguisse parar de imaginá-las com vovó. A última visita. Archie fazendo reverências profundas e cavalheirescas, sua irmãzinha Lilibet abraçando as canelas da monarca. *São as crianças mais doces*, a vovó disse, parecendo um tanto espantada. Ela esperava que fossem um pouco mais... americanas, eu acho? O que, na mente dela, significava mais indisciplinadas.

Agora, embora eu estivesse superfeliz por estar em casa de novo, retomando outra vez a rotina de cuidar das crianças, lendo novamente *Girafas não sabem dançar*, eu não conseguia parar... de lembrar. Dia e noite, imagens passavam em flashes pela minha mente.

De pé diante dela durante o meu desfile de formatura militar, os ombros jogados para trás, entrevendo de relance seu meio-sorriso. Plantado ao lado dela na sacada, dizendo alguma coisa que a pegava desprevenida e que, apesar da solenidade da ocasião, a fazia rir alto. Inclinando-me em seu ouvido, tantas vezes, cheirando seu perfume enquanto sussurrava uma piada. Beijando suas bochechas em um evento público recente; pousando a mão de leve sobre seu ombro, e sentindo o quanto ela estava cada vez mais frágil. Fazendo um vídeo bobo para a primeira edição dos Jogos Invictus, descobrindo que ela era uma comediante nata. As pessoas ao redor do mundo caíram na gargalhada e disseram que nunca suspeitaram que ela tinha um senso de humor tão travesso — mas ela tinha, ela sempre teve! Esse era um dos nossos pequenos segredos. Na verdade, em todas as nossas fotos juntos, sempre que trocamos um olhar, sempre que fazemos um contato visual de verdade, fica claro: tínhamos segredos.

Um relacionamento especial, era o que diziam sobre nós, e agora eu não conseguia parar de pensar que isso não existia mais. As visitas que nunca mais aconteceriam.

Ah, tudo bem, eu disse a mim mesmo, é assim que as coisas são, não é? Assim é a vida.

Contudo, como acontece com tantas despedidas, eu só queria que houvesse... um último adeus.

Logo depois da nossa volta, um beija-flor entrou em casa. Passei maus bocados tentando fazê-lo sair, e me ocorreu o pensamento de que talvez devêssemos começar a fechar as portas, apesar das sublimes brisas do oceano.

Aí um amigo me disse: *Pode ser um sinal, sabia?*

Algumas culturas veem os beija-flores como espíritos, ele explicou. Visitantes, por assim dizer. Para os astecas, eram guerreiros reencarnados. Os exploradores espanhóis os chamavam de "pássaros da ressurreição".

Não me diga!

Li um pouco a respeito e aprendi que os beija-flores não são apenas visitantes, são viajantes. As aves mais leves do planeta, e também as mais rápidas, percorrem grandes distâncias — de casas de inverno no México a áreas de nidificação no Alasca. Sempre que você vê um beija-flor, na verdade o que você está vendo é um Ulisses minúsculo e cintilante.

Então, naturalmente, quando outro beija-flor chegou, adejou pela nossa cozinha e esvoaçou pelo espaço aéreo sagrado que chamamos de "Lililân-dia", onde pusemos o cercadinho do bebê com todos os seus brinquedos e bichos de pelúcia, tive um pensamento esperançoso, ávido, tolo:

Nossa casa é um desvio da viagem — ou um destino?

Por meio segundo me senti tentado a deixar o beija-flor em paz. Deixá--lo ficar.

Mas não.

Delicadamente, usei a rede de pesca de Archie para pegá-lo do teto e levá-lo para fora.

Suas perninhas pareciam cílios, suas asas eram como pétalas de flor.

Com a palma das mãos em concha e com toda delicadeza, depositei o beija-flor sobre um muro ao sol.

Adeus, meu amigo.

Mas ele continuou lá.

Imóvel.

Não, pensei. Não, isso não.

Vamos lá! Vá embora!

Você é livre.

Voe para longe.

E então, contrariando todas as probabilidades e todas as expectativas, a criaturinha maravilhosa e mágica se remexeu e fez exatamente isso.

Agradecimentos

Para mim, a extensão desta lista já é uma lição de humildade.

Do lado editorial, obrigado a todos da Penguin Random House, Estados Unidos e Reino Unido, começando, é claro, com a sábia e tolerante Gina Centrello, além do supereditor (e um sujeito de primeira) Ben Greenberg. Obrigado a Markus Dohle e Madeline McIntosh. Obrigado a Bill Scott-Kerr, Tom Weldon, Andy Ward, David Drake, Madison Jacobs, Larry Finlay, Theresa Zoro, Bill Takes, Lisa Feuer, Katrina Whone, Benjamin Dreyer, Sally Franklin, Catriona Hillerton, Linnea Knollmueller, Mark Birkey, Kelly Chian, Derek Bracken, Kate Samano, Simon Sullivan, Chris Brand, Jenny Pouech, Susan Corcoran, Maria Braeckel, Leigh Marchant, Windy Dorresteyn, Leslie Prives, Aparna Rishi, Ty Nowicki, Matthew Martin, Anke Steinecke, Sinead Martin, Vanessa Milton, Martin Soames, Kaeli Subberwal, Denise Cronin, Sarah Lehman, Jaci Updike, Cynthia Lasky, Allyson Pearl, Skip Dye, Stephen Shodin, Sue Malone-Barber, Sue Driskill, Michael DeFazio, Annette Danek, Valerie VanDelft, Stacey Witcraft, Nihar Malaviya, Kirk Bleemer, Matthew Schwartz, Lisa Gonzalez, Susan Seeman, Frank Guichay, Gina Wachtel, Daniel Christensen, Jess Wells, Thea James, Holly Smith, Patsy Irwin, Nicola Bevin, Robert Waddington, Thomas Chicken, Chris Turner, Stuart Anderson, Ian Sheppard, Vicky Palmer e Laura Ricchetti.

Do lado do áudio, reverências profundas para Kelly Gildea, Dan Zitt,

Scott Sherratt, Noah Bruskin, Alan Parsons, Ok Hee Kolwitz, Amanda D'Acierno, Lance Fitzgerald, Donna Passannante, Katie Punia, Ellen Folan e Nicole McArdle.

Agradecimentos especiais a Ramona Rosales por sua sensibilidade, humor e talento artístico; a Hazel Orme por suas cuidadosas revisões; a Hilary McClellen por seu genial trabalho de checagem de fatos; a Tricia Wygal por sua leitura com olhos de águia — assim como a Elizabeth Carbonell, Tory Klose, Janet Renard e Megha Jain. Obrigado pelo imenso trabalho de equipe.

Aos meus amigos no Reino Unido, que me deram apoio, que talvez não tenham conseguido compreender tudo claramente enquanto estava acontecendo, mas que sempre me enxergaram, me conheceram, ficaram ao meu lado — em meio ao nevoeiro —, obrigado por tudo. E obrigado pelas risadas. A próxima rodada é por minha conta.

Meu agradecimento e meu amor aos amigos e colegas que ajudaram a refrescar minha memória, ou que resgataram detalhes importantes em meio à confusão da juventude, incluindo Tania Jenkins e Mike Holding, Mark Dyer, Thomas, Charlie, Bill e Kevin. A toda minha família militar, por me desafiar, me estimular, me encorajar, e por sempre me apoiar. Gratidão especial a Glenn Haughton e Spencer Wright, meus dois sargentos de Sandhurst. Obrigado e abraços a Jennifer Rudolph Walsh por sua energia sempre positiva e comoventes conselhos, e a Oprah Winfrey, Tyler Perry, Chris Martin, Nacho Figueras e Delphi Blaquier, e James Corden, por sua amizade e apoio inabaláveis.

Obrigado a todos os profissionais, médicos especialistas e coaches por me manter física e mentalmente forte ao longo dos anos. Dr. Lesley Parkinson, dr. Ben Carraway e Kevin Lidlow, e também Ross Barr, Jessie Blum, dr. Kevin English, Winston Squire, Esther Lee, John Amaral e Peter Charles. Também a Kasey, Eric Goodman e os dois Petes. Agradecimentos especiais à minha terapeuta britânica por me ajudar a desenrolar anos de traumas não resolvidos.

Obrigado do fundo do meu coração ao meu Esquadrão Classe A doméstico, além de toda a maravilhosa turma de Archewell, pelo apoio infinito. A Rick, Andrew, os dois Tims, Matt, Jenny e equipe, e David, meu mais profundo obrigado por sua sabedoria e orientação. Vocês estão sempre comigo — não importa quando, não importa como.

Obrigado ao meu colaborador e amigo, confessor e por vezes sparring, J. R. Moehringer, que nunca parou de pregar a beleza (e honra sagrada) das memórias, e a todos os alunos e professores da Moehringer-Welch Memoir Academy, incluindo Shannon Welch, Gracie Moehringer, Augie Moehringer, Kit Rachlis, Amy Albert. Agradecimentos especiais a Shannon por suas várias e incisivas leituras e suas notas imensamente úteis.

Um agradecimento especial aos irmãos e irmãs da minha mãe por seu amor, apoio, tempo e visão.

Acima de tudo, meus mais profundos agradecimentos e minha adoração a Archie e Lili, por deixarem o papai sair de vez em quando para ler, pensar e refletir, a minha sogra (também conhecida como vovó), e à minha incrível esposa, por tantos milhões de dádivas e sacrifícios, grandes e pequenos, numerosos demais para enumerar. Amor da minha vida, obrigado, obrigado, obrigado. Este livro teria sido impossível (logisticamente, fisicamente, emocionalmente, espiritualmente) sem você. A maioria das coisas seriam impossíveis sem você.

E a você que me lê: obrigado por querer conhecer minha história nas minhas próprias palavras. Sou muito grato por poder compartilhar o que vivi até hoje.

1ª EDIÇÃO [2023] 2 reimpressões

ESTA OBRA FOI COMPOSTA PELA ABREU'S SYSTEM EM INES LIGHT
E IMPRESSA EM OFSETE PELA LIS GRÁFICA SOBRE PAPEL PÓLEN SOFT
DA SUZANO S.A. PARA A EDITORA SCHWARCZ EM JANEIRO DE 2023

A marca FSC® é a garantia de que a madeira utilizada na fabricação do papel deste livro provém de florestas que foram gerenciadas de maneira ambientalmente correta, socialmente justa e economicamente viável, além de outras fontes de origem controlada.